DER KUNST BROCKHAUS

Band 2

DER KUNST-BROCKHAUS

Aktualisierte Taschenbuchausgabe
in zehn Bänden

Band 2
Bik–Deu

B.I.-Taschenbuchverlag
Mannheim/Leipzig/Wien/Zürich

Redaktion der Taschenbuchausgabe:
Eberhard Anger M. A.

Layout: Gerd Schäfer

CIP-Kurztitelaufnahme der Deutschen Bibliothek
Der Kunst-Brockhaus: Aktualisierte Taschenbuchausg. in 10 Bd. - Mannheim; Wien, Zürich: BI-Taschenbuchverlag
ISBN 3-411-02930-7
Bd. 2. Bik–Deu. - 1987
ISBN 3-411-02932-3

In diesem Buch werden, wie in allgemeinen Nachschlagewerken üblich, etwa bestehende Patente, Gebrauchsmuster oder Warenzeichen nicht erwähnt. Wenn ein solcher Hinweis fehlt, heißt das also nicht, daß eine Ware oder ein Warenname frei ist.

Das Wort BROCKHAUS ist für Bücher aller Art für den Verlag F. A. Brockhaus GmbH als Warenzeichen geschützt.

Lizenzausgabe mit Genehmigung des
Verlages F. A. Brockhaus GmbH, Mannheim

Druck: Druckhaus Kaufmann, Lahr
Einband: Augsburger Industriebuchbinderei GmbH
Printed in Germany
Gesamtwerk: ISBN 3-411-02930-7
Band 2: ISBN 3-411-02932-3

Bik

Bikaner, 1465 gegr. Stadt in Rajasthan, Indien, 188600 Ew., mit einer Palast- und Festungsanlage aus dem 16.–20. Jh. Eine stark von der Mogul-Malerei beeinflußte Malschule blühte in B. während des 17. und 18. Jh.

Bilaspur, etwa ab 1660 in Erscheinung tretende Malschule der Rajput-Malerei, die nach der Stadt B. im ind. Staat Himachal Pradesh benannt wurde.

Bilbao, span. Stadt und Bischofssitz im Baskenland, 458000 Ew.; got. Kathedrale Santiago (nach 1379; Portal im Isabellin. Stil, 15. Jh.), S. Vicente de Albia (spätgot. Säulenkirche, 16. Jh.). Histor. Mus. (mit archäolog. und volkskundl. Abteilung), Mus. der Schönen Künste (umfassende Samml. span. Malerei, 13. bis 20. Jh.).

Bild, Darstellung auf einer Fläche i. Ggs. zum dreidimensionalen →Bildwerk. Das B. setzt eine geschlossene Komposition voraus und ist in Höhe und Breite durch eine Umrahmung begrenzt, wodurch es sich von der →Skizze und →Studie unterscheidet. Die Anwendung perspektiv. Mittel erzeugt die Illusion einer dreidimensionalen Räumlichkeit. Als Schöpfer des autonomen B., bei dem die Komposition in Beziehung gesetzt ist zur Rechteckform des Rahmens, gilt GIOTTO.

⇒ Bilderrahmen · Bildträger · Gattungsmalerei · Malerei · Maltechnik.

bildende Kunst, bildende Künste, zusammenfassende Bez. für →Architektur, →Bildhauerkunst, →Malerei, →Graphik und →Kunsthandwerk, im Unterschied zu Literatur und Musik.

Bilderbibeln, mit Abbildungen geschmückte Bibeldrucke, die sich im 15. Jh. z. T. aus der →Biblia pauperum entwickelten. Zu den künstlerisch bedeutendsten Bibelholzschnitten der Frühzeit gehören die der Kölner (1479) und der Lübecker Bibel (1494). Viele Ausgaben der Lutherischen Übersetzung erschienen mit Holzschnitten von L. CRANACH D. Ä. und seiner Schule; auch H. HOLBEIN D. J., H. S. BEHAM, V. SOLIS, J. AMANN, T. STIMMER illustrierten Bibeln. Im 17. Jh. herrschte, bes. in den Niederlanden, der Kupferstich vor. Im 19. Jh. entstanden Prachtbibeln mit Holzschnitten (1860 von J. SCHNORR VON CAROLSFELD, 1866 von G. DORÉ), im 20. Jh. graph. Folgen von M. BECKMANN, M. CHAGALL u. a.

Bilderbogen, populäre Druckgraphik mit Bildfolgen und kurzen gereimten Texten zur Erbauung, Belehrung, Belustigung, zur Verbreitung von Nachrichten, hervorgegangen aus dem Einblattdruck des 15./16. Jh. Das Heiligen- und das kleine Andachtsbild stehen am Beginn der Entwicklung. Die urspr. Holzschnitt-Technik wurde durch den Kupferstich und die ein- und mehrfarbige Lithographie sowie den Holzstich verdrängt. Bes. bekannt wurden im 19. Jh. die bunten B. von Épinal (seit 1796), Nürnberg, Neuruppin und München. Eine moderne Abart der B. sind die Comics. (→Lubok)

Bilderhandschriften sind aus Mesoamerika von Azteken, Mixteken und Maya überliefert. Nur wenige

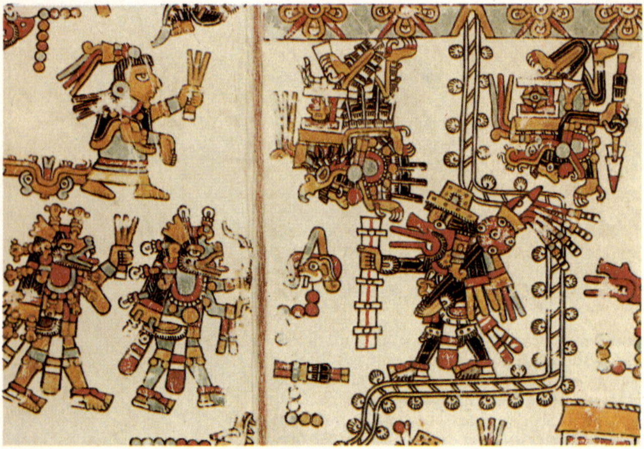

Bilderhandschriften: Ausschnitt aus einer B. der Mixteken, Codex Mexicanus 1 (Wien, Österr. Nationalbibliothek)

stammen aus vorspan. Zeit; dazu gehören 4 B. der Maya (je ein Codex in Dresden, Paris, Madrid und Mexiko) und mehrere der Mixteken. Die meisten B. stammen aus der Zeit nach 1520. Das Papier, aus Ficusbast oder Agavefasern hergestellt, ist leporelloartig gefaltet; die Seiten haben quadrat. Format, nur die der Maya-B. sind doppelt so hoch wie breit. Diese wurden vor der Bemalung auch mit einer feinen Kalkschicht überzogen. Die Mixteken verwendeten für die B. auch Hirschleder als Beschreibstoff; als einzige verwendeten sie zum Beschreiben auch große Baumwolltücher (›Lienzos‹). Aufgezeichnet sind in Bilderschrift kalendarisch-astronom., astrolog., histor., dynast., politisch-geograph. und relig. Inhalte. Als Farben wurden Rot, Gelb, Braun, Schwarz, Weiß, Grün und Blau verwendet. Personen und Szenen sind nicht perspektivisch dargestellt, die Gesichter stets im Profil.

H. BIEDERMANN: Altmexikos heilige Bücher (1971).

Bilderrahmen waren urspr. architekton. Natur und nur bei Kirchenbildern gebräuchlich, z. B. das Gesprenge. Im 16. Jh. verselbständigten sie sich zunehmend und erfuhren auch für profanen Gebrauch hohe künstler. Ausbildung. Viele Typen von B. sind nach Künstlern benannt, z. B. Sansovino-, Chippendale-Rahmen. Unter den vielen für B. verwendeten Materialien steht Holz an erster Stelle. Von der Konstruktion her unterscheiden sich Leisten- und Plattenrahmen mit versch. Profilen sowie eingeschnittenen oder aufgesetzten Ornamenten. Z. T. durchbrochen sind die Blattrahmen. B. waren meist vergoldet oder farbig gefaßt, auch schwarz, mit Schildpatt oder Schmucksteinen verziert. Der B. spielt nicht mehr die Rolle wie in der Vergangenheit.

A. STANGE und L. CREMER: Alte B. (1958); C. GRIMM: Alte B. ([2]1982).

Bilderrolle, Buch in Rollenform mit Bildern (lat. Rotulus, antike Buchform). B. aus Papyrus waren schon den Ägyptern des Mittleren und Neuen Reiches bekannt. Auch den Griechen war die B. geläufig, wie Erwähnungen in der Lit. und in ma. Kopien (z. B. die byzantin. Josua-Rolle) belegen. Trotz der Ablösung der Buchrolle durch den Cod. (im 4. Jh.) wird sie auch im MA. gelegentlich aufgegriffen (Musterbuch für Maler und Bildhauer, →Exultetrollen).

Bilderstreit, der 726–87 im byzantin. Reich währende Kampf gegen die →Bilderverehrung, die vom 7. allg. Konzil (787) anerkannt wurde; er lebte im 9. Jh. nochmals kurz auf. – Der B. führte zur Zerstörung (Ikonoklasmus) der meisten frühbyzantin. Tafelbilder, Mosaiken und Fresken (nur in Randgebieten der byzantin. Herrschaft in geringer Zahl erhalten). Die Kirchen wurden in dieser Zeit nur mit Pflanzen- und Tiermotiven, Symbolen oder weltl. Szenen ausgemalt.

Bilderverbot, das v. a. aus relig. Scheu begründete Verbot, Gott im Bild darzustellen, so bes. bei den Propheten des A. T. Die jüngere Interpretation der Zehn Gebote (6. Jh. v. Chr.) verbot sogar die bildl. Darstellung jegl. Kreatur, die später jedoch oft übergangen wurde (Synagoge in Dura Europos, jüd. Katakomben). – Das islam. Verbot, Menschen und Tiere darzustellen, steht nicht im Koran, sondern geht auf Aussprüche Mohammeds zurück. Erschaffen und Darstellen ist für den Muslim identisch und somit ein Eingriff in das Privileg des Schöpfergottes. Das B. hat sich nie ganz durchgesetzt, bei den Schiiten weniger als bei den Sunniten. Im öffentl. Bereich sind figürl. Darstellungen seltener als im privaten (→Buchmalerei). – Die Einstellung der Bilderstürmer im christl. →Bilderstreit war vielfach der des Islam verwandt.

Bilderverehrung, grch. **Monodulie,** die aus der Bildkraft (→Symbol) verstehbare Verehrung eines Bildnisses Gottes oder eines Heiligen als Sinnbild (→Ikone). Dem schon in älteren Überlieferungen bezeugten magischen Bildglauben wurde schon im Altertum ein →Bilderverbot entgegengestellt. Im byzantin. Reich kam es im 8. Jh. zum →Bilderstreit. Dem anfängl. **Bildersturm** in der Reformation stellte sich M. LUTHER mäßigend entgegen. Die Gegenreformation hielt die B. für erlaubt und nützlich, da sie nicht eigenständig sei, sondern letztlich der im Sinnbild dargestellten Person gelte. Die reformierten Kirchen lehnten den Bildschmuck in ihren Kirchen überhaupt ab, die luther. Kirchen ließen ihn zu.

Bilderwand, in den Ostkirchen die den Altarraum vom Kirchenschiff trennende →Ikonostase.

Bildgattung, →Gattungsmalerei.

Bildguß, Guß von Bildwerken in Metall. Die älteste Technik ist der **Herdguß,** wobei einseitig plast. Gegenstände in offenen Formen aus feuerfestem Material ohne Abdeckung gegossen wurden. Bei allen anderen Verfahren wird die Form nach einem Gußmodell hergestellt. Beim **Wachsausschmelzverfahren** in verlorener

Form (à cire perdue) wird das Modell als Formkern vorgeformt. Auf den Kern wird eine Wachsschicht aufgetragen, die genau der Dicke entspricht, die die Metallwandung haben soll. Über das Wachs legt man einen Formmantel aus Lehm, in den Einguß- und Luftröhren (Windpfeifen) eingebettet werden. Das Wachs wird ausgeschmolzen und der leere Raum zw. Kern und Hohlform mit dem flüssigen Metall gefüllt. Nach dem Guß wird die Form zerstört. Das Wachsmodell kann auch mit einer Gipsform abgeformt werden (Verfahren mit Hilfsnegativ). Diese schon den Ägyptern und Griechen bekannte Technik des B. wurde in der Renaissance wieder gebräuchlich.

Im 18. Jh. bildeten Lehmteilformen die Vorform zum heute üblichen, im 19. Jh. weiter ausgebildeten **Sandformverfahren.** Ein meist zerlegbares Modell aus Gips wird mit einzelnen, abnehmbaren Sandformstücken umgeben und in 2 sandgefüllte, eiserne Formkästen gebettet, die das Modell je zur Hälfte umschließen, oder mit Gipsteilformen umschalt. Diese Hohlform ist der spätere Formmantel. Sie wird vom Modell abgenommen und wieder in den beiden Kästen zusammengesetzt; hier wird der Kern, der aus Formsand besteht und der durch das Kerngerüst und eine Gipsfüllung gefestigt wird, eingeformt. Vor dem Trocknen wird die Stärke der künftigen Metallwandung abgenommen. Nach dem Einschneiden der Guß- und Luftkanäle wird die Form getrocknet, dann um den durch Metallstäbchen mit ihr festverbundenen Kern zusammengesetzt. Jetzt erfolgt der Guß.

Beim **Spritzgußverfahren** zur Herstellung dünnwandiger Plastiken wird die Metallwand mit einer versteifenden Kunststoffschicht hinterlegt. Nach Freilegung des Rohgusses werden die Teile zusammengesetzt (durch Schrauben, Nieten, Löten, Schweißen). – Früher wurde ziseliert und die Oberfläche durch Polieren, Vergolden, Tauschieren und Inkrustieren verändert.

B. Cellini: Abhandlungen über die Goldschmiedekunst und die Bildhauerei, bearb. v. M. Fröhlich (a. d. Ital., 1974).

Bildhauer|eisen, meißelartige Werkzeuge zur Bearbeitung von Stein, Holz und Stuck. Je nach Verwendung bei Hart- und Weichgestein sind sie unterschiedlich geschmiedet und werden mit dem Schlegel bei Hartgestein, mit dem Bildhauerknüppel bei Weichgestein angetrieben. Mit dem Bossiereisen werden die Hausteine roh bearbeitet. Das Zahneisen beseitigt die Unebenheiten. Ein Hauptwerkzeug für Weichgestein und Relief ist das Schlag- oder Flacheisen mit gerader Schneide. Das Rundeisen mit runder Schneide wurde schon bei den Griechen für Gewandfalten benutzt. Dem Rundeisen ähnlich ist das Hohleisen. Ein schmales Schlageisen ist das Nuteisen. Je nach Breite werden unterschieden: Beizeisen, Stelzeisen und Schlageisen. Seit dem 15. Jh. werden Bausteine mit dem Scharriereisen bearbeitet, zuerst mit schrägen, seit dem 17. Jh. mit senkrechten Parallelhieben. Die Holzbildhauer verwenden Beitel oder Schneideisen mit Holzgriffen und einseitiger Schneide. Gerade ist die Schneide des Balleisens; je nach Krümmung der Schneide werden Flach-, Hohleisen und Hohlbohrer unterschieden. Eine v-förmige Schneide hat der Geißfuß. Die Gips- und Stuckeisen weisen an beiden Enden Schneiden auf.

Bildhauerkunst, Bildhauerei, Bildnerei, die Kunst, aus festen Stoffen körperhafte Gebilde zu schaffen. Mit Malerei und Graphik gehört die B. zu den drei klass. Gattungen der bildenden Kunst. Bei Werken der B., die allseitig durchgebildet sind, unterscheidet man der Form nach die **Voll-** oder **Rundplastik** vom →Relief mit nur geringer Tiefe, der Größe nach **Klein-** und **Monumentalplastik.** Über die Vorarbeiten bei der B. →Bildhauerzeichnung und →Bozzetto. Die **Skulptur** umfaßt die gemeißelten Werke in Stein und die Bildschnitzerei in Holz, Bein u.a., unter **Plastik** versteht man Werke der →Bronzekunst und solche aus anderen Metallen sowie aus modellierbaren Stoffen (Ton, Gips, Porzellan, Wachs u.a.). – I. w. S. umfaßt die B. nicht nur dreidimensionale Kunstwerke, sondern auch Gebrauchsgegenstände mit plast. Schmuck, z.B. an Kultgeräten oder in der Keramik. Die Grenzen zum Kunsthandwerk sind durch die Jh. fließend.

Geschichte. Man nimmt an, daß sich der Mensch zuerst der leicht zu bearbeitenden Stoffe bedient hat, wie Ton (Schöpfergott als Tonbildner) und Knochen. Im Europa des Paläolithikums entstanden v.a. in der →Eiszeitkunst weibl. Statuetten und Tierfiguren aus Ton und Knochen neben Reliefs an Felswänden und Felsblöcken und kleinen Steinfiguren (→Venusstatuetten). In der Bronzezeit kam u.a. der Kultwagen hinzu. Die B. blieb jedoch auf kleine Formate beschränkt. Wie die Fundorte zeigen, hatten die Tonfiguren und die Statuetten aus Stein, die als Götterbilder und Idole interpretiert werden, keinen künstlerisch berechneten Standort. Die Erfindung der **Statue** als einer Figur mit Standfläche geht ins 3. Jahrtsd. v. Chr. zurück. Ihre Entwicklung vollzog sich im Alten Orient im Zusammenhang mit der Architektur (Tempel, Palast, monumentales Grab), wo sie eine ideelle und ästhet. Funktion an bestimmten Stellen erfüllte. In Mesopotamien und Ägypten kam es zu erstaunl. Leistungen, auch in härtestem Gestein wie Granit und Diorit, jedoch blieben die Statuen in der Regel nur von drei Seiten zu beschauen und waren mit ihrer Rückseite an die Architektur gebunden.

Europa. Die wichtigsten Voraussetzungen für die abendländ. Entwicklung der B. schufen die Griechen. Sie lösten in jahrhundertelangem Bemühen die Figur schrittweise von den Gesetzen der Architektur und gelangten zu ihrer vollständigen Freifigürlichkeit. Als Zeichen der Bindung an einen Ort schufen sie die Figur mit Standbein und Spielbein (→Kontrapost). Die Römer kopierten die grch. Meisterwerke der klass. Zeit und erreichten eigenständige Leistungen im Porträt und in der Reliefkunst.

Das bildner. Vermächtnis der Griechen wurde auf die größte Probe gestellt durch das Christentum, dessen

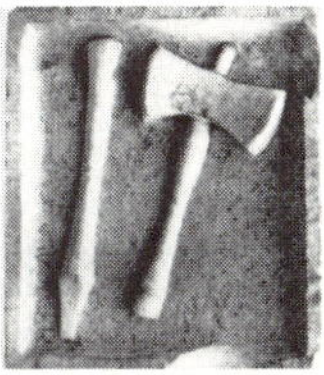

1

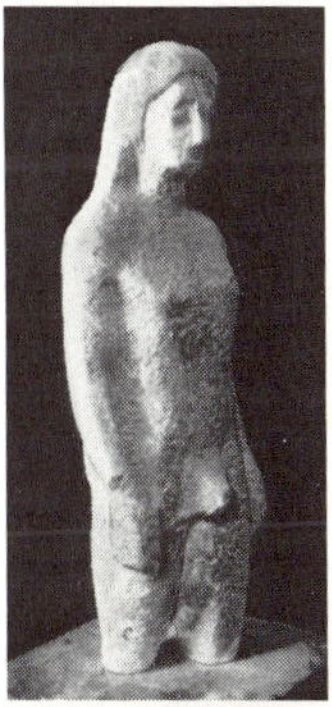

2

3

Bildhauerkunst

1 Spitzmeißel und Schlegel, grch. oder röm. Relief (New York, Metropolitan Museum). **2** Männlicher Torso, Naxos, 6.Jh. v.Chr.; Bearbeitung mit Spitzeisen oder Spitzbronzemeißel, unvollendet (Athen, Nationalmuseum). **3** Michelangelo: Sklave; unvollendet (Florenz, Akademie)

Jenseitsbestimmtheit der vollplast. Gestaltung widerstrebte. Jahrhundertelang entstanden nahezu keine Rundplastiken mehr, sondern nur **Reliefs.** Die byzantin. Kunst kam über das bildmäßig wirkende Relief fast nicht hinaus. Noch im 10. Jh. war für weite Gebiete des Abendlandes der Gekreuzigte (→Kruzifix) die einzige vollplast. Figur. Seit der Romanik gelangte die B. zu neuer Bedeutung in starker Bindung an die Architektur (→Bauplastik, →Säulenfigur). Das körperverhüllende Gewand wurde zum Träger bildner. Werte; das in der Antike bedeutungsvolle Standmotiv wurde verdrängt (got. Schwebung). Stand- und Liegemotiv erhielten ihre eigenwilligste Verbindung in der Grabfigur (→Grabmal), die zu den Hauptaufgaben des Bildhauers im MA. gehörte. Die Holzbildhauerei erlebte einen Höhepunkt in der dt. Spätgotik (→Schnitzaltar). T. RIEMENSCHNEIDER verzichtete als erster auf die Fassung und ließ die Materialschönheit des Holzes wirken.

Die Renaissance suchte wieder die plast. Gestalt wie die grch. und röm. Antike. In MICHELANGELO brach der Bildnerwille so gewaltig auf, daß er den Gedanken fassen konnte, aus einem Marmorfelsen bei Carrara einen weithin übers Meer sichtbaren Koloß zu schaffen. Wie den antiken Meistern galt ihm als Werk der B. nur das Gebilde, das durch Wegnehmen von Material entsteht. Neben den kirchl. und weltl. Aufträgen für Monumental- und Bauplastik entstanden Werkstätten für Kleinplastiken (bes. in Bronze) ohne festen Auftrag. Ihre Werke blieben durch alle Jh. beliebte Sammlerstücke (barocke Kabinettstücke, auch in Porzellan). Im 17. Jh. entwickelte sich die plast. Gestaltung des Brunnens (G. L. BERNINI, F. BORROMINI). Das platzbestimmende Denkmal, z. B. das Reiterstandbild in Renaissance und Barock, blieb bis ins 19. und 20. Jh. eine Hauptaufgabe der B. Von den polit. Verhältnissen abhängig, hatte es versch. Aufgaben und Motivationen (Kriegerdenkmal, Nationaldenkmal, Freiheitsstatue, Arbeiterdenkmal). Im 20. Jh. erschlossen sich dem plast. Schaffen neue bildner. Möglichkeiten zw. Gegenständlichkeit und Abstraktion. Auch entstanden versch. Formen der bewegl. Plastik (→Mobile, →kinetische Kunst). Der →modernen Kunst und der →zeitgenössischen Kunst eröffneten neue Materialien, bes. der Kunststoff, neue Form- und Gestaltungsweisen.

Außereuropäische Kulturen. Da dreidimensionale Kunstwerke stärker als die Malerei einen Gott vergegenwärtigen können, wurde das Götterbild in vielen Kulturen zur wichtigsten Aufgabe der Bildhauer. Der sitzende oder stehende Buddha wurde die Leitfigur der Kunst Südostasiens. Die tanzende Götterfigur in Bronze gehört zu den Höchstleistungen der ind. Kunst. Reiche Bauplastik und glasierte Terrakotten kennzeichnen die ind. und chines. Kunst in gleicher Weise. Monumentale Ausmaße erreichten die Skulpturen am Eingang der Gräber chines. Würdenträger (3.–17. Jh.).

In der →afrikanischen Kunst spielt die B. unter allen Kunstgattungen die größte Rolle. Hauptträger sind die Pflanzervölker; bei Nomaden tritt B. nur vereinzelt auf. Gegenstände der B. sind fast ausschließlich Objekte relig. Charakters, Ahnenfiguren, Masken, Zauberfiguren u. a. Kultgerät, seltener solche rein profanen Ausdrucks. Auch die bildhauerische Hofkunst (Höhepunkte: →Benin, →Ife) zählt zum relig. Bereich, da sie im sakralen Königtum begründet ist. Als Material dient v. a. Holz, ferner Lehm, gebrannter Ton, Metall (Gold, Bronze, Eisen, Messing, seltener Silber), Stein und Elfenbein. Die wichtigsten Gebiete der B. auf dem afrikan. Kontinent liegen in einem Streifen, der sich etwa von Guinea-Bissau im W entlang der Atlantikküste bis zur Mündung des Cuanza in Angola hinzieht, im N durch die Sahelzone südlich der Sahara und anschließend durch den Ubangi in Zaire begrenzt wird und schließlich im O an der Seenkette endet. In →Madagaskar liegen die Schwerpunkte der B. im N und S der Insel.

Im vorkolumb. Amerika arbeiteten Bildhauer ausschließlich mit Steinwerkzeugen. Sie schufen vollplast. monolith. Monumentalskulpturen (z. B. bei den Azteken, in San Agustín, Chavín, Cerro Secchín, Manabí) oder aus Einzelteilen zusammengesetzte wie die vollplast. oder mit Reliefs geschmückten Atlanten von Tula, oder, als Extrem, das als Baudekoration verwendete Mosaik (z. B. in Mitla). Den Höhepunkt der B. bilden die Inschriftenreliefs der Maya, bei denen auch die kleinsten Details der Schriftzeichen exakt aus dem Stein herausgearbeitet wurden. In Nordamerika schufen die →Nordwestküsten-Indianer hervorragende Holzbildwerke (u. a. Masken, Wappenpfähle).

In Ozeanien nutzte die B. als Material v. a. Holz; sie fand neben der stat. Darstellung von Ahnen, Geistern und Göttern besonderen Ausdruck in der Gestaltung von Gegenständen des alltägl. und des zeremoniellen Gebrauchs wie Bootssteven, Schilde, Keulen, Schalen, Musikinstrumente und Masken. Traditionell wurde mit Stein-, aber auch mit Muschel- und Knochenwerkzeugen gearbeitet; Rochenhaut wurde zum Glätten benutzt. Neben den Arbeiten aus Holz gibt es in einigen Kulturen (Papua-Golf, Neubritannien, Neue Hebriden) plastisch gearbeitete Bildwerke, die aus Baumbaststoff über einem Rotangerüst aufgebaut oder aus tonmaterialien sowie aus den Stämmen großer Farne gestaltet wurden. Steinskulpturen sind nur aus vorgeschichtl. Zusammenhang, bes. aus Polynesien bekannt.

⇒ Bauplastik · Bleiplastik · Bozzetto · Bronzekunst · Büste · Denkmal · Eisenplastik · Elfenbeinschnitzerei · Goldschmiedekunst · Grabmal · Holzbildhauerei · Jade · Kleinbronzen · Medaille · Plakette · Porträt · Relief · Stahlplastik · Glyptik · Terrakotta · Tonplastik

Vgl. auch die Artikel über die einzelnen Epochen, z. B. Barock, Gotik, und die einzelnen Kulturen, z. B. chinesische Kunst, griechische Kunst, indische Kunst.

J. SOUSTELLE: Die Kunst des Alten Mexiko (a. d. Frz., 1968); ANNEMARIE SCHWEEGER-HEFEL: Plastik aus Afrika (1969); Zwanzigtausend Jahre B. der Welt, hg. v. G. BEZIN (a. d. Frz., 1973); K. BAUR: Der Bildhauer in seiner Zeit (1975); A. JAENICKE: Dt. Bildwerke, 1: MA. (1980), 2: Spätgotik, Renaissance, Barock (1979); H. FUCHS: Plastik der Gegenwart (1980); E. TRIER: Bildhauertheorien im 20. Jh. (1980); Bildhauertechniken, Dimensionen des Plastischen, Ausst.-Kat., Berlin-West (1981).

Bildhauerzeichnung, zeichner. Vorbereitung für eine Skulptur. Vorläufer waren die Skizzen in den Musterbüchern des MA. Die B. konnte im jurist. Sinn als

Vertragsunterlage dienen. In den Bereich der B. gehören auch die bildhauer. Entwürfe für Goldschmiede. Außer für MICHELANGELO und G. L. BERNINI sind B. für viele Bildhauer des 17./18. Jh. bezeugt: J. W. VON DER AUWERA, P. EGELL, I. GÜNTHER, H. KRUMPPER. Aus neuerer Zeit sind u. a. A. RODIN und G. KOLBE zu nennen.

K. LANKHEIT: Die Zeichnungen des Kurpfälz. Hofbildhauers P. Egell, 1691–1752 (1954); G. P. WOECKEL: I. Günther, 1725–1755 (1975); M. LEVY: Drawing and sculpture (Bath 1970).

Bildhauerzeichnung: Georg Kolbe, ›Sitzende‹; Feder/Pinsel, vor 1920 (Berlin-West, Georg Kolbe Museum)

Bildnis, →Porträt.

Bildschnitzerei, die Kunst, aus Holz (→Holzbildhauerei), Elfenbein (→Elfenbeinschnitzerei) oder Knochen (→Beinarbeiten) u. a. Bildwerke zu schnitzen.

Bildsteine, frühgeschichtl. Steindenkmäler auf Gotland, auf denen Kulthandlungen und Szenen aus der german. Mythologie dargestellt sind. Die ältesten B., die wahrscheinlich auf röm. Einfluß zurückgehen, stammen aus dem 5. Jh. n. Chr.

Bildsteine: OBEN aus Smiss bei När, 7. Jh., UNTEN aus Väskinde, 5. Jh. (Visby, Museum)

Bildstock, Betsäule, in Alpenländern auch **Marterl,** ein an Wegen (v. a. kath. Länder) freistehender Pfeiler aus Holz oder Stein, der in einem oft tabernakel- oder laternenartigen Aufbau ein Kruzifix, Szenen aus der Leidensgeschichte Christi oder eine Heiligendarstellung enthält. B. wurden v. a. vom späten 16. bis zum Ende des 18. Jh. zur Verrichtung der Andacht, zur Erinnerung an Verstorbene und auch als Sühnemale errichtet. – Vom B. wird in Alpenländern das **Marterl** i. e. S. unterschieden: ein Gedenkstein, eine Tafel o. ä. an Orten, an denen ein Mensch durch Unfall oder Verbrechen umgekommen ist. (→Dreifaltigkeitssäulen)

Bildteppich, Gobelin [gobl'ɛ̃, frz.], →Bildwirkerei.

Bildträger, Maltechnik: Unterlage, auf der die Grundierung oder gleich die Farbe aufgetragen wird, z. B. Leinwand, Holztafeln, Blech, Pappe, Papier, Putz.

Bildwerk, dreidimensionale Darstellung, wie Skulptur, Plastik, Relief (→Bildhauerkunst).

Bildwirkerei, die Herstellung von Woll- oder Seidenstoffen, bes. von Teppichen, in ornamentaler oder bildhafter Ausführung. Während bei gewebten Stoffen der Schußfaden die Kettfäden von Webkante bis Webkante durchkreuzt, werden bei B. jeweils verschieden gefärbte Schußfäden über einer so großen Anzahl von Kettfäden in Leinwandbindungen hin- und hergeführt, wie es die gewünschte Gestaltung der Farbflächen erfordert. Wo verschiedene Farben aneinander grenzen, entstehen vertikale Schlitze, die später zusammengenäht werden. Doch können solche Schlitze durch Zusammenschlingung von 2 aneinanderstoßenden Schußfäden oder durch wechselweises Übergreifen auf Kettfäden anderer Farbflächen vermieden werden.

Geschichte. Aus vorchristl. Zeit wurden Fragmente von B. in Ägypten gefunden. Grch. Vasenbilder zeigen Webstühle mit gewirkten Stoffen in Arbeit. Aus spätantiker und frühchristl. Zeit mehren sich Funde von Wollwirkerei mit roten, grünen und violetten Farben in Kleinasien und Ägypten. Die kopt. Stoffe (5.–8. Jh.) sind hauptsächlich schmückende Besatzstücke auf Ge-

Bildwirkerei: ›Tod des höllischen Tieres‹ aus der Bildteppichfolge mit Darstellungen zur Apokalypse im Schloß von Angers; Pariser Werkstatt, nach Entwürfen von Jan Bandol; 1375–79)

Bildwirkerei: ›Der Tag‹; Manufaktur München, Hans von der Biest, 1613, nach einem Entwurf von Peter de Wit (München, Bayer. Nationalmuseum)

wändern gewesen. In Byzanz entstanden seidene Wirkteppiche zur Raumausstattung, ebenso im spanisch-maur. Kulturkreis. Auch feierl. Räume des MA. muß man sich mit reichem Schmuck von B. vorstellen. Zu den ältesten in Dtl. gehören die im Dom zu Halberstadt aufbewahrten B. des 12. und 13. Jh. Seit Ende des 13. Jh. entstanden große Zyklen in Frankreich (Angers) und in Dtl. (hervorragende Werkstätten am Oberrhein und in Franken). Neben relig. Darstellungen zeigten sie Wiedergaben des höf. Lebens und Sagenmotive (Wilde Männer).

Seit 1400 waren zuerst Arras und Tournai, dann seit Ende des Jh. Brüssel die Städte, in denen die schönsten B. für Kirchen, Fürstenhöfe und reiche Bürgerhäuser hergestellt wurden. Jetzt begann man, zur Steigerung des künstler. und materiellen Wertes neben Wolle auch Seide und Goldfäden zu verwenden. Bis zum Verfall der B. im 18. Jh. blieb Brüssel der Mittelpunkt. In Werkstätten, die Generationen hindurch den gleichen Familien gehörten, entstanden die bekanntesten ›Tapeten‹, mit Meister- und Stadtmarke bezeichnet, oft nach Kartons der großen Maler wie RAFFAEL (für die Sixtin. Kapelle), B. VAN ORLEY, J. C. VERMEYEN, P. P. RUBENS und D. TENIERS D. J. Auch in anderen fläm. Städten befanden sich angesehene Werkstätten, so in Oudenaarde, wo bes. die →Verdüren gewebt wurden. Durch Emigration der fläm. Bildwirker wurden auch sonst in Europa zeitweilig ansehnl. Manufakturen ins Leben gerufen.

In Frankreich wurden im 16. Jh. B. geschaffen, deren Blumengrund (›à mille fleurs‹) charakteristisch ist. Europ. Bedeutung erreichte erst die auf Gebot des Ministers König Ludwigs XIV. von Frankreich, J.-B. COLBERT, 1662 gegr. ›Manufacture des Gobelins‹ in Paris,

Bildwirkerei: Die Dame mit dem Einhorn; 16. Jh. (Paris, Musée de Cluny)

benannt nach der Färberfamilie GOBELIN, in deren Haus sie untergebracht war; der Name wurde dann verallgemeinert. Dem Bedürfnis höf. Barockräume entsprechend, entstanden nun Gobelin-Serien nach Entwürfen von C. LEBRUN und anderen Künstlern. Einen techn. Höhepunkt erreichte man in der Wiedergabe von Gemälden F. BOUCHERS. Eine Manufaktur in Beauvais ist durch die Herstellung der Bezüge von Rokokomöbeln bes. bekannt geworden. – Ende des 18. Jh. trat ein Verfall der B. ein. Erst im 20. Jh. sind durch die Zusammenarbeit der Manufakturen (z. B. in Aubusson) mit Malern wie M. GROMAIRE, J. LURÇAT, H. MATISSE u. a. wieder Werke entstanden, die durch künstler. Wert und vollendete techn. Ausführung von einer neuen Blüte zeugen. – Bed. Samml. von B. befinden sich in den Museen von Wien, Paris, München, Brüssel und im Schloß zu Madrid.

Erst nach der Hochblüte der europ. Gobelinkunst fand die B. Eingang ins städt. Handwerk und die bäuerl. Heimarbeit, bes. in Skandinavien (17. Jh.). Eingewanderte fläm. Bildwirker brachten die B. nach Schweden; daher wird sie dort ›Flamsk‹ genannt; auch in Dänemark, in Hamburger und Lübecker Werkstätten waren fläm. Bildwirker tätig.

DORA HEINZ: Europ. Wandteppiche (1963).

Bilger, Margret, Graphikerin und Glasmalerin, *Graz 12. 8. 1904, †Schärding (Inn) 24. 7. 1971, entwickelte seit 1930 aus der von A. KUBIN ›Holzriß‹ genannten Technik eine sich von expressionist. Einflüssen abhebende Eigenart. Bibl. Themen und Märchengestalten verwob sie zu sinnbildhaften, myst. Gestaltungen. Ihre Glasmalerei (Stadtpfarrkirche in Duisburg-Hamborn) war von der Struktur der Holzrisse mit beeinflußt.

M. FROMMEL: M. B. Die Holzrisse (1973, mit Werkkatalog).

Bill, Max, schweizer. Maler, Plastiker, Designer, Architekt und Kunsttheoretiker, *Winterthur 22. 12. 1908, studierte an der Kunstgewerbeschule in Zürich und 1927–29 am Bauhaus Dessau, gehörte 1932–36 zur Abstraction-Création, war 1951–56 Rektor der Hochschule für Gestaltung in Ulm, wo er die Bauhausidee einer funktionalen, alle Formbereiche umfassenden Ästhetik in prakt. Lehre umsetzte. Als Maler entwickelte B. strenge Form- und Farbsysteme mit feinsten Lichtabstufungen, die zu den wichtigsten schweizer. Beiträgen zur →Konkreten Kunst gehören. seine Plastik kreist, nach Anfängen zw. Konstruktivismus und Surrealismus, um das Problem des kontinuierl. Raums, den B. in geometr. Konstruktionen (›Sechseck im Raum mit

Max Bill: Stabilisierte weiße Kerne; 1964/71 (Zürich, Kunsthaus)

gleichen Seitenlängen‹, 1951) oder gleitenden Kurvenflächen (›Unendliche Schleife‹, 1935–53) erfaßt.

Bauten. Eigenes Wohnhaus, Zürich (1932/33); Schweizer Pavillon, Triennale Mailand (1936, 1951); Hochschule für Gestaltung, Ulm (1953–55).

Schriften. Le Corbusier et Pierre Jeanneret (1938); Robert Maillart, Brücken und Konstruktionen (1948); Wassily Kandinsky (1949); Moderne Schweizer Architektur (1950); Mies van der Rohe (1955); Die gute Form (1957).

Billerbeck, Stadt im Münsterland, NRW, in den Baumbergen; Johanniskirche (wohl 1234 beg.), Mischung aus rheinisch-basilikalem System und dem im Münsterland traditionellen Hallenbauschema, gute Ausstattung (u. a. Doppelmadonna um 1480, Taufstein 1497). ›Dom‹ St. Ludgerus (1892–98), mächtige neugot. Basilika. Herrenhaus Kolvenburg (16. Jh.).

Bima, Candi B. [tç-], dem ind. Gott Shiva geweihter Tempel (8. Jh.) auf dem →Dieng-Plateau; er steht isoliert und unterscheidet sich von den anderen dortigen Tempeln bes. durch sein Dach (Orissa-Einflüsse).

Bims [lat. pumex ›Lava‹], vulkan. Eruptivgestein (Obsidian), gemahlen oder in Blöcken wird er zum Schleifen von →Malgründen, Lacken aber auch Hölzern u. a. trocken oder naß benutzt.

Bíňa [b'i:nja], Ort im Westslowak. Kreis, ČSSR, 2000 Ew.; roman. Rundkirche (12. Jh.) in der byzantinisch beeinflußten Tradition des Großmähr. Reichs, barock umgestaltet, 1954 restauriert; Wandmalereien des 12. Jh. Die ebenfalls roman. Marienkirche (vor 1217) wurde nach Verwüstungen (1683 und 1945) 1951–55 rekonstruiert.

Binbịr Kilissẹ [türk. ›1001 Kirchen‹], Ruinenstätte 25 km von Kilbasan (Inneranatolien) entfernt, am Fuß des Berges Karadağ, mit z. T. gut erhaltenen Überresten von rd. 50 byzantin. Kirchen und Mausoleen des 3. bis 8. Jh., die Aufschluß über die Verbindung der byzantin. Baukunst mit einheim. Traditionen geben: Die Basiliken sind aus Stein-Quadern errichtet und wegen des Holzmangels überwölbt, nicht wie sonst in Kleinasien mit flacher Holzdecke; sie haben nur eine Apsis mit Zwillingsfenstern und statt des Atriums einen Portikus.

Binche [bɛ̃ʃ], Städtchen in der belg. Prov. Hennegau. Große Teile der Stadtmauer mit Türmen (12.–14. Jh.) sind erh. Roman. Kirche St. Ursmer (12. Jh., mehrfach verändert); Kapelle St. André (16. Jh.) mit Skulpturen und Schnitzarbeiten. Rathaus (1555) mit Belfried, Stuckgiebel (18. Jh.). Karnevals-Mus. (Kostüme und Masken aus aller Welt).

Bindemittel, in der Maltechnik verwendete Öle, Harze, Leime, Gummen oder Mischungen davon sowie anorgan. Stoffe wie Kalk, Zement, Silikate, in denen die Farbpulver zu verwendbaren Farben angerieben (→Anreiben 1) werden.

Binder, Baukunst: im Backsteinbau ein senkrecht zum Mauerverlauf stehender, in die Mauer (BILD) einbindender Stein, i. Ggs. zum **Läufer,** der parallel zum Verlauf der Mauer liegt; Teil der Dachkonstruktion, der das Gespärre trägt (→Dach).

Bindesbøll [b'enəsbøl], Michael Gottlieb, dän. Baumeister, *Ledøje (Amt Kopenhagen) 5. 9. 1800, †Kopenhagen 14. 7. 1856, verband streng klassizist. Formen mit persönl. Ausdruck (Thorvaldsen-Mus., 1839–47; Kopenhagen).

Bingen, Stadt an der Mündung der Nahe in den Rhein, Rheinl.-Pf., 24 500 Ew.; aus einem röm. Kastell entstanden; Martinskirche (15. Jh., Barbarabau 1510/1511) mit roman. Krypta. Die Drususbrücke (11. Jh.) ist die älteste erh. ma. Brücke Dtl.s; Burg Klopp (1282 erwähnt, 1711 zerstört, 1875–79 wiederaufgebaut, Mus.). Oberhalb von B. Rochuskapelle (1666 gestiftet, heutiger Bau 1895 gew.). Im Rhein der Mäuseturm (im 13. Jh. als Zoll-Mautturm erbaut, 1855 neugotisch restauriert).

Bingham [b'ɪŋəm], George Caleb, amerikan. Maler, *Augusta Cty. (Virginia) 20. 3. 1811, †Kansas City (Missouri) 7. 7. 1879; in New York, Philadelphia und Düsseldorf ausgebildet; realist. Bilder aus dem Leben der Siedler, die poetisch empfundene Alltagsszenen in klaren Formen und Farben erfassen (›Pelzhändler auf dem Missouri‹, 1845; New York, Metropolitan Mus.).

Binham [b'ɪnəm], Benediktinerkloster in der Cty. Norfolk (England), 1091 von P. DE VALOINES gegr. Die Kirche St. Mary wurde im 12. Jh. als dreischiffige Basilika mit Querhaus und fünfteiligem Staffelchor errichtet, letzterer 1540 abgebrochen, das Querhaus einschließlich der beiden Ostjoche des Langhauses bis zum ehem. Lettner ist heute Ruine. Das insgesamt neunjochige Langhaus wurde Mitte des 12. Jh. beg., im 13. Jh. voll.; die Seitenschiffe später abgebrochen. Die turmlose Westfront, unter Prior R. DE PARCO (†1244) in hochgot. Formen mit vierbahnigem Maßwerkfenster errichtet, ist das früheste Werk dieser Stilrichtung in England.

Binh-Dinh, 1) Prov. in Vietnam, in der die Cham ihre neue Hauptstadt Vijaya errichteten, nachdem sie durch Chinesen aus Tra Kieu und Mi-son vertrieben worden waren (10./11. Jh.). Seit der Verlegung der Hauptstadt Beginn der Epoche künstler. Verfalls und der Erstarrung der →Cham-Kunst. Jedoch ist aus dem 11. und 12. Jh. noch gute Bildhauerkunst, bes. durch Funde von Thap-mam, bezeugt.

Berühmt ist B.-D. durch Heiligtümer, die nach ihren ehem. Ausstattungsmaterialien Gold-, Elfenbein-, Kupfer- und Silbertürme benannt sind (11./12. Jh.); sie weisen z. T. starke Einflüsse der Khmer-Architektur auf.

2) Stadt an der O-Küste von S-Vietnam, 150000 Ew. Im N des heutigen Stadtgebiets liegen die Ruinen der ehem. Hauptstadt Vijaya.

Bini, Edo, Volksgruppe in S-Nigeria, etwa 500000 Menschen, das Staatsvolk des alten Königreiches →Benin. Die Stammeskunst der B. wurde kaum von der höf. Benin-Kunst beeinflußt, sondern behielt im wesentlichen ihre kraftvolle Dynamik, auch während der langen Verfallszeit des Hofstils. Die B. fertigen Masken, Tanzaufsätze und Gedenkköpfe aus Holz, die denen Benins ähneln und meist mit Bronzeblech umkleidet sind.

Binsfeld, Stadtteil von Nörvenich, NRW, westlich von Köln; Burg der Herren von B. (1533), im Hof eine zweigeschossige Loggia mit reicher spätgot. Maßwerkverzierung. Spätgot. Gertrudenkirche (2. H. 16. Jh.).

Bioombo, Bena Biombo, kleine Volksgruppe im südl. Zaire, die künstlerisch zum Komplex der →Kuba gerechnet werden.

Birkenhead [b'əːkənhed], Stadt in der engl. Metrop. Cty. Merseyside bei Liverpool, 135800 Ew. In der regelmäßigen Stadtanlage fällt der Hamilton Square (1825–36) von J. G. GRAHAM mit seinen Werksteinfassaden bes. auf. Die Pfarrkirche St. Mary (1819–21) wurde später verändert. – Von einem im 12. Jh. gegr. Benediktinerkloster sind Teile der Gebäude (v. a. des 14. Jh.) und das aus der Gründungszeit stammende kreuzrippengewölbte Chapter House erhalten.

birmanische Kunst. Birma soll zwar bereits in den ersten Jahrhunderten n. Chr. durch buddhist. Missionen und (auch hinduist.) Händler indischen Einflüssen erreichbar gewesen sein, jedoch liegen auch um die Mitte des 1. Jahrtsd. die histor. und kunsthistor. Gegebenheiten noch im Dunkeln. Um diese Zeit siedelten Mon-Völker (→Mon) um Pegu und Thaton im S sowie um Prome in Zentral-Birma, im N die Pyu und Shan-Völker, über deren damalige Kunst uns nur wenig bekannt ist (→Shri Kshetra), da einerseits zw. dem 3. und 9. Jh. mit (vergängl.) Holz gebaut wurde, andererseits archäolog. Forschungen bisher wenig systematisch und effektiv waren. Mit dem historisch nachweisbaren Eintritt der Birmanen in die Geschichte des Landes (die, den Pyu verwandt, schon einige Zeit vorher aus S-China vorgedrungen waren) im Jahr 1044 beginnt die eigtl. Kunstgeschichte Birmas durch die Gründung des Reiches und der gleichnamigen Hauptstadt →Pagan. In ihrer nur etwa 250 Jahre währenden Geschichte (1287 durch den Einbruch der Mongolen unter KUBLAI

birmanische Kunst

KHAN beendet) wurde eine Hochblüte der Kunst, bes. der Architektur, erreicht wie danach nie wieder in Birma. Das Land war von da an bis in unsere Zeit polit. Wirren und dauernden Kämpfen ausgesetzt. Nach dem ende Pagans verfielen zunächst die Künste, bis sie zw. dem 16. und 18. Jh. in der Stein- und Holzarchitektur, in der Stein-, Bronze- und Holzplastik, in der Malerei (illuminierte Manuskripte) und im Kunsthandwerk (Lack-, Goldschmiedearbeiten, Holzeinlegearbeiten) eine gewisse Renaissance erfuhren (z. B. Arakan- und Shan-Stil).

G. H. LUCE: Old Burma – Early Pagan (New York 1969/70); A. GRISWOLD u. a.: Burma, Korea, Tibet (a. d. Engl., 1976).

Birmingham [b'əːmɪŋəm], zweitgrößte Stadt Großbritanniens und Distrikt in der Metrop. Cty. West Midlands, 1,085 Mio. Ew. Die Stadt wurde v. a. im 19. Jh. ausgebaut: Kirche St. George's im Perpendicular Style; Town Hall (1832–60) als spätklassizist. Tempelbau korinth. Ordnung; Midland Institute (1855–63) von E. M. BARRY und City Mus. and Art Gal. (1874) von Y. THOMASON; College of Arts and Crafts (1881–85). – Die 1709–15 mit vorgewölbter barocker Turmfassade errichtete Pfarrkirche St. Philip ist heute anglikan. Kathedrale.

Birnau, Zisterzienser-Wallfahrtskirche an der Oberschwäb. Barockstraße, Bad.-Württ., seit 1746 in einzigartiger Lage am Bodensee durch die Reichsabtei Salem erbaut; HW sowohl des Architekten P. THUMB als auch des Bildhauer-Stukkateurs J. A. FEUCHTMAYER und des Malers G. B. GÖTZ. Das kulissenartig gestaffelte, lichtdurchflutete Innere mit seiner originellen umlaufenden Galerie mit Bandwerkbrüstung strahlt eine überaus festl. Wirkung aus. (BILD J. A. Feuchtmayer)

Birnkrug, Birnbauchkrug, birnenförmiger Fayence- oder Steinzeugkrug.

Birnstab, Baukunst: Rippe oder Dienst von birnenförmigem Querschnitt, bes. in der Hoch- und Spätgotik.

Birs Nimrụd, die babylon. Stadt →Borsippa.

Birstein, Gem. am Vogelsberg, Hessen; seit 1517 Residenz der Fürsten von Isenburg-B. Repräsentative Schloßanlage (14.–18. Jh.), im ›Neuen Schloß‹ wertvolle Einrichtung (1768–70).

Bịsam|apfel, Riechkapsel, durchbrochener, kugelförmiger Behälter für Duftstoffe (Moschus, Ambra), die vor der Pest schützen sollten. Die meist aus Edelmetallen gefertigten B., die sich in Europa bis in das 12. Jh. zurückverfolgen lassen, wurden an Halsschnüren und Rosenkränzen getragen.

Bischapur, ehem. Residenzstadt der Sassanidenkönige, begründet von SCHAPUR I. (242–272), rd. 100 km westlich von Schiras, Iran. Durch Ausgrabungen wurden die stark befestigte Stadtanlage, nach hippodam. System (→Hippodamos) mit rechtwinkligem hellenist. Straßennetz, und der Palast SCHAPURS I. erschlossen; der Empfangssaal war ein großer quadrat. Kuppelraum, einst von vier Iwanen umgeben; 64 Nischen (mit Stuckdekor des 7. bis 8. Jh.) gliederten die

Wände; im O-Iwan Fußbodenmosaik (die römisch-syr. Einflüsse weisen wohl nach Antiochia). Vom quadrat. Tempel der Anahita sind z.T. Außenmauern von 15 m Höhe erhalten sowie Stierkapitelle und ein Feueraltar; Reste eines weiteren Palasts und eines Denkmals für SCHAPUR I. mit zwei Säulen und Feueraltären. In der Schlucht am Fluß ließen die Könige SCHAPUR I., BAHRAM I. (273–276) und SCHAPUR II. (310–379) sechs monumentale Reliefs anbringen (mit Investitur- und Triumphszenen), im Gebirge wurde in einer Grotte eine 8 m hohe Kolossalstatue SCHAPURS I. gefunden sowie ein Ossuarium.

Bischofsstab, Hirtenstab, Krummstab, etwa bis zur Schulterhöhe reichender Stab, unten mit Eisenspitze, oben mit Krümme (Kurvatur) und Knauf, aus Metall oder Bein, reich verziert; in Spanien seit dem 7. Jh. nachweisbar, seit dem 10. Jh. allg. gebräuchlich; Sinnbild der bischöfl. Gewalt. Bischöfe und Äbte bedienen sich seiner bei Pontifikal-Handlungen. Daneben gab es vom 10. bis 13. Jh. **Taustäbe** mit oben T-förmig abschließendem Querstück. – Über den gekrümmten Stab im Alten Orient →Krummstab.

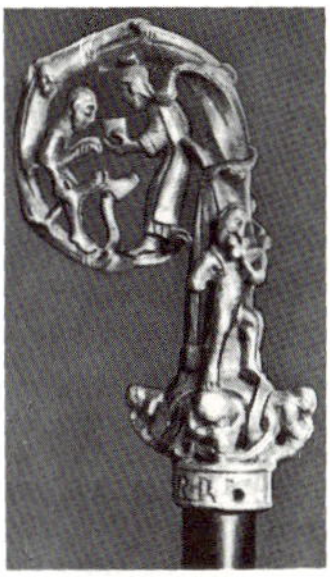

Bischofsstab: Krümme und Knauf (11. Jh.; Hildesheim, Domschatz)

Bischofsstuhl, Bischofsthron, grch. **Kathedra,** lat. **Cathedra,** Stuhl für den Bischof in der Kirche, meist aus Stein; urspr. in der Apsis hinter dem Altar, von den Sitzen der Presbyter umgeben, später an der N-Seite (Evangelienseite) des Chors; vom B. hat die Domkirche (Kathedrale) ihren Namen. Bes. bemerkenswerte B. sind: der mit reichen Elfenbeinschnitzereien versehene B. des Erzbischofs MAXIMIAN (→Maximianskathedra; BILD Elfenbeinschnitzerei); B. in Regensburg (›Heinrichsstuhl‹, vor 972; St. Emmeram, Wolfgangskrypta) und Augsburg (Anfang 12. Jh.; Dom). Erhaltene B. befinden sich noch in S- und Mittelitalien, z.B. der B. in Canosa di Puglia, um 1100 (Kathedrale) oder der in Bari, um 1100 (S. Nicola).

Biserta, frz. **Bizerte** [biz'ɛrt], arab. **Benzert,** Hafenstadt und Seebad an der N-Küste Tunesiens, 78 800 Ew. B. wurde im 13. Jh. zur hafsid. Sommerresidenz ausgebaut, war 1535–72 spanisch, dann türkisch, 1881 bis 1956 französisch. Die Medina wird von der mächtigen Kasba (13.–17. Jh.) an der Einfahrt zum ›Alten Hafen‹ überragt. Große Moschee (17. Jh.) im türk. Stil (achteckiges Minarett, Kielbogen); Moschee Rebaa mit quadrat. maurischem Minarett (3 Hufeisenbogen an jeder Oberseite); 4 Brunnen aus dem 17. Jh. Nördlich der Medina das Andalusierviertel mit dem Fort Sidi Salem (17. Jh.); auf einem Hügel mit Mauerverbindung zur Medina das ›Spanische Fort‹, 1570–73 von Eulj Ali erbaut.

Bishamon [jap.], auch **Bishamonten, Tamonten,** einer der 4 Himmelskönige (im japan. Buddhismus ›shi-tenno‹). Als Gott des Reichtums und Kriegserfolges wurde er zu einem der 7 Glücksgottheiten (→Shichi-fukujin). Er wurde dargestellt in Rüstung mit Lanze, in der Hand eine Pagode; häufig auch mit Kichijoten, als Begleiter des Kannon.

Bishnupur, Kleinstadt im Distrikt Bankura, W-

Bengalen, Indien, mit den schönsten Beispielen bengal. Terrakottatempel des 17. bis 19. Jh.

Biskuitporzellan, eine Art des →Porzellans.

Bisschop [b 'isxɔp], Jan, genannt **Episcopius,** holländ. Zeichner und Radierer, *Amsterdam um 1628, †ebd. 6. 11. 1671, Erfinder der ›Bisschops inkt‹, einer braunroten Zeichentinte. Von B. stammen geistreiche sonnige Landschaften aus Italien und Holland, Zeichnungen nach der Antike und nach ital. Gemälden.

Bissen, Hermann Vilhelm, dän. Bildhauer, *Schleswig 13. 10. 1798, †Kopenhagen 10. 3. 1868, Schüler von B. THORVALDSEN in Rom, seit 1840 Prof. an der Kopenhagener Akad.; zahlreiche Denkmäler in Kopenhagen, Grabmäler, nach 1850 in realist., national betontem Stil (›Der tapfere Landsoldat‹, 1858; Fredericia, Jütland).

Julius Bissier: 12. Febr. 64 (Düsseldorf, Kunstsammlung Nordrhein-Westfalen)

Bissier [bisj'e], Julius Heinrich (Jules), Maler, *Freiburg i. Br. 3. 12. 1893, †Ascona 18. 6. 1965, begann im Stil der ›Neuen Sachlichkeit‹, lehrte 1929–33 an der Univ. Freiburg. Um 1930, angeregt von W. BAUMEISTER, C. BRÂNCUŞI und der ostasiat. Tuschmalerei, löste er sich von der gegenständl. Darstellung und gelangte während des 2. Weltkriegs zu einem eigenen abstrakten Stil v. a. in der Tuschmalerei, dann auch der Monotypie und Eiöltempera. Über Symbolformen und Psychogramme kam er zu farbigen Miniaturen.

W. SCHMALENBACH: J. B., Tuschen und Aquarelle (1978).

Bissière [bisj'ɛ:r], Roger, frz. Maler, *Villeréal (Lot-et-Garonne) 22. 9. 1888, †Marminiac (Lot) 2. 12. 1964, lebte 1910–39 in Paris. Unter dem Eindruck des Kubismus, der die formale Strenge seiner Kunst bestimmte, angeregt auch durch die Bildwelt P. KLEES, entfernte er sich schrittweise von der Wirklichkeitswiedergabe. Seine aus Farbklängen gebauten Formspiele verflachen nie zum Nur-Dekorativen. Seine Lehrtätigkeit an der Académie Ranson in Paris (1925–38) hat die junge frz. Malerei stark beeinflußt, bes. die Gruppe der ›Peintres de Tradition Française‹, der er selbst angehörte. Nach 1939 schuf B., der wegen einer vorübergehenden Augenkrankheit nicht malen konnte, Holzskulpturen und Bildteppiche.

M.-P. FOUCHET: B. (Paris 1956); Ausst.-Katalog, Musée d'Art Moderne, Paris (1959).

Bister [frz.], braune Tusche aus Buchen-Kienruß, seit dem 14. Jh. zur Lavierung von Zeichnungen verwendet. Vor der Entdeckung der →Sepia gebräuchlichste Schreib- und Zeichentinte; heute nur noch Farbtonbezeichnung.

Bisutun, auch **Bisotun, Behistun, Behistan,** altpers. **Bagistan** [›Götterstätte‹], Felsmassiv in W-Iran (KARTE Alter Orient), mit Skulpturen und Inschriften aus achaimenid., seleukid. und parth. Zeit. Hervorzuheben ist das Denkmal, das König DAREIOS I. (522–486 v. Chr.) einmeißeln ließ: Dareios in Hochrelief überlebensgroß vor 9 gefesselten Empörern; darüber schwebt der als Flügelsonne stilisierte Gott Ahura Masda (?). Dt. Grabungen 1964–69 stellten unter dem Relief einen Kultplatz fest sowie eine bronzezeitl. Stadt mit medischem Stadttor, die bis ins 3. Jh. n. Chr. fortbestand. Seleukiden und Parther brachten weitere Reliefs an: MITHRIDATES II. (123–88 v. Chr.), dem 4 Satrapen huldigen, und der Parther GOTARZES II. (38–51 n. Chr.) im Kampf mit einem Rivalen; rechts davon eine 1959 freigelegte, aus dem Felsen gehauene Statue eines sitzenden Herkules von 153 v. Chr. mit grch. Inschrift sowie ein dreikantiger Block mit je einer parth. Relieffigur bei einer Opferhandlung.

Bitchu-Matsuyama [bitʃu-], →Takahashi.

Bitik, Ort nordwestlich von Ankara (Türkei), Fundstelle von Fragmenten einer großen bemalten Reliefvase (Farben: Braunrot, Braunschwarz, Ocker) mit Darstellung eines Götterpaares im Schrein (Hl. Hochzeit), von Gabenbringern und kult. Wettkampf (um 1800 v. Chr., Ankara, Archäolog. Mus.).

Bitola [makedon.], serbokroat. **Bitolj,** türk. **Monastir,** zweitgrößte Stadt der Rep. Makedonien, Jugoslawien, 65 900 Ew. Das Stadtbild ist von der rd. 500jährigen türk. Herrschaft geprägt mit den Moscheen Jeni Džami (1558, heute Ausstellungsgebäude), Isak Džami (1508) und der größten, der Hajdar Kadi Džami (1561, ehem. Hauptmoschee). Die Kirche des Hl. Demetrius (2. Viertel 19. Jh.) mit reicher Ausstattung und Ikonensamml. ist eine der größten orthodoxen Kirchen Makedoniens. Archäolog. Mus. mit Funden aus dem benachbarten antiken **Herakleia Lynkestis.**

Bitonto, ital. Stadt und Bischofssitz in Apulien (Prov. Bari), 44 500 Ew., mit roman. Kathedrale (1175 bis 1200; Fensterrose; Säulengalerie am Langhaus; reliefgeschmückte Kanzel, 1229; got. Freskenreste in der Krypta), Kirche S. Francesco (Fassade 13. Jh.; im Inneren Holzskulpturen und Gemälde) und Palazzo Sylos Labini (15. Jh.; got. Portal).

Bizen, Töpferort in Japan, →Imbe.

Bizerte [biz'ɛrt], Stadt in Tunesien, →Biserta.

Blaas, Karl Ritter von, Maler, *Nauders (Tirol) 28. 4. 1815, †Wien 19. 3. 1894, war →Nazarener in der Nachfolge J. F. OVERBECKS, schuf Kirchenfresken, Altarbilder, Historien- und Genredarstellungen. Von sei-

William Blake: Erschaffung Adams, 1795, Ausschnitt (London, Tate Gallery)

nen Söhnen malte Eugen (*Albano 24. 7. 1843, †Venedig 10. 2. 1931) venezian. Genreszenen, Julius (*Albano 22. 8. 1845, †Bad Hall in Tirol 2. 8. 1922) Tier-, Jagd- und Reiterbilder.

Blake [bleɪk], William, engl. Dichter, Maler, Kupferstecher, *London 28. 11. 1757, †ebd. 12. 8. 1827, schuf Illustrationen zu Werken von E. YOUNG, R. BLAIR, DANTE, HIOB u. a., bei denen er, da er die Ölmalerei ablehnte, eine eigene Technik der handkolorierten Kupfer- oder Zinkätzung anwandte; außerdem arbeitete B. in Temperatechnik. Trotz Freundschaft mit J. FLAXMAN und J. H. FÜSSLI blieb B. verkannt und unbeachtet; er dichtete und zeichnete sein myst. Weltbild, für das erst um die Mitte des 19. Jh. die Präraffaeliten (D. G. ROSSETTI und A. SWINBURNE) um Verständnis warben. Eine eigene Mythologie und personifizierte Urkräfte der Schöpfung, die Aufspaltung der Persönlichkeit in eine männl. Hälfte (Spectre) und eine weibl. Hälfte (Emanation), die sich nacheinander sehnen, kennzeichnen sein Werk, dessen Symbole aus der Bibel und ihren jüd. Kommentaren, aus Werken von E. SWEDENBORG, J. BÖHME, J. MILTON und PLOTIN entnommen sind. B. hat seine Visionen und Gedanken mit hinreißender Sprachgewalt und kühnen Bildern dargestellt. Seine Werke sind großenteils in der Tate Gal., London.

Illustrierte eigene Werke: Songs of innocence (1789); Thel (1789); The marriage of heaven and hell (1790); Songs of experience (1794); Urizen (1794); Ahania (1795); Song of Los (1795).

Werkverz. v. G. KEYNES (London [2]1966); W. B., Ausst.-Kat., Hamburg (1975).

Blakelock [bl'eɪklɔk], Ralph Albert, amerikan. Maler, *New York 15. 10. 1847, †bei Elizabethtown (New York) 9. 8. 1919, Autodidakt, malte Landschaften unter dem Einfluß der Hudson River School (›Mondlicht‹, um 1885; New York, Brooklyn Mus.).

Blaker [niederdt.], als Wandleuchter ausgebildeter Kerzenhalter, zunächst mit einem Metallschild zur Reflexion des Lichtes, vom 16. bis 18. Jh. gebräuchlich, seit dem 18. Jh. vorwiegend als Zierelement aus Messing, Zinn und Keramik verwendet.

Blanc de Chine [blãdəʃ'in, frz.], chines. Porzellan aus Tehua (Prov. Fukien) mit dicker weißer Glasur (Gebrauchsgegenstände, kleine aus dem Model gepreßte Statuetten des buddhist. oder taoist. Pantheons, Exportware mit europ. figürl. Motiven). In der K'ang-hsi-Ära (1662–1722) herrscht ein rosa-creme-farbener Schimmer vor, seit der Ch'ien-lung-Zeit (1736–1795) zeigt die Ware eine bläulich-weiße Färbung.

Blanc de Chine: Kuan-yin, 73 cm hoch, Tehua, 18./19. Jh. (Köln, Museum für Ostasiatische Kunst)

Blanchard [blãʃ'a:r], Jacques, frz. Maler, *Paris 1. 10. 1600, †ebd. 1638, bildete sich in Italien, wo ihn v.a. die venezian. Malerei (PAOLO VERONESE) beeindruckte; malte mytholog. und relig. Bilder, auch Bildnisse. Von den Zeitgenossen wurde er v. a. wegen seines Kolorits gerühmt (›der frz. Tizian‹); war seit 1636 Hofmaler LUDWIGS XIII.

HW (alle in Paris): Cimon et Ephigène (um 1631–33; Louvre); Ausgießung des Hl. Geistes (1633/34; Notre-Dame); Caritas mit 5 Kindern (um 1635/36; ebd.).

Blanche [blãʃ], Jacques-Émile, frz. Maler und Schriftst., *Paris 1. 2. 1861, †Offranville 30. 9. 1942, anfänglich von J. WHISTLER beeinflußt, malte in virtuoser Technik und in zart harmon. Farben v. a. Bildnisse bed. Persönlichkeiten, z. B. M. Proust, um 1895; A. Beardsley, 1896; C. Debussy, 1903; I. Strawinsky, 1915.

Blankenberg, Ortsteil von →Hennef (Sieg).

Blankenburg/Harz, Stadt am N-Rand des Unterharzes, Dt. Dem. Rep., 18 500 Ew. Die 1123 erwähnte Burg über B. wurde 1705–18 zum Schloß umgebaut; Kleines Schloß, urspr. barocker Fachwerkbau (1725), 1777 in Sandstein erneuert; Bartholomäuskirche (Kern um 1200, Langhaus im 14. Jh. umgebaut) mit reicher Ausstattung, u. a. 2 Stifterfiguren (2. H. 13. Jh.); Rathaus, im Kern spätgotisch, 2. H. 16. Jh. in Renaissanceformen umgebaut.

Blankenheim (Ahr), Gem. in der Eifel, NRW; ehem. reichsunmittelbare Herrschaft der Grafen von Manderscheid-B. Pfarrkirche (1495–1505), sterngewölbter Saal mit got. Passions-Schnitzaltar; Kreuzkapelle Hülchrath (1773–80); Burg (15./16. Jh., 1929–33 als Jugendherberge wiederhergestellt).

Bläser, Gustav, Bildhauer, *Düsseldorf 9. 5. 1813, †Cannstatt (heute zu Stuttgart) 20. 4. 1874, arbeitete 1834–41 im Atelier C. D. RAUCHS in Berlin und schuf in seiner Nachfolge Denkmäler und Genregruppen. Sein Werk gehört zum Berliner Spätklassizismus.

HW: Athena unterstützt den Krieger (1846–54; ehem. Berlin, Schloßbrücke, heute in Berlin-West); Reiterdenkmal Friedrich Wilhelms IV. (1856–66; Köln, Hohenzollernbrücke); Reiterstandbild Friedrich Wilhelms III. (1864–78; Köln, Heumarkt).

W. VOMM: Reiterstandbilder des 19. und frühen 20. Jh. in Dtl., 2 Bde. (1979). – Weitere Lit. →Berliner Bildhauerschule.

Blattkapitell

Blattfries, Baukunst: Fries, der aus naturalist. oder stilisierten Blättern oder Blattranken gebildet ist.

Blattgold, Gold, ausgeschlagen zu dünnen Blättern von $\frac{1}{8000}$ bis $\frac{1}{10000}$ mm Stärke. Das erst zu dünnem Blech (Zain) ausgewalzte Metall wird anschließend zw. bes. präparierten Tierhäuten im Pack in vielen Arbeitsgängen mit dem Hammer ausgeschlagen. B. wird zur Vergoldung in der Tafelmalerei und der →Fassung 1), aber auch zur Flächenvergoldung an Gebäuden, zur Porzellanmalerei und für den Buchschnitt gebraucht; oft durch →Zwischgold oder gelb gefirnißtes Silber ersetzt. – Schlagmetall (unechtes B.) →Tombak.

Blattkapitell, Baukunst: mit naturalist. oder stilisiertem Blattwerk besetztes Kapitell. Das korinth. Kapitell bildet die Urform, die bis in die roman. Baukunst in variierter oder vereinfachter Form weiterlebt. Die Gotik benutzte das B. in naturgetreuen Formen (Wein, Efeu, Eiche), wobei sich das Blattwerk oft frei vor einem kelchförmigen Kern entfaltet.

Blattmaske, Baukunst: plast. Schmuckmotiv, bei dem ein menschl. Gesicht aus flachen, nach außen lappenden Blättern gebildet wird. Die B. stammt aus der Antike und erfährt ihre Ausprägungen auf Konsolen der Früh- und Hochgotik. Sie kommt seltener in der Renaissance vor; im Historismus wieder aufgegriffen.

Blattwerk, Laubwerk, aus Blättern zusammengesetzte Verzierung an versch. Baugliedern, seit der Antike üblich. In der Kunst des MA. gewann das B., jetzt der heim. Pflanzenwelt entlehnt, große Bedeutung, es kommt an Kapitellen, Bogenfeldern, Friesen, Giebeln und Gewölben vor und ist auch im Kunsthandwerk weitverbreitet.

Blaubeuren, Stadt am Südrand der Schwäb. Alb, westlich von Ulm, 11 700 Ew.; ehem. Benediktinerkloster (1085 gegr.), seit dem 16. Jh. evang. Seminar, vollständiger Neubau 1466–1510 (Baumeister der Kirche PETER VON KOBLENZ); Hochaltar (1493/94) von G. ERHART und J. SYRLIN D. J., Gemälde von B. ZEITBLOM und B. STRIGEL. Badhaus (1510).

Blaue Rose, Ausstellungsvereinigung, die 1907 in Moskau unter Mitwirkung der Ztschr. ›Das Goldene Vlies‹ eröffnet wurde; vertrat Ideen des Symbolismus.

Blauer Reiter, urspr. Name des Almanachs, den W. KANDINSKY und F. MARC 1912 in München herausgaben und der zur bedeutendsten Programmschrift der Kunst des 20. Jh. wurde. Der Name sollte den Aufbruch zu einer neuen, ›geistigen‹ Kunst symbolisieren, die den Materialismus des 19. Jh. ablehnte. Autoren waren neben den Hg. u. a. A. KUBIN, A. MACKE, D. BURLJUK, aber auch der Komponist A. SCHÖNBERG; die Abbildungen reichten von volkstüml. Hinterglasmalereien und der ›primitiven Kunst‹ bis zu H. ROUSSEAU, H. MATISSE, R. DELAUNAY. Zugleich veranstaltete die Almanachredaktion, nachdem sie 1911 aus der →Neuen Künstlervereinigung München ausgetreten war, eigene Ausstellungen (Dez. 1911, Febr. bis Apr. 1912), an denen bed. dt. und frz. Künstler teilnahmen,

Blauer Reiter: Titel des Almanachs, Holzschnitt von W. Kandinsky

darunter auch R. Delaunay, dessen Orphismus die Münchner stark beeinflußte. Für den engeren Kreis um die Almanachredaktion bürgerte sich bald der Name ›B. R.‹ ein. Er steht so für die idealistisch-romant. Komponente des dt. →Expressionismus, als Gegenpol zu den wirklichkeitsnäheren Richtungen in Dresden und Berlin. Zugehörig waren u.a. A. JAWLENSKY, G. MÜNTER, MARIANNE V. WEREFKIN, P. KLEE, H. CAMPENDONCK. Der 1. Weltkrieg beendete die Aktivitäten des B. R., dessen Ideen am Bauhaus und darüber hinaus in vielen Bereichen der abstrakten Malerei weiterwirkten.

L.-G. BUCHHEIM: Der B. R. u. die Neue Künstlervereinigung München (1959); Der B. R., hg. v. W. KANDINSKY u. F. MARC, neu hg. v. K. LANKHEIT (1965); ROSEL GOLLEK: Der B. R., Samml.-Kat., Lenbachhaus, München (neu bearb., 1982).

Blaumalerei, Bez. für in Unter- oder Aufglasurmalerei in Kobaltblau ausgeführte Keramik- und Porzellandekore.

Blausche Steine, 2 unregelmäßig geformte sumer. Steintafeln (Schiefer, 1. Viertel 3. Jahrtsd. v. Chr., ehem. Samml. Blau, jetzt Brit. Mus.). Neben archaischen Schrift- und Zahlzeichen (Feldkaufvertrag?) zeigen sie in flachem Relief Darstellungen von einem Opferträger, einem bärtigen Mann mit Kalottenmütze und einem sitzenden Mann mit Bohrer (?).

Bläuung, beabsichtigte Oxidation an Gegenständen aus Schmiedeeisen, um sie vor Rost zu schützen. B. entsteht durch Erhitzung des Metalls bis ca. 310° C. Um eine gleichmäßige B. zu erzielen, bediente man sich bestimmter Hilfsmittel, des Leinölüberzugs oder einer Abdeckung mit Holzasche. B. kann auch chemisch herbeigeführt werden. Neben Ziertechniken mit Farbkontrast (z.B. Teilvergoldung, Tauschierung und ungebläute plast. Formen vor gebläutem Grund u.a.) war B. auch als Schmuckmittel v.a. bei Prunkwaffen beliebt.

Blauweißporzellan, chines. Porzellan, dessen ungebrannter Scherben mit Kobaltoxid bemalt und anschließend mit einer transparenten Glasur überfangen wird. Das kostbare Kobalt wurde aus Persien, Sumatra und Malaya importiert, seit dem 16. Jh. aus Chinesisch-Turkestan; gegen Ende der Ming-Zeit entdeckte man auch Vorkommen in Kiangsi, Kuangtung und Chekiang. Der je nach Herkunftsort variierende Blauton des Kobalt ist wichtiges Kriterium zur Datierung. Seit dem 14. Jh. wurde B. in den Nahen Osten, seit dem 17. Jh. verstärkt nach Europa exportiert (→Chinoiserie). Die Ware des 14. Jh. zeigt in kräftigem Strich ausgeführte geometr. und florale Motive; Dekorelemente wie Drachen, Phönix, Bananenblatt und Lotus wurden in das Repertoire aufgenommen. Das B. des 15. Jh. hat weniger dichten Dekor und stärkere Gliederung in Zentralmotive und Ornamentfriese und -bänder sowie Gefäßformen, die z. T. islam. Ursprungs sind (Kanne). Mitte 16. Jh. setzte sich eine stärker maler. Auffassung im Dekor durch (Landschaftsmotive, taoist. Darstellungen u. a.). Seit dem 18. Jh. wird neben Fortschritten in der techn. Herstellung eine zunehmende Tendenz zur Stilisierung und ein Verlust an Spontaneität im Dekor erkennbar. (BILD chinesische Kunst)

Blechen, Karl, Maler, Radierer, Lithograph, *Cottbus 29. 7. 1798, †(nach 4jähriger Gemütskrankheit) Berlin 23. 7. 1840, urspr. Kaufmann, kam durch K. F.

Karl Blechen: Im Park von Terni; 1828–29 (Stuttgart, Staatsgalerie)

SCHINKEL zur Theatermalerei (1824–27). Dessen Einfluß und die Begegnung mit C. D. FRIEDRICH in Dresden (1823) wirkten auf seine frühen Bilder. Zum Durchbruch kam sein malerisches Genie in Italien (1823/29). Hier entfaltete B. eine auf Farb- und Lichtwirkungen ausgehende Freilichtmalerei, die er nach der Heimkehr auch auf heimatl. Motive anwandte (Blick über Häuser und Gärten, Palmenhaus auf der Pfaueninsel, Walzwerk bei Eberswalde). Seit 1831 Prof. der Berliner Akad., gestaltete er mit den neuen Mitteln vorwiegend romant., mitunter unheimlich-düstere Themen (›Der Blitzschlag‹, ›Klosterruine im Wald‹).

B. gehört zu den bed. Künstlern der dt. Romantik. Sein J. CONSTABLE und W. TURNER verwandter Stil enthält Elemente des späteren Impressionismus.

G. HEIDER: K. B. (1970); Ausst.-Kat., Berlin-West (1973).

Bled, dt. **Veldes,** Kurort an einem See am Fuß der Karawanken in der Rep. Slowenien, Jugoslawien, 4100 Ew. Über dem Ort Burg (Ende 10. Jh.) mit Kapelle (16. Jh.). Auf einer Insel Wallfahrtskirche (um 1650).

Bleichen, Maltechnik: 1) Aufhellen der Malöle durch möglichst vollständiges Entfernen des in ihnen enthaltenen gelben Samenhüllenfarbstoffs, früher durch Sonnenlicht, heute mittels Bleicherde. 2) Vergehen eines Farbstoffs durch Sonnenlicht (→lichtecht) oder in unverträgl. Umgebung (→kalkecht).

Bleichgold, Maltechnik: →Bronzen.

Bleifarben, Maltechnik: meist giftige →Pigmente aus chem. Verbindungen mit Blei mit sikkativierender Wirkung auf Öle. Alle B. sind seit der Antike bekannte, wichtige Materialien des Malers.

Bleiglanz-Keramik, Plumbạte-Kerạmik, sehr hart gebrannte Keramik in Mesoamerika (nachklass. Epoche ab 800) mit metallisch glänzender, glasurähnl. Oberfläche; die Farbe variiert von Olivgrün über Bleigrau bis Blaugrün (Funde bes. im Gebiet zw. Chiapas, Guatemala und El Salvador).

Bleiglas, Bleikristallglas, →Kristallglas.

Bleiglasur, →Glasur.

Bleiglätte, Bleigelb, kanariengelbe Bleifarbe (Bleioxid), fast nur als →Sikkativ gebraucht.

Bleikristall, →Kristallglas.

Bleimennige, Mennige, Maltechnik: hellrote Bleifarbe, im MA. als ›minium‹ bezeichnet. Heute v. a. als Rostschutzfarbe gebraucht, wurde B. im MA. häufig in der Buch-, Tafel- und Faßmalerei verwendet. In wäßrigen Techniken ist es nicht haltbar.

Bleiplastik, zusammenfassende Bez. für außerordentlich wetterfeste Plastiken aus gegossenem Blei, die aus dem bei niedrigen Temperaturen (327 °C) schmelzenden Metall, das sich leicht in Sand-, Holz- oder Gipsformen gießen läßt, hergestellt werden. Die ältesten Zeugnisse sind aus Troja und Mykene erhalten. In der Antike stellte man v. a. Weihefigürchen und Reliefplatten her. Im MA. wurden Taufbecken, Reliquienkästchen, Kleinplastiken und kunsthandwerkl. Arbeiten, häufig vergoldet oder bemalt, geschaffen. Sehr alt ist der Gebrauch von Bleisärgen. Aus Blei sind v.a. im 14./15. Jh. die Goldschmiedemodelle oder die Zwischenmodelle bei Schaumünzen und Pilgerzeichen. Erst gegen Ende 15. Jh., Anf. 16. Jh. begann die Gestaltung von größeren Freifiguren. Im Barock erlebte die B. ihren Höhepunkt. Im Park von Versailles und in Marly ließen König LUDWIG XIV. und seine Nachfolger Figurengruppen und Brunnen ausführen. – In Dtl. arbeiteten W. und K. DE GROFF, die im Dienste der Wittelsbacher (Nymphenburg, Brühl) standen. Bes. hervorzuheben sind die von G. R. DONNER, B. MOLL und F. X. MESSERSCHMIDT geschaffenen Werke in Österreich. Prunkvolle Bleisarkophage in Wien (Kapuzinergruft, von B. MOLL) und Berlin (Dom, von A. SCHLÜTER). – In neuerer Zeit wieder vereinzelt Großplastiken.

H. WEIHRAUCH: Europ. Bronzestatuetten 15.–18. Jh. (1967); Kurfürst Max Emanuel, Bayern und Europa um 1700, Ausst.-Kat., hg. v. P. VOLK (1976).

Bleisikkativ, →Sikkativ.

Bleiweiß, Cerussa, Maltechnik: basisches Bleikarbonat, bis ins 19. Jh. einziges Weiß für Öl- und Temperafarben.

Bleizinngelb, Maltechnik: zitronengelbe →Bleifarbe (Bleistannat) vom 15. bis 17. Jh. in →Staffeleibildern, seit Mitte des 18. Jh. kaum mehr verwendet.

Blende, Baukunst: zum Schmuck der Mauerfläche aufgelegter Bauteil, z. B. ein vor die Mauerfläche gesetzter Bogen, der eine B. bildet, heißt daher **Blendbogen,** eine Aneinanderreihung solcher Bogen **Blendarkade,** die Gliederung einer Gebäudewand mit (blinden) Fenster- und Türnischen **Blendfassade.**

Blendrahmen, Blindrahmen, Malerei: Leistenrahmen, auf den Malleinwand gespannt wird. Früher starr, seit Anfang des 19. Jh. als Keilrahmen zum Nachspannen eingerichtet.

Blenheim Palace [bl'enɪm p'ælɪs], nördlich von Oxford in einem ausgedehnten Landschaftspark gelegene, 1705–12 von J. VANBRUGH und N. HAWKSMOOR als nationales Denkmal nach dem Vorbild von Versailles für J. CHURCHILL, Duke of Marlborough, erbaute dreiflüglige Schloßanlage; endgültiger Ausbau nach 1716. Das rückwärtige ›Corps de logis‹ mit einem mittleren Hauptbau mit Kolossalordnung und vorgezogenem Portikus sowie niedrigen Seitenteilen mit massiven Eckpavillons ist durch eine eingeschossige Exedra mit toskan. Säulen zu einem kleineren Hofkomplex zusammengezogen. In seiner lebhaften Baukörperverteilung bildet die Anlage einen Höhepunkt engl. Barockarchitektur.

Bléry [bler'i], Eugène, frz. Maler, Radierer, *Fontainebleau 3. 3. 1805, †Paris 10. 6. 1887, stand den Malern von →Barbizon nahe; radierte z. T. unmittelbar vor der Natur Landschafts- und Pflanzenstudien.

Bles [blɛs], **1)** David, holländ. Maler, *Den Haag 19. 9. 1821, † ebd. 3. 9. 1899, schuf humoristisch-realist. Genrebilder.

2) Herri met de (Herry de Patinir?), niederländ. Maler, *Bouvigne (heute zu Dinant) um 1510, †Antwerpen oder Ferrara nach 1555, malte in der Nachfolge seines Onkels(?) J. PATINIR detailreiche Landschaften mit phantast. Felsen, Wäldern und Städten. B. signierte mit einer Eule; viele unsichere Zuschreibungen.

Blickling Hall [blˈɪklɪŋ hɔːl], Herrenhaus, nördlich von Norwich, Cty. Norfolk, errichtet 1616–27 durch R. LYMINGE (†1628) als eines der größten jakobin. Landhäuser Englands in einer stark flämisch beeinflußten Spätrenaissance, das um 1770 zur heutigen Vierflügelanlage ausgebaut wurde. Die fünfachsige, von Ecktürmen flankierte Backsteinfassade trägt 3 aus Halb- und Viertelkreisformen zusammengesetzte Zwerchgiebel; in der Gal. Stuckdecke in Beschlagwerkornament.

Blieskastel, Stadt im Saarland, 23000 Ew.; Pfarrkirche (ehem. Schloßkirche, 1776–81) mit imposanter Fassade; Paradeplatz und Rathaus (1774/75); Orangerie (nach 1660). Über B. eine Wallfahrtskapelle (1683) mit interessanter barocker Stuckdecke. Zahlreiche spätbarocke Häuser.

Blindenheilung, eines der bekanntesten Wunder Christi. Sie wurde daher schon in frühchristl. Zeit (v. a. als Symbol für die Erleuchtung des Menschen durch das Evangelium) auf Sarkophagen und in der Katakombenmalerei dargestellt. Auch im MA. begegnet sie häufig, so in Hildesheim (Bernwardssäule, 1015/22), Köln (S. Maria im Kapitol, Holztür um 1054) u. a., verschwindet Anf. 16. Jh. als Thema der christl. Kunst. REMBRANDT (1659, Zeichnung) nahm das Thema wieder auf. (→Tobias)

Bloch [blɔg], Carl Heinrich, dän. Maler, *Kopenhagen 23. 5. 1834, †ebd. 22. 2. 1890, studierte an der Kopenhagener Akad.; idyllisch-humorist. Szenen aus dem Volksleben, später Historiengemälde (›Christian II. im Gefängnis‹, 1871; Kopenhagen, Kunstmus.).

Blockbau, aus behauenen oder unbehauenen Baumstämmen errichtetes Gebäude. Der B., v. a. in Gebieten mit Nadelhölzern, ist die älteste Holzbauweise und war schon in der Bronzezeit bekannt. Die vollendetste Ausbildung fand der B. im Blockhaus der Alpengebiete bes. im Berner Oberland: Roh behauene, gleichmäßig runde Baumstämme werden waagerecht zu Wänden übereinandergelagert und an den Ecken überstehend miteinander verbunden. In Kanada und Teilen der UdSSR heute noch als Wohnhaus benutzt.

Blockbuch, in Buchform gefaßte Folgen von Holztafeldrucken des späten MA. Für jede Seite, ob Bild oder Text, wurde ein Holzstock **(Block)** geschnitten. Da beim Holzschnitt auf der Rückseite des bedruckten Blattes ein Relief entsteht, konnte jeder Bogen nur einseitig bedruckt werden (→Einblattdrucke). Zwei Bogen wurden an ihren freien Rückseiten zusammengeklebt, in der Mitte gefaltet und geheftet durch Verschnürung mit Faden, Leder- oder Pergamentriemchen. – Die B. entstanden zumeist in Dtl. und in den Niederlanden 1430–50. Mit Beginn des 16. Jh. wurden sie endgültig durch typographisch hergestellte Holzschnittbücher verdrängt. Als B. sind 33 Werke in über 100 versch. Ausgaben bekannt, u. a. Ars moriendi, Biblia pauperum.

Bloemaert [bl'u:ma:rt], **1)** Abraham, holländ. Maler, *Gorinchem 24. 12. 1564, †Utrecht 13. 1. 1651. Seine manierist. Frühwerke, überfüllte Kompositionen mit heftig bewegten, langgezogenen Figuren, sind im Stil von B. SPRANGER gemalt. Nach 1600 näherte sich B. einer klassizisierenden Richtung. Seit 1620 verarbeitete er Einflüsse der Utrechter Caravaggisten. B. hatte viele Schüler und großen Einfluß auf die Malerei in Utrecht und die holländ. Landschaftsmalerei. Die elegante Linienführung und die feingestufte, hellbunte Farbigkeit seiner späteren Werke beeinflußten frz. Maler (F. BOUCHER). B. hinterließ ein großes zeichner. Werk.

HW: Judith mit Haupt des Holofernes (1593; Wien, Kunsthistor. Mus.); Christus und die Jünger von Emmaus (1622; Brüssel, Musées Royaux des Beaux-Arts); Triumph Neptuns (Stockholm, Nat.-Mus.).

2) Cornelis, holländ. Kupferstecher, Sohn von 1), *Utrecht um 1603, †nach 1684, tätig in Paris, Rom, Florenz, schuf Reproduktionsgraphiken nach Gemälden.

3) Frederik, holländ. Maler und Kupferstecher, Sohn von 1), *Utrecht nach 1610, †nach 1661, stach meist nach Werken seines Vaters.

Blois [blwa], frz. Stadt und Bischofssitz an der Loire, 49 500 Ew., mit dem das Stadtbild beherrschenden Schloß: Um einen Ehrenhof gruppieren sich der got. Saalbau im NO (13. Jh.) mit der Salle des États, der Flügel LUDWIGS XII. in Backstein (1498–1503), der Renaissance-Flügel FRANZ' I. im NW (1515–24) mit achteckigem Treppenturm (BILD Renaissance) und der äußeren Loggienfassade, im SW der Flügel des Herzogs GASTON VON ORLÉANS (von F. MANSART, 1635–38; heute Mus.); den Abschluß bildet die spätgot. Kapelle St. Calais (um 1500). Weitere Kirchen: ehem. Benediktinerkloster St. Nicolas (1180–1210) und Kathedrale St. Louis (16.–17. Jh.; Krypta 10.–11. Jh.).

Blommẹr, Nils Jakob, schwed. Maler, *in Schonen 12. 6. 1816, †Rom 1. 2. 1853, studierte in Dtl., Paris und Rom, malte unter dem Einfluß M. v. SCHWINDS nord. Landschaften, bevölkert mit mytholog. Wesen.

Blondeel, Lancelot, fläm. Maler, Baumeister, *Poperinghe 1498, †Brügge 4. 3. 1561; Bilder mit überreicher Ornamentik im Stil der niederländ. Renaissance; Entwurf für Prachtkamin im Justizpalast von Brügge.

HW: Cosmas- und Damianaltar (1523; Brügge, St. Jakob).

Blondel [blɔ̃d'ɛl], **1)** François, frz. Baumeister, Architekturtheoretiker. *Ribemont-sur-Ancre (Somme) 1618, †Paris 21. 1. 1686, seit 1672 erster Direktor der neugegründeten Architektur-Akad. ebd.; Vertreter einer auf den Prizipien der Antike beruhenden Architektur, die ihm über die Werke der ital. Hochrenaissance und bes. A. PALLADIOS zugänglich wurden. B. gilt als theoret. Begründer des frz. Classicisme (›Cours d'architecture‹, 1675). Sein HW ist die Porte St. Denis in Paris (1671–1673; unter Mitwirkung von P. BULLET).

2) Jacques François, frz. Baumeister, Architekturtheoretiker, *Rouen 8. 1. 1705, †Paris 9. 1. 1774, war

u. a. als Stadtplaner für Metz (ab 1764) tätig, doch von weit größerer Wirkung als Theoretiker (→Rokoko), schrieb u. a. ›De la distribution des maisons de plaisance et de la décoration des édifices en général‹ (Paris 1737, Neudruck 1967), ›L'architecture française‹, 4 Bde. (Paris 1752–56, Neudruck 1904).

Bloomfield Hills [bl'u:mfi:ld hılz], Stadt im nordwestl. Vorortbereich von Detroit, Michigan, USA; hier baute der finn. Architekt Eliel Saarinen die Cranbrook Academy of Art (1926–41; Sammlung mit Werken u. a. von H. Moore) u. a. Gebäude; Gesamtanlage mit zahlreichen Brunnen des schwed. Bildhauers C. Milles.

Blos, Carl, Maler, *Mannheim 24. 11. 1860, †München 18. 11. 1941, malte, abseits vom Impressionismus, Genre- und Innenraumbilder, später meist Porträts.

Bludenz, Stadt in Vorarlberg, Österreich, 12800 Ew.; planmäßige Stadtanlage mit rechtwinkligem Straßenverlauf, Bürgerhäuser des 16. und v.a. 17. Jh. mit Lauben; Pfarrkirche (um 1514 voll., Turm um 1670), Spitalskirche (Ende 17. Jh.); Schloß **Gayenhofen** (barocker Neubau um 1746, Torbau 1. H. 13. Jh.).

Blumenmalerei, Themenbereich des →Stillebens. Blumen, Ranken, Sträuße als unselbständige dekorative Motive erschienen in den verschiedensten Zusammenhängen schon in der Antike und auch im MA. In Ostasien gab es schon früh berühmte Blumenmaler. In Europa, bes. in Holland, ist die B. erst seit dem 16. Jh. gepflegt worden (A. Dürer, J. Bruegel d. Ä., D. Seghers, J. G. de Heem). Impressionismus und Expressionismus nahmen die B. wieder auf (P. Cézanne, L. Corinth, E. Nolde u. a.).

Blumenthal, Hermann, Bildhauer, *Essen 31. 12. 1905, †(gefallen) in Rußland 17. 8. 1942, gehört neben G. Marcks und L. Kasper zu den dt. Bildhauern, die über die Formabstraktion der archaischen Antike zu einem neuen Menschenbild zu gelangen suchten.

Bluntschli, Alfred Friedrich, Baumeister, *Zürich 29. 1. 1842, †ebd. 27. 7. 1930, Schüler von G. Semper, in dessen sachlich-zweckbetontem Stil auch die Bauten B.s gehalten sind. Seit 1881 war B. Prof. in Zürich.

HW: Krankenhaus (Konstanz); Hotel Frankfurter Hof (Frankfurt a. M.); Kirche (Zürich-Enge); Schlösser in Holzhausen bei Marburg und Langenzell bei Neckargemünd; Villen u. a.

Blut|email [-emaj], roter Glasfluß zur Ausfüllung von Furchen (Furchenschmelz), →Emailkunst.

Blyth [blaıθ], Benediktinerkloster in der Cty. Nottinghamshire (England), wurde nach der normann. Invasion 1087 als Priorat der Abtei St. Trinité in Rouen gegr. Von der anschließend erbauten Kirche ist nur das siebenjochige Langhaus ohne die aus Querhaus und Staffelchor bestehenden Ostteile erhalten; hier ein dreigeschossiger Wandaufriß. In den Seitenschiffsarkaden tragen Halbsäulenvorlagen roman. Blattkapitelle. In got. Zeit wurde anstelle der Flachdecke des Mittelschiffs ein Kreuzrippengewölbe eingezogen.

Boa, Ababua, Stamm im nördl. Zaire, südlich des Uele. Die B. stellen Masken, Figuren und künstlerisch gestaltete Musikinstrumente her. Die Masken, die früher bei Kriegszügen verwendet worden sein sollen, zeichnen sich durch bes. große, ringförmige Ohren aus und weisen auf den Brauch der B., große Ohrpflöcke (aus Holz oder Elfenbein) zu tragen.

Bobẹgyi-Pagode, →Shri Kshetra.

Boberg [b'u:bærj], Ferdinand, schwed. Architekt, *Falun 11. 4. 1860, †Stockholm 7. 5. 1946, trug unter dem Einfluß L. H. SULLIVANS und des europ. Jugendstils dazu bei, die schwed. Baukunst aus der Abhängigkeit von histor. Stilformen zu lösen.

HW: in Stockholm: Posthaus (1904); Thielsche Gal. (Mus. 1905); Nordiska kompaniet (Warenhaus 1915).

Böblinger, schwäb. Steinmetzenfamilie.

1) Hans, *Böblingen um 1410, †Esslingen a. Neckar 4. 1. 1482, wurde 1440 Werkmeister und 1463 Bauleiter der Frauenkirche in Esslingen. Nach B.s Tod leitete sein Sohn Marx (†1492) den Bau.

2) Matthäus, Sohn von 1), *Altbach bei Esslingen um 1450, †Esslingen a. Neckar 1505, seit 1477 Meister am Ulmer Münster, wurde aus der Stadt verbannt, als 1493 der schon 237 Fuß hohe Turm einzustürzen drohte. Erst im 19. Jh. wurde der Turm nach seinen Plänen vollendet. Später arbeitete er als ›Kirchenmaister‹ am Chor der Frauenkirche in Esslingen.

Bobo:
›Doyo‹-Brettmaske des Do-Bundes aus schwarz, weiß und rot gefärbtem Holz; 203 cm (München, Privatsammlung)

Bobo, Bwa, Bua, ethn. Gruppe in Westafrika, zw. oberem Niger und oberem Schwarzen Volta im W Obervoltas und im angrenzenden Mali. Die etwa 250000 B. haben eine reiche Kultur. Ihre Gehöfte (rechteckige Lehmhäuser) sind von zinnenbewehrten Verteidigungsmauern umgeben (›Lehmburgen‹). Die B. fertigen (für Ackerbauriten) schwarz, weiß und rot gefärbte Masken in abstrakter Gestalt. Neben den ›Brettmasken‹, bei denen sich über der eigtl. Maske ein bis zu 2 m langes, mit geometr. Motiven beschnitztes und bemaltes Brett befindet, werden zoomorphe Darstellungen (Büffel, Antilope, Vogel u. a.) bevorzugt. Figuren sind seltener; sie werden jedoch meist naturalistisch gestaltet. Die B. arbeiten auch mit Metall, v. a. Bronze, und fertigen kleine Anhänger in zoomorpher Gestalt (Leopard, Vogel, Schlange) sowie Schmuckgegenstände (Armreifen, Fußreifen, Ringe), die fast immer einen relig. Bezug haben. – Der Unterstamm der **Bobo-Fing** (um Bobo-Dioulasso) fertigt auch rundplast. Helmmasken (manchmal von einer Menschenfigur gekrönt) in ästhetisierendem Stil.

Boccaccino [bokkattʃ'i:no], Boccaccio, ital. Maler, *Ferrara 1466(?), †Cremona 1524 oder 1525, schuf dort Fresken (Marienlegende, 1510–19, im Dom) und Altarbilder; Lehrer seines Sohnes Camillo (*1501, †1546), der dort die Fresken in S. Sigismondo schuf.

Boccioni [bottʃ'o:ni], Umberto, ital. Maler und Bildhauer, *Reggio Calabria 19. 10. 1882, †(gefallen) bei Verona 17. 8. 1916, studierte in Rom und Mailand, Mitbegründer (1910) und Wortführer des →Futurismus. B. ging von der Kenntnis des frz. Divisionismus aus, dessen Punktsystem er in seiner ›Malerei der See-

Umberto Boccioni: Der Lärm der Straße dringt in das Haus; 1911 (Hannover, Landesgalerie)

lenzustände‹ um 1910 in erregten Farbimpulsen, simultanen Perspektiven und Bewegungsphasen dynamisierte. Themen sind Stadt, Masse, Aufruhr, Verkehr (›Der Lärm der Straße dringt in das Haus‹, 1911, Hannover, Landesgal.). Er wandte die Theorien der futurist. Malerei auf die Skulptur an und erreichte eine gegenseitige Durchdringung von Raum und Bewegung im Widerspiel gewölbter und gehöhlter Schalen, die der abstrakten Plastik den Weg bereiteten. Von seinen plast. Arbeiten sind wenige erhalten.

Schrift: Pittura, scultura futurista (1914).
U. B. opera completa, hg. v. A. PALAZZESCHI (Mailand 1969).

Bochmann, Gregor von, Maler, *Nesat (Estland) 1. 6. 1850, †Düsseldorf 12. 2. 1930, schuf im Stil der frz. und belg. Malerei v. a. Strandbilder und Landschaften aus Estland und Holland.

Bocholt, Stadt in NRW an der niederländ. Grenze, 65400 Ew.; 1945 zu 85 % zerstört. Pfarrkirche St. Georg (1415–86); Rathaus (1618–21, herausragendes Beispiel westfäl. Renaissancearchitektur). Im Neuen Rathaus Gal. der Stadt (Werke von I. VAN MECKENEM).

Bochum, Stadt im Ruhrgebiet, NRW, 432000 Ew.; Innenstadt 1945 zu 90 % zerstört, seither Industriestadtcharakter mit großen Grünflächen. Propsteikirche (1517–24); Kunstsamml. der Ruhr-Univ. (Antike, Münzen, Moderne); Städt. Kunstgal. (Kunst nach 1945). Im Ortsteil **Stiepel** ehem. Marienwallfahrtskirche mit bemerkenswerten Wandmalereien (12. bis 16. Jh.).

Böcklin, Arnold, Maler, *Basel 16. 10. 1827, †S. Domenico bei Fiesole 16. 1. 1901, Schüler von J. W. SCHIRMER in Düsseldorf, dessen an CLAUDE LORRAIN und N. POUSSIN orientierte Landschaftskunst ihn nachhaltig

Arnold Böcklin: Toteninsel; 1880 (Basel, Kunstmuseum)

anregte; weitere Ausbildung in Antwerpen, Brüssel, Genf (bei A. CALAME) und Paris. 1850–57 und 1862–66 in Rom (Bekanntschaft mit seinem späteren Mäzen, dem Grafen A. F. v. SCHACK), seit 1893 in Fiesole.

Die Thematik der Bilder B.s war bestimmt vom Eindruck der ital. Landschaft und den Gestalten des antiken Mythos, die er als Sinnbilder der in der Natur wirkenden Kräfte begriff. Zunächst nur Staffagefiguren, gewannen diese Gestalten seit den 60er Jahren allmählich an Eigenbedeutung. Gleichzeitig hellte sich B.s Palette zu klaren, leuchtenden Farben auf. Seine Villen- und Ruinendarstellungen sind geprägt von melanchol. Stimmung, die sich im Spätwerk zu düsterem Ernst steigert. (→Symbolismus)

HW: Pan im Schilf (1858; München, Neue Pinakothek); Panischer Schrecken (2 Fassungen: 1859; Basel, Kunstmus. 1860; München, Schack-Gal.); Villa am Meer (5 Fassungen, 1864–78); Selbstbildnis mit fiedelndem Tod (1872; Berlin, Staatl. Museen); Kentaurenkampf (1873; Basel, Kunstmus.); Triton und Nereide (1873; München, Schack-Gal.); Toteninsel (5 Fassungen, 1880–86); Hl. Hain (1882; Basel, Kunstmus.); Der Krieg (1896; ebd.); Die Pest (1898; Zürich, Kunsthaus).

R. ANDREE: A. B. – Die Gemälde (1977); A. B. 1827–1901, Gemälde, Zeichnungen, Plastiken, Ausst.-Kat., Basel (1977).

Bodegọ́n, Bez. für das in der span. Malerei bes. in der 1. H. des 17. Jh. v. a. in Sevilla von F. HERRERA D. Ä. und dem jungen D. VELÁZQUEZ begründete →Küchenstück.

Bode-Museum, seit 1958 Name des ehem. →Kaiser-Friedrich-Museum in Berlin-Ost. Die Samml. gehen auf die Initiative von W. VON BODE zurück; heute Teil der →Staatlichen Museen, Berlin-Ost.

Bodendenkmal, mit dem Boden verbundenes, vom

Boden überdecktes Kulturdenkmal, zu dessen Erforschung und Präsentation die Ausgrabung nötig ist.

Bodh Gaya, Stätte der Erleuchtung des →Buddha, nahe Gaya, Indien. Über dem Ort der Meditation wurde schon in vorchristl. Zeit ein Kultbau errichtet, von dem nur Reste des Steinzauns mit Lotosmedaillons, Tierfriesen und Götterfiguren (darunter die früheste Darstellung →Suryas) zeugen. Der heutige hoch aufragende Tempelbau mit 4 kleineren Eckschreinen entstammt den Restaurierungen des 12./13. Jh.; seine Bekrönung bildet ein Stupa mit mehrteiliger Spitze aus →Chattras.

Bodhi-Baum, frühbuddhist. Symbol der Erleuchtung des Buddha und seiner 5 Vorgänger, die unter versch. Bäumen meditierten. Der häufig dargestellte B.-B. des Buddha Shakyamuni in Bodh Gaya ist ein Pipalbaum (Ficus religiosa); ein Ableger davon wird in →Anuradhapura verehrt.

Bodhigriha, auf frühbuddhist. Reliefs (Bharhut, Sanchi) dargestelltes tempelartiges Gebäude um einen Bodhi-Baum.

Bodhisattva, im Buddhismus ein zur Erleuchtung gelangendes Wesen, z. B. der Buddha bei seinem Erdenwandel, sowie im Mahayana weitere Wesen, die als Helfer der Menschen noch auf ihre Buddhaschaft verzichten (Avalokiteshvara, Vajrapani, Maitreya u. a.). Die ersten Darstellungen der fürstlich geschmückten B.s entstanden in der Gandhara-Kunst; seitdem in der buddhist. Kunst Indiens von großer Bedeutung, auch in Nepal, Tibet und Indonesien. Als Klein-Bronzen oder Steinskulpturen sind sie bes. aus der indo-javanischen Kunst seit dem 8. Jh. erhalten.

Bodhnath, buddhist. Stupa im NO von Katmandu, Nepal, v. a. den Tibetern heilig. Der halbkugelige Bau erhebt sich über einer dreistufigen Terrasse gleicher Höhe. Er wird bekrönt von einem Kubus mit aufgemalten Augen des Buddha in den 4 Himmelsrichtungen und pyramidenförmig ansteigender Spitze mit Schirm. Einziger plast. Schmuck ist ein Nischenkranz mit Figuren des Buddha Amitabha.

Bodiam Castle [b'əʊdjəm kɑːsl], Burg in der engl. Cty. Sussex, nordöstlich von Eastbourne, im Tal des Rother, eine der am besten erhaltenen spät-ma. Wasserburgen Englands; sie wurde 1386–89 als Festung im Hundertjährigen Krieg erbaut. Die regelmäßige Vierflügelanlage mit runden Eck- und quadrat. Mitteltürmen hat einen durch zusätzl. Seitentürme verstärkten Haupteingang.

Bödingen, ehem. Augustiner-Chorherrenstift bei Hennef-Lauthausen, NRW, mit spätgot. Basilika (1397–1408, Querhaus um 1440, Chor 1490–1500 mit 7/10-Schluß); am Sommerrefektorium (1732) spätroman. Säulen von der Burgkapelle in Blankenburg.

Bodmer, 1) Johann Carl, Maler und Lithograph, *Zürich 11.2.1809, †Barbizon 30. 10. 1893, v. a. bekannt durch seine Indianerdarstellungen. B. war Begleiter von MAXIMILIAN PRINZ ZU WIED, dessen Reisebericht (›Reise in das innere Nord-America in den Jahren 1832–1834‹, 2 Bde., 1839/41) er mit detailgetreuen Zeichnungen bereicherte.

H. LÄNG: Indianer waren meine Freunde (1976).

2) Walter, schweizer. Maler, Plastiker, *Basel 12. 8. 1903, †ebd. 3. 6. 1973, war ebd. seit 1939 Lehrer an der Kunstgewerbeschule, malte zunächst Bilder im Umkreis des Surrealismus; bekannt v. a. durch seine abstrakten Drahtreliefs, eine neue Art ausdrucksvoll verschlungener Ornamentik für moderne Architektur. Er schuf aber auch dreidimensional entwickelte, stehende oder hängende Gebilde.

Bodrum, Stadt an der türk. SW-Küste, gegenüber von Kos, 7800 Ew.; auf der Halbinsel Zephyrion Kastell St. Peter, von den Johannitern im 15. Jh. angelegt, enthält heute ein Mus. mit antiken Funden (v. a. aus dem Meer). B. liegt an der Stelle des antiken **Halikarnassos,** das Blütezeiten als Residenz (377–334 v. Chr.) eines karischen Fstt., v. a. unter König MAUSOLOS, erlebte, der die Stadt prunktvoll ausbauen und befestigen ließ. Sein Grabbau (→Mausoleum) im Stadtmittelpunkt zählte zu den Sieben Weltwundern.

Bodt, Jean de, frz. Baumeister, *Paris(?) 1670, †Dresden 3. 1. 1745, bildete sich unter dem Einfluß J. HARDOUIN-MANSARTS; Vertreter des Classicisme. Er ging 1685 nach Holland, 1689 mit WILHELM III. von Oranien nach England, 1698 zu FRIEDRICH III. nach Berlin, wo er als Festungs- und Zivilarchitekt wirkte. Er vollendete das Berliner Zeughaus (1699–1706) und schuf den Hofabschluß des Potsdamer Stadtschlosses (1701) sowie Befestigungen und Tore in Wesel; trat 1728 in den Dienst AUGUSTS DES STARKEN.

Body Art [b'ɔdɪ ɑ:t, engl. ›Körperkunst‹], Richtung der zeitgenöss. Kunst. Ausgehend von Happenings und Performance, wurde von Künstlern Ende der 1960er Jahre in New York der Körper als Medium entdeckt. Die Veränderungen am Körper durch Übermalung, Ausreißen der Körperbehaarung (V. ACCONCI), gezielte Sonnenbestrahlung (D. OPPENHEIM) werden durch Photographie, Film oder Video als Dokumentation der Selbstdarstellung und Selbsterfahrung festgehalten.

Körpersprache, Ausst.-Kat., Frankfurt (1976).

Boeckl, Herbert, österr. Maler, Zeichner, *Klagenfurt 3. 6. 1894, †Wien 20. 1. 1966; entwickelte um 1920 einen malerisch-expressiven Stil; setzte sich nach 1945 bes. mit dem Kubismus auseinander und betonte mehr das formale Gerüst seiner Bilder.

Fresken: Engelskapelle, Seckau.

Boehm, Joseph Edgar, österr.-engl. Bildhauer, *Wien 6. 7. 1834, †London 12. 12. 1890; nach Studien in Italien ließ er sich 1862 in London nieder, wo er als Hofbildhauer u. a. das Reiterdenkmal des Herzogs von WELLINGTON und Statuen der Königin VICTORIA schuf.

Boffrand [bɔfr'ã], Germain, frz. Baumeister, *Nantes 7. 5. 1667, †Paris 18. 3. 1754, Schüler von J. HARDOUIN-MANSART, baute Schlösser (Lunéville, 1702–06) und vornehme Stadtwohnungen in Paris und der Provinz (bes. in Lothringen). B. war als Berater auch im Ausland geschätzt (z. B. für die fürstbischöfl. Residenz in Würzburg). Seine Innenraumgestaltungen (Hôtel de Soubise, Paris) sind Meisterleistungen des frz. Rokoko, als dessen Hauptvertreter er gilt. Im ›Livre d'architecture‹ (1745) stellte er die Antike und A. PALLADIO als Vorbilder hin und verurteilte die Gotik sowie die ›Ausschweifungen des Barock‹.

Bofill [bof'iʎ], Levi Ricardo, span. Architekt, * Barcelona 5. 12. 1939, gründete mit seiner Schwester Anna (* Barcelona 1944) u. a. die Planungsgruppe →Taller de Arquitectura.

Boğazköy [bɔː'azkœj], **Boğazkale,** Ort in der Türkei mit den Ruinen von →Hattuscha.

Bogen, Baukunst: bogenförmiges Tragwerk, das der Überbrückung dient. Anders als der →Architrav, der nur geringe Spannweiten überbrückt, kann der B. zw. 2 Widerlagern auf Druck beansprucht werden. Der echte B. wird aus Keilsteinen konstruiert, dessen Fugen stets zum B.-Mittelpunkt laufen. Beim unechten B., der durch Vorkragen der Steine gebildet wird, laufen die Fugen vertikal und horizontal mit der Wand. Die B.-Linie beginnt an den Kämpferpunkten mit dem Anfänger und hat ihren höchsten Punkt im Scheitel mit dem Schlußstein. Die Ansichtsfläche heißt Bogenstirn, die Innenfläche Bogenlaibung. Die Fläche zw. Kämpfer und Bogenlinie ist das Bogenfeld, →Tympanon. – Zu hoher künstler. und techn. Vollendung gelangte der B. bei den Römern. Sie verwendeten den **Rund-B.** für Fenster- und Türöffnungen sowie über kräftigen Pfeilern in Monumentalbauten und bei den großen Wasserleitungen (Aquädukte). Der B.-Bau war die Grundlage des in der Kaiserzeit hochentwickelten Gewölbebaus. Die röm. Tradition wurde im MA. im Orient und im Abendland fortgesetzt, bes. trugen die in den Kirchen die Haupt- und Seitenschiffe trennenden Stützen fast immer B. Der roman. Stil blieb zunächst beim Rund-B., doch kamen in der Spätzeit des Stils (um 1200) daneben mannigfaltige dekorative B.-Formen auf (Kleeblatt- oder Dreipaß-B., Fächer-B.); aus mehr stat. Erwägungen wurde damals bereits der **Spitz-B.** verwendet, der neben dem **Hufeisen-B.** auch den Arabern bekannt war. Der Spitz-B. wurde dann in der Gotik ein bestimmendes Stilelement; der Spätstil des 14.–15. Jh. führte auch hier zu dekorativen Umbildungen wie dem **Eselsrücken (Kiel-B.)** oder dem **Tudor-B.**. Bei den im Barock beliebten Stichkappengewölben kam es zu mannigfachen B.-Kurven; die Spätzeit (17.–18. Jh.) verwendete bei Giebeln und Fensterverdachungen gern den **gesprengten B.** neben **Korb-** und ellipt. **Flach-** oder **Segment-B.;** weitere Bogenformen →maurischer Stil.

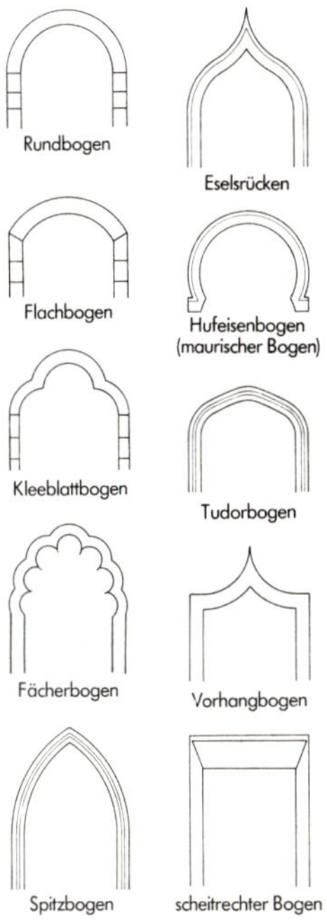

Bogen

Bogoljubow, Aleksej Petrowitsch, russ. Marinemaler, *Pomeranje (Gouv. Nowgorod) 28. 3. 1824, †Paris 7. 11. 1896, ausgebildet an der Kunstakad. St. Petersburg, lebte ab 1870 meist in Paris. Beeinflußt von der Düsseldorfer Schule (A. ACHENBACH), der Schule von Barbizon und C. COROT, malte er v. a. romant. Meereslandschaften. Begr. 1885 das Radischtschew-Mus. in Saratow.

Bogoljubowo, Ort an der Mündung des Nerl in die Kljasma nordöstlich von Wladimir, Russ. SFSR, 3900 Ew. Die Kathedrale wurde 1751 auf Resten eines Vorgängerbaus und des 1158–65 erbauten Palastes von Fürst ANDREJ BOGOLJUBSKIJ von Wladimir erbaut, die schon im 13. Jh. zerstört worden waren. Die übrigen Bauten des Komplexes sind aus dem 19. Jh. In der Nähe am Nerl die Pokrow-Kirche, eine Kreuzkuppelkirche von 1165, im 19. Jh. verändernd restauriert.

Bogotá, früher **Santa Fé de B.,** Hauptstadt Kolumbiens, 4,067 Mio. Ew.; 1539 gegr., war ein Zentrum der span. Kolonialmacht. Die kolonialzeitl. Kirchen der Stadt sind reich an farbig gefaßten Holzskulpturen, kostbaren Barockretabeln und vergoldeter Wandornamentik, so v. a. Santa Clara (gew. 1630; Deckenmalereien des 17. Jh. und Gemälde, u. a. von G. VÁSQUEZ DE ARCE Y CEBALLOS, 1638–1711, dem größten Maler im kolonialzeitl. Kolumbien), die heute Mus. (›Monumento Nacional‹) ist; La Candelaria (Chor im Mudéjar-Stil); Santa Bárbara (Ende 16. Jh., mit Gemälden von Vásquez); San Francisco (1569–1622) mit barockem Hochaltar (HW des 17. Jh.), zu dessen Ornamentik auch exot. Flora und Fauna gehören; San Diego mit Holzskulptur (Mondsichelmadonna ›Virgen del Campo‹, um 1620). Der heutige (4.) Bau der Kathedrale (1807–1823) ist eine dreischiffige klassizist. Hallenkirche mit Seitenkapellen und Kuppel, Fassade mit Giebel und Ecktürmen, Chor und Gestühl z. T. noch 17. Jh. Zur Kathedrale gehört die Capilla del Sagrario (1689) mit Holztüren im Renaissance-Stil (Erzengel und Ornamentik nach europ. Stichen des 17. Jh.). San Ignacio: hochbarock mit manierist. Fassade (Mitte 17. Jh.) und klassizist. Hauptaltar (1635–1640). Das Museo de Arte Colonial im ehem. Jesuitenkloster, einem schönen Bauwerk der Kolonialzeit, hat eine reiche Samml. kolonialzeitl. Kunst; im Nat.-Mus. sind u. a. die Statuen aus San Agustín ausgestellt, ein Teil der Funde aus präkolumb. Zeit im Archäolog. Mus. Das Museo de Oro enthält eine einzigartige Samml. von Goldschmiedearbeiten aus vorspan. Zeit.

Bohlenbau, Bauweise, bei der die Wände von Holzhäusern durch waagerechte, senkrechte oder schräge Bohlen zw. Pfosten gebildet werden.

Böhm, 1) Dominikus, Architekt, *Jettingen a. d. Mindel 23. 10. 1880, †Köln 6. 8. 1955, war 1908–26 Lehrer an der Bau- und Kunstgewerbeschule in Offenbach a. M. und seit 1926 Prof. an den Kölner Werkschulen. B. erneuerte den kath. Kirchenbau i. S. des Dienstes an der Liturgie.

HW: St. Johann Baptist, Neu-Ulm (1926); St. Joseph, Hindenburg (1930); St. Engelbert, Köln-Riehl (1930–32); Kath. Kirche, Norderney (1930); Maria Königin, Köln-Marienburg (1953–54).

A. HOFF u. a.: D. B., Leben und Werk (1962).

2) Gottfried, Architekt, Sohn von 1), *Offenbach a. M. 23. 1. 1920, studierte an der TH München. Im Rückgriff auf den Expressionismus entwickelte B. eine höchst bildhafte, weit über den Kanon des orthodoxen Funktionalismus hinausweisende Architektur, die es ihm erlaubt, nachdrücklich auf die jeweiligen topograph., städtebaul. und sozialen Bedingungen einzugehen.

HW: Gemeindezentrum St. Gertrud, Köln (1961–66); Altenzentrum in Düsseldorf-Garath (1962–67); Kinderdorf in Bensberg (1962–67); Rathaus ebd. (1962–67); Wallfahrtskirche in Neviges (1963–67); Wohnanlage in Köln-Chorweiler (1967–74); Wiederaufbau der Kauzenburg, Bad Kreuznach (1970–72); Rathaus und Kulturzentrum, Bocholt (1970–73); Diözesanmus. Paderborn (1971 bis 1974); Landesamt für Datenverarbeitung und Statistik, Düsseldorf (1972–75; mit G. WAGNER); Neugestaltung des Prager Platzes, Berlin (1979 ff.).

G. B. Bauten und Projekte, hg. v. S. RAEV (1982).

Böhmer, Gunter, Zeichner, Maler, *Dresden 13. 4. 1911, †Lugano 8. 1. 1986, Schüler von E. ORLIK und H. MEID, seit 1933 in Montagnola; schuf Buchillustrationen, meist Federzeichnungen, von großer Lebendigkeit und starker Ausdruckskraft.

Böhmische Kappe, Platzelgewölbe, Baukunst: stereometr. Teil einer Halbkugel, deren Fußpunkte außerhalb des zu überwölbenden Raumes liegen.

Böhmische Malerschule, im Umkreis der Residenz Kaiser KARLS IV. und König WENZELS in Prag in der 2. H. des 14. Jh. bestehende Malerschule. In ständiger Auseinandersetzung mit östl. Formen entwickelte sich hier aus Einflüssen, die bis zur Jahrhundertmitte v. a. aus dem W (Paris, Avignon), später aus Italien kamen, ein ausgesprochen höf. Stil. Zur B. M. gehörten

Böhmische Malerschule: Glatzer Madonna; um 1350 (Berlin-West, Staatl. Museen)

v. a. dt. Künstler: NIKOLAUS WURMSER aus Straßburg, MEISTER OSWALD, THEODERICH VON PRAG; nur letzterer ist künstlerisch faßbar.

HW: Altartafeln des Meisters von Hohenfurth (um 1340; Prag, Nat.-Gal.); Glatzer Madonna (um 1350; Berlin-West, Staatl. Museen); Malereien auf Burg Karlstein (von THEODERICH VON PRAG und TOMMASO DA MODENA); Wandbilder in Burg Karlstein, Dom, Emmauskloster; Altartafeln des Meisters von Wittingau (um 1380/90; Prag, Nat.-Gal.); Wenzelshandschriften (Wien, München, Antwerpen).

De Boheemse Primitieven. Got. Kunst in Tsjechoslowakije 1350 bis 1420, Ausst.-Kat., Rotterdam (1966).

Bohnstedt, Ludwig, Baumeister, *St. Petersburg 27. 10. 1822, †Gotha 3. 1. 1885; tätig in St. Petersburg, Moskau, Riga, seit 1863 in Gotha, wo er Versicherungs- und Bankgebäude in historist. Stil schuf.

Boilly [bwaj'i], Louis Léopold, frz. Maler, Lithograph, *La Bassée 5. 7. 1761, †Paris 4. 1. 1845, schilderte in einem an holländ. Malern geschulten Stil das bürgerl. Leben zur Zeit der Revolution und des Directoire. Sein Werk wird auf etwa 5000 gemalte und lithographierte Porträts und 500 Genrebilder geschätzt, die bes. auch als zeitgeschichtl. Zeugnisse reizvoll sind (Werke in Paris: Louvre, Petit Palais, Mus. Cognacq-Jay).

Boiserie [bwazər 'i], frz. Bez. für Wandverkleidung; i. e. S. mit Flachrelief geschmückte Täfelungen aus dem 17./18. Jh.

Boisserée [bwasər'e], Melchior, *Köln 23. 4. 1786, †Bonn 14. 5. 1851, und sein Bruder Sulpiz, *Köln 2. 8. 1783, †Bonn 2. 5. 1854, Kunstgelehrte und -sammler, die mit ihrem Freund J. B. BERTRAM (†1841) in Köln, später in Heidelberg die ma. Kunst Dtl.s erforschten. Die Brüder B. gehörten zu den ersten Sammlern altdt. und altniederländ. Malerei und setzten sich für die Vollendung des Kölner Doms ein. Ihre Samml. wurde 1827 an die Alte Pinakothek nach München verkauft. Sulpiz B. wurde 1835 bayer. Generalkonservator.

Boissieu [bwasj'ø], Jean-Jacques de, frz. Maler, Radierer, *Lyon 30. 11. 1736, †ebd. 1. 3. 1810, ausgebildet in Paris, lebte nach einer Italienreise in Lyon; schuf Zeichnungen und Radierungen der heim. Landschaft sowie reizvolle Genrebilder.

Boitout [bwat'u, frz. ›trink alles‹], **Tummler,** halbkugelförmiges Trinkglas ohne Henkel und Fuß.

Boitzenburg/Uckermark, Ort bei Prenzlau, Dt. Dem. Rep.; Schloß (›Oberhaus‹ Ende 16. Jh., ›Unterhaus‹ 1881–84 im Renaissancestil umgebaut) mit Landschaftspark von P. J. LENNÉ (um 1840); bei B. die Ruine eines um 1270 gegr. Zisterzienser-Nonnenklosters.

Bojana, Ort in Bulgarien, südwestlich von Sofia am Fuß des Witoscha-Gebirges, mit einer Kirche, die im 12. Jh. als kleine Hauskirche einer befestigten Residenz gegr., 1259 vergrößert und zur Grabkirche ausgestaltet wurde. Die kurz danach entstandenen Wandmalereien (›Schule von Tarnowo‹) sind ein Hauptwerk altbulgarischer Malerei.

Bojnice [b'ɔjnitsɛ], dt. **Weinitz,** Ort im Mittelslowak. Kreis, ČSSR; 4000 Ew.; Burg aus Bauteilen von Gotik, Renaissance und Barock, 1899–1909 zu einer romant. ma. Burg vereint.

Boki, Volksgruppe im südöstl. Nigeria; künstlerisch zu den →Ekoi und damit zum Komplex →Cross River gerechnet. Wie die meisten anderen Stämme dieses Gebietes fertigen sie Tanzaufsätze (→Maske) in Gestalt von Menschenköpfen; diese werden jedoch generell nicht mit Leder überzogen, sondern bemalt; gelegentlich bilden auch mehrere der meist sehr expressiv gestalteten Köpfe einen Tanzaufsatz.

Bol, Ferdinand, holländ. Maler, getauft Dordrecht 24. 6. 1618, begraben Amsterdam 24. 7. 1680, lehnte sich in seinen relig. Bildern, in seinen Bildnissen und Gruppenporträts eng an seinen Lehrer REMBRANDT an. Sein Spätwerk wirkt jedoch klassizistisch.

HW: in Amsterdam (Rijksmus.), Dresden (Gemäldegal. – Alte Meister), Kopenhagen (Staatl. Kunstmus.).

Boldini, Giovanni, ital. Maler, *Ferrara 30. 12. 1842, †Paris 12. 1. 1931, studierte an der Akad. in Florenz, wo er sich den Macchiaioli anschloß. Als beliebter Bildnismaler porträtierte er virtuos in flotter Art die elegante Gesellschaft und schilderte Pariser Straßenszenen in dickem Farbauftrag.

Bolesławiec [-sł'avjɛts], poln. Name für →Bunzlau.

Bolkenhain, poln. **Bolków** [b'ɔlkuf], Stadt in der Wwschaft Jelenia Góra (Hirschberg), Polen, 5200 Ew. Frühgot. Pfarrkirche (1248–52, im 14. und 19. Jh. verändert); Schloß der Herzöge von Schweidnitz und Jauer (1277–93, im 14. Jh. erweitert, um 1540 unter Beteiligung von J. PARR umgestaltet), heute Provinzmus.

Bollwerk, urspr. provisor. Verteidigungswerk in Form eines mit Bohlen befestigten Erdwalls. Später allg. für eine der Festung oder befestigten Stadt vorgelagerte Verteidigungsanlage.

Bologna [bol'oɲa], Hauptstadt der nordital. Region Emilia-Romagna und Erzbischofssitz, 488 300 Ew. Mittelpunkt der seit 1972 umfassend sanierten Altstadt mit Bogengängen und z. T. erhaltenen ma. Geschlechtertürmen (v. a. die Wahrzeichen der Stadt ›Torre Asinelli‹ und ›Torre Garisenda‹, beide 12. Jh.) ist die Piazza Maggiore. An ihr liegen die wichtigsten Bauwerke B.s: die Basilika S. Petronio (1390 beg.), eine der größten christl. Kirchen der Erde, deren mit alttestamentl. Reliefs geschmücktes Mittelportal von J. DELLA QUERCIA (1425 beg.) ein HW der ital. Frührenaissance-Skulptur ist; im Inneren Gemälde, Fresken (u. a. von GIOVANNI DA MODENA) und Kirchenmus.; der Palazzo del Podestà (im 13. Jh. beg.) mit Renaissance-Fassade und Glockenturm, Palazzo dei Notai (14./15. Jh.), Palazzo dei Banchi (16. Jh.) und Palazzo Comunale (Rathaus, 13. und 15. Jh.) mit Portal von G. ALESSI (1555) und Madonnenrelief aus Marmor von NICCOLÒ DELL'ARCA (1478); im Obergeschoß die Städt. Kunstsamml. (Gemäldegal.). An der sich anschließenden Piazza del Nettuno der Palazzo di Re Enzio (13. Jh.) und der Neptunbrunnen (Bronzefiguren von GIAMBOLOGNA, 1566 voll.). Unter den zahlreichen Kirchen sind zu nennen: S. Domenico (2 hintereinanderliegende Bauwerke des 13. Jh.; im Inneren Sarkophag des Hl. Dominikus aus der Werkstatt N. PISANOS, 1267, mit Bekrönung von Niccolò dell'Arca, 1469 beg.), S. Francesco (1236–63; dreischiffige got. Kirche mit großem Marmoraltar von J. und P. P. MASEGNE, 1388–92; zahlreiche Grabmäler), S. Stefano (5 Sakralbauten, 11./12. Jh., mehrfach verändert, teilweise auf Vorgängerbauten; mit Kreuzgang und Mus.), Dom S. Pietro (vom roman. Bau, 1165–84, nur Krypta und Campanile erhalten; Chor 1575; Langhaus 1605; in der Sakristei Kreuzigungsgruppe, 12. Jh.), S. Giacomo Maggiore (1267 beg., 1492–1502 umgestaltet; im Inneren und in dem sich anschließenden Cäcilien-Oratorium befinden sich Meisterwerke der Bologneser Malerschule vom 14.–17. Jh.), S. Maria della Vita (17./18. Jh.; mit Terrakotta-Pietà von Niccolò dell'Arca, nach 1485), S. Maria dei Servi (1346 beg.), S. Giovanni in Monte (13./15. Jh.). In der Pinakothek Samml. ital. Malerei (v. a. Malerschule von Bologna); Städt. Mus. (Museo Civico) mit Archäolog. Samml., v. a. der Villanovakultur.

B. ist das etrusk. **Felsina,** nördlichstes Zentrum der →Villanovakultur, seit der 2. H. des 6. Jh. v. Chr. etruskisch geprägt. Als Handelszentrum unterhielt Felsina enge Kontakte zu den Kulturen N-Italiens und Mitteleuropas, besaß vermutlich eine eigene Bronzeindustrie. Nach der Nekropole im Gebiet der Certosa di B. wurden charakterist. Fibeln und Gefäße (Certosa-Fibel, 6. Jh. v. Chr., Certosa-Situla, um 500 v. Chr., Mus. Civico) benannt. Eine weitere Besonderheit von Felsina sind hufeisenförmige, auf allen Seiten reliefgeschmückte Grabstelen (5./4. Jh. v. Chr.).

Bologna [bol'oɲa], **Malerschule von Bologna,** Bez. für die versch. Epochen (etwa 13./14.–18. Jh.) und Stilrichtungen umfassende Malerei in B. Nach ersten nachweisbaren Anfängen im 13. Jh. (bes. bei der byzantinisch geprägten Miniaturmalerei) stand die Malerschule von B. zunächst in enger Verbindung mit der Toskana und gelangte erst gegen Mitte des 14. Jh. im maler. Werk des VITALE DA BOLOGNA zu einem eigenständigen Ausdruck. Im 15. Jh. machte sich ein zunehmender Einfluß der Schule von Ferrara bemerkbar. Zu den Hauptvertretern des Manierismus in B. gehörten P. TIBALDI und L. SABBATINI. Als Reaktion auf diese seit der 2. H. 16. Jh. in Italien allg. vorherrschende Stilrichtung gründeten die →Carracci um 1585/86 die ›Accademia degli Incamminati‹ (›Akad. der auf den rechten Weg Gebrachten‹). In Anlehnung an die Tradition der röm. Hochrenaissance und an das Vorbild CORREGGIOS sowie der venezian. Meister unternahmen sie den Versuch einer Synthese aller bis dahin in den ital. Kunstzentren erarbeiteten klass. Errungenschaften. Die zu dieser Zeit in B. heranwachsende Künstlergeneration, zu der neben DOMENICHINO und F. ALBANI v. a. G. RENI und GUERCINO zählten, entwickelte einen durch barokke Fülle und Energie gekennzeichneten Stil, der dem Bedürfnis nach dekorativer Ausstattung entsprach. Die seit Ende des 17. bis Mitte des 18. Jh. in B. dominierende klassizist. Doktrin der Akad. erfuhr durch G. M. CRESPI eine erneute Hinwendung zur unmittelbaren Naturbeobachtung und vermittelte damit der Malerei Venedigs wichtige Impulse.

Bologna [bol'oɲa], Giovanni da B., ital. Bildhauer, →Giambologna.

Bologneser Kreide [-ɲ-], Maltechnik: gebrannter Gips, der mit so viel Wasser angerührt wird, daß er nicht mehr abbindet. Da B. K. sich gut polieren und gravieren läßt, wird sie für Goldgrund bevorzugt; neben Kreide wichtigster Füllstoff für →Grundierungen. In Italien nahezu ausschließlich zur Grundierung von →Staffeleibildern verwendet.

Bolsena, Ort am gleichnamigen See im nördl. Latium, Italien, 3900 Ew., an der Stelle des röm. **Volsinii,** das nach der Zerstörung (265 v. Chr.) der nordöstlich von B. gelegenen etrusk. Stadt →Volsinii neu gegr. wurde; im Mus. Comunale etrusk. und röm. Funde.

Bolsward, Gem. in der niederländ. Provinz Friesland. Die spätgot. St. Maartenskirche ist eine dreischiffige Pseudobasilika (1446–66) mit Wandmalereien (15./16. Jh.), reich geschnitztem Chorgestühl (Ende 15. Jh.) und geschnitzter Barockkanzel (1660–62). Das Rathaus (1613–17) mit seiner mit reichem Skulpturenschmuck versehenen Fassade ist ein HW der niederländ. Renaissance; Freitreppe (1768) in Rokokoformen erneuert.

Bolswert, 1) Boëtius van, niederländ. Kupferstecher, *Bolsward um 1580, †Antwerpen 25. 3. 1633, arbeitete nach holländ. und fläm. Malern, bes. nach RUBENS und A. BLOEMAERT.

2) Schelte van, niederländ. Kupferstecher, Bruder von 1), *Bolsward um 1586, †Antwerpen 12. 12. 1659, ging aus seiner fries. Heimat nach Utrecht und dann nach Antwerpen, wo er einer der bedeutendsten →Rubensstecher wurde.

Boltanski, Christian, frz. Künstler, *Paris 6. 9. 1944, lebt ebd. B.s Ziel ist seit 1965 die fiktive Rekonstruktion früherer Lebensabschnitte mit Hilfe von Photographien und Gegenständen (→Spurensicherung). Neuere Arbeiten fragen nach dem Realitätsgehalt des Mediums Photographie.

Boltraffio, Giovanni Antonio, ital. Maler, *Mailand 1467, †ebd. 15. 6. 1516, Schüler von LEONARDO DA VINCI, in dessen Stil er Bildnisse (›Knabe mit Kappe‹; Washington, Nat. Gal. of Art) und Andachtsbilder (›Madonna der Familie Casio‹, um 1500; Paris, Louvre) malte, auch Fresken in Rom und Mailand.

Bolus [grch. bolos ›(Erd-)Klumpen‹], Maltechnik: Poliment, fette rote, gelbe, weiße, grüne oder schwarze Tonerde, die bes. aufbereitet die Unterlage für polierfähige Blattvergoldung bildet. Den Griechen war B. für Vergoldungen schon bekannt; im MA. wurde B. erst wieder seit dem 13. Jh. verwendet. Die jeweils unterlegte Farbe beeinflußt den Ton des Goldes.

Bolusgrund, farbige Grundierung für →Tonmalerei, enthält meist aber keinen Bolus, sondern rote Ocker- oder Eisenoxidfarben.

Bolzano, ital. Name von →Bozen.

Bomarzo, ital. Städtchen in der Prov. Viterbo, mit dem **Palazzo Orsini** (1525–83, im Inneren Freskenschmuck) und Park der Monstren (›Parco dei Mostri o Bosco Sacro‹, um 1580), ein terrassenartig zum Talgrund abfallender Naturpark mit in Findlingsblöcken eingehauenen allegor. Masken und Figuren, typ. Beispielen manierist. Kunst.

Bombay [b'ɔmbeɪ], Hauptstadt des ind. Bundesstaates Maharashtra, 6 Mio. Ew.; bed. Samml. ind. Kunst im Prince-of-Wales-Mus. In der Bucht von B. liegt die Felseninsel →Elephanta mit shivaitischen Höhlentempeln.

Bombois [bɔ̃bw'a], Camille, frz. Maler, *Vénaray-lès-Laumes 3. 2. 1883, †Paris 11. 6. 1970, war Schiffer, Ringkämpfer, Lastträger, begann mit 16 Jahren in naiver Weise zu malen und hatte seit 1922 Erfolg. Die saubere Klarheit, mit der er seine Motive wiedergibt, verleiht seinen Bildern besonderen Reiz.

Camille Bombois: Jahrmarktathlet; um 1930 (Paris, Centre Pompidou)

Bonampak, Zeremonialzentrum der Maya-Kultur in Chiapas, Mexiko. Anlage und Bauwerke sind von verhältnismäßig bescheidener Größe. 1946 wurden die relativ gut erhaltenen, polychromen Wandmalereien an den Innenwänden von 3 Räumen eines der Bauwerke entdeckt; dargestellt sind naturalist. Szenen aus dem Hofleben, Zeremonien und Kriegshandlungen.

Bonampak: Wandgemälde, Einkleidung eines Maya-Priesterfürsten mit den Insignien seiner Würde; um 700

K. RUPPERT, J. E. S. THOMPSON und TATJANA PROKOURIAKOFF: B., Chiapas, Mexiko (Washington 1955).

Bonan(n)us von Pisa, ital. Bronzegießer in der 2. H. des 12. Jh., arbeitete 3 Türen mit figürl. Reliefs in Bronze, 2 am Dom von Pisa (1180, die des Hauptportals 1595 durch Brand zerstört), eine am Dom von Monreale, Sizilien (1186). B. v. P. gelangte, von der lombard. Plastik ausgehend, zu Kompositionen mit erstaunl. Tiefenwirkung. Er gilt auch als Erbauer des Campanile des Pisaner Doms (›Schiefer Turm von Pisa‹). BILD S. 48

Bonatz, Paul, Architekt, *Solgne bei Metz 6. 12. 1877, †Stuttgart 20. 12. 1956, seit 1908 Prof. an der TH Stuttgart, ging 1943 als architekton. Berater nach Ankara und war 1946–54 Prof. an der Techn. Univ. Istanbul.

HW: Univ.-Bibl. Tübingen (1910–12); Stadthalle Hannover (1912/13); Hauptbahnhof Stuttgart (Wettbewerb 1912, Ausführung 1914–28; Bürohaus Stumm Konzern, Düsseldorf (1922–24); Staustufen am Neckarkanal (1926–28); Zeppelinbau, Stuttgart (1929–31); Beratung beim Bau von Autobahnbrücken (1938–41); Staatsoper Ankara (1947–48).

N. BONGARTZ u. a.: P. B. 1877–1956 (1977).

Bondol [bɔ̃'dɔl], **Bandol** [bɑ̃'dɔl], **Bondolf,** Jan, genannt Jean oder Hennequin **de Bruges** [də'bry:ʒ], fläm. Maler der 2. Hälfte des 14. Jh. aus Brügge; 1368 Hofmaler KARLS V. von Frankreich, dessen Porträt in einer Bibel von 1372 er signierte (Den Haag, Rijksmuseum Meermanno-Westreenianum). B. entwarf die Bildwirkerei der Apokalypse von →Angers.

Bone [bəʊn], Sir (1937) Muirhead, engl. Radierer, *Glasgow 23. 3. 1876, †Ferry Hinksey (Oxford) 21. 10. 1953, studierte zunächst Architektur an der Kunstschule in Glasgow, seit 1901 in London tätig, arbeitete v. a. als Zeichner und Radierer. Seine Architekturblätter in Kaltnadeltechnik zählen zu den besten seiner Zeit. 1899 veröffentlichte er das Mappenwerk ›Etchings of Glasgow‹.

Bonanus von Pisa: Teil einer Bronzetür am Dom zu Pisa; 1180

Bonfigli [bɔnfˈiʎi], Benedetto, ital. Maler, *Perugia um 1420, †ebd. 8. 7. 1496, malte unter dem Einfluß der Florentiner Frührenaissance (v. a. B. GOZZOLIS) Fresken (Ausmalung der Cappella dei Priori im Palazzo Comunale in Perugia, seit 1454) und Altarbilder (Triptychon ›Maria und 4 Heilige‹, 1466–68; Perugia, Gal. Nazionale im Palazzo Comunale).

Bongo, kleine Volksgruppe im SW der Rep. Sudan und angrenzenden Gebieten. Ähnlich wie die Gato und Konso in Äthiopien, die Giryama in Kenia oder die Mahafaly in Madagaskar fertigen die B. Grabskulpturen auf Pfosten, die entweder rund geschnitzte Köpfe, gehörnartige, große Gabeln oder ganze Figuren darstellen. Die Figuren sind äußerst selten und z. T. von überragender künstler. Qualität.

Bonheur [bɔnˈœːr], Rosa, frz. Malerin, *Bordeaux 16. 3. 1822, †Schloß By bei Fontainebleau 25. 5. 1899, malte Tierbilder und Darstellungen des ländl. Lebens.

Bonifazio de' Pitati, auch **Bonifazio Veronese, Bonifazio Veneziano,** ital. Maler, *Verona 1487, †Venedig 19. 10. 1553, Schüler von PALMA VECCHIO; später dem venezian. Manierismus zugeneigt, malte er Altarbilder, dekorative Gesellschaftsszenen u. a. in satten, warmen Farben und festlich dekorativer Auffassung.

Sein HW schuf er mit der Ausstattung der Amtsräume des Palazzo Camerlenghi in Venedig (voll. von seinen Schülern J. BASSANO, A. SCHIAVONE und v.a. TINTORETTO; Gruppenbilder heute größtenteils ebd., Gal. dell'Accademia).

WW: Gastmahl des Reichen (Venedig, Gal. dell'Accademia); Auffindung des Moses (Mailand, Brera).

Bonington [b'ɔnɪŋtən], Richard Parkes, engl. Maler, *Arnold bei Nottingham 25. 10. 1802, †London 23. 9. 1828, erhielt seine Ausbildung u.a. in Paris bei A.-J. GROS; Freundschaft mit E. DELACROIX. Seine in Öl und Aquarell ausgeführten Landschaften zeigen große Meisterschaft und beeinflußten u.a. die Schule von Barbizon. Als Lithograph illustrierte B. Werke von W. SCOTT; als Einzelblatt ist die ›Rue du Gros Horloge, Rouen‹ hervorzuheben (1824).

Bonmont [bɔ̃m'ɔ̃], ehem. Zisterzienserabtei bei Chéserex im schweizer. Kt. Waadt; die Kirche (1131), z.T. Ruine, ist neben Fontenay das früheste erh. Beispiel der Zisterzienserarchitektur im Übergang von der Romanik zur Gotik.

Bonn, Hauptstadt der Bundesrep. Dtl., am Niederrhein, NRW, 285 000 Ew.; urspr. röm. Legionslager, im 16. Jh. Hauptstadt Kurkölns, im 18. Jh. Residenz des Kurfürsten KLEMENS AUGUST. Das Martinsmünster, ehem. Stiftskirche St. Kassius und Florentius, gehört zu den wichtigsten Beispielen rhein. Spätromanik (Neubau ab 1060/70 als doppelchörige Querschiffbasilika, Langhaus um 1220/30, Bauplastik um 1200). Minoritenkirche (1274 beg., Barockkanzel), Jesuitenkirche (1686–1717). Ehem. Kurfürstl. Residenzschloß, heute Univ., von E. ZUCCALLI (1697–1702), erweitert von R. DE COTTE (1715–23); Rathaus (1737/38). Im Hofgarten K. F. SCHINKELS Anatomie (1824/25), jetzt Akadem. Kunstmus. (antike Plastik und Vasen); Rhein. Landesmus. (Frühgeschichte bis Moderne); Städt. Kunstmus. (20. Jh.). Auf dem Alten Friedhof mit sehenswerten Grabdenkmälern die Ramersdorfer Kapelle (13. Jh.). Im Stadtteil **Poppelsdorf** Schloß (1715–56) von de Cotte und die Kreuzbergkirche (1627/28) mit Hl. Stiege (1746–57) von B. NEUMANN.

Bonnard [bɔn'a:r], Pierre, frz. Maler, *Fontenay-aux-Roses (Seine) 13. 10. 1867, †Le Cannet (bei Cannes) 23. 1. 1947; gelangte, ausgehend von P. GAUGUIN und den Nabis, vom Jugendstil und dem japan. Holzschnitt, zu einer impressionistisch lockeren, farbig dekorativen Malerei. In seinen Interieurs, Landschaften und Akten verbinden sich intime Stimmungswerte mit erlesenem Geschmack. Mit seinen Illustrationen (Lithographien zu ›Daphnis et Chloé‹, 1902, u.a.) hat er die moderne Buchgraphik nachhaltig beeinflußt. Für die Kirche in →Assy schuf er das Wandgemälde ›Der Hl. Franziskus besucht die Kranken‹ (1947 voll.). BILD S. 50

P. B., Ausst.-Kat., Genf (1981).

Bonnat [bɔn'a], Léon, frz. Maler, *Bayonne 20. 6. 1833, †Monchy-Saint-Eloi (Oise) 8. 9. 1922, malte, angeregt von der realist. Helldunkelmalerei CARAVAGGIOS

Pierre Bonnard: Akt im Gegenlicht; 1908 (Brüssel, Musées Royaux des Beaux-Arts)

und J. RIBERAS, relig. Bilder und frappierend ähnliche, doch oft manieriert wirkende Bildnisse fast aller Berühmtheiten der 3. Republik. B. besaß eine der bedeutendsten Sammlungen von Handzeichnungen, die er seiner Vaterstadt vermachte (Musée Bonnat).

Bonọni, Bonọne, Carlo, ital. Maler, *Ferrara 1569, †ebd. 3. 9. 1632, letzter bed. Vertreter der Malerschule von Ferrara; beeinflußt durch die CARRACCI, CARAVAGGIO und PAOLO VENEZIANO, schuf er v. a. Fresken und Altarbilder.

HW: Gastmahl des Ahasver (um 1615–18; Ravenna, S. Domenico); Fresken in S. Maria in Vado, Ferrara (um 1618–20 beg., nach seinem Tod voll.).

Bontemps [bɔ̃t'ɑ̃], **1)** Georges, frz. Glashersteller, *Paris 1799, †ebd. 1884. Seine Experimente mit Opal-, Filigran- und Millefioriglas waren u. a. für die Herstellung von Paperweights von Bedeutung.

2) Pierre, frz. Bildhauer, *um 1506, †um 1570, 1536 bis 1550 in Fontainebleau tätig, später in Paris. B. arbeitete im Stil einer schon selbständig gewordenen frz. Renaissance. Zus. mit F. MARCHAND und P. DELORME schuf er Figuren und Reliefs am Grabmal Franz' I. in St. Denis (1548–59), wahrscheinlich auch das Grabmal des Admirals Philippe de Chabot (Louvre).

Bonvicino [-tʃ'i:no], Alessandro, ital. Maler, →Moretto.

Book of Durrow [bʊk ɔv d'ʌrəʊ, engl.], →insulare Buchmalerei.

Book of Kells [bʊk ɔv kelz, engl.], →insulare Buchmalerei.

Boos, Roman Anton, Bildhauer, *Bischofswang (Pfarrei Roßhaupten bei Füssen) 28. 2. 1733, †München 19. 12. 1810, Schüler von A. STURM und J. B. STRAUB, seit 1775 bayer. Hofbildhauer, arbeitete für Fürstenfeldbruck, Ettal und München (4 Marmor-Statuen an der Fassade der Theatinerkirche, 1767–81 Gartenskulpturen in Nymphenburg und im Hofgarten, 1775 ff.). B. gehört zu den führenden dt. Bildhauern, die den Weg vom Spätrokoko zum frühen Klassizismus fanden.

P. VOLK: Rokokoplastik in Altbayern, Bayerisch-Schwaben und im Allgäu (1981).

Boppard, ehem. Reichsstadt am Rhein oberhalb von Koblenz, 17400 Ew. Erhebl. Reste des röm. Kastells **Bodobriga** in der ma. Stadtmauer eingebaut, besterhaltene röm. Kastellmauer Dtl.s. Die Stadtsilhouette wird beherrscht von den Türmen der spätroman. Severuskirche (1225 gew.), im Inneren einzigartiges ›Spinnengewölbe‹; ma. Balduinsburg, eine wuchtig-wehrhafte Niederburg (Mus.); Got. Karmeliterkirche (1318 beg.); Adelshöfe (Templerhaus, Ritter-Schwalbach-Haus, Eltzer Hof).

Bordeaux [bɔrd'o], frz. Stadt (223000 Ew.) und Erzbischofssitz in Aquitanien, an der Garonne, mit Stadtkern des 18. Jh., u.a. Place de la Comédie mit dem Grand Théâtre (1773–80, Kolonnade von 12 korinth. Säulen und Balustrade mit 12 Musen- und Göttinnenstatuen an der Hauptfassade), Place de la Bourse (1730–55, von J.-A. GABRIEL) mit der Börse (1749), Rathaus (Hôtel de Ville; im ehem. bischöfl. Palast, 18. Jh.). Größter Platz ist die Esplanade des Quinconces (1818 bis 1828). Reste des röm. Amphitheaters (Palais Gallien) aus dem 3. Jh. Bedeutende Kirchen des MA. sind die Kathedrale St. André (12.–15. Jh.; reich geschmückte gotische Portale mit Heiligenskulpturen; freistehender Glockenturm ›Tour Pey Berland‹, 15. Jh.), St. Seurin (12.–15. Jh., Krypta und Vorhalle des 11. Jh.), St. Michel (14.–16. Jh., mit 114 m hohem freistehendem Glockenturm), Ste. Croix (12./13. Jh.). Im Musée des Beaux-Arts Gemäldegal.; im Hôtel de Lalande (1779) das Musée des Arts Décoratifs (Kunstwerke vom MA. bis zum 18. Jh.).

Bordesholm, Gem. südlich von Kiel, Schlesw.-Holst., 6100 Ew. In der Kirche des ehem. Augustiner-Chorherrenstifts (1309–1332) stand 1521–1666 der Bordesholmer Schnitzaltar des H. →Brüggemann (seitdem im Dom zu →Schleswig).

Bordj Younga [bɔrdʒ j'uŋga], monumentale Burgruine in Tunesien, 45 km südwestlich von Sfax am Golf von Gabès. Über byzantin. Unterbau Aufbauten aus dem 7./8. Jh.; 8 Basteien an den Ecken und in der Fassadenmitte; schöne frühislam. Schmuckdetails. Neben der Burg der Marabut des Sidi Absa (†825).

Bordone, Paris, ital. Maler, getauft Treviso 5. 7. 1500, †Venedig 29. 1. 1571, Schüler von TIZIAN, beeinflußt von GIORGIONE und PALMA VECCHIO; geschätzter Bildnismaler, schuf auch Fresken, Tafelbilder relig. und mytholog. Inhalts, im Verlauf der 1530er Jahre verstärkt in manierist. Art.

HW: Überreichung des Ringes durch den Fischer an den Dogen (um 1534; Venedig, Accademia).

Bordụre [frz.], Einfassung, bes. in der Textilkunst; in der Buchmalerei Randleiste, in der Architektur Abschlußleiste oder Rahmung, die ein Feld einer unterteilten Wand begrenzt.

Borgå [b'ɔrgo], schwed. Name der finn. Stadt →Porvoo.

Borghese [bɔrg'eːse], röm. Adelsfamilie, der Papst PAUL V. (1605–21) entstammte; sein Neffe Kardinal Scipione B. (*1576, †1633) begründete eine Kunstsamml., für die er 1613–15 im Park (Villa B.) auf dem Pincio in Rom das Casino B. von G. VASANZIO (*um 1550?, †1621) bauen ließ. Marcantonio (*1730, †1809) ließ das Innere des Casinos 1782 zum Mus. umgestalten; die Samml. mußte 1807 an NAPOLEON I. verkauft werden; 1815 wurden Teile zurückgegeben, teilweise heute im Besitz des ital. Staates und des Vatikans. Villa und Casino heute im Staatsbesitz, hier u.a. die Skulpturen-Samml. mit Werken von G. L. BERNINI und A. CANOVA und die Gemälde-Gal. (Galleria B.) mit Werken von RAFFAEL, TIZIAN, A. CORREGGIO. – Der ›Borghesische Fechter‹ des AGASIAS wurde zw. 1605 und 1621 in Anzio (südl. der Tibermündung) gefunden; früher im Besitz der B., heute im Louvre, Paris.

Borghorst, Stadtteil von Steinfurt im Münsterland, NRW. Von dem ehem. Damenstift (968 gegr., Kirche neugotisch 1885–89) blieb als wertvollstes der Kirchenschatz (otton. Reliquienkreuz, 11. Jh.) erh.

Borgianni [bɔrdʒ'anni], Orazio, ital. Maler, Radierer, *Rom um 1578, †ebd. 11. 1. 1616, ging um 1600 für mehrere Jahre nach Spanien, wo er auch für das Königshaus arbeitete. 1608 ließ er sich endgültig in Rom nieder. B. war ein Meister des farbigen Helldunkels. Er wurde von CARAVAGGIO, vielleicht auch von EL GRECO beeinflußt, verarbeitete die Anregungen aber selbständig.

HW: Hl. Familie (Rom, Galleria Nazionale d'Arte Antica im Palazzo Corsini); Madonna mit dem Hl. Franz (1608; Sezze bei Rom); Der Hl. Karl bei den Pestkranken (nach 1610; Rom, Convento dei Mercedari); Geburt Mariae (um 1613; Savona, Santuario della Misericordia); Pietà (Rom, Galleria Spada; von B. 1615 radierte Komposition).

Borglum [b'ɔːgləm], Gutzon, eigtl. John Gutzon **de la Mothe B.,** amerikan. Bildhauer dän. Herkunft, *Bear Lake (Idaho) 25. 3. 1867, †Chicago 6. 3. 1941, begann als Maler, studierte Bildhauerei in Paris, arbeitete dann in New York.

HW: 12 Apostel für die Fassade von St. John the Divine, New York; Kolossal-Porträts amerikan. Präsidenten des →Mount Rushmore National Memorial (1927–41).

Borgognone [-ɲ'oːne], ital. Maler, →Bergognone.

Borgọña [-ɲa], Juan de, in Spanien zw. 1494/95 und 1533 tätiger burgund. Maler. Seine Fresken (bes. die Szenen im Kapitelsaal der Kathedrale von Toledo, 1509–11) und Altarbilder (5 Tafeln des Hochaltars der Kathedrale von Ávila, der von P. BERRUGUETE beg. und 1508 von B. voll. wurde) verraten eine genaue Kenntnis der florentin. Quattrocentokunst und zeigen ihn als führenden Maler der span. Renaissance. B. wirkte hauptsächlich in der Kathedrale von Toledo (mit Unterbrechungen etwa 1494–1517), wo er im Kapitelsaal u. a. auch 74 Porträts der Erzbischöfe schuf.

Borgund [b'ɔrgyn], Gem. im Lærdal nahe dem inneren Sognefjord, Norwegen, mit der besterhaltenen →Stabkirche (2. H. 12. Jh.); reichverzierte Portale, Runeninschriften, sechsstufiges Dach.

Borissow-Mussatow, Wiktor Elpidiforowitsch, russ. Maler, *Saratow 14. 4. 1870, †Tarussa 8. 11. 1905, studierte an der Moskauer Kunstschule und an der St. Petersburger Akad., arbeitete 1895–98 in Paris. Nach Rußland zurückgekehrt, bevorzugte er Aquarell- und Pastellmalerei. Seine Bilder weisen den Weg zum Symbolismus. Er beeinflußte die Maler der Blauen Rose.

Borman, Jan d. Ä., fläm. Bildschnitzer, um 1479 bis um 1520 in Brüssel tätig; fertigte Schnitzaltäre mit kleinfigurigen bibl. Szenen für Löwener und Brüsseler Kirchen, auch für Norddtl. und Schweden. Der Passionsaltar in der Marienkirche in Güstrow (1520–22) wird seinem gleichnamigen Sohn zugeschrieben.

Borna, Stadt südlich von Leipzig, Dt. Dem. Rep., 22100 Ew.; spätgot. Stadtkirche St. Katharinen (1411 bis 1455), Westbau im Kern romanisch; der große Schnitzaltar (1511) ist ein HW von HANS WITTEN; Kunigundenkirche, dreischiffige Pfeilerbasilika (vor 1200), mit spätgot. Wandmalereien.

Borneo, indones. **Kalimantan,** eine der Großen Sunda-Inseln im Malaiischen Archipel, 754770 km², etwa 7,5 Mio. Ew., mit den ersten Spuren der Indisierung Indonesiens (um 400 n. Chr.). Im O der Insel wurde bei Kota Bangun ein stehender Buddha aus Bronze (5./.6. Jh.) gefunden. Aus dem 8./9. Jh. stammen Skulpturen in einer Höhle des Berges Kombeng. Über Kunst und Kultur der einheim. Bevölkerung →Dayak.

Bornholm, dän. Ostseeinsel mit vielen ma. Kirchen, die Wehrfunktion hatten. Bes. bemerkenswert sind die 4 Rundkirchen aus Feldstein, wohl aus dem 12. Jh., alle mit Tonnengewölbe um einen kräftigen Mittelpfeiler und Wehrgang im obersten der 3 Stockwerke: Ny Lars Kirke mit den ältesten erh. Kalkmalereien der Insel (2. H. 13. Jh.), Ols Kirke, Øster Lars Kirke und Ny Kirke. Eine Langkirche ist Å Kirke, die größte und wohl älteste Steinkirche der Insel; sie wurde Mitte 12. Jh. errichtet; Taufstein aus gotländ. Sandstein mit Reliefs aus dem Leben Jesu und Runeninschrift.

Borobudur, bedeutendstes Bauwerk des Mahayana-Buddhismus auf Java, herausragend in der gesamten buddhist. Welt. Das siebenstufige, pyramidenähnl. Monument mit einem quadrat. Grundriß von je rd. 120 m Seitenlänge mit stufenartig herausragenden Portalen ist aus Andesitquadern (vulkan. Gestein) unverputzt über einem Erdhügel um 800 errichtet worden. Der Grundriß stellt ein Mandala dar, das gesamte Bauwerk bildet ein dreidimensionales Mandala. Terrassenartig angeordnet sind 4 quadrat. und 3 kreisrunde Ebenen, im Zentrum darüber der Zentral-Stupa. Die

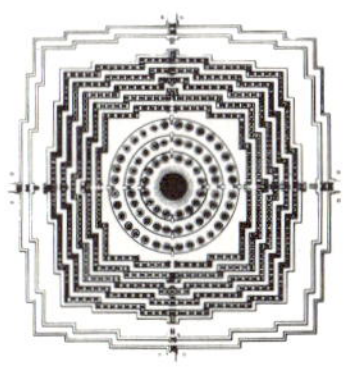

Borobudur: Grundriß

Borobudur: Stupas auf den oberen Terrassen; um 800

versch. Ebenen sind zu jeder der 4 Himmelsrichtungen durch Tore miteinander verbunden. In den unteren Ebenen sind in meisterhaft gearbeiteten Flachreliefs beidseitig der Umwandlungsgalerien insges. rd. 1500 Szenen aus dem damaligen Leben auf Java, aus den Prä-Existenzen des Buddha (Jataka) und aus seiner histor. Existenz dargestellt (BILD indonesische Kunst). Die 3 konzentr. Kreise oben tragen 72 Stupas, von denen jeder eine sitzende Buddha-Skulptur enthält.

B. wurde erst um 1830, halb verfallen, entdeckt und von den Niederländern im späten 19. Jh. restauriert. Seit Anf. der 1970er Jahre wurde mit Unterstützung der UNESCO das gesamte riesige Bauwerk, das durch Erdbeben und Witterungseinflüsse erneut zu verfallen drohte, Stein für Stein abgetragen, katalogisiert und nach Stabilisierung des Erdkerns neu zusammengesetzt. 1983 wurde B. wieder eröffnet.

A. J. B. KEMPERS: Ageless B. (Den Haag 1976); SOEKMONO: Chandi B. (Amsterdam 1976); J. DUMARCAY: B. (Kuala Lumpur 1978).

Borowikowskij, Wladimir Lukitsch, russ. Porträtmaler, *Mirgorod (Ukraine) 4. 8. 1757, †St. Petersburg 18. 4. 1825. Seine Porträts haben hohe maler. Qualität und weisen durch Bevorzugung kühler Blau- und Grautöne und des Natürlichen und Ungezwungenen auf den Frühklassizismus hin (Einflüsse von J. L. DAVID sowie der zeitgenöss. engl. Porträtmalerei).

Russ. Malerei d. 1. H. d. 19. Jh., Ausst.-Kat., Baden-Baden (1981).

Borowsk, Kreisstadt an der Protwa im Bezirk Kaluga, Russ. SFSR, 12000 Ew.; ehem. Fürstenresidenz mit 12 Kirchen. Bei B. das Pathnutios-Kloster mit der Kathedrale Mariae Geburt (urspr. Bau von 1467, von DIONISSIJ ausgemalt, Ende des 16. Jh. abgebrochen), ein

Vierpfeilerbau mit 5 Kuppeln; Refektorium von 1511; Glockenturm Ende des 17. Jh. monumental erneuert.

Borrassạ́, Luis, span. Maler, vermutlich aus Gerona, 1380–1424 in Katalonien (v.a. Barcelona) nachweisbar; ein Hauptvertreter der katalan. Malerei, der in seinen Werken Einflüsse aus Siena verarbeitete.

HW: Petrusaltar für S. Pedro in Tarrasa (1411, ebd. S. María); Altar für S. Clara (1415, Vich, Mus. Episcopal).

Bọrreby, Herrenhaus bei der dän. Stadt Skælskør, Seeland, eines der besterhaltenen befestigten Renaissance-Herrenhäuser Dänemarks (1556), aus rotem Sandstein.

Borromịni, Francesco, eigtl. F. **Castẹlli,** ital. Baumeister, *Bissone (Tessin) 25. 9. 1599, †(Selbstmord)

Francesco Borromini: S. Carlo alle Quattro Fontane in Rom (1633–41; Fassade 1667)

Rom 2. 8. 1667, gab dem röm. Hochbarock eine subjektive, doch geometrisch begründete Ausdrucksweise. Er begann 1615 bei C. MADERNO und G. L. BERNINI, dessen Gegenspieler er später wurde, und bildete seinen eigenen Stil unter Rückgriff auf den reichen Formenvorrat der hellenistisch-röm. Antike. B. arbeitete mit einander überschneidenden und durchdringenden, meist kurvigen Formen, die gebogene und gebrochene Wandflächen erzeugen. Die Weite des Raums, in die der Baukörper hineingreift, wird von phantasievollem Ornament belebt. Mit Bernini und PIETRO DA CORTONA hat B. dem barocken Rom die entscheidenden Züge verliehen; von den Klassizisten bekämpft, wirkte er v. a.

auf die Länder nördlich der Alpen. Das Rokoko und die Raumvorstellungen des dt. Spätbarocks sind ohne ihn undenkbar. (BILD Architekturzeichnung)

HW (alle in Rom): Kirche und Kloster S. Carlo alle Quattro Fontane (1633–41; Fassade 1667); Oratorium und Konvent S. Filippo Neri (1637–50); Univ.-Kirche S. Ivo (1646–61, über sechsstrahl. Stern als Grundriß); Umbau der Lateranbasilika (1646–49); Collegio di Propaganda Fide (1646–66); Palazzo Falconieri (1650–58); S. Agnese in Agone (1653–57, wesentl. Teile). Unvollendet: Kloster S. Maria dei Sette Dolori (seit 1652); S. Andrea delle Fratte (1654–65). – **Kupferstichwerke:** Opera del Cav. F. B. (1720); Opus architectonicum eq. F. B. (1725).

W. FRAENGER: F. B. (1975); P. PORTOGHESI: F. B. (a. d. Ital., 1977).

Borsippa, heute **Birs Nimrud**, alte babylon. Stadt, südlich von Babylon (KARTE Alter Orient); erste Erwähnung um 2050 v. Chr.; Kultort des Gottes Nabu mit seinem Heiligtum Ezida, dessen durch Brand versinterte Zikkurat lange für den Babylon. Turm gehalten wurde.

Bosatsu, japan. Bez. für →Bodhisattva, dargestellt meist in reichem Gewand und Schmuck. Die wichtigsten B. sind: →Kannon, →Jizo, →Seishi und →Monju. (BILD Kanshitsu)

Bosboom, Johannes, holländ. Maler, *Den Haag 18. 2. 1817, †ebd. 14. 9. 1891; schuf zunächst Veduten, später Innenansichten von Kirchen in maler. Beleuchtung (Helldunkel).

Bosc, eigtl. Jean-**Maurice** [mɔr'is], frz. Cartoonist, *Nîmes 30. 12. 1924, †(Selbstmord) Antibes 3. 5. 1973, als Zeichner Autodidakt, schuf mit grobem, kräftigem Strich prägnante, oft sarkast. Cartoons.

HW: Homo sapiens (1957); Du mich auch (1965); Ich liebe Dich (1969).

Bosch [niederländ. bɔs], Hieronymus, eigtl. **van Aken** [-akə], niederländ. Maler, *'s Hertogenbosch um 1450, begraben ebd. 9. 8. 1516, schuf relig. Bilder, in denen das Jüngste Gericht, die Höllenstrafen, die Todsünden, die Versuchungen mit grausam satir. Phantasie auf christlich moralisierende Weise dargestellt sind. Ausgehend von bibl. oder Volksszenen mit wenigen großen Figuren, gelangte er zu allegor. Triptychen mit unzähligen Figürchen und absonderl. Fabelwesen in spitzig-scharfer Zeichnung, oft vor feinen, helltonigen Landschaftsgründen. Man hat seine rätselhafte Symbolik mit Hilfe der zeitgenöss. Literatur teilweise gedeutet (D. BAX). B. hinterließ auch ein zeichner. Œuvre. Unbewiesen sind seine Beziehungen zur Alchemie, Magie oder zu ketzer. Sekten. Psycholog. Untersuchungen seiner Kunst haben wenig aufgeklärt (BILD Ecce homo). (BILD S. 57)

HW: Die Sieben Todsünden (Escorial); Das Narrenschiff (Paris, Louvre); Dornenkrönung (London, Nat. Gal.); Landstreicher (Rotterdam, Mus. Boymans-van Beuningen); Kreuztragung (Gent, Mus. voor Schone Kunsten). Triptychen mit Heuwagen (Madrid, Prado), Garten der Lüste (ebd.), Versuchung des Hl. Antonius (Lissabon, Mus. Nacional de Arte Antiga), Jüngstes Gericht (Brügge, Groeningemus.), Weltgericht (Wien, Gal. der Akad. der Bildenden Künste).

D. BAX: Beschrijving en poging tot verklaring van het Tuin der Onkuisheid-drieluik van J. B. (Amsterdam 1956); I. SCHLEGL und M. CINOTTI: Das Gesamtwerk von H. B. (Zürich 1966); W. FRAENGER: H. B. (1978); DANIELA HAMMER-TUGENDHAT: H. B., eine histor. Interpretation seiner Gestaltungsprinzipien (1981).

Hieronymus Bosch: Hölle, rechter Seitenflügel des Triptychons ›Garten der Lüste‹ (Madrid, Prado)

Boscoreale, Fundort zweier röm. Villen am Fuß des Vesuvs, 79 n. Chr. verschüttet. – Aus der 1897 entdeckten Villa kam ein kostbarer Schatz von Goldmünzen, Schmuck, Silber- und Bronzegerät der frühen Kaiserzeit in den Louvre. 1900 wurden in der anderen, reich ausgemalten Villa Fresken freigelegt, die um 40 v. Chr. entstanden sind (die meisten im Metropolitan Mus., New York, andere im Archäolog. Nat.-Mus., Neapel); dargestellt sind Palastarchitekturen, Stadtansichten, Landschaftsbilder sowie ein Zyklus von 5 Bildern mit großfigurigen Darstellungen, deren Deutung noch nicht überzeugend geklärt ist (Kopien nach hellenist. Originalgemälden des späten 3. oder der 1. H. des 2. Jh. v. Chr.).

Bösing, dt. Name der Stadt →Pezinok, ČSSR.

Bosio, François Joseph Baron, frz. Bildhauer, *Monaco 19. 3. 1769, †Paris 29. 7. 1845, lernte bei A. PAJOU in Paris und A. CANOVA in Rom; schuf 1822 das Reiterdenkmal Ludwigs XIV. auf der Place des Victoires in Paris sowie Statuen und Porträtbüsten.

Bosjökloster [b'u:ʃø:-], Schloß im schwed. Län Malmöhus, unter Verwendung von Teilen eines um 1100 gegr. Nonnenklosters erbaut (zw. 1760 und 1870 restauriert); in den gewölbten ma. Sälen Gobelins aus Paris und Aubusson.

Boskett [aus frz.] *das,* Teil des Barockgartens, der aus geometrisch beschnittenen, im Grundriß in Ornamenten und Mustern erscheinenden Buchshecken besteht und sich an das →Broderieparterre anschließt; manchmal auch in Form eines Irrgartens.

Bosra, im MA. wieder besiedelte Ruinenstätte des antiken **Bostra** am Rand der Wüste im Hauran (S-Syrien). Erhalten sind ein (nabatäischer) Triumphbogen, aus röm. Zeit v. a. das W-Tor, der ›Zentralbogen‹, Reste von Tempeln, Bädern, der Basilika und des Marktes mit Ladenstraßen; südlich der Stadt das Theater, um das im 13. Jh. die Zitadelle gebaut wurde. Aus frühbyzantin. Zeit stammt die Baugruppe der Kirche der Hl. Sergios, Bakchos und Leontios (datiert 512 n. Chr.; Zentralbau mit innerem Viernischenkranz und Umgang, Außenschale in Form eines Diagonalnischenbaus) mit Bischofspalast (Dreikonchenanlage). Unter den islamischen Bauten sind bed. die Djami Ail-Omari (Hofmoschee des 9./10. Jh.), die Djami il-Dabbagah (1225, mit riesiger offener Zisterne) und die Djami il-Mebrak (1135/36, eine der frühesten erh. Medresen der islam. Welt).

Bosschaert [bosx'a:rt], Ambrosius d. Ä., niederländ. Stillebenmaler, getauft Antwerpen 18. 11. 1573, †Den Haag 1621, war tätig in Antwerpen, Middelburg und Utrecht, malte als erster in den nördl. Niederlanden symmetrisch komponierte Blumensträuße in einer Vase (›Blumenvase in einer Fensternische‹, um 1620; Den Haag, Mauritshuis).

Bosse [bɔs], Abraham, frz. Kupferstecher, *Tours 1602, †Paris 16. 2. 1676, schilderte auf moralisierende, realistisch trockene Art das Leben seiner Zeit; verfaßte theoret. Schriften (u.a. Lb. der Radierung).

Bossenwerk, Rustika, Baukunst: Quadermauerwerk, bei dem die Vorderseite der Quader unter Belassen einer unregelmäßigen Oberfläche **(Bossen)** nur roh bearbeitet **(bossiert)** wird. – Das B. wurde vielfach als künstler. Mittel zur Veranschaulichung der Festigkeit benutzt, so von den Römern und im Wehrbau des MA. seit dem 12. Jh. In der florentin. Frührenaissance erneut angewendet, breitete es sich in der ganzen Renaissance- und Barockbaukunst aus. Eine Sonderform sind die **Diamantquader,** bei denen die Oberfläche facettiert ist.

Bossieren, 1) Steinbearbeitung: das Behauen des roh gebrochenen Felsgesteins zu einem winkelrechten Block mit dem spitzen Bossiereisen, das mit dem Schlegel vorgetrieben wird.

2) Bildhauerkunst: das Herausschlagen der Rohform einer Skulptur **(Bosse).** Das Formen von Bildwerken in Ton und Wachs heißt nicht B., sondern Modellieren.

3) Keramik: Bei Arbeiten in Porzellan, Fayence u.a. wird das Modell vom **Bossierer** mit Porzellanschlicker überarbeitet, nachdem dieser die Einzelteile der Gipsabformung zusammengesetzt hat.

Boston [b'ɔstən], **1)** Hauptstadt des Staates Massachusetts, USA, 562000 Ew. B. ist sowohl durch seine Universitäten und seine Museumsschätze als auch durch seine Stadtentwicklung eines der kulturellen Zentren der USA. Das →Museum of Fine Arts gehört zu den wichtigsten Samml. des Landes. Das →Isabella Stewart Gardner Museum besitzt Meisterwerke v.a. der ital. Renaissance. B. hat eine große Zahl schöner Bauwerke der Kolonialzeit (u.a. Faneuil Hall, 1740–42 als Markthalle erbaut), des 19. Jh. (Trinity Church, 1873 bis 1877 von H. H. RICHARDSON erbaut; Public Library, 1888–92 von MCKIM, MEAD and WHITE, mit Ergänzungsbau 1971 von P. JOHNSON) sowie der 2. H. des 20. Jh. (Rathaus von B., 1962–68; Verwaltungszentrum, 1971; John Hancock Center, von I. M. PEI, 1975).

2) Stadt in der engl. Cty. Lincolnshire, im MA. wichtigste Hafenstadt an der O-Küste mit Niederlassung der Hanse. Die Pfarrkirche St. Botholph wurde 1309 als langgestreckte Basilika (7 Joche, doppelte Fensterzahl im Obergaden) begonnen; der steile Westturm wurde bis um 1500 errichtet und mit einem eingezogenen oktogonalen Obergeschoß abgeschlossen.

Botanische Blumen, in der Porzellanmalerei von den →Deutschen Blumen beeinflußter Dekor.

Botero, Fernando, kolumbian. Maler, *Medellín (Kolumbien) 19. 4. 1932, lebt in Paris. B. malt in altmeisterl. Technik bes. dickleibige Gestalten mit riesigen Köpfen (seit 1876 auch Skulpturen). BILD S. 60

Both, Jan, holländ. Maler, *Utrecht um 1615, †ebd. 9. 8.(?) 1652, lebte 1638–41 mit seinem Bruder Andries (*Utrecht um 1608, †Venedig 1641) in Rom. Von CLAUDE LORRAIN beeinflußt, malte er Landschaften mit goldener Lichtstimmung (›Abendlandschaft‹; Karlsruhe, Kunsthalle) in italianisierender Art. B. war neben

Fernando Botero: Rubens und seine Frau; 1965 (München, Galerie Buchholz)

N. BERCHEM und J. ASSELIJN ein Hauptvertreter dieser Richtung der holländ. Landschaftsmalerei des 17. Jh.; schuf auch Radierungen.

J. D. BURKE: J. B. Paintings, drawings and prints (New York 1976).

Botta, Mario, schweizer. Architekt, *Mendrisio (Kt. Tessin) 1. 4. 1943, arbeitete bei LE CORBUSIER und L. I. KAHN, bevor er 1970 in Lugano ein eigenes Architekturbüro eröffnete. B. ist Vertreter der Neuen →Tessiner Architektur, die sich seit etwa 1965 in der Schweiz entwickelt. Die klare Geometrie eines Bauwerks soll in Kontrast zur natürl. Landschaft stehen und so den Charakter des Ortes herausstellen.

HW: Einfamilienhaus Cadenazzo in Lugano (1970–71); Planung eines Verwaltungszentrums in Perugia, Projekt (1971); Einfamilienhaus in Riva San Vitale (1972–73); Kantonales Gymnasium in Morbio Inferiore (1972–77).

E. BATTISTI u. K. FRAMPTON: M. B. (Mailand 1979).

Böttcher, Christian Eduard, Maler, *Imgenbroich (heute Teil von Monschau) 9. 12. 1818, †Düsseldorf 15. 6. 1889, schuf zu seiner Zeit beliebte Genrebilder aus dem rhein. Volksleben.

Bottengruber, Ignaz, Porzellanmaler, lebte 1720 bis 1736 in Breslau, um 1730 in Wien. Er bemalte in eigener Werkstatt (→Hausmaler) chinesisches, Meißener und Wiener Porzellan mit figürl. Darstellungen und Laub- und Bandelwerk, wobei er die Farben Rot, Schwarz, Purpur und Gold bevorzugte.

Böttger, Böttiger, Johann Friedrich, Alchemist, *Schleiz 4. 2. 1682, †Dresden 13. 3. 1719, kam als Apothekergehilfe in Berlin in den Ruf eines Goldmachers, floh 1701 aus Preußen nach Sachsen und wurde von AUGUST DEM STARKEN in Dresden in Gewahrsam genommen. Hier war B. mit alchemist. Versuchen beschäftigt. 1704 wurde er E. W. von Tschirnhaus unterstellt, dem 1706 die Erzeugung des roten – fälschlich B.-Porzellan genannten – Steinzeugs (→Böttgersteinzeug) und 1708 des weißen Porzellans gelang. Nach Tschirnhaus' Tod führte B. die Versuche weiter. Die 1710 gegr. Meißener Porzellanmanufaktur leitete B. bis zu seinem Tode.

K. A. Engelhardt: J. F. B. (Nachdr. 1982); W. Goder und K. Hoffmann: J. F. B. (1982).

Böttgersteinzeug, dicht gebrannte, meist rotbraune, oft geschliffene und polierte keram. Erzeugnisse, die J. F. Böttger etwa 1710–19 in der Manufaktur Meißen herstellte. Die Form war zunächst nach ostasiat. Vorbildern angefertigt, seit 1710 nach Vorlagen des Hofgoldschmieds J. J. Irminger im Stil der zeitgenöss. Silbergefäße gearbeitet.

Botticẹlli [-tʃ-], Sandro, eigtl. Alessandro **di Mariạno Filipẹpi,** ital. Maler, *Florenz 1445, †ebd. 17. 5. 1510, urspr. Goldschmied, lernte bei Filippo Lippi und wurde später von A. Verrocchio und A. Pollaiuolo beeinflußt. B., der den humanist. Kreisen in Florenz nahestand, neigte in seinen späteren Jahren zur Mystik und gehörte zu den Anhängern G. Savonarolas. Die enge Verbindung mit den Medici trug ihm viele Aufträge ein. Anknüpfend an den Spätstil des Filippo Lippi entwikkelte B. eine streng stilisierte, zum Preziösen neigende Formensprache, die sich in der belebten Linie und im erregten Umriß zu dramat. Wirkung steigert. In seinen Gemälden durchdringen sich Wirklichkeitsnähe und zarte, vergeistigte Schönheit. Seine allegorisch-mytholog. Darstellungen, die auf antike Quellen und zeitgenöss. Dichtungen zurückgehen, sind mit tiefer poetischer Empfindung gestaltet.

HW: Allegorisch-mytholog. Bilder: Der Frühling (um 1478; Flo-

Sandro Botticelli:
Der Frühling; um 1478 (Florenz, Uffizien)

renz, Uffizien); Geburt der Venus (ebd.); Verleumdung (um 1495; ebd.); Mars und Venus (London, Nat. Gal.). – Relig. Bilder: Madonna del Magnificat (um 1481–82; Florenz, Uffizien); Anbetung der Könige (um 1475; ebd.); Krönung Mariä (ebd.). – Fresken in der Sixtin. Kapelle des Vatikans (1481–83). – 92 Federzeichnungen zu DANTES Divina Commedia (84 im Kupferstich-Kabinett Berlin-Ost, 8 in der Vatikan. Bibliothek). –Zeichnungen zu Dantes Göttl. Komödie, hg. v. F. LIPPMANN, 3 Tle. (1884–87).

C. BO: L'opera completa di B. (Mailand 1967); G. MANDEL: B. (ebd. 1967); Z. WAŻBIŃSKI: B. (a. d. Poln., Berlin-Ost, 1973).

Botticini [-tʃ-], Francesco, ital. Maler, *Florenz um 1446, †ebd. 22. 7. 1497, Schüler des NERI DI BICCI, beeinflußt von A. VERROCCHIO und S. BOTTICELLI. Die Zuschreibung seiner Werke (u. a. ›Tobias und die Erzengel‹; Florenz, Uffizien) ist mit Ausnahme eines 1484 in Empoli ausgeführten Altarbildes (›Himmelfahrt Mariä‹, ebd., Diözesanmus.) umstritten.

Bottrop, Stadt im Ruhrgebiet, NRW, 115700 Ew. Propsteikirche St. Cyriakus (neugotisch 1861/62); Hl.-Kreuz-Kirche (1955–57 von R. SCHWARZ, farbige Glaswand nach Entwurf von G. MEISTERMANN), eine der besten Leistungen des modernen Kirchenbaus.

Bouchardon [buʃard'ɔ̃], Edmé, frz. Bildhauer, *Chaumont 29. 5. 1698, †Paris 27. 7. 1762, Schüler von G. COUSTOU, bildete sich 1723–32 in Rom, wurde 1745 Mitgl. der Akad. Sein Werk zeigt den Übergang vom Rokoko zu einem akadem. Klassizismus. Bed. Arbeiten in Paris: Brunnen in der Rue de Grenelle (1739–46); Reiterdenkmal Ludwigs XV. (1763 auf der Place de la Concorde aufgestellt, 1792 eingeschmolzen); Skulpturen für St. Sulpice in Paris.

Boucher [buʃ'e], François, frz. Maler, *Paris 29. 9. 1703, †ebd. 30. 5. 1770, war Schüler des Malers F. LEMOYNE und des Stechers F. J. CARS. Nach einem dreijährigen Aufenthalt in Rom wurde er 1734 Mitgl. der Akad. und als Günstling der Mme. de Pompadour vom Hof gefördert. Er entwickelte sich zum vielseitigen und gefeierten Modemaler des frz. Rokoko; 1765 Akad.-Direktor und Erster Maler des Königs. B. schuf auch Radierungen, zahlreiche Entwürfe für Bildteppiche und Innendekorationen (u. a. im Palais de Soubise, Paris, und das Deckengemälde in der Salle du Conseil des Schlosses Fontainebleau, 1753). Mytholog. und gesellschaftl. Themen überwiegen, die er erotisch reizvoll zu gestalten verstand. B. suchte nicht Schönheit im Sinn der klass. Lehre, sondern das Hübsche des modischen Zeitgeschmacks. Komposition und Malweise bezeugen überlegene Beherrschung der Mittel, doch auch glatte Routine. Trotz der dekorativen Reize (›Rosenfarbe‹) bleibt der Linienaufbau seiner Bilder dem 17. Jh. verpflichtet. (BILD S. 63)

HW: Toilette der Venus (1751; New York, Metropolitan Mus. of Art); Ruhendes Mädchen (1752; München, Alte Pinakothek); Das Frühstück (Paris, Louvre).

Boucicaut-Meister [busik'o-], Hauptmeister der frz. Buchmalerei neben den Gebrüdern →Limburg, um 1400 und danach v. a. in Paris tätig. Er wird benannt nach einem Stundenbuch, das er 1401/08 für JEAN LE MEINGRE, Marschall de Boucicaut, ausführte (Paris, Mus. Jaquemart-André). Seine Kunst verrät ital. Ein-

François Boucher: Toilette der Venus; 1751 (New York, Metropolitan Museum of Art)

fluß und läßt ihn in der perspektiv. Erfassung des Raums und der naturgetreuen Landschaftsdarstellung zum ›Pionier des Naturalismus‹ werden. Weitere von ihm geschaffene Stundenbücher befinden sich in Brüssel (Königl. Bibl.), London (Brit. Mus.), Paris (Bibl. Nat.).

Boudin [bud'ɛ̃], Eugène, frz. Maler, *Honfleur 13. 7. 1824, †Deauville 8. 8. 1898, kam durch J.-F. MILLET zur Malerei. Mit den in seiner Heimat gemalten Seestücken und Küstenbildern, in denen er v. a. atmosphär. Stimmungen zu erfassen suchte, gehörte er zu den Vorläufern des Impressionismus (wirkte bes. auf C. MONET).

E. B. 1824–1898. Ausst.-Kat., Kunsthalle Bremen (1979).

Bouillon [buj'ɔ̃], Städtchen in der belg. Prov. Luxembourg, 2900 Ew. Auf einer Felskuppe liegt die Burg des Kreuzritters GOTTFRIED VON B. (* um 1060, † 1100), eines der frühesten und besterhaltenen Beispiele des ma. Burgenbaus, im Kern 11. Jh.; im 17. Jh. von VAUBAN zur Festung ausgebaut.

Boulevard [bulv'a:r, frz., zu dt. ›Bollwerk‹] *der,* urspr. Wall zur Stadtbefestigung, später breite Straße, Ringstraße, z. B. in Paris (nach 1853 durch G. E. HAUSSMANN angelegt), Wien, Moskau.

Boulle [bul], **Boule,** André Charles, frz. Kunstschreiner, *Paris 11. 11. 1642, †ebd. 28. 2. 1732, Ebenist König LUDWIGS XIV., entwarf und fertigte gemeinsam mit seinen Söhnen, die die Werkstatt nach seinem Tode fortführten, Prunkmöbel, Innendekorationen u. a. für Versailles. Seine Möbel, von klarer Grundform, sind mit reichen Einlagen von gefärbten Hölzern, Elfenbein, Schildpatt, Perlmutter, Messing u. ä. geschmückt **(Boulletechnik).**

André Charles Boulle: Schrank aus Ebenholz mit Einlagen von Kupfer, Zinn und Schildpatt (Paris, Louvre)

Boullée [bul'e], Étienne-Louis, frz. Architekt, *Paris 12. 2. 1728, †ebd. 6. 2. 1799, neben C.-N. LEDOUX wichtigster Vertreter der Revolutionsarchitektur. Sein Werk gipfelt in Entwürfen zu einer utop. Architektur aus gigant. stereometr. Formen mit symbol. Charakter.

B., Ledoux, Lequeu. Ausst.-Kat., Staatl. Kunsthalle Baden-Baden (1970).

Boullongne, Boullogne, Boulogne [bul'ɔɲ], frz. Malerfam. des 17./18. Jh. Bedeutendste Mitgl. waren: Louis d. Ä. (*Paris 1609, †ebd. 13. 6. 1674), Gründungsmitgl. der Akad. 1648, an der Ausmalung der Großen Galerie des Louvre (›Taten des Herkules‹, nicht erh.) beteiligt. Sein Sohn Bon (*Paris 22. 2. 1649, †ebd. 16. 5. 1717), in Italien ausgebildet, schuf die Fresken in der Hieronymus- und Ambrosius-Kapelle des Invalidendoms in Paris (1707). Sein anderer Sohn, Louis d. J. (*Paris 19. 11. 1654, †21. 11. 1733), kopierte Fresken RAFFAELS für die königl. Gobelinmanufaktur, wurde 1722 Akad.-Direktor, 1724 erster Hofmaler LUDWIGS XV.; er schuf Gemälde mythologisch-allegor. Inhalts und Fresken in der Schloßkapelle von Versailles.

Boumann [b'auman], Johann, Baumeister, *Amsterdam 1706, †Berlin 6. 9. 1776, wurde 1732 nach Berlin berufen, baute in Potsdam das Holländ. Viertel (1737–41) und in feingliedrigem Klassizismus das Berliner Tor und das Rathaus (1753). In Berlin schuf er den

Alten Dom (1747–50, durch Neubau ersetzt) und das Palais Prinz Heinrich (1748–53, wohl nach Entwurf von G. W. v. KNOBELSDORFF; später Humboldt-Univ.).

Bou Médine [bumed'i:n], →El-Eubbad.

Bourdelle [burd'ɛl], Émile-Antoine, frz. Bildhauer, *Montauban 30. 10. 1861, †Le Vésinet (bei Paris) 1. 10. 1929, war Schüler von A. FALGUIÈRE und J. DALOU, arbeitete auch bei A. RODIN. B. erstrebte eine architektonisch bestimmte, z. T. an ägypt. und archaische Kunst anknüpfende plast. Form, die er mit einem an F. RUDE erinnernden Schwung zu verbinden wußte. Neben Denkmälern und Reliefs schuf er Einzelfiguren und Porträts, bes. zahlreiche von Beethoven; Lehrer von ALBERTO GIACOMETTI und GERMAINE RICHIER.

Bourdichon [burdiʃ'ɔ̃], Jean, frz. Maler und Buchmaler, *Tours um 1457(?), †ebd. (?) 29. 7. 1521, seit 1478 tätig für die frz. Könige; 1484 von KARL VIII. zum Hofmaler und Kammerdiener ernannt. Mit dem Großen Stundenbuch der ANNA VON BRETAGNE (Paris, Nat.-Bibl.) schuf er um 1500/1507 eines der letzten Meisterwerke frz. Buchmalerei.

WW: Marientriptychon (Neapel, Gal. Nazionale di Capodimonte).

Bourdon [burd'ɔ̃], Sébastien, frz. Maler, Kupferstecher, *Montpellier 2. 2. 1616, †Paris 8. 5. 1671, ging früh nach Rom, wo er sich unter dem Einfluß N. POUSSINS und CLAUDE LORRAINS fortbildete, war kurze Zeit in Venedig und arbeitete dann in Paris. 1652 bis 1654 war er in Stockholm als Hofmaler tätig. B. schuf v. a. Porträts, Historien- und Genrebilder.

HW: Selbstbildnis (Louvre); Reiterbildnis der Königin Christine v. Schweden (Prado).

Bourg-en-Bresse [bu:rãbr'ɛs], frz. Stadt am W-Rand des Jura, 40700 Ew., mit der Kirche Notre-Dame (15.–16. Jh., Chorgestühl 16. Jh.). Im Vorort **Brou** [bru] die unter MARGARETE VON ÖSTERREICH erbaute Kirche (1513–32) im Flamboyant-Stil, mit bes. reicher Innenausstattung, u. a. Chor mit Gestühl und Fenstern des 16. Jh., spätgot. Lettner, Grabmäler von MARGUERITE VON BOURBON, Margarete von Österreich und ihrem Mann PHILIBERT, Altarwand mit den ›Sieben Freuden der Hl. Jungfrau‹ (fläm. Renaissance-Werk). Im ehem. Kloster (1506–12) Mus., u. a. mit Gemälden und Mobiliar des 16.–18. Jh.

Bourges [burʒ], frz. Stadt und Erzbischofssitz im Zentrum Frankreichs, 76200 Ew. Die fünfschiffige got. Kathedrale St. Étienne (1195–1280) mit von 2 mächtigen Türmen (N-Turm 1506 nach Einsturz wieder aufgebaut) flankierter Fassade mit Rosenfenster und 5 reich skulptierten Portalen (im Tympanon des mittleren Portals ein ›Jüngstes Gericht‹, um 1270), doppeltem Chorumgang und Glasfenstern des 13., 15. und 16. Jh. gehört zu den bedeutendsten got. Kirchen in Frankreich. Palais Jacques-Coeur (ab 1435), got. Profanbau mit einer der frühesten frz. Galerien an der Fassade und roman. und got. Skulpturen in den Laubengängen um den Hof. Im Renaissancebau Hôtel Cujas (1515) befindet sich das Mus. du Berry (röm. Funde, frz. Gemälde des 17.

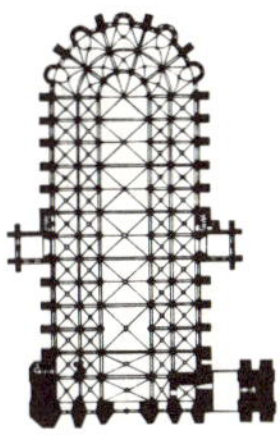

Bourges: Grundriß der Kathedrale

und 18. Jh.); im Hôtel Lallemant (Kaufmannsbau des 16. Jh.) das Mus. d'Art Décoratif (Kunstgewerbemus.).

Boursse [burs], Esaias, holländ. Maler, *Amsterdam 3. 3. 1631, †auf einer Seereise 16. 11. 1672; schuf, von REMBRANDT, P. DE HOOCH und J. VERMEER beeinflußt, schlichte Genrebilder, meist Interieurs, von reizvoller Sachlichkeit.

Bouts [bauts], **1)** Albert, niederländ. Maler, Sohn von 2), *Löwen zw. 1452 und 1460, †ebd. 1549, setzte die Tradition seines Vaters fort, wurde aber auch durch HUGO VAN DER GOES beeinflußt (›Himmelfahrt Mariae‹, Brüssel, Musées Royaux des Beaux-Arts).

Dieric Bouts: Maria mit dem Kind (London, National Gallery)

2) Dieric, niederländ. Maler, Vater von 1), *Haarlem um 1410–20, †Löwen 6. 5. 1475, seit etwa 1445–48 in Löwen tätig, wo er 1457 zum erstenmal nachweisbar ist. Über seine Lehrjahre ist nichts bekannt. Man nimmt an, daß er in Haarlem durch die Landschaftsauffassung des A. OUWATER beeinflußt wurde. In seinen frühen Werken ahmte er die Kompositionsweise ROGIER VAN DER WEYDENS nach. Die Ausbildung der Raumgestaltung auf Grund von Perspektivstudien, die phlegmat. äußere Erscheinung seiner ›storchbeinigen Gestalten‹ und die Leuchtkraft des gesättigten Kolorits sind für ihn kennzeichnend.

HW: Abendmahlsaltar (1464–67; Löwen, Peterskirche); Triptychon Die Anbetung der Könige (›Die Perle von Brabant‹, um

1467/68; München, Alte Pinakothek); Martyrium des Hl. Erasmus (um 1468; Löwen, Peterskirche); Gerechtigkeitsbilder für das Löwener Rathaus (um 1470; Brüssel, Musées Royaux des Beaux-Arts); Halbfigurenbilder (Porträts, Mariendarstellungen).

Bouxwiller [buksvil'ɛ:r], frz. für →Buchsweiler.

Boydell [bɔɪd'el], John, engl. Radierer, Verleger, *Dorrington 19. 1. 1719, †London 12. 12. 1804, gab Stichfolgen nach den von ihm bei engl. Malern (u. a. J. REYNOLDS, R. SMIRKE, G. ROMNEY, J. H. FÜSSLI) in Auftrag gegebenen Gemälden seiner ›Shakespeare Gal.‹ heraus.

Boyle Abbey [bɔɪl 'æbɪ], in der histor. Prov. Connacht, NW-Irland; die 1148 gegr. Zisterzienserabtei Buellium wurde 1569 aufgelöst, die Kirche ist heute Ruine. Die Basilika wurde mit tonnengewölbtem Rechteckchor, je 2 Kapellen an den Querarmen und einem Vierungsturm errichtet. Die abgetreppten Scheidbögen sind die einzige architekton. Gliederung der Hochschiffswände.

Boymans-van Beuningen, Museum B.-v. B., Rotterdam. Den Grundstock bildet die Stiftung des aus Maastricht stammenden Kaufmanns und Sammlers F. J. BOYMANS an die Stadt Rotterdam, die 1849 das Mus. Boymans eröffnete. 1931–35 wurde für die durch Schenkungen und Stiftungen stark vermehrte Samml. niederländ. Maler ein Neubau errichtet; 1961 wurde dem Namen des Mus. der des Sammlers und Stifters D. G. VAN BEUNINGEN hinzugefügt, dem das Mus. seine bedeutendsten Bestände von J. VAN EYCK, P. BRUEGEL D. Ä., TIZIAN, P. P. RUBENS, A. WATTEAU und V. VAN GOGH verdankt.

Boytạc, Boytạca, Diogo, portug. Baumeister, tätig etwa zw. 1490 und 1520. Sein erstes HW ist das Jesús-Kloster in Setúbal (1490 beg.); seit 1509 war er in Batalha tätig, wo er den Kreuzgang mit überreicher Ornamentik ausschmückte und so eines der prächtigsten Beispiele des Emanuelstils schuf; 1514 beim Bau des Hieronymitenklosters in Belém als Oberbaumeister nachweisbar (1517 von J. DE CASTILHO abgelöst); mehrere Festungsbauten, v. a. in Nordafrika.

Bozen, ital. **Bolzạno,** Hauptstadt der Prov. Bozen, Südtirol, 107 100 Ew. Im Stadtzentrum der Dom (Propsteikirche Unserer Lieben Frau; 14./15. Jh.) mit dreischiffigem Langhaus (1295–1340) in Hallenform, roman. Hauptportal (12. Jh.), Vorhalle an der W-Fassade (1499, in roman. Stil), Turm mit durchbrochenem Helm (1500–1519); im Inneren Fresken mit Darstellungen von Heiligenlegenden (14./15. Jh.), aus Sandstein gemeißelte Kanzel (1513/14) mit reichem Maßwerk und Reliefs. Franziskanerkloster (1223/24 gegr.) mit Klosterkirche (1291 beg.), Marienkapelle (um 1340; Flügelaltar, 1500) und Kreuzgang (um 1350; Kleeblattbogenfenster, Fresken). Dominikanerkloster (1272 gegr.) mit Klosterkirche (1275 beg.; Fresken 14./15. Jh.), Johanneskapelle (Fresken der frühen, von GIOTTO beeinflußten Bozener Malerei, 1330–40) und Kreuzgang (Fresken, Ende 14. Jh.). Ma. Stadtkern mit Laubengängen, Merkantilpalast (1708–27) mit Arkadenhöfen und Prunksaal. Im Stadtteil **Gries** Alte Pfarrkirche

Bozzetto: Herkules und Cacus von Michelangelo; Höhe 42 cm (Florenz, Casa Buonarroti)

(roman. Kruzifix, um 1220) mit spätgot. Erasmuskapelle (Schnitzaltar von M. PACHER, 1471) und barocke Stiftskirche St. Augustinus (1769–71; Fresken von M. KNOLLER). Mus. der Stadt Bozen (Südtiroler Landesmus. mit got. Kunstwerken, Gemälden u. a.).

J. WEINGARTNER: Die Kunstdenkmäler Südtirols, 2: B., ... (1977).

Bozo, kleine Volksgruppe in Westafrika, an den Flüssen Niger und Bani in Mali. Die B. stellen hauptsächlich bemalte Tiermasken (Antilope) mit bes. langen, z. T. stark geschwungenen Hörnern her; Figuren sind nicht bekannt.

Bozzẹtto [ital.] *der,* erster skizzenhafter, plast. Entwurf für eine Skulptur. In Ergänzung der Handzeichnung war er in kleinerem Maßstab gehalten als das Kunstwerk, das er vorbereitete. Als Material war außer Ton, Wachs, Gips oder Papiermaché gelegentlich auch Stuck beliebt. Weiches Holz (bes. Lindenholz) wurde in Dtl. bevorzugt. Der B. kam in der ital. Frührenaissance auf (frühester Nachweis bei A. DEL VERROCCHIO). Von MICHELANGELO hat sich wahrscheinlich nur der B. des ›Herkules und Cacus‹ erhalten. Die Blütezeit des B. ist erst der Barock (G. L. BERNINI). Unter den dt. Bildhauern des Rokoko traten F. TIETZ und v. a. I. GÜNTHER hervor. Im Zisterzienserstift Heiligenkreuz (NÖ) befindet sich eine bed. Samml. von Ton-B. des G. GIULIANI.

Bracci [br'attʃi], Pietro, ital. Bildhauer, *Rom 26. 6. 1700, †ebd. 13. 2. 1773; er war nach seinem Lehrer C. RUSCONI der bekannteste röm. Bildhauer des 18. Jh. und galt als geschickter Antikenrestaurator.

HW: Papstgrabmäler: Benedikt XIII., Rom, S. Maria sopra Minerva (von B. die Figur des Papstes und der Religion, 1734); Benedikt XIV., ebd., Peterskirche (1769).

Bracciano [brattʃ'a:no], ital. Stadt am gleichnamigen See in der Prov. Rom, 10 100 Ew.; im **Castẹllo Orsịni** (15. Jh.; dreieckiger Innenhof mit Arkaden und Außentreppe) reiche Innenausstattung: u. a. Fresken von F. und T. ZUCCARI; bemalte hölzerne Decken; Triptychon, 15. Jh.; Marmorbüsten von G. L. BERNINI.

Bracelli [bratʃ'ɛlli], Giovanni Battista, ital. Maler, Kupferstecher, *1584(?), †um 1650(?), tätig in Genua, Florenz und Rom. Von besonderer Bedeutung sind seine Stichfolgen mit kubisch gebauten Figuren (›Bizzarie di varie figure‹, Florenz 1624).

Bracht, Eugen, Maler, *Morges (bei Lausanne) 3. 6. 1842, †Darmstadt 15. 11. 1921, Schüler von J. W. SCHIRMER in Karlsruhe, Lehrer an den Akad. in Berlin (1883 bis 1901) und Dresden (bis 1919). Sehr beliebt waren seine maler., farbenreichen Stimmungslandschaften.

E. B. 1842–1921, Ausst.-Kat., Darmstadt (1970).

Bradford-on-Avon [br'ædfəd ɔn 'eɪvən], Stadt in der engl. Cty. Wiltshire, 8000 Ew.; die Pfarrkirche St. Lawrence wurde Anfang des 8. Jh. von Bischof ALDHELM VON SHERBORNE gegr. Im frühen 10. Jh. kam es zu einem Neubau als Saalkirche mit Rechteckchor und nördl. Portikus. Der Chor ist im Innern nur durch eine schmale Rundbogenöffnung mit dem sehr steilen Schiff verbunden.

Braekeleer [br'a:kəle:r], **1)** Ferdinand de B., belg.

Maler, *Antwerpen 12. 2. 1792, †ebd. 16. 5. 1883, malte Historien- und v. a. Genrebilder in der Manier altfläm. Meister; auch Radierungen.

2) Henri de B., belg. Maler, Sohn von 1), *Antwerpen 12. 6. 1840, †ebd. 20. 7. 1888, Neffe und Schüler von H. LEYS; Vertreter des belg. Realismus; später v. a. von P. DE HOOCH beeinflußt (Interieurs, Stilleben, Landschaften).

Braga [br'aγa], Distriktshauptstadt und Erzbischofssitz in N-Portugal, 45 000 Ew. In der ummauerten Altstadt die Kathedrale (11.–17. Jh.), urspr. dreischiffig, auf 5 Schiffe mit got. Chor und Chorkapellen erweitert, ab 1530 im Emanuelstil ausgestattet; prächtiges Orgelgehäuse (1730); reicher Kirchenschatz. Im ehem. Bischofspalast bed. Bibliothek (über 10 000 Hss., darunter einige des 9. Jh.); prachtvolle Bürgerhäuser und Adelspaläste (18. Jh.) sowie zahlreiche Kirchenbauten (Misericórdia – Kirche im Stil der ital. Renaissance; Capela dos Coimbras mit Azulejosausstattung u. a.). In der Umgebung der Stadt die spätbarocke Wallfahrtskirche Bom Jesús do Monte von C. L. F. DA CRUZ AMARANTE (*1748, †1815) mit doppelläufiger Treppenanlage (18. Jh.; mit Stationskapellen) und die westgot. Kapelle S. Frutuoso (um 650/660; Zentralbau über grch. Kreuz).

Bragança [braγ'ãsa], Distriktshauptstadt und Bischofssitz in NO-Portugal, 11 000 Ew. Von der von König SANCHO I. 1187 erbauten Burg sind Umfassungsmauern und Wehrtürme erhalten; Burgkapelle aus der Renaissance. Das Rathaus ist einer der seltenen erh. roman. Profanbauten (12. Jh.) in Portugal; Kathedrale (schlichter Renaissancebau); Adelspaläste (18. Jh.) mit schönen Granitfassaden. Mus. do Abade de Baçal (archäolog. und volkskundl. Samml.).

Brahma, ind. Schöpfergott in Gestalt eines bärtigen Asketen. In der Gandhara-Kunst wurde B. in buddhist. Kontext dargestellt, im Hinduismus ist er Teil der Götterdreiheit (Trimurti). Er wird vierköpfig und mit einer Gans (Hamsa) als Symboltier abgebildet, seine Gattin ist Sarasvati.

Brakel, Stadt im Weserbergland, Kr. Höxter (NRW), 15 600 Ew.; seit dem 14. Jh. Besitz der Paderborner Bischöfe. Romanisch-gotische Michaelskirche (12./14. Jh.); ehem. Kapuzinerkirche (1715–18, Frühwerk von J. C. SCHLAUN); got. Rathaus (um 1500).

Bramante, eigtl. Donato **d'Angelo** [d'andʒelo], ital. Baumeister, Maler, * Fermignano bei Urbino 1444, †Rom 11. 3. 1514, begründete die klass. Architektur der ital. Hochrenaissance. B., wahrscheinlich bei L. LAURANA in Urbino ausgebildet, war seit 1479 im Dienst des Herzogs LUDOVICO SFORZA in Mailand tätig. Anfänglich schuf er auch Wandbilder (Helden- und Philosophenfiguren erhalten; Mailand, Brera). Mit seiner achteckigen Sakristei von S. Maria presso S. Satiro (1480–88) und dem Chorbau von S. Maria delle Grazie (1492–98; beide in Mailand) übertraf er alle gleichzeitigen Bauten an Raumwirkung und machtvoll gegliedertem Aufbau.

Bramante: Rundtempel im Klosterhof von S. Pietro in Montorio, Rom; 1502 voll.

Seine im Austausch mit LEONARDO DA VINCI entwikkelten Zentralbaupläne machten über Oberitalien hinaus Schule. Seit 1499 in Rom, klärte B. seinen Stil an der Form und Technik antiker Bauten zu klass. Reife. Sein zweistöckiger Kreuzgang von S. Maria della Pace (1500–04) geht in der Säulenordnung auf antike Vorbilder zurück; mit dem Rundtempel (›Tempietto‹) im Klosterhof von S. Pietro in Montorio (1502 voll., Teil einer größeren Planung) gestaltete er modellhaft die Idealvorstellung der Hochrenaissance-Architektur; im Palastbau führte er eine monumentale Wandsäulenordnung über Rustikasockel ein. Seit 1504 im Dienst Papst JULIUS' II., begann er 1506 den Neubau von St. Peter als quadrat. Zentralbau mit Kuppel über grch. Kreuz (der Entwurf wurde von seinen Nachfolgern, v. a. MICHELANGELO, entscheidend verändert). B.s Plan des Belvederehofes im Vatikan entwickelte eine Tiefenachse über Terrassen auf einen Nischenbau als Blickpunkt hin und wurde grundlegend für die Platzanlagen der Folgezeit, bes. auch für den ital. Villenbau.

A. BRUSCHI: B. architetto (Bari 1969).

Bramantino, eigtl. Bartolomeo **Suardi,** ital. Maler, Architekt, *Mailand um 1465, †ebd. 1530, arbeitete in Mailand und Rom, zeitweilig mit BRAMANTE (daher sein Name); seit 1525 Hofmaler der Sforza in Mailand; beeinflußte bes. B. LUINI und G. FERRARI; schuf auch Entwürfe für 12 Wandteppiche mit Monatsdarstellungen (Mailand, Castello Sforzesco).

HW: Madonna mit Kind (um 1490; Boston, Mus. of Fine Arts); Philemon und Baucis (um 1500; Köln, Wallraf-Richartz-Mus.);

Kreuzigung Christi (um 1520; Mailand, Brera); Flucht nach Ägypten (1522; Locarno, Santuario della Madonna del Sasso).

Bramer, Leonaert, holländ. Maler, *Delft 24. 12. 1596, begraben ebd. Febr. 1674, zeitweise in Rom, malte, von A. ELSHEIMER beeinflußt, kleine bibl. und histor. Szenen in grünl. Helldunkel und mit derben Farben; B. war auch ein geistreicher Zeichner (Illustrationsfolgen, u. a. in München, Graph. Samml.).

Bran, Burg in Rumänien, →Törzburg.

Branca, Alexander Frhr. von, Architekt, *München 11. 1. 1919, unterhält seit 1951 in München ein Architekturbüro; seine Bauten nutzen die Möglichkeiten der industriellen Vorfabrikation und sind durch die Anlehnung an Stilelemente histor. Bauformen beeinflußt.

HW: Zentralbibl., Regensburg (1970–74); Neue Pinakothek, München (1973–81); Wettbewerb Kunsthaus Vaduz, 1. Preis des Wettbewerbs (1977); Dt. Botschaft in Rom (1978 ff.).

Brâncuşi [rumän. brink'uʃj], Constantin, rumän. Bildhauer, *Hobiţa, Gem. Peştişani (Verw.-Geb. Gorij) 19. 2. 1876, †Paris 16. 3. 1957, lebte seit 1904 in Paris. B. suchte in seinen Bildwerken aus poliertem Stein, Metall und Holz in radikaler Überwindung der Auffassung A. RODINS das Wesenhafte organisch empfundener Formen in stark abstrahierten Gestaltungen zu erfassen. Seine Plastik zielt auf ›Urformen‹, die sich der ›primitiven Kunst‹ oder den meditativen Symbolen des Fernen Ostens nähern, jedoch ohne direkten Anklang. B. verkörpert in der modernen Plastik den Pol äußerster Reduktion und Abstraktion. Seine ›Endlose Säule‹ bereitet die gereihten Formsysteme der Minimal Art vor. Sein Nachlaß ist im Centre national d'art et de culture Georges Pompidou, Paris.

Constantin Brâncuşi: Endlose Säule, seit 1937 in Tîrgu Jiu

HW: Der Kuß (Stein, 1908; Philadelphia Mus.); Der rumän. Traumvogel Maiastra (Bronze, 1912; Venedig Samml. P. Guggenheim); Endlose Säule (vergoldeter Stahl, seit 1937 in Tîrgu Jiu); Aufsteigender Vogel (Marmor, um 1940; Kunsthaus Zürich).

CAROLA GIEDION-WECKER: C. B. (1958; mit Bibliogr. C. B.); N. SANDULESCU: B. (Bukarest 1965); C. B. 1876–1957, Ausst.-Kat., New York, hg. v. S. GEIST (1969); C. B., Ausst.-Kat., Duisburg (1976).

Brand, 1) Christian Hilfgott, Maler, *Frankfurt a. d. O. 1695, †Wien nach 1756, malte dekorative Landschaften, in denen der Einfluß der niederländ. Malerei spürbar wird.

2) Johann Christian, Maler, Sohn von 1), *Wien 6. 3. 1722, †ebd. 12. 6. 1795, übersetzte als Landschaftsmaler den Stil seines Vaters ins Rokoko.

Brandberg, Granitmassiv in Südwestafrika (Namibia), 2610 m hoch. In den Schluchten etwa 500 Fundstellen von Felsbildgruppen; szen. Darstellungen in mehrfarbiger Malerei. Einen Höhepunkt der ›Buschmannkunst‹ stellt die ›Weiße Dame vom B.‹ dar, um 1500 v. Chr. entstanden (BILD Felsbilder).

Brandeis an der Elbe, tschech. **Brandýs nad Labem,** Teil der Doppelstadt Brandýs nad Labem-Stará Boleslav, Mittelböhm. Kreis, ČSSR, 15000 Ew. Die um 1300 angelegte Burg wurde im 16. und frühen 17. Jh. zum repräsentativen Sommerschloß Kaiser RUDOLFS II. umgestaltet; Rathaus (1639, verändert 1740–42), ehem.

Piaristenkolleg (1785), Dekanatskirche (1541–42, im 18. Jh. verändert).

Brandenburg/Havel, Stadt beiderseits der unteren Havel, Dt. Dem. Rep., 93 800 Ew., aus 3 Kernen zusammengewachsen. Auf der Dominsel der Peter-und-Pauls-Dom (beg. um 1165, 2. H. 14. Jh. Umbau zur got. Basilika) mit kostbarer Ausstattung (u. a. spätgot. Flügelaltar, 1518, Böhm. Altar, 2. H. 14. Jh., Flügelaltar, 1465, Chorgestühl, 1539). In der Altstadt Gotthardikirche (Westbau um 1200, spätgot. Langhaus 1456–75), dreischiffige Halle, Triumphkreuzgruppe (15. Jh.) und spätgot. Schnitzfiguren; Altstädt. Rathaus (um 1480), ein spätgot. Backsteinbau mit Staffelgiebeln, der vordere mit Turm, vor dem Rathaus Rolandstatue; Rathenower (14./16. Jh.) und Plauer Torturm (15. Jh.). In der Neustadt die Katharinenkirche (um 1400), eine dreischiffige Halle, Fronleichnamskapelle mit reich verziertem Giebel, spätgot. Flügelaltar (1474); frühgot. Paulskirche (um 1300) mit Kreuzgang des ehem. Dominikanerklosters, seit dem 2. Weltkrieg Ruine; Steintor- und Mühlentorturm (15. Jh.).

Brandl, Prantl, Peter Johann, böhm. Maler, getauft Prag 24. 10. 1668, †Kuttenberg (heute Kutná Hora) 24. 9. 1735, verarbeitete Anregungen der venezian. und fläm. Barockmalerei in der Prager Burggalerie zu einem empfindungsvollen Stil mit pathet. wie lyr. Ausdruck.

HW: Selbstporträt (vor 1700; Prag, Nat. Gal.); Anbetung der Könige (1727; Smiřice, Schloßkirche); Taufe Christi (Prag, Veitsdom).
J. NEUMANN: Der böhm. Barock (1970).

Brandmalerei, Brennmalerei, →Holzbrandmalerei.

Brandstempel, Kunsthandel: Meistermarken oder Beschauzeichen der Zünfte, die für einwandfreies Material oder für Qualität bürgten.

Brandt, Józef, poln. Maler, *Szczebrzezyn (Gouv. Lublin) 11. 2. 1841, †Radom 12. 6. 1915, eröffnete 1867 in München – nach Studien ebd. bei K. PILOTY – ein Atelier, das zum Mittelpunkt der poln. Maler in München wurde. Später sammelte B. auf seinem Gut bei Radom eine ›Münchner Schule‹ poln. Maler um sich. Seine figurenreichen Bilder stellen Genreszenen aus den poln. Kriegen des 17. Jh. und seiner Zeit dar, auch Motive aus dem Bauernleben.

Brạndýs nạd Labem, Stadt in der ČSSR, →Brandeis an der Elbe.

Brangwyn [br'æŋgwɪn], Sir (1941) Frank, engl. Maler, Graphiker, *Brügge 13. 5. 1867, †Ditchling (Sussex) 11. 6. 1956; studierte in England u. a. bei W. MORRIS, seit 1919 Mitgl. der Royal Academy. Neben allegor. Gemälden schuf B. dekorative Wandgemälde (u. a. im House of Lords, London), Entwürfe für Kunsthandwerk (B.-Mus., Brügge).

Braniewo [branj'ɛvɔ], poln. Name für →Braunsberg.

Braque [brak], Georges, frz. Maler, Graphiker, *Argenteuil 13.5.1882, † Paris 31.8.1963, studierte seit 1902 Malerei in Paris und schloß sich 1905–07 den Fauves an. Der Eindruck einer Cézanne-Ausstellung und die

Georges Braque: Das Duo, 1937 (Paris, Centre Pompidou)

Begegnung mit P. PICASSO führten ihn 1908 zur Fazettierung der Formen (Landschaften von L'Estaque), aus der B. und Picasso gemeinsam eine völlig neue Sehweise entwickelten, den →Kubismus. Dabei gingen die Abkehr vom Figurenbild, die Konzentration auf das Stilleben, das als überschaubares Modell auf die systemat. Untersuchung des autonomen Bildraums diente, wohl auf B. zurück. Nach den prismat. Bildern des analyt. Kubismus (1908–12) erweiterte B. erstmals 1912 die Komposition durch Tapetenstücke, gemaserte Holzfolien u. ä. und erfand damit ein Kernstück des synthet. Kubismus (1912–18), das Papier Collé. Der Krieg beendete die Zusammenarbeit mit Picasso und damit ein grundlegendes Kapitel der modernen Kunstgeschichte. Nach dem Krieg überführte B. die kubist. Mittel in eine ›noble peinture‹, die sich zunehmend von Formexperimenten entfernte, in den 30er Jahren zum Neoklassizismus tendierte und sich, nicht ohne dekorative Züge, der klass. frz. Malkultur näherte. Die Darstellungen der großen Interieurs der Spätzeit (›Billardtische‹, ›Ateliers‹) steigerten sich noch einmal zu formalem Reichtum und poet. Metaphern. B. hat außerdem bed. Lithographien (Illustrationen zu Hesiods ›Theogonie‹), Bühnendekorationen, Glasfenster, bemalte Gipsreliefs und Keramiken geschaffen. B.s Werke sind zerstreut in viele Museen der Welt, zahlreiche Bilder befinden sich in Privatbesitz. B. wurde als erstem Maler zu Lebzeiten eine Ausst. im Louvre zuteil (1961).

DORA VALLIER: G. B., Das graph. Gesamtwerk (1982); NICOLE WORMS DE ROMILLY u. J. LAUDE: G. B., Le cubisme (Paris 1982); G. B. en Europe. Centenaire de la naissance de G. B., 1882–1963, Ausst.-Kat., Bordeaux u. a. (1982); Œuvres de G. B., hg. v. NADINE POUILLON u. ISABELLE MONOD-FONTAINE, Ausst.-Kat., Paris (1982).

Braquemond [brakm'ɔ̃], Felix, frz. Radierer, Maler, *Paris 22. 5. 1833, †ebd. 29. 10. 1914, schuf Original- und Reproduktionsgraphik nach eigenen Entwürfen und nach alten und neuen Meistern; gab den Impressionisten Anregungen zu eigener druckgraph. Arbeit; auch Porzellanentwürfe.

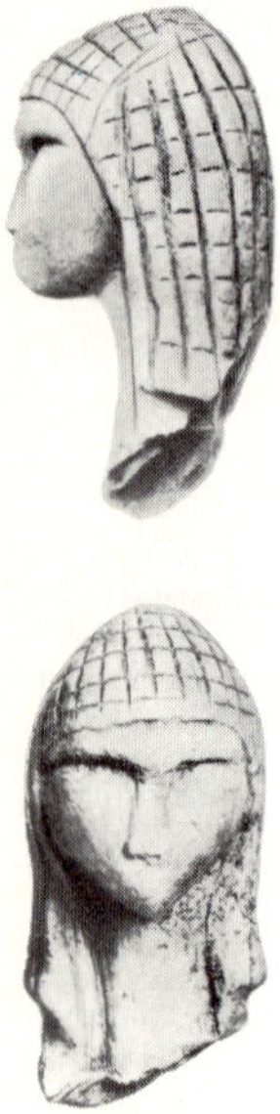

Brassempouy: Kopf einer Frauenstatuette aus Elfenbein (etwa Orig.-Gr.)

Brasilholz, Rotholz, Pernambukholz, braungelbes bis dunkelrotes Holz aus dem südöstl. Südamerika, aus dem ein roter Farbstoff (Bresilgen, Parisrot) extrahiert und verlackt wird; vom MA bis ins 19. Jh. wichtiger Farbstoff für Malerei und Färberei.

Brasília, die Hauptstadt Brasiliens (seit 1960), auf der Hochebene des Staates Goiás, 1,17 Mio. Ew. Der Grundriß der Stadt (Umriß eines Vogels mit ausgebreiteten Schwingen) stammt von L. COSTA, die Bauplanung von O. NIEMEYER. Die Architektur, den klimat. Gegebenheiten angepaßt, zeichnet sich durch Leichtigkeit (durchbrochene Fassaden) bei gleichzeitiger Monumentalität aus, aufgelockert durch großzügige Parkanlagen. Der Palácio da Alvarada, die Residenz des Präs., ist ein Glas- und Stahlbau von O. Niemeyer mit Skulpturen v. A. CESCHIATTI und MARIA MARTINS. Der Palácio Itamaraty (Außenministerium), zw. Gärten und Wasserflächen, wurde innen von brasilian. Künstlern modern ausgestaltet. Die Kathedrale (O. Niemeyer und J. Cardoso), ein Rundbau, trägt als Dachbekrönung die monumental stilisierte Dornenkrone Christi. In der Kirche Dom Bosco wird durch große Fenster aus blauem Glas eine besondere Lichtwirkung erzielt. Nationaltheater (in Form einer aztek. Pyramide) und Kongreßzentrum sind ebenfalls von O. Niemeyer entworfen. Gegenwärtig baut dieser in B. ein Indianer-Mus. (BILD Niemeyer).

Braşov [braʃ'ɔv], Stadt in Rumänien, →Kronstadt.

Brass [brɑːs, engl.], Sonderform des ma. Grabmals in England, eine Messingplatte mit ziselierter Frontalabbildung des Bestatteten.

Brassempouy [brasãpu'i], Dorf im frz. Dép. Landes. In einer Höhle bei B. (Grotte du Pape) wurden in jungpaläolith. Kulturschichten Fragmente weibl. Statuetten aus Elfenbein entdeckt, darunter ein Köpfchen mit klar erkennbaren Gesichtszügen. Aus dem Magdalénien von B. stammen Tiergravierungen und ein Seehundrelief auf Knochen.

Bratislava, Stadt in der ČSSR, →Preßburg.

Braubach, Stadt am rechten Rheinufer, Rheinl.-Pf., 3900 Ew., mit winkelhakenförmigem Stadtgrundriß. B. hat 2 Burgen: eine Talburg (Philippsburg, 1568–1571) und die hoch über der Stadt liegende **Marksburg** (im wesentl. 14. Jh.), die einzige unzerstörte Höhenburg am Mittelrhein (Mus.).

Brauer, Arik, eigtl. Erich, österr. Maler, Graphiker, *Wien 4. 1. 1929, wird der →Wiener Schule des Phantast. Realismus zugezählt. Seine Bilder und Farbradierungen zeigen sinnl. Visionen mit z. T. chassidischen Motiven.

W. SCHMIED: E. B. (1972).

Braunau, 1) Stadt rechts des Inn, OÖ, mit maler. Stadtbild, Bürgerhäuser 15.–19. Jh.; spätgot. Stadtpfarrkirche (gew. 1466) mit fast freistehendem Turm (beg. 1492), reiche got. und barocke Ausstattung (Hochaltar, ein HW von MARTIN ZÜRN von 1642, bei der Restaurierung der Kirche 1906 jedoch abgebrochen), Kanzel (Ende 15. Jh.); Bürgerspitalkirche (1417–30) auf der Grundlage eines regelmäßigen Sechsecks.

2) tschech. **Broumov,** Stadt im Ostböhm. Kreis, ČSSR, 7400 Ew. Das ehem., vor 1322 gegr. Benediktinerkloster wurde nach Brand 1664–75 neu aufgebaut und wuchs im 18. Jh. unter Beteiligung v. a. von K. I. DIENTZENHOFER zu einem monumentalen Klosterkomplex mit Kirche und barockem Bibliothekssaal.

Brauner, Victor, rumän. Maler, *Piatra Neamţ (Rumänien) 15. 6. 1903, †Paris 12. 3. 1966, gehörte 1933–48 zur surrealist. Bewegung in Paris. Seine Bilder und Gedichte sind Reflexionen über das Okkulte, Magische und Mythische. Sie zeigen seine psych. Schwankungen, zerreißenden Weltschmerz und starke Ich-Bezogenheit.

Braunfels, Luftkurort an der Lahn, Hessen, 9200 Ew., mit reizvollem Altstadtbild (Marktplatz 1696 bis 1712) und vieltürmigem Residenzschloß der Fürsten von Solms-B. (die Burg des 13. Jh. im 19. Jh. ausgebaut); wertvolle Kunstsamml. (Malerei, Kunsthandwerk).

Braunfirnis, →Émail brun.

Braunsberg, poln. **Braniewo** [branj'ɛvɔ], Stadt in der Wwschaft Elbląg, Polen, an der Passarge, 14200 Ew. Pfarrkirche St. Katharina (1343 ff.), eine der größten ermländ. Hallenkirchen, im 19. Jh. z. T. verändert, 1945 schwer beschädigt. Barocke Heilig-Kreuz-Kirche außerhalb der Stadt (1723–42), Trinitatiskirche (15. Jh.), Altstädter Rathaus mit mittelalterl. Kern, 1739–41 barock ausgebaut. Vom Bischofspalast ist nur ein Torturm des späten 14. Jh. erhalten.

Braunschweig, Stadt an der Oker (Ndsachs.), 265800 Ew.; seit dem 14. Jh. Hansestadt, 1753–1918 Residenz der Herzöge von B. Die Altstadt mit ihrem einmaligen Bestand an Fachwerkhäusern wurde 1944 zu 90% vernichtet, dennoch viele Baudenkmale erh. oder wiederhergestellt. Der Dom (1173–95 durch HEINRICH DEN LÖWEN erbaut) ist der erste gewölbte roman. Kirchenbau in Ndsachs.; seine imposante Westfront wurde Vorbild für mehrere Pfarrkirchen in B. Im Inne-

Braunschweig: Löwenstandbild; Bronze, 1166

ren Grabmal Heinrichs und seiner Gemahlin MATHILDE (um 1250), das →Imervard-Kreuz, ein siebenarmiger Bronzeleuchter (um 1170/80); in den Ostteilen Fresken des 13. Jh., im Nordschiff (1474) Spindelsäulen und Sterngewölbe; in der Welfengruft 24 Sarkophage. Neben dem Dom die Burg Dankwarderode (1174 von Heinrich dem Löwen pfalzartig ausgebaut, bis 1279 welfische Residenz, 1887 neuromanisch wiederaufgebaut), in deren Palas die MA.-Samml. des Herzog-Anton-Ulrich-Mus. Vor der Burg das bronzene Löwenstandbild Heinrichs (1166), das erste freistehende Monument des MA. Schönster Platz ist der Altstadtmarkt mit spätgot. Rathaus (14./15. Jh.), Renaissance-Gewandhaus (1591), Marienbrunnen (1408) und Martinikirche, die wie St. Katharinen und St. Andreas um 1200 erbaut und später zur got. Hallenkirche umgestaltet wurde. Ehem. Benediktinerklosterkirche St. Ägidien (1278 ff.); in den zugehörigen Konventsgebäuden das Braunschweig. Landes-Mus. für Geschichte und Volkstum. Brüdernkirche (14./15. Jh.), Magni-, Michaels- und Petrikirche (12.–15. Jh.). Aus der klassizist. Epoche ragen das Viewegsche Verlagshaus (1802–05 von D. GILLY entworfen) und die Villa Salve hospes (1805–08) hervor. Monumentales historist. Rathaus (1900). Städt. Mus.; →Herzog-Anton-Ulrich-Museum. Südlich der Stadt **Schloß Richmond** (1768/69) mit originellem Grundriß. Im Stadtteil **Melverode** Nikolauskirche (um 1200); in **Riddagshausen** ehem. Zisterzienserkloster (1145 gegr.) mit 1275 gew. Kirche.

Braunschweiger Monogrammist, niederländ. Maler, tätig im 2. Viertel des 16. Jh., benannt nach dem monogrammierten Gemälde ›Speisung der Armen‹ im Braunschweiger Herzog-Anton-Ulrich-Mus. Als Maler von naturnah beobachtetem Alltagsleben in Wirtshausdarstellungen und relig. Volksszenen ist er Vorläufer von P. BRUEGEL D. Ä. Das Monogramm ist noch nicht eindeutig entziffert, teilweise als JAN VAN AMSTEL oder als JAN SANDERS VAN HEMESSEN gelesen. Zugeschrieben werden dem B. M. weiterhin Bordellszenen.

D. SCHUBERT: Die Gemälde des B. M. (1970).

Matthias Braun von Braun: Glaube; Steinskulptur in Kuks, um 1718/19

Braun von Braun, Matthias Bernhard, Bildhauer, *Sautens bei Ötz (Tirol) 25. 2. 1684, †Prag 15. 2. 1738, war ebd. u. a. am Skulpturenschmuck der Karlsbrücke beteiligt. Sein (um 1718/19 ausgeführtes) HW sind die ikonographisch ungewöhnl., meist auf Stiche des Augsburger MARTIN ENGELBRECHT zurückgehenden Gartenskulpturen des Schloßparks in Kuks (O-Böhmen, ČSSR). Bewegter Ausdruck und virtuose Oberflächengestaltung weisen B. v. B. als Meister der böhm. Barockplastik aus.

J. NEUMANN: Das böhm. Barock (1970); Kunst des Barock in Böhmen, Ausst.-Kat., Villa Hügel, Essen (1977).

Brauron, antiker Ort in SO-Attika, Griechenland, in der Nähe des heutigen Vraona. Hier befand sich eine prähistor. Akropolis, an deren Fuß das Heiligtum der Artemis Brauronia, Helferin der Frauen, lag. Durch Ausgrabungen wurden bisher ein Tempel (frühes 5. Jh. v. Chr.), eine Hofanlage und eine Stoa der Arktoi (›Bärinnen‹, Bez. der im Dienst der Artemis stehenden jun-

Brauron: Weihrelief für Artemis; 4. Jh. v. Chr. (Athen, Nat.-Mus.)

gen Mädchen nach ihrem bärenfellähnl. Gewand) aus dem späten 5. Jh. v. Chr. aufgedeckt; zahlreiche Einzelfunde, v. a. Marmorfiguren (Weihgaben) der Arktoi und Weihreliefs (Athen, Nat.-Mus.).

Brautbecher, →Jungfernbecher.

Brauweiler, Stadtteil von Pulheim bei Köln (NRW) mit ehem. Benediktinerabtei (1024 gegr.). In der Kirche (1048–61, im 12. Jh. völliger Umbau) qualitätvolle Barockeinrichtung. Kreuzgang mit Kapitelsaal 1149, übrige Abteigebäude von 1780.

Bravães [brav'ãiʃ], portug. Ort nördlich von Braga, mit der Kirche S. Salvador (12. Jh.), einem der schönsten roman. Kirchenbauten Portugals mit hervorragender Portal- und Kapitellplastik (im Tympanon die Figur Gottvaters; Kapitelle mit skurrilen Tiergestalten) und Freskenresten des 14. Jh. (heute größtenteils in Porto, Mus. Nacional de Soares dos Reis).

Bray, Jan de, holländ. Maler, *Haarlem um 1627, begraben ebd. 4. 12. 1697, schuf Einzel- und Gruppenbildnisse, die sich durch kultivierte Sachlichkeit auszeichnen (HW u. a. in Haarlem, Frans-Hals-Mus.). Sein Vater Salomon de B. (*Amsterdam 1597, †Haarlem 1664) war Baumeister und Maler (Bildnisse und akadem. Historiendarstellungen).

Brazzaville [brazav'il], Hauptstadt der Rep. Kongo, 330 m ü. M., am rechten Ufer des seenartig erweiterten Kongo, etwa 310 000 Ew.; Zentrum für moderne afrikan. Kunst (›École de Poto-Poto‹).

Bréa [bre'a], Louis, frz. Maler, *Nizza um 1450, †ebd. um 1523, bedeutendster Vertreter der Schule von →Nizza in der Übergangszeit von der Gotik zur Renaissance.

Brecht [brekt], George, amerikan. Künstler, *Blomkest (Minn.) 7. 3. 1924, lebt seit 1972 in Köln; in den 60er Jahren eng mit der Fluxus-Bewegung verbunden.

Seine intellektuell anspruchsvolle, betont unaufwendige Kunst schlug sich in Filmen und neodadaist. Objekt-Assemblagen nieder. Seit Jahren faßt B. seine Arbeit in einem enzyklopäd. ›Buch‹-Projekt zusammen.

G. B., Ausst.-Kat., Bern (1978).

Breckerfeld, Stadt im Sauerland, NRW; Mitgl. der Hanse, Blüte im 15./16. Jh. In der Jakobuskirche (14. Jh.) Lübecker Schnitzaltar (um 1520).

Breda, Stadt in der niederländ. Prov. Nordbrabant, 118 000 Ew. In der von Kanälen umgebenen Altstadt liegt die Liebfrauenkirche, eine kreuzförmige dreischiffige Basilika mit hohem W-Turm (15./1. H. 16. Jh.), eines der schönsten Beispiele für den brabantisch-got. Stil; Wand- und Gewölbemalerei aus der Entstehungszeit, reich geschnitztes Chorgestühl (15./16. Jh.), zahlreiche Grabmäler, darunter das prächtige Renaissancegrabmal aus Alabaster und Marmor für Engelbrecht II. von Nassau (†1504) und seine Gemahlin (†1501). Das Schloß (N- und W-Flügel 1536–38, S- und O-Flügel Ende 17. Jh.) ist heute Militär-Akad. Rathaus (1766–68), im Inneren Rokokostuck. Bischöfl. Mus. (sakrale Kunst seit dem MA.).

Breda, Carl Fredric von, schwed. Maler, *Stockholm 16. 8. 1759, †ebd. 1. 12. 1818, in England (1787 bis 1796) Schüler von J. REYNOLDS, beeinflußt auch von T. GAINSBOROUGH; beliebtester Porträtmaler der schwed. Romantik.

Breenbergh [br'e:nbɛrx], Bartholomäus, holländ. Maler, *Deventer zw. 1598 und 1600, †Amsterdam 1657, tätig um 1620–27 in Rom, schuf, von P. BRIL, A. ELSHEIMNER und C. POELENBURG beeinflußt, bibl. und mytholog. Gemälde. Seine Landschaftshintergründe zeigen meist röm. Ruinen, die er auch in feinen Radierungen wiedergegeben hat. B. beeinflußte nachhaltig CLAUDE LORRAIN und wirkte damit indirekt auf die Landschaftsmalerei des 19. Jh.

Bregenz, Landeshauptstadt von Vorarlberg, Österreich, 25 700 Ew. In der Oberstadt der mächtige Martinsturm (14.–16. Jh.), in dessen Obergeschoß die Martinskapelle mit Fresken (z. T. 1362 datiert); Altes Rathaus (Fachwerk, 1511), Deuring-Schlößchen (1689) und Gesellenspital mit Außenfresken (2. H. 15. Jh.); got. Pfarrkirche St. Gallus (1480 erneuert), 1738 von F. A. BEER barock umgestaltet. In der Unterstadt Neues Rathaus (1686), daran angebaut Seekapelle (1696–98) mit Renaissancealtar aus Schloß Hofen in Lochau bei B. Auf dem Gebhardsberg Ruine (seit 1647) der Burg **Hohenbregenz** mit Wallfahrtskapelle (1723).

Bregno [-ɲ-], Andrea, auch **Andrea da Milano,** ital. Bildhauer, * Osteno bei Como 1421, † Rom 1506, schuf zahlreiche Grabmäler, u. a. für Kardinal PIETRO RIARIO (1477 voll.; Rom, SS. Apostoli) und Altäre (u. a. Piccolomini-Altar im Dom zu Siena, 1481–85). In seinem Stil verbinden sich toskan. und Einflüsse der Antike mit typisch lombard. Schmuckfreude.

Breisach am Rhein, ehem. Reichsstadt am Kaiserstuhl, Bad-Württ., keltisch-röm. Ursprungs **(Mons Bri-**

siącus), früher eine der wichtigsten europ. Festungen, 9300 Ew. Im Stephansmünster (13.–15. Jh.) Reste von M. SCHONGAUERS Jüngstem Gericht (1488–91), Lettner (1496), Schnitzaltar des MEISTERS HL (1523–26; BILD HL). Im Kirchenschatz silberner Reliquienschrein der Stadtpatrone St. Gervasius und St. Protasius (1496). Rheintor (1670) unter LUDWIG XIV. errichtet.

Breitenau, ehem. Benediktinerkloster (gegr. 1113) in der Gem. Guxhagen (Nordhessen), ab 1607 zum Schloß ausgebaut (heute Landesfürsorgeheim). Die Kirche, durch Veränderungen verunstaltet, ist das wichtigste Beispiel der Hirsauer Bauschule in Hessen.

Breitenauer, Ignaz Alexander, Bildhauer, getauft Eichstätt 3. 5. 1757, †ebd. 4. 5. 1838, seit 1789 ebd. Hofbildhauer, schuf im Übergang vom Spätbarock zum Klassizismus Grabmäler (Eichstätt, Dom) und kleinplast. Arbeiten, so die Alabastergruppe ›Adam und Eva‹ (1811; München, Bayer. Nat.-Mus.).

Breitenburg, Gut bei Itzehoe, Schlesw.-Holst. Das 1526 erbaute Schloß der Herren von Rantzau besteht aus 4 aneinandergereihten Parallelhäusern, Nordflügel 18./19. Jh. (Thorvaldsen-Gal.); Kapelle von 1580/90. Im Hof ein Renaissancebrunnen (1592).

Breitner [br'ɛjtnər], George Hendrik, holländ. Maler, *Rotterdam 12. 9. 1857, †Amsterdam 5. 6. 1923, nach V. VAN GOGH der bedeutendste holländ. Maler des 19. Jh.; er bevorzugte Motive des Amsterdamer Alltags (›Die Singelbrücke in der Palaisstraat‹, um 1890; Amsterdam, Rijksmus.; weitere HW ebd. im Stedelijk-Mus.).

Breitungen/Werra, Gem. im Kr. Schmalkalden, Dt. Dem. Rep., 5800 Ew.; roman. Klosterkirche des ehem. Benediktinerklosters **Herrenbreitungen** (gew. 1112, 1640 abgebrannt, 1738 z. T. wiederhergestellt), 1554–65 Umbau der Klausur als Schloß; in der Pfarrkirche **Frauenbreitungen** (1615) wertvoller Flügelaltar (1518) mit Reliefs und Gemälden nach A. DÜRER und M. SCHONGAUER.

Brẹkelenkam, Quiring van, holländ. Maler, *Zwammerdam um 1620, †Leiden 1668, Schüler von G. DOU, malte in schlichter Zeichnung und feiner Farbgebung häusl. Szenen, bes. Handwerker bei der Arbeit.

Breker, Arno, Bildhauer, *Elberfeld (heute zu Wuppertal) 19. 7. 1900, studierte in Düsseldorf und in Paris unter dem Einfluß von C. DESPIAU. Seit 1933 in Berlin, erfuhr er entscheidende Förderung durch die Nationalsozialisten (Monumentalskulpturen an Repräsentationsbauten meist im 2. Weltkrieg zerstört). In den letzten 3 Jahrzehnten v. a. Porträtbüsten.

V. G. PROBST: Der Bildhauer A. B., Eine Untersuchung (Paris 1978); Das Bildnis des Menschen im Werk A. B., hg. v. dems. (1981); A. B., Der Prophet des Schönen. Skulpturen … 1920–1982, Ausst.-Kat., München (1982).

Bremen, Stadt (569 700 Ew.) und als Freie Hansestadt B. mit Bremerhaven gleichzeitig kleinstes Land der Bundesrep. Dtl. Erstmals 782 genannt; das Bistum B. 787 von KARL D. GR. gegr., seit 845 Erzbistum. 1358

Eintritt in die Hanse; Blütezeiten um 1400 und um 1600. Im 2. Weltkrieg wurden 90% der Altstadt zerstört. Die Ursprünge des Doms reichen bis ins 8. Jh.; jetziger Bau 1042 beg., flachgedeckte doppelchörige Pfeilerbasilika mit 2 Krypten; im 13. Jh. Umbauten (Westfassade) und Einwölbung; spätgot. Nordschiffhalle 1502 beg. Neben dem Dom das Rathaus (1405 bis 1410) mit prachtvoller Renaissancefassade (1608–12); im Ratskeller Fresken von M. SLEVOGT (1927). Anbau des Neuen Rathauses 1910–14 durch G. v. SEIDL. Auf dem Markt das Roland-Denkmal (1404), Sinnbild der Reichsfreiheit der Stadt. Schütting-Gildehaus in flandrischem Renaissancestil (1537/38), Stadtwaage (1587/88), Gewerbehaus (1618–21). Got. Kirchenbauten sind Liebfrauen (1229 beg., frühgot. westfäl. Halle mit Giebelreihung auf der Südseite) und St. Martin (13./14. Jh., Halle mit quergestellten Satteldächern und reich geschnitztem barockem Orgelprospekt). Unter den modernen Bauten ragen hervor das Haus des Reichs (1928–32), die Stadthalle (1964) und das Parlamentsgebäude (1966). Die Böttcherstraße wurde 1924–31 als Museums- und Ladenstraße mit einer Reihe von Häusern des Expressionismus gestaltet; dort das Paula-Becker-Modersohn-Haus von B. HOETGER und das Roselius-Haus (Wohnausstattung Altbremer Patrizier). Bremer Landes-Mus. für Kunst- und Kulturgeschichte/Focke-Mus.; Gerhard-Marcks-Haus; Kunsthalle (Gemälde und Plastik 15.–20. Jh., Druckgraphik); im Vorort Vegesack das Schloß Schönebeck (17. bis 18. Jh.; Heimat-Mus. Vegesack).

G. DEHIO: Hb. der dt. Kunstdenkmäler, B. (1977); H. ALBRECHT: B., Bauten und Denkmäler (1979)

Brenz, Stadtteil von Sontheim, Nordwürttemberg; ehem. Stiftskirche St. Gallus (spätroman. Säulenbasilika mit Westwerk von 1170/80 und bemerkenswerter Bauplastik); Residenzschloß einer württemberg. Nebenlinie (1672, mit hölzernen Hofgalerien).

Brera, Palazzo di B., Mailand, nach Plänen von F. M. RICHINI erbauter Palast (1651 ff.), ehem. Jesuitenkolleg, seit 1776 Sitz der Kunst-Akad., der Bibliothek und der Gemälde-Gal. Grundbestand der Samml. ital. Malerei vom 14.–18. Jh. mit Hauptwerken von RAFFAEL, A. MANTEGNA, GENTILE und GIOVANNI BELLINI und PIERO DELLA FRANCESCA waren die nach 1798 säkularisierten Kirchengüter.

Brescia [br'ɛʃʃa], ital. Stadt und Bischofssitz in der Lombardei, 215600 Ew., überragt von einer ma. Zitadelle. Röm. Baureste, v. a. Forum, Theater und Kapitol (heute Mus. der Röm. Antike). In der Altstadt die Piazza della Loggia, umgeben von Renaissancepalästen (Loggia, 1492 beg.; unter Mitarbeit von J. SANSOVINO, A. PALLADIO u. a.; Monte di Pietà oder Monte Vecchio, 1484–97, in venezian. Stil; Monte Nuovo, 1597 beg.; Uhrturm) und der Domplatz mit Altem Dom, auch ›Rotonda‹ genannt (roman. Rundbau, 1. H. 12. Jh.; im Inneren Gemälde von A. MORETTO), Neuem Dom (17./18. Jh.) und Broletto (12. Jh.; Stadtpalast) mit dem Turm des Volkes (›Torre del Popolo‹). Zahlreiche Kirchen enthalten Gemälde bed. Künstler und wertvolle Fresken (v. a. S. Clemente, S. Francesco, S. Alessandro,

S. Eufemia, SS. Faustino e Giovita, S. Maria del Carmine, S. Salvatore). In der ehem. Kirche S. Giulia (15./16. Jh.) das Mus. des Christl. Mittelalters (mit der ›Lipsanothek‹, einem Reliquienkästchen des 4. Jh.); im Palazzo Martinengo da Barco (16. Jh.) Gemäldegal. mit Werken von A. MORETTO, G. ROMANINO, V. FOPPA, RAFFAEL u. a.

Bresdin [brɛd'ɛ̃], Rodolphe, frz. Zeichner, Graphiker, *Ingrande (Ille-et-Vilaine) 17. 3. 1825, †Sèvres (Hauts-de-Seine) 14. 1. 1885, stellte Landschaften, relig. und profanes Genre dar. Meist kleinformatig, zeigen sie eine Natur phantast. Hintergründigkeit. (BILD Lithographie)

Die schwarze Sonne des Traums, Ausst.-Kat., Köln (1972).

Breslau, poln. **Wrocław** [vr'ɔtsłaf], Stadt in Schlesien, am Oberlauf der Oder, Polen, Verwaltungssitz der Wwschaft Wrocław, 608 000 Ew. 1017 ist die von Böhmen aus gegr. Burg Wortizlawa erwähnt. 1742 wurde B. preuß. Provinzhauptstadt; 1945 zur Festung erklärt und hart umkämpft, dabei zu etwa 70 % zerstört. Die historisch und künstlerisch bed. Bauten sind zum großen Teil restauriert, rekonstruiert oder in ihren Resten konserviert.

Auf der Dominsel: Kathedrale St. Johannes der Täufer (13.–15. Jh.) mit roman. Krypta des Vorgängerbaus, got. Fresken, Renaissance- und Barockgrabmälern und -kapellen (u. a. die Kurfürstenkapelle von J. B. FISCHER VON ERLACH). Der Bischofspalast, barock-klassizistisch von K. G. LANGHANS und K. G. GEISSLER (1791 ff.), ist heute Diözesan-Mus. Barocke Kanonikerhäuser. Spätroman. Kirche St. Aegidius (Anf. 13. Jh., z. T. rekonstruiert); ehem. Burgkirche St. Martin (13.–14. Jh.); spätgot. Kirche St. Peter und Paul; Kollegiatskirche Hl. Kreuz, eine dreischiffige, zweigeschossige Hallenkirche des 13. und 14. Jh.

›Auf dem Sand‹ liegt das ehem. Augustinerkloster; seine Kirche St. Maria (gegr. 1134) wurde nach 1945 größtenteils rekonstruiert; in den Klostergebäuden (1709–30 mit got. Resten) ein Teil der Universitätsbibliothek. Augustinerkonvent (gegr. vor 1299) mit Kirche St. Anna (früher St. Jakob), erbaut 1686–91, 1945 ausgebrannt, Reste gesichert.

In Alt- und Neustadt: Pfarrkirche St. Maria Magdalena aus dem 13. und 14. Jh. (Kapellen um 1400, Turm 1481 voll., an der S-Seite roman. Portal aus Ołbin). Pfarrkirche St. Elisabeth (14. Jh., Turm 1535 voll.) mit Grabmonumenten aus Renaissance und Barock. Jesuitenkolleg und -kirche (1689–98) mit Fresken u. a. von J. M. ROTTMAYR, heute Teil der Univ. Pfarrkirche St. Vincent (ehem. Franziskanerkirche St. Jakob), frühgotisch beg.; Dominikanerkloster mit Kirche St. Adalbert (1226–60, spätgotisch erhöht und neu gewölbt), z. T. rekonstruiert. Augustinerkirche St. Dorothea und Stanisław (gegr. 1361). Kirchen und Konvente mehrerer geistl. Ritterorden. Calvinist. Kirche (1747–50 von J. BOUMANN). Das alte Rathaus aus der 2. H. des 13. Jh., stark restauriert, beherbergt heute das Stadtgeschichtl. Mus. Zahlreiche Paläste und Bürgerhäuser des 17. bis 19. Jh., bes. am Ringplatz, sind wieder aufgebaut.

Im Nat. Mus., früher Schles. Mus. (Muzeum Śląskie), bed. Sammlungen von Skulpturen (bes. Spätgotik), Gemälden (bes. Barock), Kunsthandwerk, Handzeichnungen, Druckgraphik u. a.

Bressanone, ital. für →Brixen.

Brett|idole, Terrakottafigurinen von ›Göttinnen‹ aus Böotien, 6. Jh. v. Chr., brettartig-flach mit ausgebreiteten Armen.

Breu, Preu, Jörg d. Ä., Maler, Zeichner für den Holzschnitt, *Augsburg um 1475, †ebd. 1537, malte 1496–1502 für österr. Klöster bed. Altarblätter in dramatisch-erregtem Ausdruck, deren Stil sich bereits der →Donauschule annähert. Auf einer Donaureise (um 1500) lernte B. den Stil von R. FRUEAUF D. J. und L. CRANACH D. Ä. kennen; 1502 wurde er Meister in Augsburg. Sein Werk zeigt nun den Einfluß von H. BURGKMAIR und verbindet Elemente der Renaissance mit denen des Manierismus. B. wurde damit zu einem typ. Vertreter der Augsburger Malerei seiner Zeit.

Werke: Altar in Zwettl (1500; Stiftskirche, Bernhardsaltar); Altar aus Aggsbach (1501; davon Altarflügel in Herzogenburg, Augustiner-Chorherren-Stift und Nürnberg, German. Nat.-Mus.); Altar in Melk (1502; Benediktinerstift, Passionsaltar); Orgelflügel (um 1520; Augsburg, St. Anna); Ursula-Altar (um 1525; Dresden, Gemäldegal.); 22 Randzeichnungen zum Gebetbuch Kaiser Maximilians I. (Besançon, Bibl. Municipale).

Lit.: →Donauschule.

Breuberg, große Höhenburg im hess. Odenwald, Ende 12. Jh. errichtet; schloßartiger Ausbau im Spätrenaissancestil Anf. 17. Jh., aus dieser Zeit die einzigartige Stuckdecke im Rittersaal.

Breuer, 1) Marcel, Architekt, * Fünfkirchen (Ungarn) 22. 5. 1902, †New York 1. 7. 1981, war ab 1924 Meister am →Bauhaus in Weimar. Er konstruierte 1925 die ersten serienmäßig hergestellten Stahlrohrstühle und arbeitete als freier Architekt bis zur Emigration in Berlin (1928–33), dann in Zürich (1933–35 mit E. und A. ROTH), London und den USA. Seit 1937 lehrte er an der Harvard-Univ. in Cambridge (Massachusetts), war daneben 1938–41 mit W. GROPIUS tätig.

HW: Einrichtung des Bauhauses Dessau (1926); Appartementhäuser in Zürich mit E. und A. Roth (1934–36); Einfamilienhäuser in den USA (B. House, New Canaan, Connecticut 1947; Robinson House, Williamstown, Massachusetts 1947); UNESCO-Gebäude in Paris (1953–58, mit P. L. NERVI und B. ZEHRFUSS); Forschungszentrum IBM, La Gaude (1960–61); Whitney Mus. New York (1965/66, mit H. SMITH); Austral. Botschaft in Paris (1975), mit H. SEIDLER.

P. BLAKE: M. B. (New York 1949); T. PAPACHRISTOU: M. B., Neue Bauten und Projekte (a. d. Amerik., 1970); C. GUBITOSI u. A. IZZO: M. B. (Rom 1981).

2) Peter, Bildschnitzer, *Zwickau um 1472, †ebd. 12. 9. 1541, Schüler von T. RIEMENSCHNEIDER, unterhielt seit 1502 in Zwickau eine Werkstatt. Seine ausdrucksvollen spätgot. Hauptwerke finden sich ebd. im Dom und in vielen Kirchen Thüringens.

3) Peter, Bildhauer, *Köln 19. 5. 1856, †Berlin 2. 5. 1930, lernte Holz- und Steinbildhauerei in Köln und arbeitete nach Besuch der Akademien in München und Berlin ebd. im Atelier von R. BEGAS. B. nahm an der Ausführung des Nationaldenkmals vor dem Berliner Schloß teil und wurde bei dessen Einweihung (1897) zum Prof. der Akademie ernannt. Als Schüler von Begas schloß sich B. dem →Neubarock an, stand jedoch mit seiner ›Flora‹ (1890) und dem Lilienthal-Denkmal in Berlin-Lichterfelde (1906) formal und inhaltlich bereits am Beginn neuerer Tendenzen.

Lit.: →Berliner Bildhauerschule.

Breughel [br'ø:xəl], fläm. Malerfam., →Bruegel.

Breuhaus de Groot, Fritz August, Architekt, *Solingen 9. 2. 1883, †Rodenkirchen bei Köln 2. 12. 1960; als Privatarchitekt tätig v.a. in Düsseldorf, Bremen, Berlin (Schloßbauten, Landhäuser, Industriebauten, Ausstattungen von Überseeschiffen, z. B. der ›Bremen‹ 1928).

Breviarium Grimani, Pracht-Hs. aus dem Anf. des 16. Jh. (Venedig, Bibl. S. Marco), Höhepunkt und Ausklang niederländ. Buchmalerei, vom venezian. Kardinal DINICO GRIMANI erworben. Die Bilder schufen G. HORENBOUT sowie S. und A. →Bening.

B. G., Faks.-Ausg. der Miniaturen und Kommentar, hg. v. A. GROTE (1973).

Bridlington [br'ɪdlɪŋtən], Hafenstadt an der NO-Küste Englands in der Cty. North Yorkshire, 26 800 Ew. Um 1220 Gründung eines Augustiner-Chorherrenstifts; die bestehende got. Kirche wurde in der 2. H. des 13. Jh. als dreischiffige Basilika von etwa 100 m Länge errichtet, nach 1539 Abbruch von Chor und Querhaus. Bei der Restaurierung durch G. G. SCOTT (seit 1860) wurde die neugot. Ostfassade anstelle der alten Vierung angelegt. Das erhaltene, mit einem offenen Dachstuhl versehene Langhaus mit Maßwerkfenstern in hochgot. Formen hat ein in die Fensterzone einbezogenes, zweischichtig angelegtes und durchfenstertes Triforium; darüber befindet sich ein innerer Laufgang. Die Doppelturmfront wurde zus. mit den 3 anschließenden Jochen im 15. Jh. hinzugefügt.

Briefmaler, Briefdrucker, Kartenmacher, Hersteller von Einblattdrucken, z. B. Flugblättern (›Ablaßbriefen‹). Sie taten sich 1571 zu einer eigenen Zunft zusammen. Von den Druckstöcken stellten sie Heiligenbilder (›Ablaßbilder‹) und Spielkarten her und verkauften diese auf Messen und Märkten, bes. in Nürnberg und Augsburg. Ob die B. als Zeichner oder Formschneider tätig waren oder ob diese später übl. Arbeitsteilung noch nicht bestand, ist noch nicht geklärt.

Brieg, poln. **Brzeg** [bʒɛk], Stadt in der Wwschaft Opole (Oppeln), Polen, an der Oder, 35 200 Ew. Im 2. Weltkrieg stark zerstört, nach 1945 großenteils wieder aufgebaut. Die Pfarrkirche, eine got. Basilika (1370 bis 1416) mit spätgot. Wandmalereien und Spätrenaissance-Epitaphien, ist 1945 ausgebrannt. Ehem. Franziskanerkloster mit Kirche (profaniert seit dem 16. Jh.), vor 1338 beg. Ehem. Jesuitenkirche (heute Pfarrkirche), spätbarock (1734–39), mit Fassade von 1856. Das Schloß der Herzöge von B., ein Dreiflügelbau mit Arkadenhof, vor 1544 bis nach 1560 wohl hauptsächlich von J. PARR, ist mit seiner reich dekorierten Portalfassade (1551–53) ein Hauptwerk der frühen Renaissance in Schlesien. Der schon im 18. und 19. Jh. verstümmelte

Bau ist heute Mus. Got. Schloßkapelle (1368–71, später verändert). Rathaus der Spätrenaissance (1570–77) von B. NIURON und J. Parr auf mittelalterl. Grundlage.

Briel, Den B., Städtchen in der niederländ. Prov. Südholland. An die Blütezeit erinnern viele schöne Giebelhäuser des 16./17. Jh. im gut erh. Ortskern. Die großzügig geplante Grote Kerk (1. H. 15. Jh.), eine dreischiffige Basilika im brabantisch-got. Stil, blieb ohne Chor und Gewölbe.

Brig, frz. **Brigue** [brig], ital. **Briga,** Gem. **(Brig-Glis)** im schweizer. Kt. Wallis, 9600 Ew.; wichtiger ehem. Handelsplatz am Simplon-Paß; Stockalper-Schloß (1658–78) des Großkaufmanns K. J. STOCKALPER, vorwiegend in italienisch beeinflußter Spätrenaissance, mächtiges, viergeschossiges Hauptgebäude um großen Hof mit zwei- und dreigeschossigen Rundbogenlauben, nördl. Nebengebäude mit Arkadenhof.

Brighton [braɪtn], Stadt in der engl. Cty. East-Sussex, 158 500 Ew., seit dem späten 18. Jh. ausgebautes südengl. Seebad. Der ›Royal Crescent‹ wurde nach dem Vorbild älterer Anlagen, u. a. in Bath, 1798 angelegt, die Platzfassaden mit rechteckigen Fenstererkern und Veranden treten an die Stelle der sonst übl. Säulenordnungen. Ein von H. HOLLAND zur königl. Residenz umgestaltetes Haus wurde 1815–23 von J. NASH im ind. Mogulstil mit Zwiebelkuppeln und minarettähnl. Aufsätzen als ›Royal Pavilion‹ ausgebaut, das Treppenhaus als Eisenkonstruktion in Form von Bambusstäben ausgeführt. Die Kirche St. Bartholomew's wurde 1875 als monumentale flachgedeckte Backsteinbasilika von G. G. SCOTT erbaut. (BILD J. Nash)

Bril, 1) Mathijs, fläm. Maler, Bruder von 2), *Antwerpen 1550, †Rom 1583, etwa seit 1575 in Rom, wo er mehrere Freskenzyklen im Vatikan ausführte (u. a. in der Gal. Geografica).

2) Paul, fläm. Maler, Bruder von 1), *Antwerpen 1554, †Rom 7. 10. 1626, malte, von seinem Bruder, von A. ELSHEIMER und ANNIBALE CARRACCI beeindruckt, während seiner 50jährigen Tätigkeit in Rom große Freskenzyklen (S. Maria Maggiore; Vatikan, Gal. Clementina; Casino Rospigliosi) und Tafelbilder mit heroischen Waldlandschaften und relig. Staffage (Kirchenlandschaften). Wichtiger Vertreter der klass. röm. Landschaftsmalerei des 17. Jh.

Brillantgelb [brɪlj'ant-], Maltechnik: Kadmiumgelb mit Zinkweiß.

Brilon, Stadt im Sauerland, NRW, 24 600 Ew.; seit 1217 Stadt der Kölner Erzbischöfe, zur Hanse gehörig. Propsteikirche St. Peter (13./14. Jh.), eine dreischiffige Hallenkirche, mit dem Pankratiuskreuz (um 1110/30); ehem. Minoritenkirche (1772–82); Rathaus (1755 barockisierter ma. Kern).

Brîncoveanu-Stil, Sammelbegriff für die vom Hof des walach. Fürsten CONSTANTIN BRÎNCOVEANU (regierte 1688–1714) bestimmte Kunst, die durch ital., oriental., westeuropäisch-barocke, russ. und poln. Einflüsse den volkstümlich-orthodoxen Charakter der rumän. Kunst erweiterte. HW sind neben Kirchen und Klöstern in Bukarest v. a. Kloster Horezu und Schloß Mogoşoaia bei Bukarest.

Brindaban, Vrindavan, Wallfahrtsstätte des Krishna-Kults nahe Mathura, N-Indien, mit späthinduist. Tempeln des 16. Jh., darunter der Gobind Deo (1590) aus rotem Sikri-Sandstein mit kreuzförmiger Halle.

Brindisi, ital. Hafenstadt und Erzbischofssitz in Apulien, 86600 Ew. Wahrzeichen ist die röm. Säule (19 m hoch), die das Ende der Via Appia anzeigt. Kirchen des MA. sind u. a. S. Giovanni al Sepolcro (roman. Rundbau, 11./12. Jh.), S. Benedetto (urspr. 11. Jh.; roman. Glockenturm; Kreuzgang) und die außerhalb liegende S. Maria del Casale (14. Jh.). Stauferkastell (13. Jh., im 15. Jh. erweitert); am Domplatz der Dom (urspr. 13. Jh., 1749 erneuert) und archäolog. Mus. mit griechisch-röm. Funden.

Brinkman, Johannes Andreas, niederländ. Architekt, * Rotterdam 22.3.1902, † ebd. 6.5.1949, schuf mit der Tabakfabrik Van Nelle in Rotterdam 1926–30 mit L. C. VAN DER VLUGT einen der wichtigsten Industriebauten der 1920er Jahre.

Briolets [briɔl'ɛ, frz.], **Briolettes** [briɔl'ɛt], **Doppelrosen,** ringsum facettierte birnenförmige Diamanten.

Brione Verzasca, Dorf im schweizer. Kt. Tessin; Kirche S. Maria Assunta (um 1294 gegr., 17. Jh. erneuert) mit hochgot. Freskenresten (um 1350), die zu den bemerkenswertesten Malereien im Alpengebiet in direkter Nachfolge GIOTTOS gehören.

Briot [bri'o], François, frz. Zinngießer, Medaillenschneider, * Damblain (Lothringen) um 1550, zuletzt erwähnt 1616. Seit 1580 war B. in Mömpelgard für die Herzöge von Württemberg tätig. Er schuf Schüsseln, Medaillen, Münzen und Siegel.

HW: Prunkschüssel (um 1585) mit Reliefs der Temperantia, Minerva, den sieben freien Künsten und Selbstporträt; dazugehörige Henkelkanne.

Brioude [bri'ud], frz. Stadt im Dép. Haute-Loire, am Allier, 8400 Ew., mit der Kirche St. Julien (12.–13. Jh.), einem bed. Bau im roman. Stil der Auvergne; im Inneren Fresken, qualitätvolle Kapitelle und eine geschnitzte Altarwand (1693).

Brisbane [br'ɪzbeɪn], Hauptstadt von Queensland, O-Australien, 1,015 Mio. Ew.; Queensland Art Gal. and Mus. (Werke klass. und moderner Kunst).

Bristol [brɪstl], Hafenstadt in der Cty. Avon, SW-England, an der Mündung des Avon in den Severn; im MA. eine der reichsten Städte Englands. Die Augustinerabtei, gegr. 1142, ist seit 1542 Kathedrale. Aus der Gründungszeit sind Teile der Klostergebäude, v. a. das roman. Chapter House, erhalten. 1298 wurde der heutige Chor durch Abt KNOWLES als got. Wandpfeilerhalle mit strebebogenartiger Jochtrennung in den Seitenschiffen und einem Netzgewölbe im nach O verlängerten Mittelschiff begonnen; auf der N-Seite die Lady Chapel des frühen 13. Jh. Um die Mitte des 14. Jh. wurden der S-Querarm, 1470–1515 der N-Querarm und der

Vierungsturm ausgeführt; 1868–88 errichtete L. STREET in formaler Anlehnung an den Chor das neugot. Langhaus. Die urspr. außerhalb der Stadt gelegene Pfarrkirche St. Mary Redcliffe, eine der größten Kirchen Englands, wurde 1294 als dreischiffige Querhausbasilika mit nordwestl. Turm und sechseckiger Vorhalle angelegt. Das Langhaus wurde im frühen 14. Jh. mit gekurvten Rippengewölben des →Decorated Style begonnen, seit 1376 das Querhaus und im 15. Jh. Obergaden und Netzgewölbe im →Perpendicular Style ausgeführt.

Im frühen 18. Jh. wurde der ›Queen's Square‹ als rechteckiger Platz mit Backsteinhäusern und zentraler Reiterstatue König WILHELMS III. angelegt. Bes. sehenswert ist die Clifton Suspension Bridge, eine frühe eiserne Hängebrücke über den Severn-Arm, 1836–64 von I. K. BRUNEL erbaut, ebenso Temple Meads Station der Eisenbahnlinie nach London (1839–40) mit symmetr. Tudor-Fassade und hölzerner Bahnsteighalle; Erweiterung 1865–78 durch T. H. WYATT.

Britisches Museum, engl. **British Museum** [br'ɪtɪʃ mju:z'ɪəm], Bibl. und Mus. in London, 1753 gegr., 1823–47 klassizist. Neubau von R. SMIRKE, 1907–14 Anbau von Sir J. J. BURNET. Das Mus. beherbergt umfangreiche Samml. ägypt., vorderasiat. und grch.-röm. Kunst, u. a. die Elgin-Marbles, Altertümer Großbritanniens sowie Münzen, Medaillen, Zeichnungen und Graphik; das **Mus. of Mankind** (ethnograph. Abteilung) ist seit 1970 in einem ehem. Universitätsgebäude beim Burlington House untergebracht. Die **British Mus. Library** ist durch Stiftungen und Ankäufe eine der größten und bedeutendsten Bibl. und Hss.-Samml. der Welt.

Brixen, ital. **Bressanone,** Stadt und Bischofssitz in der Prov. Bozen, Südtirol, 16 100 Ew., mit Bürgerhäusern vom MA. bis zum Barock und Laubengängen in der Altstadt. Der Dombezirk umfaßt die Domkirche Mariä Himmelfahrt (13./15. Jh., Neubau 1745–55) mit reicher Innenausstattung (Deckenfresken, 18. Jh.; Marmoraltäre, 18. Jh.; Marienstatue, 16. Jh.), an deren S-Seite den roman. Kreuzgang (um 1200) mit 20 Arkaden, vollständig mit Fresken (14./15. Jh.) bemalt, die spätroman. St. Johanneskirche (Anf. 13. Jh.; Fresken des 13.–15. Jh.) und das Diözesanmus. (u. a. Reliquienbüsten und bed. Krippensamml.) mit Domschatz. Die Bischöfl. Burg (beg. 1270, Neubau 1591–1600) enthält u. a. 24 bronzierte Terrakottastatuen von Mitgl. des Hauses Habsburg. – Bei B. Kloster →Neustift.

Brixworth [br'ɪkswəθ], Stadt in der engl. Cty. Northamptonshire, nördlich von Northampton. Von der um 680 von der Abtei Peterborough gegr. Kirche All Saints, einer dreischiffigen Basilika mit Rechteckchor und außen polygonal ummantelter Apsis, sind wesentliche Teile erhalten, nur die beiden stark abgeschnürten Seitenschiffe (›Portikus‹) sowie die zweigeschossige westl. Vorhalle wurden bis auf einen den späteren Turmaufbau tragenden Mittelteil abgebrochen.

Brno, Stadt in der ČSSR, →Brünn.

Broderieparterre [frz. broderie ›Stickerei‹], Gartenkunst: ebener Teil des Barockgartens unmittelbar vor dem Schloß, der in Form von Stickereien durch Flächen von farbigem Kies und durch Blumenbeete ornamentiert ist und durch das →Boskett begrenzt wird.

Brodnịca [-tsa], poln. Name für →Strasburg.

Broederlam [br'u:dərlam], Melchior, fläm. Maler aus Ypern, 1381–1409 nachweisbar als Hofmaler der Grafen von Flandern und der Herzöge von Burgund, für die er 1364–99 zwei Altarflügel für die Chartreuse de Champmol bei Dijon schuf (heute in Dijon, Mus. des Beaux-Arts; mit Schnitzfiguren von JACQUES DE BAERZE). B., in dessen Stil sich got. Tradition und frührealist. Züge vereinen, war ein Vorläufer der Brüder VAN EYCK.

Broek [bru:k], Johannes Hendrik van den, niederländ. Architekt, *Rotterdam 4. 10. 1898, †1978, war 1938–48 mit J. A. BRINKMANN assoziiert, seit 1948 mit J. B. BAKEMA; 1948 wurde er Prof. an der TH Delft. B. war Mitgl. des →CIAM.

HW: Niederländ. Pavillons auf den Weltausstellungen in Paris (1937) und in Brüssel (1958, mit I. W. C. BOKS und G. RIETVELD); Ladenzentrum ›Lijnbaan‹, Rotterdam (1946–53, 1949–53 mit J. B. Bakema), Rathaus Marl/Westf. (1958–65 mit dems.).

H. V. D. B. u. BAKEMA, hg. v. C. GUBITOSI u. A. IZZO (Rom [2]1981).

Brokạt [ital. broccato ›gestickt‹] *der,* gemustertes Seiden- oder Chemiefasergewebe, das im Schuß ganz oder teilweise Metallfäden enthält, für kostbare Gewänder, Tapeten und Möbelüberzüge.

Brokoff, Prokof, Prokop, Ferdinand Maximilian, böhm. Bildhauer, getauft Rothenhaus (tschech. Červený Hrádek) bei Komotau 12. 9. 1688, †Prag 1731, Schüler seines Vaters Johann, war an den Skulpturen der Karlsbrücke in Prag beteiligt, arbeitete für den Dom in Breslau, die Karlskirche in Wien und die Klosterkirche in Grüssau. Nach M. B. VON BRAUN war B. der bedeutendste Künstler des böhm. Spätbarock.

O. J. BLAŽIČEK: F. B. (1976); Kunst des Barock in Böhmen, Ausst.-Kat., Villa Hügel, Essen (1977).

Bromberg, poln. **Bydgoszcz** [b'idgɔʃtʃ], Hauptstadt der Wwschaft Bydgoszcz, Polen, an der Unteren Brahe, 344000 Ew. B., im 12. Jh. entstanden, 1346 Magdeburger Stadtrecht, wurde 1772 preußisch; im 2. Weltkrieg stark zerstört. Die Stadtpfarrkirche ist eine spätgot. Halle (1460–1502). Franziskanerinnenkloster mit Kirche (Ende 16. bis Anf. 17. Jh.), Bernhardinerkloster und -kirche (1545–52, im 19. Jh. erneuert); Gerichtsgebäude (klassizistisch, 1778, heute Stadtbibliothek), Getreidespeicher (18. und 19. Jh.).

Bronnbach, ehem. Zisterzienserkloster (gegr. 1151), südlich von Wertheim, Bad.-Württ.; in der Kirche (1157 beg., 1222 gew.) zahlreiche Barockaltäre; Klostergebäude vollständig erh., das festl. Sommerrefektorium in österreichisch beeinflußtem Spätbarockstil (1727).

Bronzefassung, Imitation einer Metallplastik auf Holz- oder Steinskulpturen. Durch die →Grundierung werden die Eigenheiten der Metalloberfläche nachgebildet; Metallauflagen und Farblasuren können oft virtuos die versch. Alterungszustände des imitierten Metalls nachahmen. Im 17. und 18. Jh. kam die B. zu höchster Blüte.

Bronzekunst, die Herstellung figürl. Bildwerke und kunsthandwerkl. Gegenstände in Bronzeguß. Die Legierung aus Zinn und Zink, auch Blei bei Hauptanteil Kupfer ergibt **Rotguß;** Kupfer nur mit Zink ergibt **Gelbguß.** Zur Technik des Bronzegusses →Bildguß.

ALTERTUM

Im Alten Orient war die B. früh hoch entwickelt, wobei neben versch. Legierungen zuweilen auch reines Kupfer verwendet wurde. Im Vollguß wurden nur kleine Figuren, Waffen und Geräte hergestellt. Rundplastiken wurden entweder über einen Kern aus Holz gehämmert oder über Ton mit Asphalt gegossen. Früheste erh. Beispiele sind ein Schmuckfries vom Tempel des Ninchursanga aus Tell el-Obeid (um 2450 v. Chr.), der Hohlguß des ›Sargon-Kopfes‹ aus Ninive (um 2250 bis 2200 v. Chr., BILD akkadische Kunst) und versch. Kleinplastiken. – Getriebene Bronzebleche fanden als Schutzwaffen (Schilde, Beinschienen, Zaumzeug) Verwendung, auch als Beschlag von Türen (Balawat) und Möbeln, oft gepunzt oder mit Ritzzeichnungen versehen. Verkleidung mit Blattgold ist bei menschl. Gesichtern und Götterfiguren belegt. Großplastik aus Bronze, die inschriftlich bezeugt ist, hat sich nur in Bruchstükken erhalten – Zentrum der B. im 1. Jahrtsd. v. Chr. war offenbar Urartu, von wo aus Gegenstände (z. B. Kessel mit Attaschen) nach Griechenland exportiert wurden.

Bronze war während der gesamten Antike ein wichtiger Werkstoff sowohl der gebrauchsnahen Kleinkunst (Gefäße, Geräte, Waffen, jeweils mit figuralem Schmuck) wie der figürl. Kunst (Weihgeschenke, Ehrenstatuen). Der weitaus größte Teil der grch. Freiplastik bestand aus Bronzewerken (meist nur durch röm. Marmorkopien bekannt), angefangen von den voll gegossenen Votiven der geometr. und archaischen Zeit (Olympia, Samos); früharchaisch sind mit Bronzeblech benagelte Holzskulpturen aus Dreros (Kreta). V. a. die klass. und die hellenist. Epoche schufen eine Vielzahl von Bronzestatuen (Hohlgüsse aus einem oder mehreren Stücken), von denen nur wenige erhalten sind: Wagenlenker aus Delphi (Delphi, BILD griechische Kunst), Gott aus dem Meer (Athen), Krieger von Riace (Reggio Calabria, BILD Riace), Knabe von Marathon (Athen), Schiffsfund von Mahdia (Tunis) u. a.; unter den überlieferten Bronzegefäßen überragt der Krater von →Vix an Größe alle bekannten. In röm. Zeit gab es zahlreiche Bronzekopien grch. Skulpturen sowie zeitgenöss. Bronzestatuen und -büsten: Augustus von Meroe (London, Brit. Mus.), Marc Aurel (Kapitolsplatz in Rom), Kaiserstatue in Barletta.

Die Etrusker erreichten in der Bronzebearbeitung große Meisterschaft: Statuen wie die Kapitolinische Wölfin (BILD) und die Chimäre von Arezzo zeigen ihre Fähigkeiten auf dem Gebiet der Großplastik; doch lag der Schwerpunkt etrusk. B. in der Herstellung von Gefäßen, Geräten und dekorativen Zwecken dienenden Statuetten. Zum Schmuck von Kästen, Dreifüßen und Wagenkörben wurden getriebene Bleche mit figürl. Szenen hergestellt; in der Spätarchaik bevorzugte man gegossenes Dekor (u. a. für Dreifuß, Kandelaber, Räuchergefäße); führend war in dieser Produktion →Vulci. Eine etrusk. Besonderheit war die Herstellung von Griffspiegeln mit gravierten Rückseiten.

MITTELALTER UND NEUZEIT

Die Wiederaufnahme der B. im frühen MA. geht auf KARL D. GR. zurück; er gründete in Aachen eine Gießhütte, in der die Türflügel und die Emporengitter des Münsters sowie die Reiterstatuette des Kaisers (Paris, Mus. Carnavalet) gegossen wurden. In otton. Zeit war Hildesheim Mittelpunkt der B. (Domtüren, Bernwardssäule). Reich ist die roman. Zeit an Bronzekruzifixen (Essen-Werden, Abteikirche; Minden, Domschatz) und Bronzegrabplatten (RUDOLF VON SCHWABEN, †1080, Merseburger Dom). Bed. Gußhütten befanden sich im 12. Jh. im Maastal (REINER VON HUY). Der Braunschweiger Löwe (1166; BILD Braunschweig), ein herald. Denkmal, ist ein in monumentale Maße übertragener Gießlöwe. Die Aquamanile (BILD) der roman. Zeit bevorzugten die Tierform (außer Löwen bes. Pferde, Drachen, Greifen). Leuchter, Reliquiare, Taufbekken wurden aus Bronze gegossen. In der Gotik trat die Bronze zurück. Grabmäler wurden nur vereinzelt noch in Bronze ausgeführt (Erzbischof Konrad v. Hochstaden, †1261; Köln, Dom). In einer Prager Hütte entstand das Reiterdenkmal des Hl. Georg (1373; Prag, Hradschin).

Die Renaissance jedoch wandte sich wieder der von der Antike bevorzugten B. zu (L. GHIBERTIS Bronzetüren, Florenz, Baptisterium, BILD L. Ghiberti; DONATELLOS David, ebd., Bargello, (BILD Donatello; Reiterdenkmal des Gattamelata, Padua, BILD Renaissance). Auch die Bronzekleinplastik kam zu neuer Blüte: Statuetten, die z. T. Nachbildungen antiker Statuen sind, aber auch Öllampen, Tintenfässer (A. RICCIO in Padua). In Dtl. wurde die schon 1453 von H. VISCHER D. Ä. gegr. Gießhütte führend (Hauptmeister: P. VISCHER D. Ä. mit seinen Söhnen, Sebaldusgrab, 1508–19; Nürnberg, St. Sebaldus), aus der neben Grabplatten Kleinbronzen, Medaillen und Plaketten hervorgingen. Das größte Werk der B. ist das Maximiliansgrab in der Hofkirche zu Innsbruck (1509 zu Lebzeiten des Kaisers beg., nur z. T. ausgeführt; BILD Innsbruck). Bekannte Kleinmeister sind: H. LEINBERGER, K. MEIT, P. LABENWOLF, W. JAMNITZER.

Neue Impulse brachten nach 1550, z. Z. des Manierismus, die Niederländer; die führende Werkstatt war die des GIAMBOLOGNA (BILD) in Florenz, der Reiterdenkmäler, Türflügel, Statuen und Plaketten goß. Seine Schüler waren die Niederländer H. GERHARD, dessen Hauptwerk der Augustusbrunnen in Augsburg ist, und A. DE VRIES, der für Augsburg (Herkules- und Merkurbrunnen) und Bückeburg arbeitete. In München und Augsburg waren nach 1600 H. KRUMPPER, H. REICHLE (Michaelsgruppe, Augsburg) und G. PETEL tätig. Im 17.

und 18. Jh. entstanden große Reiterdenkmäler (A. Schlüter: Großer Kurfürst, Berlin-West, G. Grupello: Jan Wellem, Düsseldorf; Bild A. Schlüter). Im 19. Jh. waren G. Schadow, C. D. Rauch (Reiterdenkmal Friedrichs d. Gr., Berlin-Ost) und L. v. Schwanthaler (Bavaria, München) die bed. Meister. Mit A. Rodin und A. Maillol (Bild) hat die B. eine Wiedergeburt erlebt. Unter den Bronzeplastikern der Gegenwart ragen Alberto Giacometti, H. Moore, M. Marini (Bild), G. Marcks, F. Wotruba und G. Manzù hervor.

OSTASIEN

China. Die Anfänge der chines. B. liegen im Dunkeln, fest steht lediglich, daß Bronze bereits Mitte der Shang-Zeit (16./15. Jh. v. Chr.) zur Herstellung von Waffen und der im Ahnenkult benötigten →Sakralbronzen verwendet wurde. In der Han-Zeit erlebte die B. unter dem Einfluß des realist. Tierstils der Steppenvölker eine Erneuerung, die sich bes. im Dekor der Bronzespiegel und der Gewandagraffen widerspiegelt. Der Verlust alter relig. Vorstellungen, der tiefgreifende Einfluß taoist. und konfuzian. Gedankenguts auf die Organisation von Staat und Gesellschaft sowie das Ende der Menschenopfer im Grabkult und das Aufkommen tönerner Grabbeigaben markieren den Niedergang der chines. B. Unter dem Einfluß des Buddhismus entwickelte sich die B. seit dem 4. Jh. n. Chr. zu erneuter Qualität, die bis in die T'ang-Zeit anhielt, jedoch durch die Buddhistenverfolgungen 845 ein jähes Ende fand. Das Interesse am Studium der Vergangenheit und der Wunsch, die Riten des Altertums wiederherzustellen, hatten in der Sung-Zeit die ersten archäolog. Forschungen zur Folge, die zum Guß von Bronzegefäßen im archaischen Stil führten. Die buddhist. B. der Yüan- und Ming-Zeit weist starke Einflüsse des tantrist. Buddhismus tibet. Prägung auf. (Bild chinesische Kunst)

Japan. In Japan, wo Bronze als erstes Metall seit etwa 300 v. Chr. gefunden worden war, entwickelte sich die B. erst spät nach chines. Vorbildern (Zeremonialschwerter, Speerspitzen, Hellebarden, Sakralgeräte, →Dotaku, →Kagami). Seit dem 7. Jh. Buddha-Statuen, z. B. die Shakya-Trias (Shaka-Sanzon) des →Tori Busshi im Horyuji (623), die Trias des Yakushi-nyorai (2. H. 7. Jh.) ebd., die als größtes Meisterwerk buddhist. Kunst ganz Asiens gilt und an ihrem Sockel klass. Motive und vermutlich indische, symbol. Tierfiguren aufweist, die die vielseitigen Einflüsse auf Japan zeigen. Die 16 m hohe Monumentalskulptur des Daibutsu im Todaiji in Nara auf dem 1000blättrigen Lotossitz gelang erst beim 3. Versuch (746–749; 752 vergoldet; nach mehrfacher Beschädigung zuletzt 1692 neu gegossen). Von den über 200 Skulpturen der Nara-Zeit, die erh. blieben, sind die wenigsten noch im ursprüngl. Verband oder am alten Ort. Aus dem 13. Jh. stammt der Daibutsu aus →Kamakura.

Korea. Zu den frühesten Beispielen der B. in Korea (3. Jh. v. Chr.–3. Jh. n. Chr.) gehören Dolche, Rasseln und v. a. zweiösige Spiegel. Nach Einführung des Buddhismus (372) entstanden Bronzeplastiken, deren hervorragendste Exemplare, wie der Bodhisattva Maitreya vom späten 6. bis 7. Jh., aus dem Kgr. Silla stammen (heute Seoul Nat.-Mus.). Weiterhin zeigen Bronzeglocken in gewaltigen Ausmaßen (Ø 2,30 m) das hohe Niveau der Gußtechnik bis ins 10. Jh.

SÜDASIEN

In Indien reicht die B. bis in die →Harappa-Kultur zurück, in der schon Kleinplastiken im Wachsausschmelzverfahren gegossen wurden. In den frühen histor. Epochen um Christi Geburt blieb die figurale B. gegenüber der Steinbildnerei und Terrakottakunst im Hintergrund, doch bezeugen das Münzwesen und Einzelfunde (Flachbronzen von Sonkh) hohes künstler. Niveau. Hervorragend ist eine 112 cm hohe Brahmafigur aus dem 6. Jh. (Mus. Karachi). Lokale Zentren der B. entstanden seitdem v. a. in Swat und Kaschmir (hinduistisch und buddhistisch, letztere nach W-Tibet wirkend), Gujarat (jinistisch), Bihar-Bengalen (hinduistisch und buddhistisch, unter der Pala-Dynastie) und Nepal, wo bis in die Gegenwart hinein die Feuervergoldung betrieben wird, sowie in S-Indien, wo sie unter der Pallava-Dynastie und der Chola-Dynastie hohes Niveau erreichte und die B. in Sri Lanka beeinflußte. Seit dem 13. Jh. wurde sie vergröbernd und schematisierend weitergeführt. (BILDER Kaschmir, tibetische Kunst)

In Hinterindien und Indonesien ist seit etwa 500 n. Chr. die B. verbreitet. Die buddhist. Figuren der Dvaravati-Zeit in Thailand (6.–9. Jh.), der Prä-Khmer- und Khmer-Zeit in Kambodscha und die sowohl buddhist. als auch hinduist. der indo-javan. Zeit auf Java (7. bis 15./16. Jh.) zeichnen sich durch hohes techn. und künstler. Niveau aus. In der thailänd. Kunst hatte der Bronzeguß im Vergleich zu Steinskulpturen eine größere Bedeutung. (BILDER indonesische Kunst, thailändische Kunst)

AFRIKA

In Schwarzafrika datieren die frühesten Zeugnisse von B. ins 9. Jh. und stammen von den Ausgrabungen in →Igbo-Ukwu und →Ife. Weitere Fundorte waren Tada (→Tsoede) und versch. Plätze beidseitig des Niger vom Delta bis zum Zusammenfluß mit dem Benue (Bronzewerkstätten am unteren →Niger). Bed. Bronzearbeiten wurden schließlich um den Tschadsee (→Sao; 10. bis 16. Jh.), bei →Djenné (etwa 12.–14. Jh.) sowie vom Königshof von →Benin zutage gefördert.

In neuerer Zeit sind Bronzearbeiten von vielen kunstschaffenden Stämmen Schwarzafrikas bekannt, bes. aus Westafrika, von wo auch die meisten Arm- und Fußreifen, Ringe, Anhänger und Amulette aus Bronze stammen. Die wichtigsten Volksgruppen sind die →Dogon, →Dan, →Senufo, →Baule, →Bobo, →Grusi, →Akan sowie die →Yoruba (v. a. Kultfiguren und Gegenstände für den Ogboni-Bund). Im →Kameruner Grasland sind Bronzearbeiten bes. durch die von Sultan Njoya initiierte Hofkunst bekannt geworden (v. a. Pfeifen und Pfeifenköpfe). In ganz Schwarzafrika werden die Objekte ausschließlich nach dem Verfahren der ›verlorenen Form‹ (Wachsausschmelzverfahren; →Bildguß) hergestellt.

Mittelalter und Neuzeit: K. LANKHEIT: Florentin. Barockplastik (1962); H. R. WEIHRAUCH: Europ. Bronzestatuetten 15.–18. Jh. (1967); Dimensionen des Plastischen, Bildhauertechniken (Ausst.-Kat. 1981).

China: C. DEYDIER: Chines. Bronzen (a. d. Frz., 1981).

Afrika: ANNEMARIE SCHWEGER-HEFEL: Afrikan. Bronzen (1948); A. JAKOB: Bronzes de l'Afrique noire (Paris 1974).

Bronzen [br'ɔ̃sən, aus ital. bronzo], blättchenförmige Puder versch. Metalle oder Legierungen, die, in Leim oder Lack angerührt, metallfarbene Anstriche ergeben. **Pudergold** und **-silber** sind B. der echten Metalle, Bleichgold, Reichgold, Goldbronze u. a. dagegen goldfarbene Kupfer-Zinklegierungen, ebenso Silberbronze. Durch Erhitzen bilden kupferhaltige B. haltbare **Anlaufbronzen,** durch Färben mit Teerfarbstoffen **Patentbronzen.**

Bronzetüren bilden seit der Antike den besonderen Schmuck von Gebäuden. Sie sind entweder in Bronze gegossen, oder es werden Bronzeplatten auf eine Holzrückwand montiert. Die antiken B. zeigen ein Rahmensystem mit Füllungen (Rom, Pantheon 3. Jh.; Konstantinopel, Hagia Sophia). In ihrer Nachfolge stehen die Rahmentüren im Aachener Münster (um 800) und Alt-St.-Peter in Rom. Beispiele für das Rahmensystem sind das Hauptportal der Lateransbasilika in Rom (1. Jh. n. Chr.), die Türen des BARISANUS VON TRANI (Ravello 1179, Trani um 1175, Monreale um 1186) und des BONANUS VON PISA (Pisa 1180; Monreale 1186; BILD Bonanus von Pisa) sowie die Augsburger Domtüren (1050 bis 1060). Figürl. Darstellungen dominieren bei den Relieftüren in Hildesheim (1010–15). Meister RIQUINUS in Magdeburg stellte 1152–54 Türen für die Sophienkathedrale in Nowgorod her. Zusammenhängende Szenen aus dem A. T. und N. T. schmücken die Relieftüren von Benevent (13. Jh.) und S. Zeno in Verona (11./12. Jh.; BILD Romanik). Die S-Tür am Baptisterium in Florenz (1330–36) von A. PISANO war Ausgangspunkt für den Wettbewerb zw. F. BRUNELLESCHI und L. GHIBERTI (BILD), der den Auftrag erhielt. Die N-Tür hält sich an das Schema von Pisano. An der Paradiestür (1425–52) entwickelte Ghiberti perspektiv. Innenräume und Landschaftsszenerien. Diese Reliefs sind Höhepunkte der bildhaften Erzählung und von großer Wirkung. Weitere B. der Renaissance schufen DONATELLO, FILARETE und J. SANSOVINO. Erst A. RODIN nahm 1880 mit seinem ›Höllentor‹ diesen Türentyp wieder auf. Bes. im kirchl. Bereich finden sich Mitte des 20. Jh. bemerkenswerte B.: G. MANZÙ arbeitete für den Salzburger Dom 1957/58 und für den Petersdom in Rom 1964, E. MATARÉ für den Kölner Dom und T. SCHNEIDER-MANZELL für den Dom zu Speyer 1971.

A. BOECKLER: Die B. des Bonanus von Pisa und Barisanus von Trani (1953); Suevia Sacra, Frühe Kunst in Schwaben, Ausst.-Kat., Augsburg (1973); F. WINZINGER: Das Tor von S. Zeno in Verona (1958).

Bronzezeit, die nach dem gebräuchlichsten Werkstoff Bronze benannte, auf die Stein-Kupferzeit folgende vorgeschichtl. Kulturstufe, die in Mittel- und W-Europa die Zeit vom 18. Jh. bis Mitte des 8. Jh. v. Chr. umfaßt. In N-Europa, wo die Kunst der B. eine bes.

konservative Ausprägung erfuhr, wurde sie erst im 6. Jh. v. Chr. durch die Eisenzeit abgelöst. Die Zentren der bronzezeitl. Kunst sind v. a. an die Erzvorkommen gebunden (Siebenbürgen, Mitteldtl., Südwestengland, Irland, Südspanien).

Die B. Vorderasiens zerfällt in 3 Abschnitte: Frühe B. (etwa 3500–2000 v. Chr.), Mittlere B. (etwa 2000–1600 v. Chr.) und Späte B. (etwa 1600–1200 v. Chr.). Im südl. Zweistromland (Babylonien) fällt der Beginn der Frühen B. etwa mit dem Anfang der Frühgeschichte zusammen, das Ende der Späten B. ist durch den Einfall der ›Seevölker‹ (um 1200 v. Chr.) gekennzeichnet.

Die Bronzeverarbeitung schuf durch ihre vielfältigen Möglichkeiten eine sich häufig wandelnde Formenfülle bei Schmuck, Waffen und Gerät. Die Bronzewaffen (Dolch, Dolchstab, Schwert, Streitaxt) waren weitgehend auch Herrschafts- und Rangabzeichen. Aus allen Perioden der B. sind neben schlichten und reich ornamentierten Bronzearbeiten auch hervorragende Erzeugnisse der Goldschmiedekunst und Bernsteinschnitzereien bekannt. Die nach Form und Dekor in viele Stilgruppen gegliederte Keramik bildete ein weiteres Betätigungsfeld des Kunstgewerbes der B. Auch Felsbilder fallen in einigen Gebieten (Skandinavien, Norditalien) noch in die B.

Über die bronzezeitl. Kulturen des 3. und 2. Jahrtsd. v. Chr. im ägäischen Raum →kretisch-mykenische Kunst, →helladische Kunst und →kykladische Kunst.

H. MÜLLER-KARPE: Hb. der Vorgesch., Bd. 4: B., 3 Tle. (1980)

Bronzino, eigtl. Agnolo **di Cosimo,** ital. Maler, *Monticelli bei Florenz 17. 11. 1503, †Florenz 28. 11. 1572, Schüler des J. PONTORMO, schuf relig. und mytholog. Gemälde und als Hofmaler der Medici zahlreiche Bildnisse von strenger, repräsentativer Haltung und kühler manierist. Form- und Farbgebung (Porträts der Medici u. a. Adelsfamilien, Florenz, Uffizien), die sei-

Bronzino: Lucrezia Panciatichi, um 1540 (Florenz, Uffizien)

nen Ruhm begründeten; daneben zahlreiche Entwürfe für Wandteppiche, Fresken im Palazzo Vecchio und in der Certosa del Galluzzo (mit Pontormo), Ausstattung der Medici-Villen in der Umgebung von Florenz. B. hat auch Sonette und burleske Gedichte geschrieben.

Broodthaers [br'o:tha:rs], Marcel, belg. Dichter und Künstler, *Brüssel 28. 1. 1924, †Köln 28. 1. 1976, seit 1964 demonstrierte B. in Objekt-Ensembles, Photosequenzen, Filmen, Zeichnungen, Büchern, 1968–72 in seinem fiktiven ›Musée d'Art Moderne, Dép. des Aîgles‹, das doppelbödige Verhältnis von Gegenstand und Abbild, Wirklichkeit und Begriff.

M. B., Ausst.-Kat., Bern (1982).

Brosamer, Hans, Maler, Zeichner für den Holzschnitt und Kupferstecher, *Fulda um 1500, †Erfurt um 1554, malte Porträts. Seine Buchholzschnitte und Kleinmeisterstiche zeigen den Einfluß A. Dürers und der Cranach-Werkstatt. Seinem ›Kunstbüchlein‹ entnahmen Goldschmiede Vorlagen für ihre Arbeiten.

Brosse [brɔs], Salomon de, frz. Architekt, *Verneuil-sur-Oise um 1571(?), †Paris 9.(?) 12. 1626, Schüler seines Großonkels J. Ducerceau d. Ä., war Hofarchitekt Heinrichs IV. und der Maria von Medici. Seine Arbeiten zeigen ital. monumentale Fülle und hugenottisch strenge Nüchternheit. Zu seinen HW, die den frz. Classicisme begründen, gehören das Schloß in Coulommiers (1613, im 18. Jh. zerstört), das Palais du Luxembourg in Paris (1615–21, auch Entwurf für den Garten), der Tempel der Hugenotten in Charenton (1621–23; 1686 zerstört). B. galt lange als Schöpfer der Fassade von St. Gervais et St. Protais in Paris (1616 bis 1621), die inzwischen C. Métezeau zugeschrieben wird.

Brou [bru], Vorort der frz. Stadt →Bourg-en-Bresse.

Broumov, Stadt in der ČSSR, →Braunau.

Brouwer [br'ɔuwər], Adriaen, niederländ. Maler, *Oudenaarde um 1606, begraben Antwerpen 1. 2. 1638, schilderte das niederländ. Volksleben auf der Straße und in den Schenken (Rauf- und Kneipenszenen) verbindet die volkstüml. Drastik P. Bruegels d. Ä. und die dramatisch aufgebaute Figurenkomposition der fläm. Maler mit der tonigen Raumdarstellung der Holländer, die er 1620–31 in Haarlem, wohl bei F. Hals, studiert hatte. Später war er in Antwerpen tätig, wo er in Farbgebung, Malweise und dynam. Komposition Einflüsse von P. P. Rubens aufnahm. B. hat in seiner Spätzeit auch skizzenhafte Landschaften gemalt. Seine Genrebilder wurden von Rubens und Rembrandt geschätzt. – HW befinden sich in München (Alte Pinakothek), Frankfurt a. M. (Städelsches Kunstinstitut), Den Haag (Mauritshuis). Bild S. 95

G. Knuttel: A. B., The master and his work (a. d. Niederländ., Den Haag 1962).

Brouwershaven [-ha:və], Hafenort in der niederländ. Prov. Seeland; reformierte Kirche (14. Jh.), Chor (beg. Anf. 15. Jh.) im Übergangsstil von fläm. zu brabant. Gotik mit Umgang, Kapellenkranz und steiner-

Adriaen Brouwer: Der bittere Trank; 1636 (Frankfurt am Main, Städelsches Kunstinstitut)

nem Gewölbe, während das Schiff ein Holzgewölbe hat. Rathaus (1599) mit reicher Fassade.

Brown [braʊn], **1)** Ford Madox, engl. Maler, *Calais 16. 4. 1821, †London 11. 10. 1893; ausgebildet u. a. an der Antwerpener Akad. bei G. WAPPERS, Studien in Paris und Rom, seit 1846 in London, stand den Präraffaeliten nahe und beeinflußte deren Stil der scharfen Licht- und Schattenkontraste sowie die minuziöse Farbgebung.

HW: Letzter Blick auf England (1864–66; London, Tate Gal.); Arbeit (1852–65; Manchester, City Art Gal.).

2) Lancelot, gen. **Capability B.** [keɪpəbˈɪlətɪ-], engl. Gartengestalter, *Kirkharle (Northumberland) 1715, †London 6. 2. 1783, schuf neben W. KENT den typ. engl.

Ford Madox Brown: Letzter Blick auf England; 1864–66 (London, Tate Gallery)

Gartenstil, der richtungweisend für die Gartenbaukunst des europ. Kontinents wurde; u.a. legte er den Park des →Blenheim Palace an.

DOROTHY STROUD: Capability B. (London 1950).

Browne [braun], Hablot Knight, gen. **Phiz,** engl. Zeichner, *London 15. 6. 1815, †West Brighton 8. 7. 1882, wurde durch seine oft skurrilen Zeichnungen zu den Romanen von C. DICKENS bekannt.

Bruant [bry'ã], auch **Bruand,** Libéral, frz. Baumeister, *um 1635, †Paris 22. 11. 1697, erbaute in Paris die Kapelle des Hôpital de la Salpêtrière (1670–77) und den Gebäudekomplex des Hôtel des Invalides (1670 bis 1676) mit der Église des Soldats (1706 von J. HARDOUIN-MANSART als Invalidendom voll.), lieferte Entwürfe für die Place Vendôme (von Hardouin-Mansart völlig umgestaltet).

Bruchsal, Stadt in Nordbaden, 38400 Ew. Das Schloß mit über 50 einzelnen Bauten, herausragendes Beispiel dt. Barockbaukunst, diente den Fürstbischöfen von Speyer als Residenz; beg. 1722 nach Plänen M. v. WELSCHS, 1731 Hinzuziehung B. NEUMANNS, von diesem das einzigartige Treppenhaus. Hofkirche innen modern (Kreuzweg von HAP GRIESHABER, Bronzekruzifix von F. WOTRUBA). Peterskirche 1740–46 von B. Neumann, Kanzel und Nebenaltäre von J. M. FEUCHTMAYER (1754/55).

Bruck an der Mur, Stadt in der Obersteiermark, Österreich, 16900 Ew.; 1263 an der Mündung der Mürz in die Mur planmäßig angelegt. Roman. Pfarrkirche (2. H. 13. Jh.), got. Chor (1336 gew.), schmiedeeiserne got. Sakristeitür (um 1500), barocke Ausstattung; ehem. Minoritenkirche Maria im Walde (1272 gegr.), im wesentl. frühgotisch, mit Fresken (um 1380); Ruprechtskirche, im Kern romanisch, mit got. Chor (1415/16), großes Fresko (um 1420). Die bedeutendsten Profanbauten entstanden in der Blütezeit der Stadt im 16. Jh., u. a. das spätgot. Kornmesserhaus (1499 bis 1505) mit Erdgeschoßlauben und Loggia, Apothekerhaus (1520–30), Rathaus (1596–1609 herzogl. Burg) mit Hofarkaden (um 1530) und klassizist. Fassade.

Brücke, Bauwerk, das ein Tal, eine Straße oder ein Gewässer überbrückt, aus Holz, Stein, Eisen, Stahl, Beton. Nach dem stat. System wird unterschieden in **Balken-, Bogen-** und **Hänge-B.** Die Stützen können Land- und Flußpfeiler sein. Der Anschluß der B. an das Land wird Widerlager oder Landfeste genannt. Die ersten festen B. sind aus Ninive (7. Jh. v. Chr.) und Babylon bekannt. Die Römer prägten mit der steinernen Bogen-B. (z. B. Rimini, 21 n. Chr. voll., erhalten) das Bild der B. bis in das 18. Jh. Mit dem Untergang des Röm. Reiches ging die Kenntnis des B.-Baus verloren. Erst im MA. entstanden wieder steinerne B. (Donau-B. bei Regensburg, 1135–46, Themse-B. in London, 1176–1209, Main-B. in Würzburg, 1133). Der B.-Bau des MA. wurde von →Bauhütten geleistet. Im MA. und in der Renaissance erhielten die B. Aufbauten, wie Kapellen, Überdachungen, Türme und Verteidigungswerke, den B.-Kopf. In der Renaissance erkannte man den B.-Bau als Ingenieuraufgabe und bereitete ihn in Traktaten wissenschaftlich auf. Im 18. Jh. wurden neue Möglichkeiten der Konstruktionsformen und Materialien erforscht. 1779 wurde die 1. Gußeisen-B., die Coalbrockdalebridge über den Severn in England, errichtet. Mit dem Beginn des Eisenbahnbaus erlangte der B.-Bau zentrale Bedeutung. Gußeisen wurde von dem belastbaren Walzeisen und schließlich vom Stahl abgelöst, wobei v.a. Fachwerk- und Gitterkonstruktionen benutzt wurden. Seit dem Ende des 19. Jh. entstanden moderne Hänge-B. mit großer Spannweite (486 m, Brooklyn-B., New York, 1883; 1280 m, Golden-Gate-B., San Francisco, 1937; 378 m, Autobahn-B., Köln-Rodenkirchen, 1954), die durch Stahlbeton- und bes. Spannbeton-Konstruktionen von hoher Tragfähigkeit und Reichweite abgelöst wurden.

Brücke, Künstlergemeinschaft, gegr. 1905 in Dresden, seit 1911 in Berlin, der die expressionist. Maler E. L. KIRCHNER, E. HECKEL und K. SCHMIDT-ROTTLUFF, dann auch M. PECHSTEIN, OTTO MUELLER und für kurze Zeit E. NOLDE angehörten. In Abkehr vom Impressionismus und in Auseinandersetzung mit der ›primitiven Kunst‹ entstand ein flächig bezogener, dynam., stark

Brücke: Die Maler der Künstlergemeinschaft ›Brücke‹: O. Mueller, E. L. Kirchner, E. Heckel, K. Schmidt-Rottluff; Gemälde von E. L. Kirchner 1925 (Köln, Museum Ludwig)

farbiger Mal- und Zeichenstil; bed. Anteil der Druckgraphik, bes. des Holzschnitts und der Lithographie. 1913 löste sich die Gruppe wegen persönl. Unstimmigkeiten auf. Wichtige Teile ihrer Hinterlassenschaft bewahrt das B.-Mus. mit Archiv in Berlin (West).

H. M. WINGLER: Die B., Kunst im Aufbruch (1954); L. G. BUCHHEIM: Die Künstlergemeinschaft B., Gemälde, Zeichnungen, Graphik, Plastik, Dokumente (1956); ders.: Die Künstlergruppe ›B.‹ und der dt. Expressionismus (1973).

Brückenberg, poln. **Bierutowice** [bjɛrutɔv'itsɛ],

Ort in der Wwschaft Jelenia Góra (Hirschberg), am Riesengebirge, Polen, heute Stadtteil von Krummhübel. In der Nähe die auf Veranlassung König FRIEDRICH WILHELMS IV. von Preußen aus Wang in Norwegen übertragene und z.T. ergänzte Stabkirche aus der 1.H. des 13.Jh.

Bruegel [br'øxəl], **Brueghel, Breughel,** niederländ. Malerfamilie.

1) Abraham, Sohn von 3), getauft Antwerpen 28.11. 1631, †Neapel um 1697, malte dunkel leuchtende dekorative Blumen- und Früchtestilleben.

2) Jan d. Ä., genannt **Samt-** oder **Blumenbruegel,** Sohn von 4), *Brüssel 1568, †Antwerpen 12. 1. 1625. Ausgehend von G. VAN CONINXLOO und in Rom (1595 bis 1596) von P. BRIL, malte er motivreiche Landschaftsbilder auf kleinen Kupfertafeln, miniaturhaft fein, mit histor. oder genrehafter Staffage. Auch glatt und bunt ausgeführte Stilleben stammen von ihm (›Blumenstrauß‹, München, Alte Pinakothek). Für P. P. RUBENS malte er gelegentlich Landschaftshintergründe, Tierstaffagen und Blumendekorationen (›Das Paradies‹, Den Haag, Mauritshuis; ›Maria mit Kind im Blumenkranz‹, Madrid; Prado).

K. ERTZ: J. B. d. Ä. Die Gemälde ([2]1981).

3) Jan d. J., Sohn von 2), *Antwerpen 13. 9. 1601, †ebd. 1. 9. 1678, malte in der Art seines Vaters Landschaften und Blumenstilleben.

4) Pieter d. Ä. genannt **Bauernbruegel,** Stammvater der Familie, *Breda(?) um 1525/30, †Brüssel 9. 9. 1569, schuf, ausgehend von den grotesken Darstellun-

P. Bruegel d. Ä.: Turmbau zu Babel; 1563 (Wien, Kunsthistor. Museum)

gen des H. BOSCH und der Landschaftskunst J. PATINIRS, Sittenbilder sprichworthafter oder lehrhaft-moral. Bedeutung, zunächst bilderbogenartig, ausgefüllt mit flachen, bunten Figuren, später immer großzügiger und toniger aufgebaut. Die getreue Wiedergabe von Szenen des alltägl. Lebens, eine in der niederländ. Kunst seit jeher vorhandene Strömung, brachte er zu höchster Vervollkommnung und stand damit i. Ggs. zu der von Italien beeinflußten, in Antwerpen herrschenden Richtung des Romanismus. Neben etwa 45 Gemälden hinterließ er ein umfangreiches zeichner. Œuvre aus seiner ganzen Schaffensperiode (1551–68), v. a. Landschaften und Figurenkompositionen, angefertigt im Auftrag des Antwerpener Verlegers H. COCK als Vorlagen für Kupferstiche mit allegorisch-didakt. Inhalt. Mit seinen Landschaftsbildern, die von Vorbildern Patinirs ausgehen und sich durch genaueste Naturbeobachtung auszeichnen, beeinflußte er die holländ. Landschaftsmalerei des 17. Jh. grundlegend.

Werke: Der Streit zw. Karneval und Fasten (1559; Wien, Kunsthistor. Mus.); Selbstmord Sauls (1562; ebd.); Turmbau zu Babel (1563; ebd.); Anbetung der Könige (1564; London, Nat.-Gal.); Jäger im Schnee (1565; Wien, Kunsthistor. Mus.); Heuernte (1565; Prag, Národni Gal.); Schlaraffenland (1567; München, Alte Pinakothek); Gleichnis von den Blinden (1568; Neapel, Gal. Nazionale di Capodimonte); Bauernhochzeit (Wien, Kunsthistor. Mus.).

F. GROSSMANN: B. Die Gemälde (1955); W. STECHOW: P. B. d. Ä. (1974); P. B. d. Ä., Ausst.-Kat., Berlin-West (1975); W. S. GIBSON: B. (London 1977).

5) Pieter d. J., genannt **Höllenbruegel,** Sohn von 4), *Brüssel um 1564, †ebd. um 1638, ahmte mit Spukszenen, Bauernkirmessen, Winterlandschaften den Stil seines Vaters nach. Für die Landschaften von J. DE MOMPER malte er oft die Figuren.

Brügge, fläm. **Brugge** [br'yxə], frz. **Bruges** [bry:ʒ], Hauptstadt der belg. Prov. Westflandern, 119 700 Ew., im 14./15. Jh. (bis zur Versandung des Hafens seit 1450) eine der bedeutendsten Handelsstädte im nördl. Europa. Mit einer Fülle von sakralen und profanen Bauten aus seiner Blütezeit hat B. seinen ma. Charakter weitgehend bewahrt.

Im Zentrum der Altstadt liegt der von Giebelhäusern gesäumte Grote Markt mit den Tuchhallen (13./14. Jh.) und dem 83 m hohen Belfried (1282 beg.). Am nahe gelegenen Burgplatz liegen das spätgot. Rathaus (1376 bis 1420) mit reichem bauplast. Schmuck und geschnitztem Holzgewölbe im Schöffensaal, der klassizist. Justizpalast (1722–27), von dessen Vorgängerbau im Schöffensaal der von L. BLONDEEL entworfene Prachtkamin (1529) bewahrt ist, und die Heiligblutkapelle mit roman. Unterkapelle (1134) und got. Oberkapelle mit Fassade im Flamboyant-Stil. Im südl. Teil der Altstadt steht die frühgot. Liebfrauenkirche, im 12. und 13. Jh. als dreischiffige Kirche mit 122 m hohem Turm (1297 voll.) erbaut, im 14. und 15. Jh. um 2 äußere Seitenschiffe und Kapellenreihen erweitert; sie birgt neben zahlreichen Gemälden die Grabmäler Karls des Kühnen (1559, Entwurf von C. FLORIS) und seiner Tochter Maria von Burgund (1496–1502, Entwurf von J. BORMAN) und die Marmorgruppe ›Madonna mit Kind‹ von MICHELANGELO (1505). Bei der Kirche liegen das Memling-

Brüggemann: Eva; Holzbildwerk am Bordesholmer Altar; 1514–21

Mus. im ehem. Johannesspital (13. Jh.) mit mehreren HW von H. MEMLING, das Gruuthuse-Mus. (Kunstgewerbe) in einer Gebäudegruppe des 15. Jh., das Brangwyn-Mus. (Samml. des Malers F. BRANGWYN) und das Groeninge-Mus. (fläm. und belg. Malerei). Die got. Salvatorkathedrale (13. Jh.) mit hohem W-Turm (um 1200, neuromanisch voll.) und Umgangschor mit Kapellenkranz im Flamboyant-Stil (1480–1530) hat spätgot. geschnitztes Chorgestühl; im Kathedral-Mus. u. a. Triptychon von A. ISENBRANT. Der 1245 gegr. Beginenhof besteht aus Gebäuden seit dem 15. Jh.; Kirche (17. Jh.) mit roman Portal.

Im nördl. Teil der Altstadt liegen St. Jakob (13. und 15. Jh.) mit Grabmälern und Gemälden (15.–16. Jh.), die barocke ehem. Jesuitenkirche St. Walburga (1619 bis 1640) mit Kanzel von A. QUELLINUS D. J. (1667), St. Anne (1607–21) mit einheitl. Barockausstattung und die Jerusalemkirche, um 1427 nach dem Vorbild der Jerusalemer Grabkirche gebaut, mit Glasmalereien (15./16. Jh.). Das Bischöfl. Seminar in der ehem. Zisterzienserabtei (1627 beg.) hat Wandmalereien (um 1630); im Haus der Schützengilde (1565) Porträtsamml.

Brüggemann, Hans, Bildschnitzer, *Walsrode (heute Kr. Fallingbostel) um 1480, arbeitete 1514–21 für die Klosterkirche in Bordesholm den Hochaltar (seit 1666 im Dom zu Schleswig). Der 12,50 m hohe Flügelaltar (Eichenholz, unbemalt) stellt in 22 Feldern Passion, Meßopfer, Weltgericht u. a. dar (fast 400 Figuren, in Einzelheiten nach A. DÜRERS ›Kleiner Passion‹). In der Kunst B.s verbindet sich an der Wende von der Spätgotik zur Renaissance niederdt. und niederländ. Schnitzertradition.

Brüggen, Gem. nördlich von Alfeld (Ndsachs.); ehem. sächs. Königshof. Gutsanlage (1686–1716) mit 1693 datiertem Schloß (prächtiger Festsaal mit Stuck und Fresken) und Schloßkirche (1704–06).

Brühl, Stadt in NRW, südlich von Köln, 45 100 Ew. Ehem. kurfürstl. Schloß Augustusburg, 1284 vom Kölner Erzbischof als Wasserburg erbaut, unter Kurfürst KLEMENS AUGUST 1725–68 von J. C. SCHLAUN, F. CUVILLIÉS D. Ä. und B. NEUMANN (Treppenhaus 1743–48) umgestaltet, eine der hervorragendsten Leistungen des europ. Rokoko mit wertvollster Innendekoration (Mus.). Im Park Jagdschloß Falkenlust, 1729–46 von Cuvilliés (Mus.). Schloßkirche (ehem. Franziskanerkirche, 1491–93) mit Hochaltar von Neumann (1745).

Brühlmann, Hans, schweizer. Maler, *Amriswil (Thurgau) 25. 2. 1878, †Stuttgart 29. 9. 1911, Schüler von A. HOELZEL, schuf, beeindruckt von H. v. MARÉES und F. HODLER, großformatige Wandbilder, Stilleben, Porträts.

Brüllow, Brjullow, **1)** Aleksandr Pawlowitsch, russ. Architekt, Bruder von 2), *St. Petersburg 10. 12. 1798, †ebd. 21. 1. 1877, war als Architekt des kaiserl. Hofes mit Um- und Ausbauten von Schlössern und Verwaltungsbauten in St. Petersburg beauftragt; hervorragender Aquarellist und Porträtmaler.

2) Karl Pawlowitsch, russ. Maler, Bruder von 1),

*St. Petersburg 23. 12. 1799, †Marciano bei Rom 23. 6. 1852, entstammt einer aus Dtl. ausgewanderten Hugenottenfamilie, Sohn des Bildschnitzers Paul Iwanowitsch (*1760, †1. 1. 1833), war 1822–36 und 1849–52 im Ausland tätig, v. a. in Rom. Er malte Genrebilder und Porträts (auch in Aquarelltechnik), relig. und mytholog. Themen, schulte sich an RAFFAEL und dem ital. Cinquecento und schuf 1828–33 sein HW ›Der letzte Tag von Pompeji‹, das auf Ausstellungen in Rom, Mailand, Paris und St. Petersburg großes Aufsehen erregte. Nach Rückkehr nach Rußland Prof. an der Akad. St. Petersburg, war er schulbildend für eine ganze Malergeneration.

Russ. Malerei d. 1. H. d. 19. Jh., Ausst.-Kat., Baden-Baden (1981).

Brun [brœ̃], Charles, frz. Maler, →Lebrun.

Brunelleschi [-l'eski], **Brunellesco,** Filippo, ital. Baumeister und Bildhauer, *Florenz 1377, †ebd. 15. 4. 1446, begann als Goldschmied und beteiligte sich 1402 am Wettbewerb um die zweite Bronzetür des Baptisteriums in Florenz (Relief mit Isaakopfer, ebd., Bargello).

B. wandte sich gegen die herrschende Gotik und wurde zum Schöpfer der Renaissance-Architektur. Für Wandgliederung und Schmuckformen griff er auf toskan. Bauten des 12. Jh., für den Kirchenraum im Langbau auf die roman. Basilika, für den Zentralbau auf byzantin. Vorbilder zurück. Er studierte als erster die antike Baukunst in Rom und legte seinen Bauten regelmäßige geometr. und stereometr. Formen zugrunde. Sein HW ist die Florentiner Domkuppel (1418–36), ein Doppelschalenbau, dessen steil ansteigendes Achteck mit Laterne das Stadtbild beherrscht. B. war auch Festungsbaumeister. Um 1410/20 gelang ihm, von Eu-

Brunelleschi: Kuppel des Florentiner Doms; 1418–36

KLIDS Optik ausgehend, die Entdeckung des zentralperspektiv. Projektionsverfahrens (→Perspektive).

WW (alle in Florenz): Findelhaus (1419 entworfen; erbaut 1421 f.); San Lorenzo (seit 1420); Pazzi-Kapelle, Kapitelsaal von Santa Croce (1429); Santo Spirito (seit 1436); Oratorium von S. Maria degli Angeli (Achteck, 1434, unvoll.).

C. L. RAGGHIANTI: F. B. (Rom 1977).

Bruni, Fjodor (Fidelino) Antonowitsch, russ. Maler ital. Herkunft, *Mailand 10. 6. 1799, †St. Petersburg 11. 9. 1875, seit 1818 in Italien. Unter Einfluß von K. BRÜLLOW schuf er das Kolossalgemälde ›Die Errichtung der ehernen Schlange‹ (1838–41, Leningrad, Russ. Mus.). Nach Rückkehr nach St. Petersburg 1849–54 Direktor der Eremitage, 1855–1871 Prof. und Rektor der Akad.

WW: Altargemälde ›Madonna mit Christuskind‹ (Burg Hohenzollern bei Hechingen).

Russ. Malerei d. 1. H. d. 19. Jh., Ausst.-Kat., Baden-Baden (1981).

Brüning, Peter, Maler und Graphiker, *Düsseldorf 21. 11. 1929, †Ratingen 25. 12. 1970. In den 50er Jahren entstanden der informellen Malerei nahestehende Kompositionen. Seit 1964 schuf B. kartograph. Bilder, bei denen an die Stelle der freien Geste inhaltsbetonte ›Signete‹ (Verkehrszeichen) traten. Assoziationen verdichtete er hierbei zu synthet. Landschaften.

R. G. DIENST: P. B. (1973).

Brünn, tschech. **Brno,** Hauptstadt des Südmähr. Kreises, ČSSR, 369 000 Ew.; entstand um 800 als Burgsiedlung, seit 1157 Residenz der Markgrafen von Mähren, im Spät-MA. wichtiger Handelsplatz. In der Altstadt der Dom St. Peter und Paul (15. Jh., 1738–49 barock umgestaltet); got. Augustinerchorherrenkirche St. Thomas (14. Jh., 1732–52 umgestaltet); spätgot. Hallenkirche St. Jakob (1314–1480, mit vielen Kunstschätzen); Kapuzinerkloster und -kirche (1656); Jesuitenkirche und -kolleg (1598–1602); Minoritenkirche, bed. Barockbau (1729–33); Altes Rathaus (15. und 16. Jh.) mit Portal, wohl von A. PILGRAM; Neues Rathaus (ehem. Dominikanerkloster, romanisch-got. Kreuzgang); Zitadelle auf dem Spielberg in wesentl. Teilen 13. Jh.; Reste der Stadtbefestigung sind erhalten. Auf dem Krautmarkt der Parnaß-Brunnen, 1695 voll. (nach Entwurf von J. B. FISCHER VON ERLACH). Das Mährische Mus. (Moravské Muzeum, 1816 gegr.) ist u. a. im ehem. Palais Dietrichstein untergebracht.

Brunnen, gefaßte oder architekton. gestaltete Wasserschöpfstellen. Nach Art der Wasserförderung werden Zieh-, Lauf- und Springbrunnen unterschieden. Der B. war wegen seiner Bedeutung für das Gemeinwesen schon immer Gegenstand künstler. Gestaltung. Die B. der grch. und röm. Städte waren oft in B.-Häusern gefaßt (→Nymphäum). Das Peristyl von röm. Häusern war mit einem Zier-B. versehen. Diese Form des B. im Innenhof lebte bis in die B.-Häuser in den Kreuzgängen ma. Klöster, bes. der Zisterzienser, fort. In der Stadt des MA. werden die B. meist an Plätzen wieder Zentren öffentl. Lebens. Die bed. Beispiele (Nürnberg; ›Schöner B.‹) besitzen innerhalb des Troges aufwendige Aufbauten, vielfach mit plastischem Schmuck symbolischen Inhalts.

In der Spätgotik und der Renaissance wurde der B.-

Brunnen: Fontana di Trevi in Rom; 1732 ff., von N. Salvi u. a.

Stock oft von einer einzigen steinernen oder bronzenen Figur gebildet (Augsburg, Herkules-B.; Frankfurt a. M., Justitia-B.). Gleichzeitig mit solchen repräsentativen B.-Anlagen blieb auch weiterhin der Zieh-B. mit steinernem oder schmiedeeisernem Galgen in Gebrauch. Im Barock berührte sich der B.-Bau mit den →Wasserkünsten. Neben einfachen traditionellen B. entstanden komplizierte Gebilde mit aufwendigem plast. Schmuck, der B. wurde endgültig Teil der →Stadtbaukunst (Rom: Vierströme-B. auf der Piazza Navona von G. L. BERNINI, 1647 beg.; Fontana di Trevi von N. SALVI u. a. 1732 ff.). Mit Einführung der Hauswasserleitung im 19. Jh. verlor der B. seine eigtl. Funktion, er wird dennoch als Mittel der Platzgestaltung bis heute verwendet.

Brunsberg, Hinrich, Baumeister, *um 1350, †Stettin(?) nach 1428, seit 1372 Bürger in Danzig, 1400–28 in Stettin nachweisbar, nach dem strengen Stil seiner ersten Bauten (Strasburg, Pfarrkirche; Stargard, Marienkirche; Königsberg/Neumark, Marienkirche, Chor) vermutlich aus dem preuß. Deutschordensland stammend. Mit seinen Hauptwerken (Brandenburg, Katharinenkirche; Tangermünde, Rathaus, N-Giebel) und bes. in der in ihnen sichtbaren dekorativen, reichen Zierkunst gehört B. zu den bed. Meistern der norddt. Spätgotik.

Bruntál, Stadt in der ČSSR, →Freudenthal.

Brüssel, fläm. **Brussel** [br'ysəl], frz. **Bruxelles** [brys'ɛl], Hauptstadt Belgiens, umfaßt als selbständige Gem. mit 153 400 Ew. fast nur die Altstadt.

Den Mittelpunkt der Unterstadt bildet der Große Markt, einer der schönsten Plätze Europas. Das spätgot. Rathaus (1402 beg.) mit 96 m hohem Turm (1455 voll.), Innenhof mit 2 Brunnen, Erdgeschoßlauben und reichem Skulpturenschmuck an der Fassade (im 19. Jh. größtenteils erneuert) ist eines der größten Belgiens; im Ratssaal Gobelins (18. Jh.). Rings um den Platz reihen sich Zunfthäuser; die ma. Gebäude fielen der Beschießung durch die Franzosen (1695) zum Opfer, wurden aber in kurzer Zeit wieder aufgebaut; die reich geschmückten Fassaden zeigen in ihren Ornamenten und Skulpturen barocke Formen, knüpfen jedoch in der Betonung der Vertikalen an die got. Vorgängerbauten an. Gegenüber dem Rathaus steht das ›Brothaus‹, das 1871–96 nach alten Stichen des Vorgängerbaus (16. Jh.) im Stil der flandr. Spätgotik wiederhergestellt wurde. Das ›Haus der Herzöge‹ an der SO-Seite des Platzes ist aus urspr. 6 Zunfthäusern zusammengefaßt. In der Nähe des Marktes die Bronzestatuette des ›Manneken Pis‹ von J. DUQUESNOY D. Ä. (1619). Die bedeutendste Kirche der Unterstadt ist die got. Notre-Dame-de-la-Chapelle (1216 beg., Chor und Querschiff 13. Jh., Langhaus 1483 voll.) mit geschnitzter Barockkanzel (1721).

Am W-Abhang der Oberstadt erhebt sich die Kathedrale St. Michel (früher Gudulakirche), eine dreischiffige Kirche im Stil der frz. Gotik mit Chor (1226–76) und Kapellenkranz (17. Jh.), Langhaus (15. Jh.) und zweitürmiger W-Fassade (1450–90); überreich verzierte Kanzel von H. VERBRUGGEN (1699), hervorragende Glasmalereien (16. Jh.) nach Entwürfen von B. VAN ORLEY und M. COXIE; an den Rundpfeilern Apostelstatuen von L. FAIDHERBE u. a. Notre-Dame-des-Victoires-du-Sablon im Flamboyant-Stil (15.–16. Jh.) hat Skulpturen (17. Jh.) von J. DUQUESNOY D. J. und G. GRUPELLO sowie ein Triptychon von Coxië. Auf dem Höhenrand der Oberstadt verläuft die seit 1774 bebaute Rue Royale mit dem Nationalpalast (1779–83), dem Kgl. Schloß (1740–87, mehrfach verändert) und der klassizist. Kirche St.-Jacques-sur-Coudenberg (1776–85). Weiter südlich liegt der Justizpalast (1866–83 von J. POELART), der größte Monumentalbau des 19. Jh., ein Musterbeispiel des Historismus.

Als kulturelles Zentrum Belgiens verfügt B. über eine Fülle von Museen, v. a. die Musées Royaux des Beaux-Arts mit einer der großen europ. Gemäldesamml. (hervorragend repräsentiert die alten Meister der niederländ. und fläm. Schule), das Musée d'Art Moderne (belg. Malerei 19./20. Jh.), die Musées Royaux d'Art et d'Histoire (ägypt., grch., röm. Kunst).

Seit dem 14. Jh. war B. Zentrum der fläm. Bildwirkerei. Im Auftrag von Papst LEO X. wurde 1516–19 der 10teilige ›Apostelgeschichtsteppich‹ (etwa 12,6 × 4,5 m je Teil) nach dem Entwurf von RAFFAEL von P. VAN AELST hergestellt. Weiter wurden Arbeiten nach Vorlagen von G. ROMANO, B. VAN ORLEY und P. P. RUBENS ausgeführt.

Brustbild, ein →Porträt des Kopfes einschließlich der Brust.

Brustriegel, Baukunst: horizontaler, durchlaufender Riegel im Fachwerk, der die Brüstung der Fenster bildet.

Brüstung, Baukunst: waagrechte, brust- bis hüfthohe Sicherung von Fenstern, Balkons oder Terrassen durch Mauerwerk, →Balustraden oder Geländer.

Brustwehr, im Wehrbau urspr. nach außen angeböschte Schutzwand; im Steinbau besitzt die B. als Mauer meist Zinnen, um dem Verteidiger Deckung und die Möglichkeit zur Feuererwiderung zu geben.

Brutalismus, anfangs der 1950er Jahre in England aufgekommene Bez. für eine Richtung der →modernen Architektur (Schule Hunstanton, 1949–54 von A. u. P. SMITHSON). Nach 1956 wurde der Begriff international verwendet und erfuhr bes. unter dem Einfluß von LE CORBUSIERS Häusern in Neuilly (1954–56) einen Bedeutungswandel. Er bezeichnet eine heute abklingende Architekturauffassung, die den Baustoff in seiner Ursprünglichkeit und Roheit betont und eine hohe Plastizität der Gebäudeform wie des Baudetails anstrebt.

R. BANHAM: B. in der Architektur (a. d. Engl., 1966).

Brüx, tschech. **Most,** Stadt im Westböhm. Kreis, ČSSR, 61 200 Ew. Die spätgot. Kirche Mariae Himmelfahrt, ein Bau des 14. Jh. mit got. Krypta, nach einem Brand 1517–94 erhöht und mit reich figuriertem Gewölbe versehen, hat eine bes. reiche Ausstattung; sie wurde 1975 wegen des Bergbaus um 841 m nach SO verschoben. Im Kreis-Mus. Werke des nordböhmisch-sächs. Kunstkreises.

Bruyn [brœjn], **1)** Bartholomäus d. Ä., Maler, Vater von 2), *Wesel(?) 1493, †Köln April 1555, war Schüler der Niederländer, bes. des JOOS VAN CLEVE, in dessen Werkstatt B. seit 1512 arbeitete. Er brachte den Antwerpener Manierismus nach Köln und malte hier seit 1515 v. a. treffende Porträts.

Werke: Hochaltäre in Essen (1522–26; Münster) und Xanten (1529–34; Stiftskirche St. Victor). – Über 100 Porträts.

2) Bartholomäus d. J., Maler, Sohn von 1), *Köln um 1530, †ebd. vor 1610, übernahm die Werkstatt seines Vaters, ebenso die Ausdrucksmittel seines Stils.

Bryaxis, grch. Bildhauer des 4. Jh. v. Chr., Mitarbeiter am Skulpturenschmuck des →Mausoleums von Halikarnassos. Sein Hauptwerk ist die in zahlreichen Kopien erhaltene Kolossalstatue des thronenden Sarapis; in der Statue des Zeus von →Otricoli, mit der Sarapis-Darstellung verwandt, vermutet man ebenfalls eine Kopie nach einem Werk des B.

Bryggman, Erik, finn. Architekt, *Turku 2. 7. 1891, †ebd. 21. 12. 1955, schuf u. a. die Bibliothek in Turku (1935) und die Friedhofskapelle ebd. (1938–41).

A.-E. STIGELL: E. B. (Ekenäs 1965).

Brygosmaler, einer der bedeutendsten Schalenmaler Athens des rotfigurig-spätarchaischen Stils (495 bis 470 v. Chr.). Bewegung und Dramatik seiner Bilder sind weitaus lebhafter als die der Zeitgenossen DURIS und MAKRON; seine Themen umfassen Mythenerzählung und Alltagsszene.

Brzeg [bʒɛk], poln. Name für →Brieg.

Bschorer, Johann Georg, Bildhauer, *Oberndorf bei Donauwörth (heute Kr. Donau-Ries) 31. 3. 1692, †ebd. 2. 4. 1763, arbeitete ebd. und schuf Kirchenausstattungen für Donauwörth (Hl. Kreuz) und das Umland der Stadt, auch für Dillingen (hier auch für das Jesuitenkolleg die Ausstattung des Bibliothekssaals). Eine Muttergottesfigur aus Engelstetten befand sich früher im Dt. Mus. zu Berlin. – Sein ekstatisch-bewegter Stil zeigt die in S-Dtl. auch im Spätbarock noch andauernde Tradition der Spätgotik.

P. VOLK: Rokokoplastik in Altbayern, Bayerisch-Schwaben und im Allgäu (1981).

Bubastis, altägypt. Stadt im Nildelta, heute **Tell Basta,** Königsresidenz während der 22. Dynastie (924–724 v. Chr.). HERODOT beschreibt noch die großen Tempelanlagen und die Feste zu Ehren der Göttin Bastet, doch sind die meisten Denkmäler an andere Orte verschleppt worden oder im Grundwasser versunken; erhalten sind u. a. ein kleines Heiligtum PEPIS I. (6. Dynastie) und Reste einer Festhalle OSORKONS II. (22. Dynastie).

Bucchero [b'ukkero], antike Gefäßgattung aus durch und durch schwarz gebranntem Ton mit glänzender Oberfläche, im 7./6. Jh. v. Chr. in Etrurien, in ähnl. Technik auch in Ionien hergestellt. Man unterscheidet den feineren, v. a. in S-Etrurien produzierten **B. sottile** (oft mit eingeritztem oder erhabenem Dekor) und den jüngeren, gröberen **B. pesante** (vielfach mit gestempelten, in Serie sich wiederholenden Reliefs); v. a. der B. sottile ahmt durch seinen Glanz Metallgefäße nach.

Buchara, Bokhara, Gebietshauptstadt in der Usbek. SSR, in der Sandwüste Kysyl-kum im Tal des Serawschan, 188 000 Ew. Im 10. Jh. wissenschaftl., relig. und polit. Zentrum (Sitz der Samaniden-Herrscher); auch danach mehrmals Regierungszentrum. Ismail-Samadi-Mausoleum (9.–10. Jh.; BILD islamische Kunst), Minarett (1127), Magoki-Attari- und Namasgoch-Moschee (12. Jh.), Ulugbek (Ulug Beg)-Medrese (1417–18, 1585), 2 Mausoleen (14. Jh.). Im 16. Jh. unter den Schejbaniden-Herrschern städtebaul. Neuordnung (11 Stadttore u. a.); Mir-Arab- und Abdulasis-Chan-Medrese (Mitte 16. Jh.) und Kaljan-Moschee (1514). Histor. Mus. – Über die Hauptstadt der Oase B. in sogd. Zeit →Warachscha.

Buchau, Bad B., Stadt am Federsee, Bad.-Württ., ehem. Reichsstadt, 3900 Ew.; Kirche des ehem. reichsunmittelbaren Damenstifts (1773–76 von M. D'IXNARD), bemerkenswertes Beispiel des Frühklassizismus.

Bucheinband, Umhüllung (Buchdecke) einer zu einem Buchblock gehefteten oder gebundenen Handschrift oder eines Druckwerkes.

Geschichtliches. Im MA. bestand der B. aus Pergament oder aus mit Leder überzogenen Holzdeckeln. Die Ledereinbände wurden mit Lederschnitt oder einfachen Stempeln verziert. An die Stelle der einzelnen Stempel traten seit etwa 1450 beim Gebrauchsbuch Rollen- und Plattenstempel mit bildl. Darstellungen.

Die liturg. Bücher des MA. erhielten häufig **Prachteinbände** aus Edelmetall, die mit Treib- und Schmelzarbeiten, Edelsteinen, Perlen und geschnitzten Elfenbeinplatten geschmückt waren (BILD Codex Aureus). In der Renaissance wurde die Pappe an Stelle der schweren Holzdeckel üblich. Unter oriental. Einfluß entstanden kostbare Ledereinbände mit goldgepreßten Ornamenten. Durch die Jh. blieb Frankreich führend in der Einbandkunst (J. GROLIER, F. BADIER, Brüder BOZÉRIAN u. a.). Gegen Ende des 19. Jh. erfuhr die →Buchillustration eine Neubelebung, die sich auch auf den B. auswirkte.

Büchen, Gem. im Kr. Hzgt. Lauenburg, Schlesw.-Holst., mit frühgot. Backsteinkirche (um 1240/50), durch Pfeiler mit rot-schwarzen Ziegelschichten und Gewölbemalereien (Anf. 14. Jh.) von maler. Wirkung.

Buchet [byʃ'ɛ], Gustave Louis, schweizer. Maler, Graphiker, *Etoy (Kt. Waadt) 5. 6. 1888, †Lausanne 14. 7. 1963, schloß sich um 1910 in der Gefolgschaft von P. PICASSO und F. LÉGER dem Kubismus an. In seinen HW verbindet sich die kubist. Sehweise mit einem religiös-myst. Helldunkel. Er war Mitgl. der Section d'Or.

Buchheister, Carl, Maler, *Hannover 17. 10. 1890, †ebd. 2. 2. 1964, seit 1923 abstrakte Malereien von spieler. Variationsbreite zw. Dadaismus und Konstruktivismus, 1932 Mitgl. der Gruppe Abstraction-Création. Später stand er der informellen Kunst nahe.

G. C. RUMP: C. B. (1980).

Buchillustration, i. w. S. die Ausstattung von Büchern mit Bildern; i. e. S. die im Druckverfahren hergestellte Illustration, i. Ggs. zur manuellen Illustration der →Buchmalerei.

Geschichte. Bei den ersten gedruckten Büchern (→Inkunabeln) wurden Schriftbild und Satzanordnung noch den Hss. nachgebildet und der **Buchschmuck** (Initialen, Randleisten, Miniaturen) mit der Hand eingefügt. Erst allmählich gelang es, auch den Schmuck des gedruckten Buches technisch durchzugestalten. Die Typographie verband sich mit den älteren Bilddruckverfahren, dem Metallschnitt und vor allem dem Holzschnitt (bis 1530). Dadurch wurde eine auf der Einheit des Verfahrens beruhende geschlossene ästhet. Wirkung erzielt. Das Mainzer Psalterium von 1457 brachte zum erstenmal in Metall geschnittene, zweifarbig gedruckte Initialen sowie die gedruckte Buchdruckermarke (→Druckerzeichen). G. ZAINER in Augsburg verwendete als erster Holzschnittinitialen. Die ältesten mit Holzschnitten bebilderten Bücher zeigen einfache Umrißzeichnung, die für spätere Bemalung gedacht war. Später wurde die Zeichnung reicher ausgebildet, man verzichtete auf Kolorierung und gelangte zu reiner Schwarzweißwirkung.

Dem dt. Buchholzschnitt kam um 1500 die Mitwirkung der besten Künstler der Zeit zugute (A. DÜRER, H. HOLBEIN D. J., L. CRANACH D. Ä., H. BURGKMAIR u. a.). Das schönste Buch der ital. Renaissance ist der von ALDUS MANUTIUS in Venedig 1499 gedruckte Roman

›Hypnerotomachia Poliphili‹ mit Holzschnitten von Francesco Colonna. Im 16. Jh. verlagerte sich der Schwerpunkt der buchkünstler. Entwicklung von Deutschland nach Italien, sodann nach Frankreich und den Niederlanden.

Mit der Reformation sank allg. die künstler. Qualität. Der Geschmacksrichtung der Spätrenaissance und des Barock kamen die Ausdrucksmöglichkeiten des Kupferstichs mehr entgegen als die des Holzschnitts. Die technisch bedingte Harmonie des Holzschnittbuches ließ sich jedoch bei der Vereinigung des typograph. Hochdruckverfahrens mit einem illustrativen Tiefdruckverfahren, wie es der Kupferstich ist, nicht mehr erreichen. In den Mittelpunkt der Ausstattung rückte das pomphaft ausgeschmückte Titelblatt (Kupfertitel). Beliebt wurden umfangreiche, in Kupfer gestochene Bilderfolgen (Tafelwerke, Atlanten). In der B. des Rokoko, die von Frankreich ausging, entfaltete sich bes. das graph. Beiwerk und eine intime, illustrative Kleinkunst, für die hervorragende Künstler tätig waren: F. Boucher, H. F. Gravelot u. a. in Frankreich, S. Gessner und D. Chodowiecki in Dtl., W. Hogarth und W. Blake in England.

Um die Wende des 18. Jh. kamen andere Reproduktionsverfahren auf: Holzstich, Stahlstich und bes. die von A. Senefelder erfundene Lithographie. Sie führten in der Zeit von 1820 bis 1860 zu einem Aufschwung der B.: In Dtl. L. Richter, M. v. Schwind, A. Rethel, A. v. Menzel; in Frankreich E. Delacroix, H. Daumier, G. Doré. Dann verfiel die B., bis nach 1880 eine Reformbewegung (bes. W. Morris in England) eine werk- und materialgerechte Buchherstellung forderte. Die ›Buchkunstbewegung‹ zu Beginn des 20. Jh. wurde von den Privatpressen und den bibliophilen Gesellschaften getragen. An den illustrierten Liebhaberausgaben arbeiten seitdem wieder die hervorragendsten Graphiker des jeweiligen Stils.

W. Tiessen: Die B. in Dtl., Österreich und der Schweiz seit 1945 (1968 ff.; bis 1982 4 Bde.); H. Kunze: Gesch. der B. in Dtl. in 3 Bdn. (1974 ff., bisher 1 Bd.).

Buchmalerei, Malerei oder Zeichnung in Hss. und Büchern, auch **Miniaturmalerei,** benannt nach der im frühen MA. für Überschriften, Randleisten, Initialen verwendeten roten Mennigfarbe (lat. minium). Die B. umfaßt die figürl. und ornamentale Ausstattung der Buchseiten durch Federzeichnungen oder Malerei, von den Buchmalern (Miniatoren) ausgeführt mit Deckfarben und Gold. Die Denkmäler der B. gehören wegen ihres meist vorzügl. Erhaltungszustandes zu den wichtigsten Zeugnissen früherer Kunstübung.

ANTIKE UND FRÜHCHRISTLICHE ZEIT

Schon in Ägypten sind seit dem Neuen Reich (1552 bis 1070 v. Chr.) Totenbücher in Gestalt von Papyrusrollen mit Tuschzeichnungen am oberen und unteren Rand erhalten (Bild Totenbuch). Die griechisch-röm. Antike übernahm die für Darstellungsfolgen bes. geeignete Friesform in Buchrollen. Der im 4. Jh. n. Chr. aufkommende Codex begünstigte die Illustration durch Einzelbilder, so die Quedlinburger Itala (Berlin-Ost) und die früheste illustrierte Vergil-Hs. (Vatikan); ihnen schließen sich die Ilias-Miniaturen der Ambrosiana (Mailand) und eine 2. Vergil-Hs. (Vatikan) an. – Aus Konstantinopel stammt eine prunkvolle Dioskurides-Hs. mit höf. Widmungs- und Autorenbildern (um 512; Wien). Eine alexandrin. Genesis blieb in Fragmenten in London erhalten (Cotton-Genesis). Illustrierte Luxus-Hss. des 6. Jh. auf Purpurpergament sind die Wiener Genesis und 2 Evangelienbücher, der Cod. Rossanensis und der Cod. Sinopensis; aus N-Mesopotamien stammt das Rabula-Evangeliar (586; Florenz).

BYZANTINISCHES REICH

Nach dem Ende des Bilderstreits erreichte die byzantin. B. ihren Höhepunkt unter der makedon. Dynastie (2. H. 9. Jh.); eine große Anzahl erhaltener Werke bezeugt die Wiederaufnahme klass. Elemente in Typen und Stil und darüber hinaus große Einheitlichkeit des von den Konstantinopler Ateliers geprägten Stils. Höf. Hauptwerke dieser Zeit sind u. a. die Hss. der Gregor-Homilien (Paris), der Josua-Rolle (Vatikan), des Pariser Psalters. Als Tendenz herrscht das große seitenfüllende Einzelbild in der Art der Ikone vor. Die byzantin. B. des 11. und 12. Jh. griff nicht mehr direkt auf spätantike Vorlagen zurück, sondern schuf auf der Formengrundlage der voraufgegangenen makedon. Zeit einen schwerelosen, z. T. nervösen Figurenstil und bevorzugte den Goldgrund. Charakteristisch für die B. der späten Komnenenzeit (2. H. 12. Jh.) wurden psycholog. Beobachtung und dramatisierte Handlung. Diese Komponenten wurden zu einem reifen Stil während des 13. Jh. weitergeführt. Im Figurenstil der B. unter den Palaiologen (1258–1453) sind kräftige Körperlichkeit und entmaterialisierende Glanzlicht-Flächen der Gewänder verbunden. – In allen Epochen der byzantin. B. hatte das figürl. Bild höchste Bedeutung; die ornamentale Dekoration spielte – verglichen mit der westl. B. – nur eine nebensächl. Rolle.

MEROWINGER- UND KAROLINGERZEIT

In W- und Mitteleuropa wurde die B. durch Neigung zum Ornamentalen und zur Abstraktion im Figürlichen gekennzeichnet. Die Abgeschlossenheit der Klöster begünstigte Sonderschulen. Zu einer vollständigen Umbildung der mediterranen Vorlagen unter starker Einwirkung der vorchristl. Ornamentik kam es im späten 7. und frühen 8. Jh. in den engl. Benediktinerklöstern Northumbriens, die auf die irische Kunst und auf die Skriptorien des Festlandes einwirkten (Echternach, St. Gallen, Salzburg). Am bekanntesten sind die Evangeliare von Durrow (BILD insulare Buchmalerei) und Kells (beide Dublin), von Lindisfarne (London) und Echternach (Paris). Einige engl. Bücher, wie der wohl in Canterbury entstandene ›Codex Aureus‹ (Stockholm), schlossen sich an Vorlagen aus Klöstern in Italien an.

Die Klöster im Merowingerreich (Gellone, Luxeuil, Corbie) entwickelten einen selbständigen, im Figürlichen derben Stil. Die span. B. des 7. Jh. zeigte syr. und kopt. Einflüsse, die in den span. →Beatus-Apokalypsen weiterwirkten. – Die karoling. B. brachte umfangreiche

Prachthss. hervor. Die Werke der in Aachen zu lokalisierenden →Palastschule Karls des Großen, das Wiener Krönungsevangeliar und die Evangeliare im Aachener Dom und aus Xanten (in Brüssel) schlossen sich frühbyzantin. Vorbildern an (BILD karolingische Kunst). Die gleichfalls, teilweise etwas früher in Aachen tätige →Hofschule Karls des Großen, der u. a. das Evangelistar des Schreibers GODESCALC (Paris) und das Evangeliar für die Äbtissin ADA (Trier) angehören,

Buchmalerei: Wiener Genesis, Abraham und Melchisedek; Ausschnitt, 6. Jh. (Wien, Österreichische Nationalbibliothek)

hielt sich an syr. Vorlagen. Die Schule von Reims folgte mit dem Ebo-Evangeliar (Épernay) und dem Utrechtpsalter der Palastschule. Die bedeutendste Gesamtleistung weist die seit ALKUINS Wirken blühende Schule von Tours auf; zu ihren eindrucksvollsten Schöpfungen gehören die Bamberger Bibel, das Lothar-Evangeliar und die erste Bibel KARLS DES KAHLEN (Viviansbibel; beide Paris). Die am reichsten geschmückten Bücher, so den ›Codex Aureus‹ aus St. Emmeram in Regensburg (München) und die Bibel von S. Paolo fuori le mura in Rom, lieferte die →Hofschule Karls des Kahlen. Eine Gruppe nordfrz. und rhein. Klöster mischte in ihren zahlreichen erhaltenen Erzeugnissen merowing. und angelsächs. Überlieferung. In St. Gallen kreuzten sich merowing., anglofränk. und karoling. Einflüsse.

FRÜHROMANISCHE ZEIT

Ende des 10. Jh. wurden die Motive durch Bilder aus den Evangelien und dem Leben der Heiligen erweitert. Ausdrucksvolle Umrisse und kräftige Aquarellfarben steigerten die Eindringlichkeit der Erzählung. In die otton. B., bes. der Reichenau, Kölns und Regensburgs, drangen byzantin. Elemente ein. Wohl schon unter OTTO D. GR. entstand in Niedersachsen, dem Stammland der Ottonen, die Weser-Schule, die von der karoling. Reimser B. geprägt war. Unter OTTO II. gewann Trier Bedeutung: der →Gregormeister (Einzelblätter in Trier und Chantilly) ist der überragende Vertreter einer otton. Renaissance. Am aufwendigsten war die Produktion der →Reichenauer Malerschule. Höhepunkt der Schule sind eine Reihe flächig-expressiver Prachthss., die man nach dem Widmungstitel eines Evangeliars in Aachen mit ›Liuthargruppe‹ benennt, darunter das Evangeliar Ottos III. und das Perikopenbuch Heinrichs II. (Bild ottonische Kunst), beide aus Bamberg (München) sowie die →Bamberger Apokalypse. I. Ggs. zu diesen Schulen pflegte man in der →Kölner Malerschule einen maler. Stil, der auf byzantin. Vorbilder und solche der Hofschule Karls des Kahlen zurückging (Sakramentar aus St. Gereon, Paris; Evangeliar der Äbtissin Hitda von Meschede, Darmstadt). Die um 1000 entstandenen Werke der Regensburger Schule, das Sakramentar Heinrichs II. und das Evangeliar der Äbtissin Uta von Niedermünster (beide München), gehen auf den Codex Aureus aus St. Emmeram und auf byzantin. Hss. zurück. – England erlebte eine qualitätvolle B. in der Schule von Winchester, die karoling. Formen mit eigenartiger Pflanzenornamentik verband. Hauptwerke sind das Benedictionale des Bischofs Aethelwold (Chatsworth), das Missale des Robert von Jumièges (Rouen) und der Liber vitae (London) mit Federzeichnungen in der Art des →Utrecht-Psalters. Das Maasgebiet erreichte in den Schreibstuben von St. Omer, St. Amand, Marchiennes und Lüttich eine wilde Ausdruckskraft (Vita S. Audomari in St. Omer; Evangelienbuch in Amiens). Diesen Schulen ebenbürtig sind die südfrz. (Vita S. Radegundis, Poitiers, beg. 1028). Die katalan. B. hielt an der altspan. Überlieferung fest (Bibeln aus Ripoll, Vatikan; aus S. Pere de Roda, Paris).

Buchmalerei: Evangeliar aus Xanten, Evangelist; Aachen, Anfang 9. Jh. (Brüssel, Bibliothèque Royale)

Buchmalerei: Psalter Ludwigs des Heiligen, Josua hält die Sonne an, 1256 (Paris, Bibliothèque Nationale)

Italien bewahrte, in ständiger Verbindung mit Byzanz, die Überlieferung, bes. in Monte Cassino, das unter Abt Desiderius (1058–87) eine Nachblüte des mittelbyzantin. Stils erlebte; Oberitalien (Bobbio, Mailand, Ivrea) stand in Verbindung mit den otton. Schulen.

12. UND 13. JAHRHUNDERT

In Italien und Spanien wurde im 12. Jh. gemäß der Überlieferung weitergearbeitet. In England und Frankreich entwickelte sich aus einem verhärteten Stil eine anmutige, unmittelbar in die Gotik übergehende Bewegtheit. Dtl. erlebte in der stauf. Kunst eine starke Entwicklung einerseits zu einem reifen klass. Stil, andererseits zum Zackenstil in der →Thüringisch-sächsischen Malerschule. Die ital. B. des Dugento wurde von der byzantin. B. unter den Palaiologen bestimmt (Maniera Greca). In Spanien gehören die Bibeln aus Ávila (Madrid) und das Dalmacio de Mur (Kathedrale zu Gerona) zu den am reichsten mit Miniaturen ausgestatteten Hss. In N-Frankreich kündigte sich in der Vita S. Amandi (Valenciennes), in den Schöpfungen des Malers SAVALO in St. Amand und in der Bibel von Floreffe (London) eine ruhigere Formgebung an. Von Burgund drang ein zeichner. Zisterzienserstil nach Mittelfrankreich vor. Die B. von Limoges entspricht stilistisch der dortigen Emailkunst. In Dtl. zeigten die schwäb., von Hirsau ausgehenden Schulen (Zwiefalten) rein linearen Stil. Bed. Werke entstanden v.a. unter Abt Bertold (1200–1235) in Weingarten (Missale der Morgan Library, New York). Im bayer. Gebiet brachten die Skriptorien von Salzburg und die von ihnen abhängigen Klöster (Mondsee, Admont, St. Florian, Passau, Regensburg, Prüfening, im 13. Jh. auch Scheyern) eine Fülle mit Deckfarbenbildern geschmückter Bücher hervor (Bibeln in Admont, Michelbeuren und Mondsee). Das wichtigste Werk der kurz tätigen Scheyerner Schule ist der ›Liber matutinalis‹ (München). Unter den Thüringer Werken des 13. Jh. ragt der Landgrafenpsalter hervor (Stuttgart und Cividale). In Niedersachsen gab es wichtige Schreibstuben in Corvey, Hildesheim und Helmarshausen, wo die Prachths. eines Evangeliars für HEINRICH DEN LÖWEN entstand (→ Weser-Schule). In der niedersächs. B. entwickelte sich, trotz byzantin. Gegenwirkung, bes. der Zackenstil. Im Rheingebiet, das schon früh gelöstere Formen zeigte (Liber Scivias der Hildegard von Bingen, ehem. Wiesbaden; seit dem 2. Weltkrieg verschollen), entfaltete sich die ›klassische‹ Kunst der Stauferzeit, die mit dem 1165 auf dem Odilienberg beg. →Hortus deliciarum der Äbtissin Herrad von Landsberg einsetzte und in den Evangelistaren aus Speyer (Karlsruhe) und aus Köln (Brüssel) gipfelte. In dem Mainzer Evangeliar (Aschaffenburg), dem Psalter aus Bonmont (Besançon) und dem Evangeliar im Rathaus zu Goslar mischen sich klass. und zackige Formgebung. Auch Illustrationen zu zeitgenöss. Dichtungen gewannen im 13. Jh. an Bedeutung (›Drei Liet von der maget‹ des Priesters Wernher, ehem. Berlin; Heinrich von Veldekes ›Eneit‹; Berlin-West).

FRÜH- UND HOCHGOTIK

In Frankreich und England begann die Frühgotik mit geschmeidiger Anmut der Linienführung. Die Klosterschulen verloren ihre Sonderstellung, Nichtkleriker ge-

Buchmalerei: Albani-Psalter, Verkündigung Mariä; St. Albans, um 1119–46 (Hildesheim, Schatz der Kirche St. Godehard)

wannen als Künstler an Bedeutung. Das persönl. Gebetbuch (Livre d'heures, →Stundenbuch) kam auf, weltl. Dichtungen und Chroniken boten der B. neue Aufgaben. Mit dem Ingeborg-Psalter (um 1210, Chantilly) und verwandten Psaltern setzte der neue Stil ein. In dieser Gestalt brachte ihn Mathias Parisiensis, der Leiter der Schreibstube von St. Albans, nach England, wo er sich zunächst in großen Apokalypsen auswirkte. Ein HW der frz. Hochgotik ist der Psalter Ludwigs des Heiligen für die Ste. Chapelle (1256, Paris); 1292 arbeiteten in Paris 17 Buchmaler. Im frühen 14. Jh. setzte, vermittelt durch die Papstresidenz Avignon, mit Jean Pucelle die Anlehnung an ital. Vorbilder ein. In der engl. B. gewann die Ornamentik größere Bedeutung (Psalter des Robert de Lisle und der Königin Mary; beide London). In Dtl. trat die got. Formensprache mit fast 100jähriger Verspätung auf, zuerst im W (Graduale des Minoriten Johann v. Valkenburg, Köln und Bonn; Willehalm, 1334, Kassel). Anmutiger sind oberrhein. Handschriftenillustrationen um 1300 (Weltchronik des Rudolf von Ems, St. Gallen und Berlin-West; die älteren Bilder der →Manessischen Liederhandschrift, Heidelberg). Böhmen, das Mitte des 14. Jh. in Johann von Neumark, dem Kanzler Karls IV., und in König Wenzel große Bücherfreunde besaß, stand stark unter toskan. Einwirkung (Liber viaticus, um 1355, Laus Mariae, Orationale Arnesti, Prag). In den Wenzelbüchern überwiegt die Ornamentik (Bibel, 6 Bde., Wien). In Italien entwickelte sich die B. des Trecento in Bologna, Mailand, Florenz, Siena und Neapel.

SPÄTGOTIK

Am Ende des 14. Jh. hatten frz. und niederländ. Miniaturmaler im Dienste Karls V. von Frankreich und seiner Brüder, bes. des Herzogs Jean de Berry, am Durchbruch eines neuen, die Darstellung von Landschaft und Raum erstrebenden Stils entscheidenden Anteil. Die realist. B. konnte sich zunächst gegen Buchdruck und Holzschnitt behaupten, hörte aber im 16. Jh. auf. Die bedeutendsten dieser spätgot. Künstler waren die Brüder →Limburg; sie schufen in den ›Très riches heures‹ (Chantilly) ein zwar die Kenntnis der ital. Malerei verratendes, in seinem bis dahin beispiellosen Realismus jedoch gänzlich neuartiges Werk. Von Jacquemart de Hesdin wurde wohl das Mailand-Turiner Stundenbuch beg. (der Turiner Teil 1904 verbrannt; der Mailänder jetzt in Turin), dessen spätere Teile das Schaffen der Brüder van Eyck voraussetzen. In der Folgezeit übertrafen frz. Künstler wie Jean Fouquet (Josephus; Heures d'Étienne Chevalier, Chantilly; Boccaccio, München) und der Maler des ›Livre du cuer d'amours épris‹ (Wien) die Niederländer, unter ihnen Simon Bening, den führenden Meister des Breviarium Grimani (Venedig). Hinter den Niederländern standen die Mailänder Giovannino und Salomone de'Grassi mit ihren Stundenbüchern für die Visconti kaum zurück. In Oberdtl. beschäftigte sich die B. nur wenig mit der tiefenräuml. Darstellung. Vereinzelt sind die reizvollen Landschaftsaquarelle der Mettener Benediktinerregel (1414, München), mit denen sich die Federzeichnungen in den Richtental-Chroniken des Konstanzer Konzils (die beste in Karlsruhe) nicht messen können. Die Herkunft des →Hausbuchmeisters ist noch nicht geklärt. In Hagenau schuf 1425–67 die Werkstatt des DIEBOLD LAUBER über 50 Hss. mit Federzeichnungen. Ihre Überlieferung nahmen die Schweizer DIEBOLD SCHILLING D. Ä. und D. J. in ihren Chroniken auf. Am Niederrhein liebte man Gebetbücher kleinen Formates mit Aquarellen; die besten werden STEPHAN LOCHNER zugeschrieben. Einen Buchmaler von Rang besaß am Ende des Jh. noch Regensburg in BERTHOLD FURTMAYER. Die große Zeit dt. B. endete mit dem Gebetbuch Kaiser Maximilians, für das A. DÜRER, L. CRANACH D. Ä., H. BALDUNG, H. BURGKMAIR u.a. die Randzeichnungen schufen (München und Besançon).

Buchmalerei: Brüder Limburg, Stundenbuch des Herzogs von Berry, ›Der Monat Februar‹; 1413–16 (Chantilly, Musée Condé)

Vgl. ferner die Artikel über die Epochen der ma. Kunst, z.B. →karolingische Kunst, →ottonische Kunst, →Romanik, →Gotik, weiterhin die Artikel der regionalen Malerschulen wie →anglofränkische Buchmalerei, →insulare Buchmalerei, →Echternacher Malerschule, →Kölner Buchmalereischule, →Metzer Schule, →Sankt Gallener Buchmalereischule, →Tours, →Wenzelwerkstatt, →Weser-Schule, →Winchester-Schule sowie den Artikel →Miniaturmalerei.

INGEBORG UHL: B., Gesch., Technik und Ikonographie (1971); E. ZIMMERMANN u. K. H. STAUB: Buchkunst des MA. (1980); E. G. GRIMME: Die Gesch. der abendländ. B. (1980).

Buchsbaumholz, sehr hartes, dichtes, goldgelbes Holz der Buchsbaumgewächse, das für Drechslerarbeiten (→Betnuß, →Gliederpuppe), Intarsien und in der Holzschneidekunst (Holzstich) wegen seiner engen

Maserung, die den Schnitt von haarscharfen, dünnen Linien gestattet, geschätzt wird.

Buchschmuck, →Buchillustration.

Buchsweiler, frz. **Bouxwiller** [buksvil'ɛ:r], Städtchen im Unterelsaß. In der Stadtkirche (1614) spätgot. Steinkanzel und Silbermann-Orgel. Vom Schloß (urspr. hufeisenförmige Anlage mit Rundturm) sind got. Kapelle, Kanzlei (1658/63), Rüstkammer, Orangerie und Marstall (1668) erhalten.

Bückeburg, Stadt am Rand des Weserberglands, Ndsachs., 21 200 Ew. Als ehem. Hauptstadt von Schaumburg-Lippe ist B. eine typ. Kleinresidenz. Aus der Fülle von Bauwerken des frühen 17. Jh. ragen heraus das weitläufige Schloß (16., 18. und 19. Jh.) mit prächtiger manierist. Innenausstattung 1601–08 (Mus.: Goldener Saal mit dem Prunkportal ›Götterpforte‹, Kapelle, Festsaal, Gemäldegal.) und die Stadtkirche (1611–15) mit einzigartiger Fassade (innen Taufbecken von A. DE VRIES, 1615). Im Schloßpark größtes Mausoleum Europas (1911–14, Mus.). Schaumburg-Lippisches Heimatmus. in ehem. Burgmannshof.

Buckelquader, Bosse, Baukunst: Teil des →Bossenwerks.

Buckelung, durch Treibarbeit herausgehobene Bukkel aus Metallgefäßen, bes. bei silbergetriebenen Pokalen der dt. Spätgotik (Buckelpokal).

Bücken, ehem. Kollegiatsstift (um 885 gegr.) im Kr. Gfsch. Hoya, Ndsachs., mit roman. doppeltürmiger Pfeilerbasilika (11.–14. Jh.); wertvolle Einrichtung: Triumphkreuzgruppe und Sandsteinkanzel um 1270, Glasmalereien (13. Jh.), spätgot. Schnitzaltar (1515).

Bučovice [b'utʃɔvitsɛ], dt. **Butschowitz,** Ort im Südmähr. Kreis, ČSSR, mit monumentalem Renaissanceschloß, 1567–82 erbaut; mit Arkadenhof, im Innern reicher figuraler Stuck (um 1590); heute Museum.

București [-r'eʃtj], Hauptstadt Rumäniens, →Bukarest.

Budapest [ungar. b'udɔpɛʃt], Hauptstadt Ungarns (seit 1872), 2,093 Mio. Ew.; am rechten, bergigen Ufer der Donau **Buda** (früher: Ofen), am linken, flachen Ufer **Pest**; im N von Buda das ehem. röm. Legionslager **Aquincum.** Buda und Pest sind seit 1849 durch die Kettenbrücke verbunden, seit 1872 offiziell vereinigt. Die Stadt hat im 2. Weltkrieg und beim Aufstand 1956 schwere Schäden erlitten, die weitgehend behoben sind. Auf den Resten der seit dem 13. Jh. errichteten, mehrfach erweiterten, zerstörten und wiederaufgebauten Königsburg in Buda entstand 1714–70 ein Barockpalast, der 1875 und 1892–1904 bedeutend erweitert wurde. Bei Grabungen anläßlich der Restaurierung nach 1945 wurden got. Skulpturen von hoher künstler. Qualität gefunden, die direkten frz. Einfluß zeigen. Auf dem langgestreckten Burgberg auch die dreischiffige got. Matthiaskirche (Krönungskirche der ungar. Könige, 1255–69 erbaut, bis ins 15. Jh. erweitert, diente im 16. und 17. Jh. als Moschee, wurde im 19. und 20. Jh.

neugotisch wiederhergestellt), das alte Rathaus (1692 bis 1774), am Steilhang zur Donau die Fischerbastei (neuroman. Anlage von 1901/02). In Buda ferner: Kirche St. Anna (1740–70), Franziskanerkirche (1753–70), 4 türk. Bäder des 16. Jh. – In Pest: Innerstädt. Pfarrkirche (urspr. romanisch, im 15. Jh. gotisch erneuert, diente in türk. Zeit ebenfalls als Moschee, wurde 1725–40 barock umgestaltet); Ungar. Nat.-Mus. (1837–47, bedeutendster klassizist. Bau des Landes), Staatsoper (1875–84); Kunstgewerbemus. (1893–96); Theolog. Fakultät der Univ. (1715–72, als Pauliner-Kloster erbaut) mit durch 2 Geschosse reichender barocker Bibliothek (reiche Holzschnitzerei); Gebäude der Ungar. Nationalbank (1900, Jugendstil). Am Donauufer das charakterist. neugot. Parlamentsgebäude (1884–1904, nach Plänen von E. STEINDL). Unter den Museen ragen hervor das Kunsthistor. Mus. mit der bedeutendsten Kunstsamml. Ungarns (Gemälde, Zeichnungen, Graphik), Nat.-Mus., Nat.-Gal. (in den neubarocken Gebäuden der Burg). – Im archäolog. Gelände von Aquincum Reste eines Amphitheaters, des unter HADRIAN 107 n. Chr. erbauten Gouverneurspalastes, von Mithrasheiligtümern, Thermenanlagen, Wohnhäusern mit Mosaikböden und Grabdenkmälern.

Buddha [Skt. ›der Erleuchtete‹], gen. **Shakyamuni,** *Lumbini bei Kapilavastu in NO-Indien/S-Nepal um 560 v. Chr., †Kushinagara um 480 v. Chr., erlangte die Erleuchtung in Bodh Gaya, begann in Sarnath seine Erlösungslehre zu predigen, die in 3 Konfessionszweigen (Hinayana, Mahayana, Tantrayana) Weltreligion wurde. In der →buddhistischen Kunst des Hinayana wurde der B. (auch seine 5 mytholog. Vorgänger) seit dem 2. Jh. v. Chr. in Reliefszenen durch Symbole dargestellt: Bodhi-Baum (Erleuchtung), Dharmachakra (Predigt), Stupa (Nirvana). Auf Abbildungen der Vorexistenzen (Jataka) erschien er in Tiergestalt. Seine menschl. Darstellung entstand im 1.–2. Jh. in der Mathura-Kunst und der Gandhara-Kunst als Kultbild und in Szenenreliefs. Sein Mönchsgewand, besondere Körpermerkmale (Ushnisha, Urna u. a.), kurzes welliges oder gelocktes Haar, Nimbus und bestimmte Gesten wurden für die ganze buddhist. Kunst Asiens kanonisch, ebenso der liegende B. des →Parinirvana.

buddhistische Kunst, Kunst im Dienst des Buddhismus. Sie bildet keine stilist. Einheit, aber entwickelte best. Architektur- und Kunstformen, die sich in allen Ländern wiederfinden, in die sich der Buddhismus verbreitete.

Indien: Die b. K. entstand in Indien im 3./2. Jh. v. Chr. und blieb dort bis zum Versiegen des Buddhismus im 12./13. Jh. bestimmend. Sie ist stilistisch in die jeweiligen regionalen und zeitl. Strömungen der →indischen Kunst eingebettet und gliedert sich inhaltlich gemäß den 3 großen buddhist. Richtungen in 1) die Kunst des Hinayana, in der die typ. buddhist. Bauformen →Stupa, →Chaityahalle und →Vihara entstanden; 2) die Kunst des Mahayana seit dem 1./2. Jh., die das menschl. Buddhabild (seither auch im Hinayana), die →Bodhisattvas und →Tathagatas hervorbrachte und 3) die Kunst des Tantrayana oder Vajrayana seit etwa dem 7. Jh. mit einer Vielzahl magisch verwurzelter Götter und deren →Shaktis, Lehrern und esoter. Buddhas, deren höchste Form in der Darstellung des Ur-Buddha (Adibuddha) gefunden wurde. Die wichtigsten Zeugnisse der 1. Phase sind die Werke in den Orten Bharhut, Sanchi, Bhaja und Karla; die 2. Phase wurde eingeleitet durch die Mathura-, Gandhara- und Andhra-Kunst und weitergeführt in den Orten Sarnath, Ajanta, Elura und Nalanda; Zentren der tantrischen b. K. waren →Kaschmir und das Gebiet der →Pala-Dynastie in Bihar-Bengalen, von wo der Buddhismus Nepal und Tibet erreichte.

Indonesien: Bes. Java und Bali, Sumatra und Sulawesi (Celebes) kamen um Christi Geburt mit buddhist. Strömungen aus Indien in Berührung. Zu den frühesten künstler. Zeugnissen gehört ein Bronzebuddha des 5. Jh. aus Sulawesi, der entweder dort hergestellt oder aus Andhra und Sri Lanka importiert wurde. Etwa zw. dem 8. und 13. Jh. war bes. Java unter dem Einfluß des Mahayana-Buddhismus, wie die Stein- und Bronzeskulpturen in den Tempelbauten von Borobudur, Mendut, Pawon, Sari (um 750–900) u. a. bezeugen. Im 13. Jh. erlebte die Kunst des Buddhismus eine erneute Blüte als Ausdruck des spezifisch javan. Synkretismus zw. tantrischem Shivaismus und Vajrayana-Buddhismus, wie z. B. im Jago, bes. aber in Kultbronzen belegt. Seit der Mitte dieses Jahrtausends ist die b. K. aus Java verschwunden.

Birma wurde zwar schon im 3. vorchristl. Jh. buddhistisch missioniert, Skulpturen jedoch sind frühestens seit dem 9. Jh. erhalten. Dabei zeichnen sich sowohl Kult-Bronzen als auch Steinskulpturen, v. a. den Buddha darstellend, durch stilist. Einflüsse der Gupta- und der Pala-Kunst aus, während die zahlreichen Pagoden architektonisch u. a. auf die ceylones. Stupas zurückzuführen sind. Die höchste Blüte erfuhr die b. K. in Birma in der Hauptstadt →Pagan (11./14. Jh.).

Aus Thailand sind buddhist. Bronzen, Reliefziegel und auch, allerdings wenige, Steinskulpturen seit dem 4. Jh. erhalten. In der Anfangszeit handelte es sich noch um Importe aus Indien, v. a. Süd-Indien, die schon bald als Vorbilder für eigene Schöpfungen dienten und zur Ausprägung eines charakteristischen Stils führten, bes. der Kunst von Dvaravati (6.–9. Jh.). Mit dem Eintritt der Thai in die Geschichte des Landes im 13. Jh. begann sich eine schwer überschaubare Fülle an Stilen in der thailänd. Kunst zu entwickeln. Von wenigen Ausnahmen abgesehen, handelt es sich bis heute um Kunst des Hinayana-Buddhismus, die Werke in Bronze, Terrakotta, Stein und als Malereien sowie in der Architektur wiederum als Stupas (Chedi) und als Kloster (Wat) schuf.

Kambodscha: Im Khmer-Reich entstanden die machtvollen Bauwerke →Angkor Vat und der →Bayon in →Angkor Thom mit Grundrissen in der Art von Mandalas.

China: Die erste Blüte des aus Indien über die zentralasiat. Seidenstraßen nach China gelangten Mahayana-Buddhismus bezeugen die Malereien, Plastiken und Skulpturen der zw. dem 4. und 6. Jh. entstandenen Grottentempel von Tunhuang, Maichishan, Yünkang und Lungmen, die bis zur stilist. Synthese unter der Sui-

und T'ang-Dynastie noch stark ind. Vorbildern, namentlich der Gandhara- und Gupta-Kunst, verpflichtet sind. Von der Bronzeplastik sind wegen der Buddhistenverfolgungen i.J. 845 keine Monumentalwerke erhalten, ihre Blüte bezeugen jedoch eine große Zahl von vorzugsweise für den Privatkult geschaffenen Kleinbronzen. Eine chines. Sonderform buddhist. Skulptur sind die bes. zw. dem 6. und 9. Jh. entstandenen und in Tempelhallen oder an Gräbern aufgestellten Reliefdarstellungen tragenden Votivstelen. Während die buddhist. Architektur (→Tempel, →Pagode) in China wie im übrigen Ostasien stark von ind. Vorbildern abweicht, bleibt die Darstellung des Buddha und seiner Begleitfiguren in Statuengruppen, auf Rollbildern und Wandgemälden den ind. Vorbildern verpflichtet. V.a. der Kult des Erlöserbuddha Amitabha mit dem ihm zugeordneten Bodhisattva Avalokiteshvara (→Kuan Yin) und der Glaube an eine Wiedergeburt im ›Reinen Land‹ erlangten große Bedeutung, woraus sich die Beliebtheit der Darstellung des ›Amitabha Paradieses‹ erklärt. Im Zeichen des traditionsgemäß durch Bodhidharma (5. Jh.) begründeten Ch'an- (japan. Zen-) Buddhismus und der Betonung von Meditation und selbständiger Erringung der Erleuchtung unabhängig von Bücherstudium und Ritenvollzug bildete sich im 13. Jh. eine expressive monochrome Malerei heraus (→Ch'an-Malerei). Hierin wird der Buddha als ein um Erleuchtung ringender Mensch dargestellt (→Liang K'ai); bes. gepflegt wurde auch die Darstellung des als geistiges Vorbild geltenden Arhat (→Lohan) sowie das Patriarchen- und Priesterbildnis (→Porträt). Seit etwa dem 14. Jh. ist in China die geistige Kraft des Buddhismus erlahmt.

Korea und Japan: Die frühesten buddhist. Denkmäler Koreas, der Königreiche Koguryo und Paekche (18 v. Chr.–660 n. Chr.), erlauben wegen ihres schlechten Erhaltungszustands nur wenig Einblick in Ikonographie und Stil. Es darf aber wie bei den gleichzeitigen japan. Denkmälern eine starke Abhängigkeit von der chines. Kunst der Zeit angenommen werden. Mit einer Buddhastatue und buddhist. Schriften, die der König von Paekche im Jahre 552 an den Tenno gesandt haben soll, begann in Japan der Buddhismus. Von ihm gingen die Hauptimpulse auf die japan. Kunst aus, die sich erst ab etwa 900 vom chines. Einfluß löste und in Architektur, Plastik und Malerei über Jahrhunderte eine eigenständige b. K. entwickelte. Zu den ersten buddhist. Tempelanlagen Japans gehören u.a. der Shitennoji in Osaka (588) mit der ersten Pagode Japans, der Horyuji bei Nara (um 600), mit den ältesten erhaltenen Holzbauten der Welt, und der Todaiji (730) in Nara mit dem Daibutsu.

Buddhist. Plastik aus Japan und China, bearb. v. GUNHILD GABBERT (1972); A. LOMMEL: Kunst des Buddhismus (1974); D. SECKEL: Kunst des Buddhismus (Neuaufl. 1980).

Budhnilkạnth, Heiligtum des Gottes Vishnu im N des Katmandu-Tals, Nepal, mit der in einem Teich liegenden Steinplastik Narayanas auf der Schlange (→Sheshashayin) aus dem Jahr 642 n. Chr.

Büdingen, Stadt in Mittelhessen, 16800 Ew., mit

sehr gut erh. ma. Stadtbild: Fürstl. Ysenburgisches Schloß (ehem. Wasserburg) auf dreizehneckigem Grundriß (12.–16. Jh., Mus.); Stadtkirche und 2 Rathäuser aus dem 15. Jh.; Adels- und Bürgerhäuser (v. a. Schloßgasse); geschlossene Stadtbefestigung um 1500 (Jerusalemer Tor). Ältestes Bauwerk ist die sal. Remigiuskirche (um 1047) im Stadtteil Großendorf.

Budva, Stadt an der Adriaküste der Rep. Montenegro, Jugoslawien, 1900 Ew., war 886–1830 Sitz eines Bischofs; ehem. Kathedrale Johannes des Täufers (8. bis 9. Jh., später häufig umgebaut); Neue Kathedrale (1418); Altstadt, auf einer Halbinsel, mit Ummauerung des 15. Jh.

Budweis, tschech. **České Budějovice** [tʃ'ɛskɛ: b'udjɛjɔvitsɛ], Hauptstadt des Südböhm. Kreises, ČSSR, 88 000 Ew.; gegr. 1265 als planmäßige Anlage mit rechtwinklig sich kreuzenden Straßen und großem Stadtplatz mit Laubengängen, als königl. Festung ausgebaut, 1641 stark zerstört. Dom St. Nikolaus (errichtet ab 1649), ehem. Salzhaus (1531) mit spätgot. Treppengiebel; barockes dreitürmiges Rathaus (1727–31); Bischofspalast im ehem. Piaristenkolleg (1768); ehem. Dominikanerkloster mit frühgot. Kirche (1265), am Kreuzgang Brunnenkapelle (1340–70), wohl unter Mitwirkung P. PARLERS entstanden. Südböhm. Museum.

Buenos Aires, Hauptstadt Argentiniens, am Río de la Plata, 2,908 Mio. Ew. B. A., 1580 gegr., ist seit Beginn des 20. Jh. baulich stark verändert worden. Älteste erhaltene kolonialzeitl. Kirche ist S. Ignacio (nach dem Vorbild von Il Gesù, Rom, 1710–34, Fassade um 1900 verändert). Die Kirche S. Domingo (1751–83), dreischiffig mit Querschiff und Kuppel, Säulenportalen, flankiert von 2 Türmen, ist nach Brand (1955) wiederhergestellt. Die einschiffige Kirche El Pilar (1716–32) mit barockem Hochaltar und vom süddt. Barock beeinflußten Seitenaltären sowie Skulpturen und Gemälden besitzt als einzige Kirche in B. A. noch Originale aus der Kolonialzeit. S. Francisco (um 1730–54) erhielt 1807 eine neoklassizist. Fassade. Der heutige Bau der Kathedrale (dreischiffig mit großer Kuppel) stammt von 1752 bis 1792, die Fassade von 1820: Portikus mit 12 korinth. Säulen und Tympanon, das die Union der argentin. Provinzen nach der Schlacht von Pavón symbolisiert; in einer Seitenkapelle das Grab (1877) von General J. DE SAN MARTÍN.

Auf dem Friedhof La Recoleta (gegr. 1822) kunstvolle, oft kapellenartige Grabdenkmäler (v. a. Jugendstil). Das Rathaus (1725–51, Turm 1765) hat eine zweigeschossige Fassade mit Rundbogenarkaden. Die Casa Rosada (Sitz des Staatspräs.) wurde um 1890 unter dem Einfluß des ital. Neoklassizismus baulich wesentlich umgestaltet. Die ehem. Privatpaläste sind v. a. vom frz. Klassizismus (17. Jh.) inspiriert; Hauptbeispiele sind Palacio Paz (1902; heute Círculo Militar) und Palacio S. Martín (Außenministerium). Der Palacio del Congreso (1906) zeigt Einflüsse der ital. Neorenaissance. Das Hotel Chile ist ein Hauptwerk des Jugendstils. Das Teatro Colón (Opernhaus) entstand 1908 im Stil der ital. Neurenaissance mit frz. Ornamentik. Museen:

Mus. Nacional de Bellas Artes, Mus. de Arte Decorativo, Mus. de Artes Plásticos Eduardo Sívori, Mus. de Arte Hispanoamericano Isaac Fernández Blanco (bedeutendste Samml. sakraler und profaner Silbergegenstände in Süd-Amerika).

Buen Retiro [span. ›gute Zuflucht‹], ehem. Lustschloß der span. Könige im Park ›El Retiro‹ in Madrid. Anf. des 17. Jh. erbaut, brannte es 1734 samt seinen Gemälden (TIZIAN, D. VELÁZQUEZ) nieder und war 1759 bis 1808 königl. Porzellan- und Majolikamanufaktur. Von dem Schloß sind nur Teile erhalten, so v. a. das Casón del Retiro (Festsaal mit Deckenfresken von L. GIORDANO); heute Mus. für Moderne Kunst.

Buffalo [b'ʌfələʊ], Stadt im Bundesstaat New York, USA, 462 800 Ew.; die Albright-Knox Gal. ist eine bed. Gemälde- und Skulpturensamml. mit Schwerpunkt auf zeitgenöss. Kunst, z. B. C. STILL; die Kleinhaus Music Hall wurde 1938 von ELIEL SAARINEN erbaut; das Guaranty Building (1894–95 von D. ADLER und L. SULLIVAN) ist ein Beispiel der frühen Hochhausbauweise der Schule von Chicago. Vor dem Federal Building seit 1976 die Skulptur ›Slice of Life‹ von G. SEGAL.

Buffet [byf'ɛ], Bernard, frz. Maler, Graphiker, *Paris 10. 7. 1928, verwendete auffällig zeichner. Mittel in gegenständl. Kompositionen. Seine frühen Bilder zeigen ausgezehrte Menschen in kahlen Räumen, ärml. Stilleben und verlassene Straßen (›Miserabilismus‹); später folgten myth. und relig. Themen, Radierungen und Buchillustrationen.

Bug, Büge, auch **Kopfband, Fußband,** ältere Bez. für eine Winkelverbindung bei Holzkonstruktionen.

Bügelkanne, bauchiges Gefäß der kretisch-myken. Kunst mit bügelförmigem Doppelhenkel und nach vorn verschobener Mündung; bes. schöne frühe Beispiele finden sich im kret. →Meeresstil.

Bugholzmöbel, Möbel aus gebogenen Holzteilen, meist Sitzmöbel. Das Holz, bes. von Rotbuchen und Nußbaum, wird nach dem Verfahren von M. →Thonet gebogen.

Bugiardini [budʒard'i:ni], Giuliano, ital. Maler, *Florenz 29. 1. 1475, †ebd. 16. 2. 1554, Schüler von D. GHIRLANDAIO, zeitweilig Gehilfe von M. ALBERTINELLI, später unter dem Einfluß von LEONARDO DA VINCI und MICHELANGELO (Mitarbeit an der Ausmalung der Sixtin. Kapelle); schuf relig. Gemälde (›Martyrium der Hl. Katharina‹; Florenz, S. Maria Novella).

Buhen, altägypt. Festungsanlage auf dem westl. Nilufer am 2. Katarakt, im 20. Jh. v. Chr. zur Sicherung der ägypt. Eroberungen in Nubien erbaut, im 16. Jh. v. Chr. erweitert; die mächtige Anlage, durch einen Graben, Bastionen, 11 m hohe und 5 m dicke Ziegelmauern sowie ein kunstvolles System von Schießscharten gesichert, ist heute im Nasser-See versunken. Die Tempelanlagen der Festung sind von HATSCHEPSUT und ihren Nachfolgern erbaut worden; sie wurden vor der Überflutung zum größten Teil abgetragen und im Mus. von Khartum (Sudan) neu aufgebaut.

Bühne, erhöhte Plattform des Theaters. In der Antike stets in Verbindung mit einem mehrgeschossigen Szenengebäude (proskenion). Urspr. eine Holzkonstruktion, wurde die B. seit dem Hellenismus in Stein ausgeführt. Die Mysterienspiele des MA. fanden auf hölzernen Wagen- und Simultan-B. statt. In Italien wurden im 15. Jh. antike Komödien auf einfachen B.-Podien mit durch Pilaster gegliederter Rückwand aufgeführt. B. PERUZZI errichtete um 1510 in Rom die erste Perspektiv-B., von S. SERLIO sind B.-Bilder für solche Aufführungen erhalten. Ende des 16. Jh. kamen bewegl. Dekorationen auf. Die barocke B. war zuerst bestimmt von herabhängenden Dekorationen, den Soffitten, die später (mit den Kulissen zu Bögen vereinigt) den Bühnentyp des ›Guckkastens‹ ergaben. Im 19. Jh. arbeitete u. a. K. F. SCHINKEL an der Verbesserung der Perspektive und der Mechanik. Nach dem Brand des Burgtheaters in Wien 1881 wurden versch. hydraul. Senk- und Rollsysteme entwickelt, um u. a. den Dekorationswechsel zu beschleunigen.

Bühnenbild, die bildhafte szen. Gestaltung der Bühne für die Aufführung mit Hilfe von Dekorationsteilen (Kulissen, Prospekte, Requisiten u. a.).

Das heutige B. hat seine Anfänge im 16. Jh. in Italien: I. Ggs. zur ma. ›Raumbühne‹ auf freiem Platz entwikkelte die Renaissance in Anlehnung an das Theater der röm. Antike (VITRUV) eine meist im Inneren eines Saales gelegene Bühne mit teils gemalter, teils aufgebauter perspektiv. Dekoration. Die flache Architektur des Bühnenraums suchte man durch Raum-Illusion zu verschleiern. Die Möglichkeit der Verwandlung kam erst im Barock auf, zunächst in den Telari (drehbaren Prismen), später durch die Erfindung der Kulissen (auf Schienen laufende, mit bemalter Leinwand bespannte Rahmen, durch einen Hintergrundprospekt abgeschlossen), wohl durch G. B. ALEOTTI (*1546, †1636), die sich bis Ende des 19. Jh. als Normalsystem erhalten haben. In diesem Sinn wirkten in Frankreich G. TORELLI (*1608, †1678), in Wien L. BURNACINI, in England I. JONES und in Italien F. JUVARRA. Entscheidenden Einfluß auf die Dekorationen des Hoch- und Spätbarock übte die ital. Künstlerfamilie GALLI DA BIBIENA aus (Übergang von der Zentral- zur Winkelperspektive durch Ferdinando Galli da Bibiena, Anwendung versch. Fluchtpunkte); bedeutendstes Mitgl. der Familie war Giuseppe, der bes. in Wien, Dresden, Prag wirkte. Nach dem Ausstattungsprunk bes. der Barockoper wurde das B. wieder wesentlich bescheidener, diente jedoch weiterhin vorrangig der Herstellung einer Raum-Illusion. Mit G. FUENTES (1796–1805 in Frankfurt) wendete sich die Theaterdekoration wieder der reinen Architektur zu. Auch K. F. SCHINKEL (seit 1816 Dekorateur am Berliner Hoftheater) neigte zu architekton. Dekorationen, achtete aber bes. auf die Gesamtbildwirkung der B. Nach Schinkels Vorbild arbeitete K. BLECHEN (1824–27 am Königstädtischen Theater, Berlin), der jedoch als Landschaftsmaler v. a. Wert auf Landschaftsdekorationen legte. Im Gefolge des Historismus wurden historisch echte Möbel und Requisiten, plastische Mauern, Brunnen und Schrägen verwendet.

Gegen das im Naturalismus erstarrte B. wandten sich die frz. Symbolisten im ›Théâtre de l'Art‹ des Dichters P. FORT mit Entwürfen von P. BONNARD, M. DENIS und O. REDON. Große Beachtung fanden die von S. DIAGHILEW 1909 nach Paris gebrachten ›Ballets Russes‹, für die stilistisch sehr versch. B. entstanden: betont dekorativ mit z.T. folklorist. Anklängen von L. BAKST und A. BENOIS, im Stil des Rayonismus von M. LARIONOW und NATALJA GONTSCHAROWA und mit kubist. Anklängen von P. PICASSO. Internat. neue Wege wiesen der Schweizer A. APPIA, der Engländer G. CRAIG und der Wiener A. ROLLER: Sie gestalteten den Raum mit oft abstrakt geformten Gebilden und arbeiteten mit Lichteffekten. Der Regisseur MAX REINHARDT verwendete ihre und andere bühnentechn. Erfindungen im Dienst eines modernen illusionist. B.; die neueingeführte Drehbühne ermöglichte dynam. Wirkungen. Als künstler. Berater hatte er Maler wie E. MUNCH, L. CORINTH, M. SLEVOGT, E. ORLIK, K. WALSER oder Bühnenbildner wie E. STERN, O. STRNAD. Auch der Expressionismus griff mit seinem die Wirklichkeit symbolisch verzerrenden oder abstrakten B. auf Anregungen von Appia und Craig zurück (L. JESSNER). E. PISCATOR brachte im Dienst seines polit. Theaters Projektionen, Filmausschnitte und beispielhafte Eisenkonstruktionen auf die Bühne. Die weitere Entwicklung wird durch 2 Richtungen bestimmt: 1) die vom Weimarer Bauhaus ausgehende noch stärkere Abstrahierung der Szene, die dieser eine eigene Bildwirkung im Geiste der modernen Kunst geben wollte (O. SCHLEMMER, L. MOHOLY-NAGY, E. DÜLBERG, F. MERTZ, T. KANTOR u.a.); 2) die v.a. vom Brecht-Theater geförderte Bewußtmachung der Architektur des Bühnenraums (z.B. Sichtbarkeit der Lichtquellen, Anti-Illusionismus: C. NEHER, TRAUGOTT MÜLLER, T. OTTO). Mehr impressionistisch wirkte dagegen E. PREETORIUS. – Im Theater – sowohl Schauspiel wie Oper – der Gegenwart zeigt sich nach einer Periode eher karger Bildlichkeit in den 60er Jahren eine von Bühnenbildnern und Regisseuren (häufig besteht Personalunion) gemeinsam geschaffene neue Bildersprache, sowohl als freie Assoziation zu Elementen eines Werkes wie auch als deren selbständige Interpretation. Bühnenbildner der Gegenwart: L. DAMIANI, A. FREYER, R. HEINRICH († 1976), K.-E. HERRMANN, A. MANTHEY, J.-P. PONNELLE, J. ROSE, H. SAGERT, G. SCHNEIDER-SIEMSSEN, J. SVOBODA, H. WENDEL, E. WONDER.

O. SCHUBERTH: Das B. (1955); C. NEHER: Bildende Kunst und Bühne im XX. Jh. (1966).

Bukarest, rumän. **București** [-r'eʃtj], Hauptstadt Rumäniens (seit 1861), 1,8 Mio. Ew., im 2. Weltkrieg stark zerstört. B. wurde erst im 19. Jh. zu einer bed. Anlage, die von Bauten des Neoklassizismus, Historismus und der Moderne geprägt ist. Bedeutendste der etwa 100 Kirchen sind die Curtea-Veche-Kirche (1545–54, mit Portal des 18. Jh.), Patriarchalkirche (Kreuzkuppelanlage, 1654–58 beg.), Coltea-Kirche (kleeblattförmiger Grundriß, Anf. 18. Jh.), Stavropoleos-Kirche (1724–30, mit reizvoller Vorhalle); Klöster: Plumbuița (16. Jh.), Marcuta (1588–92), Căldăruzani (1638), historist. Königsschloß (1930–37). Außerhalb B.s Schloß

→Mogoşoaia. B. besitzt viele Museen: reichste und vielseitigste Samml. ist das Kunstmus.; ferner Kupferstichkabinett, Münzsamml., Volkskundemus. u. a.

Bukowski, H. Bukowskis Konsthandel AB, Kunstversteigerungshaus in Stockholm, gegr. 1870. In je einer internat. Frühjahrs- und Herbstauktion werden Silber, Möbel, alte und moderne Kunst versteigert. Einmal im Jahr wird außerdem moderne Kunst und in 4 ›Oscarian-Auktionen‹ Kunst des 19. und 20. Jh. angeboten.

Bukranion [grch.], stilisiertes geschweiftes Gehörn von Rindern; in der Buntkeramik der Halaf-Kultur des Alten Orient als Malmotiv verwendet. In der antiken Kunst, v. a. in hellenist. Zeit als Girlandenträger an Sakralbauten und Altären zu langen Friesen gereiht.

Bulawayo, zweitgrößte Stadt und Industriezentrum von Simbabwe, 1355 m ü. M. auf der südwestl. Hochlandsavanne (Matabeleland), 340 000 Ew.; im Nat.-Mus. traditionelle afrikan. Kunst. Südlich von B., am Matopos-Stausee, ›Cyrene-Mission‹ mit Kunstschule (zeitgenöss. afrikan. Malerei).

Buleuterion, altgrch. Rathaus, seit dem 4. Jh. v. Chr. zu jeder Agora gehörend; der Grundriß war quadratisch oder rechteckig, die umlaufenden Sitzstufen waren hufeisenförmig oder als Quadrat angeordnet mit einer offenen Seite.

Bulfinch [b'ʊlfɪntʃ], Charles, amerikan. Baumeister, *Boston (Massachusetts) 8. 8. 1763, †ebd. 4. 4. 1844. B., bereiste 1785–87 Europa; er war von den Theorien von R. ADAM und T. JEFFERSON über klass. Architektur beeinflußt.

HW: Entwurf des Massachusetts State House, Boston (voll. 1798); Bauleitung des Kapitols in Washington (1817–30); Privathäuser.

Bullant [byl'ã], Jean, französischer Architekt, *Écouen um 1510/1515, †ebd. 13. 10. 1578, studierte in Rom, verwendete als einer der ersten in Frankreich durchgehende kolossale Säulenordnungen. B. baute mit an dem Hôtel Carnavalet, den Tuilerien, dem Hôtel de Soissons (alle in Paris), den Schlössern in Écouen, Saint-Maur, Fontainebleau, Chantilly (Petit Château) und Chambord, manierist. Formensprache folgend.

Bulla Regia, röm. Ruinenstätte rd. 60 km westlich von Béja, Tunesien, mit Heiligtümern des Apoll, Jupiter und Saturn. Freigelegt wurden Forum, Kapitol, Tempel, Theater, eine frühchristl. Basilika und mosaikgeschmückte palastartige Villen.

Bullet [byl'ɛ], Pierre, frz. Baumeister, Architekturtheoretiker, *Paris 1639, †ebd. 1716, Schüler von F. BLONDEL, dem er beim Bau der Porte St. Denis in Paris (1671–73) assistierte; 1685 Mitgl. der Akad.; Vertreter des Classicisme (WW in Paris: Kirche St. Thomas d'Aquine, beg. 1683; Porte St. Martin, 1674; ferner mehrere Hôtels).

Bulu, Untergruppe der →Fang im südl. Kamerun, Westafrika; sie schnitzen zweifarbige Gesichtsmasken mit Hörnern.

Buncho [-tʃ-], Tani, japan. Maler, *Edo 1764, †ebd. 1840. An keinen bestimmten Malstil gebundener Individualist von universalem meisterl. Können; fühlte sich zur →Literatenmalerei gehörig. Das von ihm illustrierte Buch über berühmte Berge (›Meizan-Zue‹, Edo 1812), mit 90 Bildern in 3 Bänden, ist das erste gedruckte Werk japan. Landschaftsmalerei (Holzdruck).

Illustrierte Hss. u. Drucke aus Japan, Ausst.-Kat., Berlin (1981).

Bund Deutscher Architekten e. V., Abk. **BDA,** Bonn, 1903 gegr., 1948 neugegr. Vereinigung freiberufl., Architekten, die sich bes. baukünstler. und städtebaul. Aufgaben widmen; Zeitschrift: ›der architekt‹. Dem BDA entsprechen der **Bund Deutscher Innenarchitekten e. V.,** Abk. **BDIA,** und der **Bund Deutscher Landschaftsarchitekten e. V.,** Abk. **BDLA,** beide Sitz Bonn.

Bündelpfeiler, Baukunst: Pfeiler, dessen Kern von dünnen Rundpfeilern, jungen und alten →Diensten, umgeben ist; Pfeilerform der Spätromanik und Gotik.

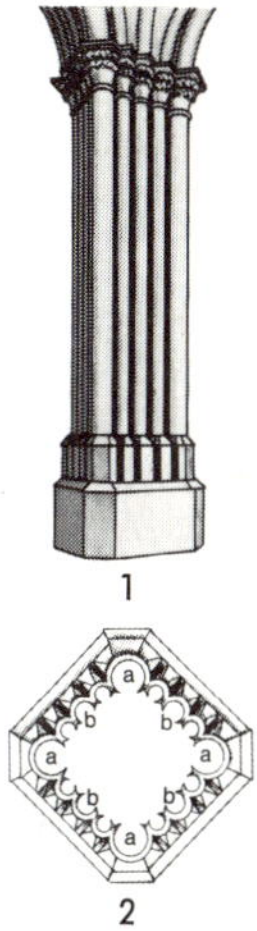

Bündelpfeiler: 1 B. der Gotik, **2** Schnitt über dem Sockel, a ›alte Dienste‹, b ›junge Dienste‹

Bundeslade, Gesetzeslade, Lade Gottes, Lade Jahwes, Judentum: ein tragbarer Kasten aus Akazienholz, später mit 2 goldenen Cherubgestalten auf dem Deckel; vor der israelit. Staatenbildung an versch. Orten befindl. Zentralheiligtum des israelit. Stämmebundes, von Salomo im Allerheiligsten des Tempels in Jerusalem aufgestellt, bei dessen Zerstörung (586 v. Chr.) verloren. – In der jüd. Synagoge versinnbildlicht der Thora-Schrein die B.

Die B. ist schon von der hellenist. jüd. Kunst dargestellt worden (→Dura Europos). Frühchristl. und karoling. Illustrationen zeigen die Stiftshütte mit der B., auch die B., wie sie über den Jordan und um Jericho getragen wird, den Tanz Davids vor der B. und ihre Aufstellung im heiligen Zelt. Anfang des 9. Jh. hat THEODULF VON ORLÉANS sie in der Apsis seiner Kirche zu Germigny-des-Prés darstellen lassen. Im Heilsspiegel und in Bibelillustrationen begegnet sie häufig noch in nachmittelalterl. Zeit. Eine der letzten Darstellungen dürfte der ›Triumph der Bundeslade‹ von S. CONCA in S. Chiara zu Neapel (1753) sein.

Bundi, Stadt und Bezirk in Rajasthan, Indien, mit einer ausgedehnten, um 1400 begonnenen Palast- und Verteidigungsanlage und →Stufenbrunnen. Ab etwa 1720 sind rajput. Wandmalereien erhalten, die die nach B. benannte Schule der →Rajput-Malerei bezeugen.

Bunjin-ga [-dʒin-], die japan. →Literatenmalerei.

Bunshaft [bˈʌnʃɑːft], Gordon, amerikan. Architekt, *Buffalo (New York) 9. 5. 1909, arbeitete seit 1937 im Architekturbüro ›Skidmore, Owings and Merrill‹, dessen Partner er seit 1946 ist. Von B. stammt u. a. das Leverhaus in New York (1951–52), das eine neue Epoche im Bau von Bürohochhäusern einleitete.

Architektur von Skidmore, Owings and Merrill 1950–62, hg. v. H.-R. HITCHCOCK (1962, dt. und engl.).

Buntkeramik, bemalte Keramik, ein- oder mehrfarbig bemalte Tonware, die in vorgeschichtl. Zeit in versch. Stilgruppen und Kulturen hergestellt wurde.

Die Keramikbemalung, die auch mit Gravierung und Flächenmodellierung verbunden sein kann, umfaßt kurvilineare, geometr. und figurale Grundformen. Das keram. Neolithikum Vorderasiens, auch Südosteuropas (→Cucuteni), mit versch. bemalten Gattungen von B. und die damit verbundene Kulturstufe wird häufig unter dem Begriff Chalkolithikum oder Steinkupferzeit zusammengefaßt.

Fundorte der B. sind im nördl. Mesopotamien Tell Hassuna, Tell Samarra und Tell Halaf. Im südl. Mesopotamien folgen zeitlich sich überlappend die Eridu-, Choga Mami-, Hadji Mohammad- und Obeid-Waren. Im Iran sind es hauptsächlich die Fundorte Godin Tepe und Tepe Gijan in Luristan, Hasanlu in Aserbaidschan, Susa in Chusistan, Tepe Sialk im zentralen Hochland und Schar-i Sochta in Sistan. Auch in der Turkmen. SSR läßt sich B. v. a. in Namasga Tepe belegen. In Anatolien haben die Fundorte Hacılar und Çatal Hüyük B. geliefert.

Bunzlau, poln. **Bolesławiec** [bɔlɛsł'avjɛts], Stadt in der Wwschaft Legnica (Liegnitz) in Niederschlesien, Polen, 38 200 Ew.; im 2. Weltkrieg stark zerstört, ab 1950 Wiederherstellung der Renaissance- und Barockarchitektur. Pfarrkirche (15.–17. Jh.); die barocke evang. Kirche anstelle des ehem. Piastenschlosses ist zerstört. Rathaus (16.–18. Jh.) mit Portal von 1560.

Bunzlauer Gut: Kanne, Mitte 18. Jh. (München, Bayer. Nationalmuseum)

Bunzlauer Gut, Gebrauchsgeschirr, in Bunzlau, Niederschlesien, seit dem 16. Jh. hergestellt. Das B. G. zeichnet sich durch bes. harten Brand aus, es nimmt eine Mittelstellung zw. Steinzeug und Irdenware ein. Zunächst wurde die Ware mit einer Lehmglasur überzogen, die durch Zugabe von roten und gelben Erden die typ. braune Färbung erhielt. Mit Beginn des 17. Jh. wurden auch andersfarbige Glasuren verwendet und Krüge und Kannen häufig mit geometr. Figuren und Pflanzenornamenten bemalt oder mit figürl. Reliefs verziert.

Buọn, Bon, aus Bergamo stammende Baumeister- und Bildhauerfamilie in Venedig.

1) Bartolomeo d. Ä., zuerst erwähnt 1442, †vor 1467, war mit seinem Vater Giovanni (zuerst erwähnt 1382, †um 1443) der führende Bildhauer und Baumeister der Übergangszeit von der Spätgotik zur Frührenaissance in Venedig.

HW: Architekton. Ausschmückung der Ca' d'Oro (beg. 1424); Bau der Porta della Carta des Dogenpalasts (beg. 1438). Viele Werkstattarbeiten: Brunnentröge, Kamine, Tür- und Fensterumrahmungen.

2) Bartolomeo d. J., *um 1440, †Venedig 15. 3. 1529, als Nachfolger von M. CODUCCI, Meister der venezian. Frührenaissance.

HW: Fassade von S. Zaccaria; Untergeschoß der Scuola di S. Rocco (1515).

Buonarrọti, Michelangelo, →Michelangelo.

Buontalẹnti, Bernardo, gen. **Tiamante,** auch B. delle **Girandole,** ital. Architekt, Maler, Bildhauer, *Florenz 1536, †ebd. 6. 6. 1608, Schüler G. VASARIS, entfaltete in der Formensprache des florentin. Manierismus und Frühbarock eine umfassende Bautätigkeit mit kunstvollen Innenausstattungen im Dienst der Großherzöge von Toskana. B. war als Festungsbaumeister, Theateringenieur und Kostümbildner führend.

HW in Florenz: Lustschloß Pratolino (seit 1570) mit Gartenanlagen und Wasserspielen; Ausbau der Uffizien (um 1581), des Palazzo Vecchio (1588); Palazzo Nonfinito (1593); Fassade von S. Trinità (1593).

Buqras, prähistor. Ruinenstätte am Euphrat, südlich von Der ez-Zor (KARTE Alter Orient) mit einer neolith. Siedlung von Viehzüchtern (6. Jahrtsd. v. Chr.). Die nach einheitl. Gesichtspunkten gebauten Häuser enthielten u. a. Wandmalereien (Strauße), sehr qualitätvolle Steingefäße, z. T. in Tierform (Igel, Hase) und wohlproportionierte Menschenfiguren.

Buraimi, große Oase im nordwestl. Grenzgebiet von Oman (KARTE Alter Orient), in der zahlreiche Grabtholoi des 2. und 1. Jahrtsd. v. Chr. entdeckt wurden. Im Dorf Hili u. a. Rundbauten aus Lehmziegeln mit Steinverkleidung (∅ bis 25 m).

Burckhardt, Carl, schweizer. Bildhauer, *Lindau (Zürich) 13. 1. 1878, †Ligornetto (Tessin) 24. 12. 1923, schuf, inspiriert von der archaischen Kunst Griechenlands, Großplastiken und Brunnen besonders in Basel.

Bureau plât [byropl'a, frz.], flacher Schreibtisch des 18. Jh. mit 2–3 Schubladen, der durch herausziehbare Platten in der Fläche vergrößert werden kann; häufig mit Intarsien und Goldbronzemontierungen.

Buren [b'y:rə], Städtchen in der niederländ. Prov. Gelderland, mit fast vollständig erh. Befestigung; spätgot. Kirche (15. Jh.), roman. Turm mit achteckiger Erhöhung im Renaissancestil; ehem. Königl. Waisenhaus mit reich gegliedertem Renaissance-Giebel (1613).

Buren [byr'ɛ̃], Daniel, frz. Künstler, *Boulogne-sur-Seine 25. 3. 1938, reduziert die Malerei auf regelmäßige weiße und farbige Streifen, zunächst in Bildform, dann als Markisenstoff, seit 1974 als durchsichtige Plastikfolie. Da die Streifen keinen eigenen Kunstanspruch erheben, verlagert die Sinnfrage sich ganz auf den Kontext, in dem sie erscheinen (Markise, Bootssegel oder an der Museumswand).

Büren, Stadt im Kr. Paderborn, NRW, 17800 Ew. Spätroman. Nikolaikirche (1220 bezeugt); Jesuitenkirche (1754–71) mit Kolleg (1719–28, nach Plänen von J. C. SCHLAUN in Form einer dreiflügeligen Schloßanlage) in prächtigem süddt. Rokokostil, der durch Kurfürst KLEMENS AUGUST als Bischof von Paderborn vermittelt wurde.

Burg, ein künstlich befestigter, rundum gesicherter, verteidigungsfähiger Ort zum Schutz. Nach der Lage gab es seit vor- und frühgeschichtl. Zeit Höhen-, Hang- und Niederungsburgen; seit dem MA. auch **Wasser-B.,** die von natürl. Gewässern oder von künstl. Wassergräben umgeben sind, außerdem in Felsen gebaute Höhlen-B. Nach der Aufgabe lassen sich unterscheiden: **Fluchtburgen,** die unbewohnt sind und nur im Fall der Gefahr aufgesucht werden, und ständig bewohnte Burgen **(Wohnburgen),** die z. B. bei den Kelten zu befestigten, stadtartigen Siedlungen (→Oppidum) ausgebaut wurden.

Im Alten Orient bes. in N-Mesopotamien, Iran und Kleinasien verbreiteter Bautyp, der oft am Rand oder innerhalb einer Siedlung an erhöhter und bes. befestigter Stelle auch als Fürstensitz diente. In Grenzgebieten konnten B. aber auch allein als Wachtposten errichtet sein. Je nach Funktion variieren Bauweise und Zahl der Räume, doch zeichneten sie sich überall durch stark befestigte Toranlagen, durch Innenhöfe, oft ein Glacis und besondere Ausfallgänge (Poterne) aus.

Im myken. Griechenland war, im Unterschied zu den ungeschützt liegenden minoischen →Palästen auf Kreta, das Zentrum der B. mit den dazugehörigen anderen Gebäuden von kyklop. Mauern umgeben (→Mykene,

Burg: Beispiel einer mittelalterl. B. in Deutschland; 1 Palas, 2 Kemenate, 3 Bergfried, 4 Kapelle, 5 Wirtschaftsgebäude, 6 Vorburg, Vorhof, 7 Zugbrücken, 8 Scharwachttürmchen, 9 Zinnen, 10 Wehrgang, 11 Schießscharten, 12 Pechnasen

→Tiryns); zu Füßen der B. lag die Stadt (Unterstadt). Zur B. in der grch. Antike →Akropolis 1).

Für den **Burgenbau** im Abendland brachten die Kreuzzüge Einflüsse aus Byzanz und dem Orient. Seit dem Ende des 14. Jh. führte die Vervollkommnung der Feuerwaffen zu Neuerungen im B.-Bau, bis die B. ihren Wert als sichere Zuflucht verlor, als Wohnsitz aufgegeben wurde und verfiel oder sich einer schon im MA. begonnenen Entwicklung gemäß zum Schloß wandelte (z. B. Heidelberg).

Die gesamte Burganlage wurde von der sich bes. in Dtl. eng dem Gelände anpassenden **Ringmauer** umschlossen, über die der Wehrgang läuft. Die entlang ihrer Innenseite errichteten Gebäude umgeben den **Burghof.** Wenn die Ringmauer durch eine zweite, äußere Mauer gesichert ist, entsteht zw. beiden ein Umgang, der **Zwinger.** Dieser kann sich zu einer Vorburg erweitern. Das Tor wird geschützt durch Torgraben, Zugbrücke, Torbau mit Fallgitter oder Turmpaar an den Flanken, oft auch ein Vorwerk, die Barbakane. Den Kern der dt. B. bildet ein starker Turm, der **Bergfried,** der im Notfall letzte Zuflucht war. Über dem gewölbten, fenster- und türlosen Untergeschoß, das als B.-Verlies (Gefängnis) diente, ist im ersten Obergeschoß eine kleine Öffnung angelegt, durch die man auf einer

Leiter nach oben steigt. An Wohnbauten besaß eine kleinere dt. B. meist nur den **Palas** mit Wirtschafts- und Vorratsräumen, evtl. auch Pferdestall im Erdgeschoß sowie einem großen Saal und kleinen Wohngemächern (Kemenaten und Gaden) im Obergeschoß. Fast jede B. hatte eine **B.-Kapelle.** In den roman. Ländern und in England wurden Wirtschafts- und Wohnräume in einem turmartigen Bau vereinigt, der sich frei inmitten eines durch Ringmauer und Graben umwehrten Hofes erhebt. Dieser Wohnturm heißt in Frankreich **Donjon,** in England **Keep** oder Keeptower. – Die **Ordens-B.** der geistl. Ritterorden waren als Wohnsitz der Rittermönche eine Vereinigung von B. und Kloster.

Im frühen 19. Jh. wird die B. in Kunst und Literatur zur Versinnbildlichung der Epoche des MA. überhaupt gebraucht. Aus der B.-Architektur, die man z.T. vervollkommnete, wurden Motive in die bürgerl. Wohnarchitektur übertragen.

In Japan entstanden zw. 1576 und 1610 befestigte B. unter europ. Einfluß. Von tiefen Gräben umgeben, erhoben sich auf steil hochgeführten Steinfundamenten viele übereinandergetürmte Stockwerke mit gestaffelten Dächern und Giebeln zu bislang unbekannten Monumentalbauten, in deren Innenhof (honnomaru) die hölzernen Wohnbauten standen. Eine der wenigen noch erh. B. ist die von →Himeji, wegen ihrer weiß verputzten Wände auch Hakuro-jo (Weißes Reiher-Schloß) gen. Gegenstück ist die ›schwarze‹ B. in →Matsumoto mit Holzverschalung und Steildächern. Der B.-Stil wurde rasch von einer Schloßarchitektur abgelöst. Bestes Beispiel hierfür ist das Nijo-jo in →Kioto.

B.-Städte (japan. Jokamachi) entstanden unterhalb der um 1600 erbauten Burgen als Siedlungen, die in ihrer räuml. Ordnung der sozialen Pyramide entsprachen. Die Ständeordnung von 1590 schrieb u. a. für jede Gruppe Parzellengröße und Geschoßhöhe vor. Der Aufbau der Burgstadt ist noch heute erkennbar in →Sasayama und →Hagi.

O. PIPER: Burgenkunde (1967); W. HOTZ: Kleine Kunstgeschichte der Dt. B. (^{4}1979).

Burg an der Wupper, Stadtteil von Solingen, NRW; bis Anf. 16. Jh. Residenz der Grafen von Berg. Schloß (Neubau 12. Jh., 1648 zerstört, 1887 wiederaufgebaut) und Martinskirche (12./17. Jh.) im Ortsteil **Oberburg;** im Ortsteil **Unterburg** evang. Kirche (1732 bis 1735) mit bäuerl. Barockausstattung und zahlreiche bergische Fachwerkhäuser des 17. und 18. Jh.

Burg bei Magdeburg, Stadt in der Dt. Dem. Rep., 28 800 Ew.; Oberkirche (Liebfrauenkirche), spätgot. dreischiffige Halle (1415–55) mit spätroman. zweitürmigem Westwerk, im got. Chor (beg. 1356) bemalte Kassettendecke (1592); Unterkirche (Nikolaikirche), dreischiffige spätroman. Pfeilerbasilika (2. H. 12. Jh.), Chor mit spätgot. Kreuzrippengewölbe.

Burgdorf, Stadt im schweizer. Kt. Bern, 15 800 Ew.; über B. sehr gut erh. Schloß der Herzöge von Zähringen (12. Jh.), Palas und Bergfried gehören zu den ältesten Teilen; in der Kapelle qualitätvolle Fresken (um 1330).

Burgeis, ital. **Burgusio,** Ort im oberen Vintschgau,

Südtirol. Über B. liegt das Benediktinerkloster **Marienberg** (gegr. 1146) mit der Stiftskirche Unserer Lieben Frau (dreischiffige roman. Basilika; 1201 vollendet; Fassade mit Säulenportal; barockisiertes Inneres); in der Krypta roman. Fresken (1160; nur z. T. erhalten).

Bürgel, Stadt bei Jena, Dt. Dem. Rep. Die Kirche des ehem. Benediktinerklosters **Thalbürgel** ist eine dreischiffige roman. Basilika mit kreuzförmigem Grundriß (2. H. 12. Jh.), nach Aufhebung des Klosters verfallen; Reste von Querschiff, Chor und der dreischiffigen Vorhalle erh., die Seitenschiffe und das reiche Säulenportal im W wiederhergestellt.

Bürgeler Töpferei, in der thüring. Stadt Bürgel hergestellte Hafnerware. Gebrauchsgeschirr in gedrungenen Formen in Kobaltblau, Ocker und Brauntönen mit schlichtem, weißem Dekor.

Burger, Anton, Maler, *Frankfurt a. M. 14. 11. 1824, †Kronberg i. Ts. 6. 7. 1905, malte Landschaften und Genreszenen des alten Frankfurt und war Mitbegründer der →Kronberger Malerkolonie.

Bürgerbauten, neben den Wohnhäusern (→Bürgerhaus) die Gebäude, die den Gemeinschaftsaufgaben des Bürgertums dienen, wie →Rathaus, Gericht, Theater, Schule, Museum, Weinhaus, Münze, Hospital u. ä.

Bürgerhaus, das Wohnhaus der städt. Bevölkerung seit der Entstehung von Städten, in Mitteleuropa seit dem Früh-MA. Die B. sind Ausdruck des wachsenden Selbstbewußtseins des Bürgertums im 12. Jh.; im 15. und 16. Jh. erfuhren sie entsprechend der Entwicklung von Handwerk und Handel ihre kunstreichsten Gestaltungen. Die B. entwickelten sich aus den Bauernhäusern ihrer Nachbarschaft unter weitgehendem Verzicht auf Stall und Scheune. Landschaftl. Prägungen führten zu folgender Einteilung: das **oberdt. B.** mit ›Gewölbe‹ (tiefes Erdgeschoß) für Handel und Gewerbe, Obergeschoß mit Erker, Arkadenhof; das **hess. B.** (im S bis zum unteren Neckar, im N bis etwa Marburg), ein Fachwerkhaus, das wegen des hohen Erdgeschosses zum niederdt. Haustypus gerechnet werden kann; das **niederdt. B.** (nördlich der Linie Mosel – Südharz – Berlin – Posen) mit Diele, entstanden aus der ›nordwesteurop. Halle‹, Wohnräume ebenerdig mit Beischlag und →Ausluchten zur Straße.

Das dt. B., hg. v. A. Bernt (1959 ff.).

Burghausen, Stadt in Oberbayern, an der Salzach, 16700 Ew., 1255–1504 Sitz der Herzöge von Niederbayern; Altstadt in der Bauweise der Inn- und Salzachstädte mit gut erh. Straßenmarkt und schönen Laubenhöfen. Die Burg (im wesentl. 13.–15. Jh.) ist mit 1100 m Länge die größte dt. Burganlage, sie enthält 2 Kapellen und Mus. (Stilräume, spätgot. Tafelbilder); St. Jakob (14. Jh.), Spitalkirche (14. Jh.), Jesuitenkirche (1630/31), Schutzengelkirche (1731).

Burghley House [bˈəːlɪ haʊs], Landsitz bei Stamford in der engl. Cty. Northamptonshire nordöstlich von Peterborough, wurde 1552–87 durch R. Warde für Sir William Cecil, 1. Baron Burghley, als eines der größten engl. Schlösser der elisabethan. Epoche (Elizabethan Style) im traditionellen Schema einer geschlossenen Vierflügelanlage mit einem von polygonalen Treppentürmen begleiteten Torturm errichtet. Die Great Hall hat einen offenen Dachstuhl. Die Innenausstattung entstand 1587, weitere Arbeiten von G. GIBBONS um 1700.

Burgkmair, Hans d. Ä., Maler, Zeichner (v. a. für den Holzschnitt), *Augsburg 1473, †ebd. 1531, lernte auf Wanderjahren im Elsaß vermutlich M. SCHONGAUER kennen, reiste 1495 bis Köln und wurde 1498 in die Augsburger Malerzunft aufgenommen. Zw. 1505 und 1508 war B. in Venedig; seine bedeutendsten Gemälde zeigen eine Farbigkeit, die an die venezian. Malerei erinnert. Ebenso finden sich in seinem graph. Werk Elemente der ital. Renaissance. Er ist der hervorragendste Meister der Augsburger Malerei der Dürerzeit.

HW: Basilikenbilder (S. Pietro, S. Giovanni in Laterano, S. Croce, 1501–04; Augsburg, Bayer. Staatsgemäldesammlungen); Sebastiansaltar (1505; Nürnberg, German. Nat.-Mus.); Maria mit Kind (1509; ebd.); Johannesaltar (1518; München, Alte Pinakothek); Esther vor Ahasver (1528; ebd.). – Holzschnittwerke für Kaiser Maximilian I.: Genealogie, Triumphzug, Weißkunig, Theuerdank. – Einzelholzschnitte: Reiterbild Maximilians I. (1508), Tod als Würger (1510).

H. B. d. Ä. Das graph. Werk, Ausst.-Kat., Augsburg (1973).

Hans Burgkmair d. Ä.: Johannes auf Patmos, Mitteltafel des Johannesaltars; 1518 (München, Alte Pinakothek)

Burgo de Osma, El Burgo de Osma, span. Stadt in der Prov. Soria, Altkastilien, rd. 6000 Ew. Die dreischiffige got. Kathedrale (13., 14., 18. Jh.) besitzt am S-Portal prachtvolle Skulpturen (u. a. Christus-Figur auf dem Türpfeiler, 1482); im Innern Hauptaltar von J. DE JUNI (um 1550; Holz, mit polychromer Fassung) und Grabmal des Bischofs S. Pedro (1258); im Kapitelsaal qualitätvolles roman. Kapitell mit Darstellung des Bethlehemit. Kindermordes; Kathedral-Mus. (v. a. Buchmalereien); Univ.-Gebäude (1541 beg., mit platereskem Hauptportal); Hospital S. Agustín (1699).

Burgos, span. Stadt und Bischofssitz im NO Altkastiliens, 135 400 Ew. Die 1221 beg. got. Kathedrale (dreischiffig, Chorumgang mit Kapellen) wurde während ihrer rd. 300jährigen Bauzeit mehrfach erweitert (Vierungsturm mit 8 Ziertürmen; W-Türme in durchbrochenem Filigran, von J. DE COLONIA, 1442–48). An der N-Fassade die Puerta de la Coronería mit Apostelstatuen, im nördl. Querschiff die in der Renaissance errichtete Escalera Dorada (›Goldene Treppe‹, von D. DA SILOÉ, 1519–26), im Platereskenstil errichtet, ebenso wie die Puerta de la Pellejería (von F. DE COLONIA); an der S-Fassade die Puerta del Sarmental mit Tympanon im Stil der frz. Gotik und der zweistöckige Kreuzgang (Diözesanmus. mit fläm. Wandteppichen des 16./17. Jh.). Eine Fülle hervorragender Bauplastik schmückt den reich ausgestatteten Innenraum; bes. hervorzuheben ist die Capilla del Condestable auf achteckigem Grundriß mit durchbrochenem Gewölbe von schwebender Leichtigkeit (von S. DE COLONIA, 1482–86); zahlreiche bed. Grabmäler, Skulpturen, Altarretabel und kunstvoll geschmiedete Gitter. In der Kirche S. Nicolás prächtiger polychromer Alabasteraltar mit 465 Figuren (von F. de Colonia, 1505); got. Kirche S. Esteban (1280

Burgos: Freitreppe ›Escalera Dorada‹ in der Kathedrale; 1519–26

bis 1350) mit Kreuzgang. 2 Stadttore aus maur. Zeit sowie das Tor S. María (Anf. 14. Jh., Fassade 1535–53 zu einem mächtigen Triumphbogen für KARL V. umgebaut). Spätgot. Palacio del Condestable (15. Jh.); Casa de Miranda (altkastil. Adelspalast, 1545), heute Archäolog. Mus. (reiche Kunstsamml. von der Römerzeit bis zum 18. Jh., bes. das Antependium mit Email und Edelsteinen aus Santo Domingo de los Silos, vor 1151). – Bei B. die Klöster →Huelgas und →Miraflores.

Burgscheidungen, Gem. an der Unstrut, Dt. Dem. Rep.; das Schloß entstand an Stelle der ma. Burg Ende 16./Anf. 17. Jh. als Dreiflügelanlage, deren SO-Flügel erh. ist; die beiden anderen Flügel barocke Neubauten (1724–32) mit prachtvoller Gartenfront am N-Flügel.

Burgstadt, →Burg.

Burgsteinfurt, Stadtteil von Steinfurt, NRW, besitzt die mächtigste Wasserburg des Münsterlandes (seit 12. Jh., roman. Doppelkapelle, ›Rittersaal‹, 16.–18. Jh. umgebaut); Große und Kleine Kirche (14./15. Jh.), Pfarrkirche (1721–24), ehem. Johanniterkommende (13.–18. Jh.), ehem. Hohe Schule (1591–93, jetzt Rathaus) und Altes Rathaus (1561).

Burgundische Bauschule, Stilrichtung der roman. Baukunst Burgunds im späten 11. und im 12. Jh., die, ausgehend von der Abteikirche Cluny (3. Bau), den Kirchenbau prägte. Charakterist. Merkmale sind: spitzbogige Arkaden auf kreuzförmigen Pfeilern; Horizontalgesimse, die mit den Gewölbediensten rechteckige Wandfelder ausgrenzen; oft Chor mit Umgang und Kapellenkranz; Vorkirche oder Vorhalle; reicher, an den Kapitellen auch figürl. Ornamentschmuck; antikisierende Elemente wie z. B. kanellierte Pilaster. In →Paray-le-Monial, →La Charité-sur-Loire und →Autun schließt eine spitzbogige Tonnenwölbung das Mittelschiff ab, während in →Vézelay auf das Blendtriforium verzichtet wurde und Kreuzgratgewölbe auftreten; stets herrscht eine starke Ausgrenzung von Jochen.

Burgusio, ital. für →Burgeis.

Bürkel, Heinrich, Maler, *Pirmasens 29. 5. 1802, †München 10. 6. 1869, bildete sich ebd. Seine biedermeierl. Genreszenen, geprägt von der Alpenlandschaft, waren hier sehr beliebt.

burmesische Kunst, →birmanische Kunst.

Burnacini [-tʃ'i:ni], Lodovico, ital. Baumeister und einer der bedeutendsten Bühnenbildner der Barockzeit, *Mantua(?) 1636, †Wien 12. 12. 1707. Er erbaute in Wien Teile der Hofburg, schuf 1687 die Dreifaltigkeitssäule am Graben und Zivilbauten. Er schuf phantastische Barockausstattungen.

Burne-Jones [bə:n dʒ'əunz], Sir (1894) Edward Coley, eigtl. E. C. Jones, engl. Maler, *Birmingham 28. 8. 1833, †London 17. 6. 1898, studierte urspr. Theologie und begann unter dem Einfluß von W. MORRIS und J. RUSKIN zu zeichnen und zu malen. Er wurde Schüler von D. G. ROSSETTI, schloß sich den Präraffaeliten an und zeichnete auch Entwürfe für das Kunsthandwerk. B.-J. illustrierte Dichtungen von G. CHAU-

Edward Burne-Jonas: Das Schreckenshaupt; aus dem Perseus-Zyklus, 1887 (Stuttgart, Staatsgalerie)

CER, die 1897 bei der Kelmscott Press von W. Morris erschienen. Sein Stil dekorativ geschwungener Linien und der melanchol. Ausdruck seiner Frauengestalten beeinflußten den Jugendstil.

HW: Perseus-Zyklus (1877–98; Stuttgart, Staatsgal.); Die Goldene Treppe (1880; London, Tate Gal.); König Kophetua und das Bettlermädchen (1884; ebd.).

M. HARRISON u. B. WATERS: B.-J. (London 1973).

Burney-Reli|ef [b'ə:nɪ-], Terrakotta-Platte aus altbabylon. Zeit (um 1700 v. Chr., 50 cm hoch) mit Reliefdarstellung einer nackten, geflügelten Göttin mit erhobenen Armen, die mit Vogelfüßen auf 2 Löwen steht und von 2 Eulen flankiert wird. Eine Deutung des sehr qualitätvollen plast. Reliefs steht noch aus.

Burnham [b'ə:nəm], Daniel Hudson, amerikan. Architekt, Städteplaner, *Henderson (New York) 4. 9. 1846, †Heidelberg 1. 6. 1912. B. war Mitgl. der Schule von →Chicago. In Partnerschaft mit J. W. ROOT baute er in Chicago das Reliance Building (1890–94), eine hervorragende Lösung des frühen Stahlskelettbaus; Stadtplanungen entstanden für Washington, Cleveland, San Francisco, Chicago.

Burnitz, Karl Peter, Maler, *Frankfurt a. M. 14. 1. 1824, †ebd. 18. 8. 1886, bildete sich 1850–60 in Paris unter dem Einfluß der Schule von Barbizon, war später Mitgl. der →Kronberger Malerkolonie.

Bürresheim, Schloß in der Eifel, bei Mayen, Rheinl.-Pf., eines der wichtigsten Beispiele des dt. Burgenbaus, zeigt die Entwicklung von der Burg zum Schloß (13.–17. Jh.); vorzüglich erh. Ausstattung.

Burri, Alberto, ital. Maler, *Città di Castello 12. 3. 1915, begann als Lagerarzt in Kriegsgefangenschaft zu malen. 1952 wandte er sich der Collage zu, zunächst mit Sackleinwand, später auch mit verbranntem Holz, Eisen, Kunststoff u. a.

Bursa, früher **Brussa** (Prusa), Hauptstadt der türk. Provinz B. in NW-Anatolien, 466 200 Ew., am Fuß des Ulu Dağ (2493 m). – B. wurde von dem bithyn. König PRUSIAS I. 186 v. Chr. gegr. und gehörte lange Zeit zum Byzantin. Reich. 1326–68 war B. osman. Residenz. Die bed. Architekturwerke von B. aus frühosman. Zeit sind Stiftungen der Sultane: Die großen Sultansmoscheen gehören sämtlich dem sogenannten T-förmigen Bauschema an, bei dem 2 seitl. Iwane an ein überkuppeltes zentrales Raumjoch angeschoben sind und in Richtung der Kibla ein weiteres überkuppeltes Raumjoch mit dem Michrab hinzutritt. Der Typus wird i. a. von der seldschuk. Hofmedrese abgeleitet. – Die Moschee MURADS I. (Hüdavendigar) entstand zw. 1366 und 1385 noch unter Verwendung byzantin. und italogot. Motive. In der Moschee Yıldırım BEYAZITS I. (1391–1400) sind die Elemente der Frühzeit ausgeschieden; die kühle Klassik des Baus wird durch Verwendung grauer Marmorquader unterstrichen. In der sog. Yeşil Camii (Grüne Moschee) MEHMETS I. (1419/20 voll.) kommen sowohl in der Bauplastik wie in der Fliesenausstattung persisch-timurid. Einflüsse zur Geltung. Die Hauptmoschee im Zentrum der Stadt (Ulu Camii, beg. 1396) vertritt im Prinzip den Typ einer durch Kuppeln über jedem Raumjoch (Pfeilerstützen) eingedeckten Hofmoschee; aus klimat. Gründen ist der Hof bis auf ein Joch über dem Brunnen ebenfalls durch Kuppeljoche eingedeckt. Zu den Stiftungen gehörten auch Medresen (bei der Moschee Murads I. als ›Emporen‹ in den Bau integriert) und v. a. die Türben (Grabbauten) der Stifter, die am Hanggelände um die Moschee gruppiert sind. Von Bedeutung sind auch 2 alte, noch heute benutzte Thermalbäder: das unter Murad I. entstandene und unter BEYAZIT II. erweiterte Eski Kaplica (Altes Thermalbad) sowie das Yeni Kaplica (Neues Thermalbad), eine Stiftung des Großwesirs RÜSTEM PASCHA von 1553.

M. RESTLE: Istanbul, B., Edirne und Iznik, Baudenkmäler und Museen (1976).

Bursfẹlde, Stadtteil von Münden, Ndsachs., an der Weser, mit ehem. Benediktinerkloster (1093 gegr.). Die Kirche ist eine flachgedeckte Basilika mit schönen Würfelkapitellen (spätes 11. Jh.); spätgot. Wandfresken. An einen Querraum, der die Funktion eines Lettners erfüllt, schließt sich ein langgestreckter Chor (um 1134) an; Doppelturmfront (1900–03).

Burton [bəːtn], Decimus, engl. Architekt, *um 1800, †St. Leonards on Sea 14. 12. 1881, übernahm nach einem Studienaufenthalt in Griechenland Aufträge für Bauten im Londoner Hyde Park, die er im klassizist. Stil ausführte; ferner Villen und Athenaeum Club in London (1829–30).

Burton Agnes Hall [bəːtn 'ægnɪs hɔːl], Herrenhaus in der Cty. N-Yorkshire, östlich von York, England; 1601–10(?) unter Sir H. GRIFFITH erbaut. Die dreigeschossige Dreiflügelanlage in Backsteinbauweise ist durch Fenstererker gegliedert. Im Innern sind v. a. die Hall und das Treppenhaus mit Schnitzereien im Jacobean Style erhalten.

Burton Constable [bə:tn k'ʌnstəbl], Landsitz in Yorkshire, England, um 1600 in klaren Spätrenaissanceformen erbaute zweigeschossige Dreiflügelanlage, die 1759/60 um ein Attikageschoß erhöht wurde. Im Innern wurde die urspr. zentrale Hall 1760 durch T. LIGHTOLER zus. mit der übrigen Ausstattung umgestaltet.

Bury, 1) Friedrich, Maler, *Hanau 13. 3. 1763, †Aachen 18. 5. 1823, lebte im Umkreis von J. W. v. GOETHE und malte Historiengemälde, Porträts sowie Kopien.

2) [byr'i], Pol, belg. Künstler, *Haine-Saint-Pierre 26. 4. 1922, lebt in Paris und New York. B. begann als surrealist. Maler. 1953 entwickelte er, von A. CALDER beeinflußt, ›Plans mobiles‹: bewegte Lattenordnungen zur Veränderung durch die Betrachter. Seitdem verwendet B. Elektromotoren, Lichtfühler, seit 1968 auch Magnetkraft, um seine plastisch sensiblen Skulpturen in kaum sichtbare Bewegung zu versetzen.

Bury Saint Edmunds [b'erı sənt 'edməndz], engl. Stadt in der Cty. Suffolk, am Lark, 26800 Ew., im MA. eine Benediktinerabtei; von der dreischiffigen Basilika (um 1100) mit um 1200 zugefügtem Westquerhaus und Turm sind nur noch Ruinen vorhanden. Ein roman. Torturm (um 1130) mit Säulenportal und reicher Blendengliederung sowie ein spätgot. Torturm des mittleren 15. Jh. blieben erhalten. Die benachbarte Pfarrkirche St. James, eine im Perpendicular Style errichtete Basilika des 15. Jh. mit 1867 rekonstruiertem Chor, ist seit 1914 Sitz eines anglikan. Bischofs.

Wilhelm Busch:
Selbstporträt;
Federzeichnung, 1894

Busch, 1) Johann Joachim, mecklenburg. Hofbaumeister, *Schwerin 18. 9. 1720, †Plau i. Mecklenburg 27. 12. 1802, schuf in →Ludwigslust die einheitl. Stadtanlage und das Schloß.

2) Wilhelm, Maler, Zeichner, Dichter, *Wiedensahl (Hann.) 15. 4. 1832, †Mechtshausen bei Seesen (Harz) 9. 1. 1908, besuchte die Akad. in Düsseldorf, Antwerpen und München. Seine (satir.) Bildgeschichten zeigen eine Einheit von witzig-simplen Knittelversreimen und pointiert-vereinfachender Konturzeichnung. Der Pessimismus seiner Werke steht A. SCHOPENHAUERS Philosophie nahe. – Als Maler von meist kleinformatigen Gemälden (in altmeisterl. Tonmalerei mit expressivem Pinselduktus) orientierte sich B. an den Niederländern des 17. Jh. wie an F. v. LENBACH, mit dem er befreundet war.

HW: Verserzählung mit Bildern: Max und Moritz (1865); Hans Huckebein, der Unglücksrabe (1867); Der Hl. Antonius von Padua (1870); Die fromme Helene (1872); Plisch und Plum (1882); Balduin Bählamm (1883) u. a. – Nachlaß (auch Ölgemälde) im W.-B.-Mus. Hannover und im Geburtshaus in Wiedensahl.

Gesamtausgabe, hg. v. F. BOHNE, 4 Bde. (1959) und v. H. WERNER, 6 Bde. (1961–63). – H. G. GMELIN: Werkverzeichnis W. B. (1979); Niedersächs. Landesausstellung zum 150. Geburtstag von W. B., Ausst.-Kat., Hannover, 3 Bde (1982).

Buschmannkunst, allg. Bez. für die →Felsbilder in Süd- und Südwestafrika; wurden den Buschmännern und ihren Vorfahren zugeschrieben, da es aus dem späten 18. und dem frühen 20. Jh. Belege über Buschmannmaler gibt.

Bushọngo, Buschọngo [›Leute der Wurfmesser‹], zentrale Gruppe der →Kuba in S-Zaire.

busig, gebust, Baukunst: Bez. für ein →Gewölbe, bei dem der Schnittpunkt seiner Kappen höher liegt als der Scheitelpunkt seiner Gurt- und Schildbögen.

Buson, Yosa, Familienname **Taniguchi** [-tʃi], japan. Maler, Dichter, *bei Osaka 1716, †Kioto 1783. Mit →Ike no Taiga Hauptvertreter der →Literatenmalerei des 18. Jh. Eines ihrer schönsten Werke ist das gemeinsam produzierte kleine Album mit Landschaften zu Gedichten des chines. Dichters LI LIWENG (1771). Schrieb Gedichte und illustrierte diese und die anderer Dichter, v. a. die von MATSUO BASHO (*1644, †1694).

Bustamạnte, Bartolomé de, span. Baumeister, *Quijas (bei Santander) oder Alcalá de Henares 1492, †Trigueros 21. 6. 1570. Als Baumeister des Jesuiten-Ordens schuf er u. a. im Auftrag des Kardinals TAVERA nach 1541 das Hospital S. Juan Bautista de Afuera in Toledo (Innenhof mit doppelstöckigem Säulenumgang, Kapelle; Grabmal des Kardinals von A. BERRUGUETE).

Büste eines jungen Mädchens von Desiderio da Settignano (Florenz, Bargello)

Büste [ital. busto ›Oberkörper‹], plast. Darstellung des Menschen von Kopf und Schulter bis zum oberen Teil der Brust, meist auf einem Sockel oder einer Konsole. Die B. nahm einen besonderen Rang in der röm. Bildhauerkunst ein. Sie geht möglicherweise auf italische, sicher nicht auf grch. Wurzeln zurück. In republikan. Zeit wurde sie die bevorzugte Porträtform, deren realist. Ausdruck vielleicht von Totenmasken angeregt wurde. Einen formalen Anstoß zur Entwicklung der B. gab wohl die →Herme, die in der röm. Kunst rein dekorativ verwendet wurde. – Im MA. erscheint die B. als Bauplastik an sakralen und profanen Bauten, an kirchl. Möbeln und weltl. Geräten (Leuchterweibchen). Die Reliquien-B. (meist aus Metall getrieben, aber auch aus bemaltem Holz) reicht von karoling. Zeit bis ins 18. Jh.

Der bedeutendste B.-Zyklus der Bauplastik sind die Porträts im Triforium des Prager Doms von PETER PARLER, die Mitgl. der königl. Familie, die 3 ersten Prager Erzbischöfe und die Leiter des Baus darstellen (1374 bis 1385). Im 15. Jh. waren J. SYRLIN D. Ä., der Meister des Ulmer Chorgestühls (1469–74), und N. GERHAERT VON LEYDEN (seit 1463 in Straßburg) die führenden Künstler. Seit der ital. Frührenaissance erlangte die B., als römische Kunstgattung wieder aufgenommen, größte Bedeutung. Die ersten profanen B. schufen um 1450/60 DESIDERIO DA SETTIGNANO und MINO DA FIESOLE. Es folgten E. DA LAURANA, L. und A. DELLA ROBBIA, A. und B. ROSSELINO und P. POLLAIUOLO. Am Ende der Frührenaissance trat die B. wieder fast ganz zugunsten des gemalten Porträts zurück. Von MICHELANGELO stammt nur die Brutus-B. (1542; Florenz, Bargello). Die dt. Renaissance-B. ist meist von kleinem Format. Als Maferial bevorzugt wurden Alabaster, Buchsbaumholz und Ton. Stilbildend für den Hochbarock war G. L. BERNINI. Die B. von A. ALGARDI wirken kühler und zurückhaltender. Die frz. Hauptmeister der B. waren im 17. Jh. A. COYSEVOX, im Rokoko J. A. HOUDON. In Dtl. schufen im Barock A. SCHLÜTER (Landgraf Friedrich II. von Hessen-Homburg, um 1704; Bad Homburg v. d. H., Schloß), B. PERMOSER, P. EGELL, G. GRUPELLO, F. X. MESSERSCHMIDT bed. B. Die Rolle der B. im Klassizismus zeigt die Regensburger Walhalla, eine Samml. von Porträts in strenger B.-Form. – Die Porträtplastiken von A. RODIN stellen die Verbindung eines Kopfes mit einem in Rohform (Bosse) belassenen Block dar und sind wichtig für die weitere Entwicklung. Unter den Bildhauern des 20. Jh. treten bes. C. DESPIANI in Frankreich, M. MARINI in Italien und in Dtl. R. SCHEIBE, H. WIMMER, G. MARCKS, B. HEILIGER, G. SEITZ und F. CREMER hervor. In der modernen Bildhauerkunst wird häufig nur noch der Kopf mit dem Halsansatz dargestellt.

B. SCHWEITZER: Die Bildniskunst der röm. Republik (1948); JANE SCHUYLER: Florentine busts; sculpted portraiture in the fifteenth century (New York 1976); Die Zeit der Staufer, Ausst.-Kat., Stuttgart (1977).

Bustelli, Franz Anton, Porzellanmodelleur, *Locarno 11. 4. 1723, †München 18. 4. 1763, kam wahrscheinlich über Wien nach München, wo er 1754–63 Modellmeister der Manufaktur Nymphenburg war. Seine zahlreichen Gruppen und Figuren, die u. a. der Commedia dell'arte angehören, sind Meisterwerke des europ. Rokoko. Bed. ist die lebensgroße Büste des Grafen v. HAIMHAUSEN (1761).

G. V. PECHMANN: F. A. B. Die ital. Komödie in Porzellan (1959); F. A. B., Ausst.-Kat., München (1963); R. RÜCKERT: F. A. B. (1963).

F. A. Bustelli: ›Isabella‹ und ›Pantalone‹ aus der Commedia dell'arte; Nymphenburg, um 1760 (München, Bayer. Nationalmuseum)

Busti, Agostino, genannt **Bambaia,** ital. Bildhauer aus dem Kreis der Meister der Certosa di Pavia (G. A. AMADEO u. a.), *Busto Arsizio 1483, †ebd. 1548, schuf das Grabmal des Gaston de Foix (1515–1521; Teile im Castello Sforzesco in Mailand, in Turin, Mus. Civico d'Arte Antica, in Madrid, Prado, in London, Victoria and Albert Mus.).

Butare, früher **Astrida,** zweitgrößte Stadt und kulturelles Zentrum von Ruanda, 1750 m ü. M., 25 000 Ew.; Nat.-Mus. (traditionelle afrikan. Kunst).

Butinone, Bernardino, ital. Maler, *Treviglio (Lombardei) um 1450(?), †Mailand nach 1507, gehört mit B. ZENALE, mit dem er den Marienaltar in S. Martino, Treviglio (um 1485) schuf, zur von V. FOPPA beeinflußten lombard. Malerei des 15. Jh.

Butkara, buddhist. Kultstätte im Swat-Gebiet, N-Pakistan, mit Resten zahlreicher Stupas und Reliefplastiken der →Gandhara-Kunst.

Butler [b'ʌtlə], Reg(inald), engl. Bildhauer, *Buntingford (Hertfordshire) 28. 4. 1913, †Berkhamsted (Hertfordshire) 23. 10. 1981, urspr. Architekt, während des 2. Weltkriegs in einer Schmiede tätig, erhielt 1953 den Hauptpreis im internat. Wettbewerb ›Der unbekannte polit. Gefangene‹. B. schuf bizarre Metallplastik, wirkungsvoll durch Konstraste von Volumen und Gestänge, Oberflächenstruktur, abgeschnürte und eingeklemmte Formen, aber auch lebensnahe menschl. Gestalten.

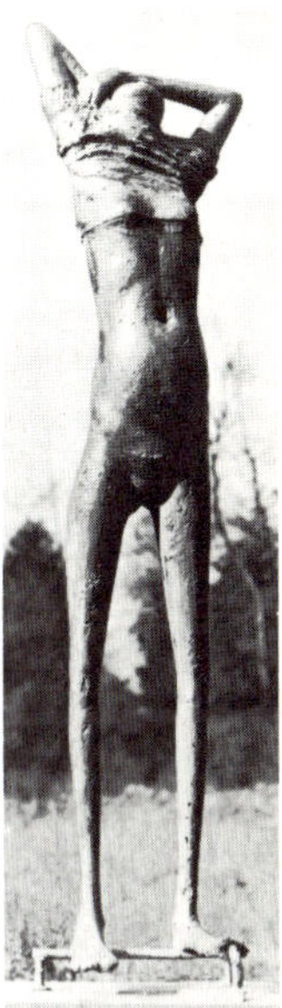

Reg Butler: Mädchen; Bronze, 1953/54 (London, Samml. des British Council)

Buto [ägypt. ›Haus der (Göttin) Uto‹], heute **Tell el-Farain,** altägypt. Stadt im nordwestl. Nildelta (KARTE ägyptische Kunst), in vor- und frühgeschichtl. Zeit ein relig. (Kultstätte der Schlangengöttin Uto) und polit. Mittelpunkt; noch in grch. Zeit Orakelstätte. Wegen des hohen Grundwasserspiegels nur geringe antike Überreste (Reste eines Tempels der Spätzeit und von Bädern aus ptolemäischer und röm. Zeit).

Butrinti, grch. **Buthroton,** lat. **Buthrotum,** histor. Stätte nahe der Küste S-Albaniens, um 600 v. Chr. als grch. Kolonie gegr.; Ausgrabungen legten u. a. Festungsmauern und -tore, ein Theater, Wohnhäuser u. a. Gebäude frei; viele Skulpturenfunde, u. a. die ›Göttin von Buthrotum‹; venezian. Festung (14. Jh.).

Butschowitz, Stadt in der ČSSR, →Bučovice.

Butsu, japan. Bez. für Buddha in seinen versch. Erscheinungsformen (Amida, Miroku, Rushana, Shaka, Yakushi); i. Ggs. zum Bosatsu ohne Schmuck dargestellt. Über Kolossalstatuen des B. →Daibutsu.

Butsu-ga, japan. Bez. für die buddhist. Malerei, die im 6. Jh. von China über Korea in Japan eingeführt wurde. Ein gut erh. Beispiel ist der Tamamushi-Schrein.

Büttenmann, neuzeitl. Bez. für ein Trinkgefäß in Form einer männl. Figur, in Anlehnung an die elsäss. Benennung ›Büttenmännele‹; in weinbautreibenden Gegenden bes. am Rhein, in der Schweiz und im Elsaß Trinkgeschirr und →Willkomm der Rebleutezünfte. B. sind stehend oder schreitend dargestellt, seit der Renaissance in Silber oder Holz ausgeführt, z. T. mit Goldschmiedemontierungen.

Buttstädt, Stadt nördlich von Weimar, Dt. Dem. Rep.; spätgot. Stadtkirche St. Michaelis (beg. 1510), barock erneuert, mit hölzernem Tonnengewölbe; Renaissance-Rathaus.

Butzbach, Stadt röm. Ursprungs (Limeskastell) in Mittelhessen, 21 100 Ew., mit gut erh. ma. Stadtbild; 1609–43 Residenz des Landgrafen PHILIPP VON HESSEN-B. (ehem. Schloß 1610). Markt mit Rathaus und Fachwerkbauten (16. Jh.); Markuskirche (15. Jh.); in der Michaelskapelle (1433) Heimat- und Trachtenmus.

Butzenscheibe, Mondscheibe, runde Glasscheibe mit einer einseitigen Erhöhung in der Mitte, dem Butzen oder Nabel; Durchmesser 6–12 cm. Mit der Glasmacherpfeife wird eine Kugel geblasen, geöffnet und durch Drehen zu einer flachen Scheibe ausgeschleudert. Die B. wurde seit Ende des 14. Jh. neben der Rautenform zur Blankverglasung im Profan- und Sakralbau verwendet. Die venezian. B., die man in großen Mengen nach Süd-Dtl. exportierte, zeichneten sich durch besondere Klarheit aus.

Bützow [-o], Stadt in Mecklenburg, Dt. Dem. Rep., an der Warnow, 10 100 Ew.; Stadtkirche (beg. 2. H. 13. Jh.), dreischiffige Backsteinhalle, Chorumgang mit Kapellenkranz (14. Jh.), vierflügeliger Schnitzaltar (1503); vom Schloß (2. H. 16. Jh.) nur geringe Reste erh.

Buxtehude, Stadt am Rand des Alten Lands, Ndsachs., 30 200 Ew.; seit 1368 Mitgl. der Hanse. Die Petrikirche (um 1320 voll.) zeigt die seltene Verbindung von Basilika und Hallensystem; Kanzel (1678/79) und Hochaltar (1710) barock. Marschtorzwinger (1539); stattl. Bürgerhäuser des 16.–18. Jh.

Buye, Buyu, Babuye, Volksgruppe in O-Zaire, Westafrika, zw. Lualaba und Tanganyika-See, künstlerisch zum Komplex der →Luba gerechnet. Die B. schnitzen nicht nur für sich selbst Masken und Figuren, sondern teilweise auch für die →Bembe 2), die von ihnen eine Reihe kult. Institutionen übernommen haben. Die Figuren zeichnen sich durch etwas strengere Formen aus, als bei den Luba allg. üblich; die Gesichter sind meist rundlich und haben bes. große, kugelförmige Augen.

Buytewech [b'œjtəwɛx], Willem Pietersz., holländ. Maler, *Rotterdam 1591 oder 1592, †ebd. 23. 9. 1624; mit E. VAN DE VELDE und F. HALS Hauptmeister des frühen holländ. Realismus; schuf lebensvolle Genredarstellungen (Gesellschaftsstücke, Volkstypen, Kostümfiguren, Interieurs) und Allegorien, z. B. der Jahreszeiten und der Elemente, in denen Gedankliches durch fein beobachtete Landschaften ausgedrückt ist. Als Radierer war B. einer der Wegbereiter REMBRANDTS. Seine geistreichen Zeichnungen vereinigen Treffsicherheit und originelle Knappheit.

W. B., 1591–1624, Ausst.-Kat., Rotterdam u. Paris (1974/75).

Bwa, ethn. Gruppe in Westafrika, →Bobo.

Bwaka, Volksgruppe im nordwestl. Zaire, Westafrika. Die B. stellen Figuren her, bei denen die Darstellungen des Urahnenpaars Nabo und ihres Bruder-Ehemanns Seto den wichtigsten Platz einnehmen. Die Masken, hauptsächlich Gesichtsmasken in ovaler Form, ähneln teilweise denjenigen der Rega in O-Zaire; auch Stülpmasken sind bekannt (→Maske).

Bwende, kleine Volksgruppe am Stanley-Pool in der Rep. Kongo, Afrika. Die B. schnitzen keine Masken (wie die anderen Stämme dieses Gebietes), sondern kleine Ahnen- und Zauberfiguren sowie große, anthropomorphe Trompeten, deren Mundstück auf dem Rücken der Figur angebracht ist, so daß die Figuren beim Spielen hochgehalten werden müssen. Eine Besonderheit stellen die bei den B. verwendeten anthropomorphen Särge aus Textilien (›Niombo‹) dar, die für Häuptlinge u. a. einflußreiche Personen hergestellt werden; es sind große, wie Stoffpuppen aussehende Gebilde, die meist mit mytholog. Emblemen verziert sind und in die der Leichnam vor der Beerdigung eingenäht wird.

Byblos, heute **Djebeil,** alte Hafen- und Handelsstadt im Libanon (KARTE Alter Orient). B. ist seit dem Neolithikum besiedelt; die intensiven Handelsbeziehungen im 3. und 2. Jahrtsd. v. Chr. zu Ägypten (Export von Libanonzedern) beeinflußten die Kunst von B. stark. Große Heiligtümer, u. a. der Stadtgöttin (›Herrin von B.‹), sowie Obeliskentempel blieben über Jahrtausende mit Umbauten im Gebrauch. In der Königsnekropole wurde außer reichen Schatzfunden der Sarkophag des Königs ACHIRAM (um 1000 v. Chr.) mit phönik. Inschrift und originellem Relief mit ägyptisierenden und vorderasiat. Motiven gefunden. Aus röm. Zeit ist ein Theater, aus der Kreuzfahrerzeit das Kastell erh.

Bydgoszcz [b'idgɔʃtʃ], poln. Name der Stadt →Bromberg.

Bygdøy, Halbinsel westlich von Oslo, Norwegen, mit dem Norweg. Volks-Mus., das mehrere Samml. zusammenfaßt. Als Freilicht-Mus. sind etwa 150 Holzgebäude aus versch. norweg. Landschaften aufgebaut, einzelne aus dem MA., die meisten aber aus dem 18. und 19. Jh. Bes. bemerkenswert die 1885 hierher übertragene Kirche von Gol (12. Jh.), eine der ältesten norweg. →Stabkirchen.

Byobu [japan.], mehrteiliger →Stellschirm.

Byss, Johann Rudolf, schweizer. Maler, *Solothurn 11. 5. 1660, †Würzburg 11. 12. 1738, war 1692 bis 1713 Hofmaler des Grafen CZERNIN in Prag, seitdem im Dienst des Kurfürsten FRANZ LOTHAR VON SCHÖNBORN in Würzburg. B. malte Tafelbilder im Stil der Niederländer und Fresken in der Manier des ital. Barock (Wien, 1717, Pommersfelden, 1717, und Würzburg, Hofkirche, 1732–35, und Spiegelsaal, 1737).

Byström, Johan Niclas, schwed. Bildhauer, *Filipstad 18. 12. 1783, †Rom 13. 3. 1848, vorwiegend in Rom tätig, arbeitete unter dem Einfluß von J. T. SERGEL und B. THORVALDSEN in klassizist. Stil.

Bystrzyca Kłodzka [bistʃ'itsa kł'ɔtska], poln. Name für →Habelschwerdt.

Bytca [b'itsa], dt. **Kleinbitsch,** Ort im Mittelslowak. Kreis, ČSSR, 7000 Ew.; Pfarrkirche (15. Jh., bis 1628 verändert); Renaissanceschloß (1571; verändert oder erneuert 1711–20 und 1886–89) mit monumentalem Arkadenhof, im Obergeschoß Laubengang mit Fresken

(1721), benachbart das Hochzeitspalais (1601) mit reichem Sgraffitoschmuck.

byzantinische Kunst, die aus der Spätantike hervorgegangene Kunst im Herrschafts- und Einflußbereich des Byzantin. Reiches, die hier die frühchristl. Kunst mit ihren antiken Elementen fortbildete und sie an die Kunst des abendländ. MA. vermittelte. Ihre Periodisierung in 3 Epochen entspricht den Grundzügen der byzantin. Geschichte.

Für die Ausbildung der b. K. war die Verlegung von Kaiserresidenz und Reichsverwaltung in den Osten (von Rom nach Konstantinopel) durch KONSTANTIN I. von größter Tragweite, da hier der Einfluß der Kulturen und Traditionen des östl. Mittelmeerraumes und Vorderasiens wirksam wurde. Im 4. und 5. Jh. bildete sich allmählich eine eigene oström. Formensprache aus. Unter THEODOSIUS I. (379–95) ist erstmals ein charakterist. Hofstil faßbar (etwa in den Sockelreliefs des Obelisken in Konstantinopel und in Porträts aus Konstantinopel und Kleinasien); er setzt sich von gleichzeitigen westl. Arbeiten deutlich ab, so daß von einem gemeinsamen Reichsstil nicht mehr gesprochen werden kann. Seit der Mitte des 5. Jh. ist die führende Stellung der Werkstätten Konstantinopels auch auf dem Gebiet der Bauornamentik klar bezeugt (Johanneskirche des Studios, Konstantinopel; in der Folge etwa Acheiropoietos, Thessalonike; Nea Anchialos, Basilika A., Korinth-Lechaion). Im späten 5. Jh. und in den ersten beiden Jahrzehnten des 6. Jh. erschienen auf vielen Ge-

byzantinische Kunst: Apsis der Kathedrale von Monreale; 2. H. des 12. Jh.

byzantinische Kunst: OBEN Hagia Theodori in Mistra; 13. Jh. RECHTS Innenansicht der Hagia Sophia in Istanbul; 532–37

bieten Neuerungen (Kuppelbasilika, Meriamlik/Türkei; Kämpferkapitelle, Polyeuktos-Kirche in Konstantinopel), die zur großartigen Synthese der b. K. unter JUSTINIAN I. (527–65) überleiteten.

FRÜHBYZANTINISCHE KUNST

Im Nika-Aufstand (532) waren die Hauptbauten Konstantinopels und viele andere Denkmäler zugrunde gegangen. Justinian I. erneuerte sie mit großem Aufwand. Technisch und formal noch an Früheres anknüpfend, wurde durch Zusammenfassung und Klärung der einzelnen Elemente ein monumentaler Stil erreicht, der den eigtl. Beginn der b. K. bedeutet. Die Hagia Sophia (532–37) von ANTHEMIOS VON TRALLES und ISIDOROS VON MILET machte den Zentralraum mit Kuppelbau für immer zur Hauptaufgabe der byzantin. Sakralarchitektur. Daneben bestand, v. a. in den Provinzen (bes. Balkan, Griechenland, Kleinasien, Syrien, Ägypten) weiterhin die dreischiffige Basilika. Langhaus- und Kuppelbau verbanden u. a. die Irenenkirche in Konstantinopel und die Marienkirche in Ephesos. Die Apostelkirche in Konstantinopel (zerstört) und die Johanneskirche in Ephesos, beides dreischiffige und kreuzförmige Bauten mit einer Folge von Kuppeln, wurden später zum Vorbild für die Markuskirche in Venedig und für die Aquitan. Kuppelkirchen. – Die Bauform der byzantin. Kirche erfordert Apsisnebenräume (sogenannte Pastophorien) mit eigenen Apsiden und die Abtrennung des Allerheiligsten vom Raum der Gläubigen durch eine fast geschlossene Bilderwand (Ikonostase), die sich aus der frühchristl. wie frühbyzantin. Anlage der Marmorschranken entwickelte.

Von den Mosaiken der Zeit sind nur wenige, sehr qualitätvolle Werke erhalten geblieben (Apsismosaiken der Kirche des Katharinenklosters/Sinai und der Panhagia Kanakaria, Lythrankomi/Zypern; Ravenna bildet einen eigenen Bereich). Aus dem frühen 6. Jh. stammt die Dioskurides-Handschrift (Wien), aus dem späten 6. Jh. haben sich 3 hervorragende Miniaturmalereien erhalten: die Wiener Genesis (BILD Buchmalerei), der Codex Rossanensis und der Codex Sinopensis (Paris). Bedeutend aus dieser Zeit sind die Elfenbeinschnitzereien (Maximianskathedra; BILD Elfenbeinschnitzerei) und Silberarbeiten (bes. Schatzfunde aus Syrien, Zypern, Lykien). Klassizist. Strömungen spiegeln sich in den Malereien von S. Maria Antiqua in Rom und in den Silberarbeiten aus der Zeit des Herakleios (610 bis 641). Mit dem Tod Justinians I. (565) hatte bereits eine Zeit des Übergangs und der territorialen Verluste begonnen. Der engere Gestaltungsbereich der b. K. war nun auf Konstantinopel und das Kernland des Reiches

byzantinische Kunst: Der Evangelist Markus; Detail von der Pala d'Oro, 976 (Venedig, Markuskirche)

Kleinasien beschränkt; hinzu kamen später die von Byzanz missionierten Gebiete des Balkans (seit dem 9. Jh.) und Rußland (Kiew seit dem 11. Jh.).

Der das Reich erschütternde →Bilderstreit des 8./9. Jh. endete mit dem Sieg der Bilderfreunde. Spätestens jetzt entstand der für die byzantin. Kirchenausstattung verbindl. Bilderzyklus mit dem himml. Christus (Pantokrator) in der Kuppel und dem Menschgewordenen Christus (Maria mit Kind) in der Apsis. Die wenigen aus dieser Zeit erhaltenen Bauten zeigen das Bestreben, den Kuppelraum auszuweiten (Hagia Sophia, Thessalonike; Koimesiskirche, Nikaia/Iznik).

MITTELBYZANTINISCHE KUNST

Um die Mitte des 9. Jh. entstand nach der an Denkmälern armen Zeit des Bilderstreits die mittelbyzantin. Kunst, die unter der Herrschaft der makedon. (um 850 bis 1050) und der komnen. Dynastie (1050–1204) bis zur Eroberung und Plünderung Konstantinopels durch die Kreuzfahrer (1204) andauerte. Unter der Herrschaft von BASILEIOS I. (867–86) schloß sich das Reich neu zusammen. Literatur und Kunst blühten wieder auf. Zahlreiche christl. und profane Hss. wurden kopiert (Kosmas Indikopleustis im Vatikan; Gregorhomilien, Paris) und zeugen für eine Besinnung auf das grch. Erbe. Dem daraus entstandenen Klassizismus sind weitere Hss. verpflichtet (Pariser Psalter, Paris; Josuarolle, Vatikan). In der Architektur entstand der weitverbreitete Kirchentyp des Vierstützenbaues, bei dem 4 Säulen das die Kuppel tragende Tonnenkreuz stützen (u. a. Myrelaion und das Lipskloster in Konstantinopel; Panagia Chalkeon in Thessalonike; Kaisariani bei Athen). Auf dem Berg Athos entwickelte sich ein eigener Typ (Lavra). Aus dieser Zeit sind nur wenige Mosaiken erhalten: in der Kuppel der Hagia Sophia in Konstantinopel die Cherubim als Teil einer Theophanie, in der Apsis der Christusknabe auf dem Schoß der Mutter mit Engeln; über der Königstür Leo VI. zu Füßen Christi. Die Apostelkirche ist mit ihren Bildern verloren. In Hosios Lukas (BILD) begegnet um 1000 erstmals der für die mittelbyzantin. Zeit kanon. Zyklus der Festtagsbilder. Unter den Komnenen folgt im 12. Jh. der Höhepunkt der mittelbyzantin. Kunst. Das als Grablege der Dynastie gestiftete Pantokratorkloster (Zeyrek Kilise Camii) in Konstantinopel ist, mit einer ganz neuen Weiträumigkeit, das Hauptdenkmal. Die Umgangskirche (zentraler Kuppelraum mit Umgang) ist eine Neuerung der Zeit (Pammakaristos/Fethiye Camii, Istanbul). Klass. Formen bestimmen die Mosaiken in Daphni (BILD) bei Athen (um 1100). Von dort beeinflußte Handwerker arbeiteten auch in Sizilien (Palermo: La Martorana, Teile der Palastkapelle; Cefalù) und gründeten eine eigene Schule (Monreale). Die Fresken von Nerezi (Nordmakedonien, Mitte 12. Jh.) und Wladimir (Rußland, spätes 12. Jh.) zeigen die weitere Entwicklung. Bed. Werke der Kleinkunst dieser Zeit finden sich in den Domschätzen von Venedig (BILD Pala d'Oro) und Limburg/Lahn (BILD Staurothek).

Nach der Plünderung Konstantinopels durch die Kreuzfahrer (1204) bildete sich in Nikaia ein Exilkaisertum, doch sind als künstler. Zeugnis dieser Zeit bisher nur Hss. faßbar. Die wichtigen Leistungen geschahen nun in dem neuen Staat der Serben (Fresken in Studenica, Mileševa, Sopočani).

SPÄTBYZANTINISCHE KUNST

Die Palaiologenkaiser (1261–1453) waren die Gründer und Träger dieser letzten Phase der b. K. Trotz größter Gebietsverluste des Reiches, das schließlich auf den engeren Umkreis der Hauptstadt beschränkt war, kam die Kunst zu unerhörter Blüte. In der Baukunst blieb es bei den alten Kirchentypen (Vierstützen- und Umgangskirche), doch dem Außenbau wurden neuartige farbige Akzente gegeben (Konstantinopel: Lipskloster/Fenari Isa Camii, Südkirche; Pammakaristos, Nebenkirche, Tekfur Saray). Dünngliedrige Figuren beherrschen die Malerei und zeigen eine fast manierierte Bewegtheit (Pammakaristos- und Chorakirche/Kariye Camii), ebenso im südl. Serbien in der Malerschule König Milutins (Ohrid; Studenica). Deren monumentale Gesinnung klingt an die frühe ital. Malerei an; die Entwicklung führte von klassizist. Anfang zu stärkerem Realismus. Wie schon in der Komnenenzeit spielten Buchmalerei und Goldschmiedekunst in der Spätzeit eine große Rolle.

Die Eroberung Konstantinopels durch die Türken (1453) brachte das Ende der b. K. Moskau als ›Drittes Rom‹ trat das Erbe an. Das Weiterleben der b. K. in der nachbyzantin. Kunst auf dem Balkan, in Griechenland (Kreta) und in Rumänien errreichte nicht den gleichen Rang; dennoch ergeben sich aus der Nachzeichnung dieser Entwicklung wichtige Aufschlüsse über die Eigenart der b. K.

D. T. RICE: Kunst aus Byzanz (1959); V. N. LAZAREW: Storia della pittura bizantina (Turin 1967); W. F. VOLBACH u. JACQUELINE LAFONTAINE-DOSOGNE: Byzanz und der christl. Osten, Bd. 3 der Propyläen-Kunstgsch. (1968); R. KRAUTHEIMER: Early Christian and Byzantine architecture (Harmondsworth [2]1975); K. ONASCH: Kunst und Liturgie der Ostkirche ... (1981); E. COCHE DE LA FERTÉ: B. K. (a. d. Frz., 1982); F. W. DEICHMANN: Rom, Ravenna, Konstantinopel, Naher Osten; ges. Studien ... (1982).

Byzanz, grch. **Byzantion,** die um 660 v. Chr. von Bürgern aus Megara, angeblich unter Leitung des sagenhaften Heros Byzas, auf der heutigen Serail-Spitze von Istanbul gegr. Stadt; aus röm. Zeit (Neuaufbau unter CARACALLA) Stoa, Hippodrom und Thermen erhalten; seit 330 n. Chr. von KONSTANTIN D. GR. zur Hauptstadt des Röm. Reiches erhoben (→Konstantinopel), später Hauptstadt des Byzantin. Reiches. (→Istanbul)

C

Cabanel, Alexandre, frz. Maler, *Montpellier 28. 9. 1823, †Paris 23. 1. 1889, malte neben Historienbildern relig., später auch mytholog. Bilder voll süßl. Raffinements; Vertreter der Salonmalerei (v. a. Damenporträts) im 2. Kaiserreich.

Cabat [kab'a], Louis, frz. Landschaftsmaler, *Paris 6. 12. 1812, †ebd. 13. 3. 1893, malte wie die Künstler von →Barbizon einfache Motive voll echter Naturpoesie (›Paysage intime‹). Nach längerem Rom-Aufenthalt (1877–85 Direktor der dortigen frz. Akad.) schuf er idealisierende Landschaften in konventioneller Art.

Cabochon [kabɔʃ'ɔ̃, frz.] *der,* Schlifform für Edelsteine ohne Facetten mit kuppelförmigem Oberteil und einer flachen oder leicht gewölbten Unterseite.

Cacaxtla [kak'astla], archäolog. Fundort im südwestl. Teil des Bundesstaates Tlaxcala, Mexiko, in dem um 1970 sehr gut erhaltene Wandmalereien entdeckt wurden, die eine merkwürdige Mischung aus Teotihuacán- und Maya-Stil aufweisen; sie stammen vermutlich aus dem 8.–10. Jh.

Cáceres [k'aθeres], Stadt und Bischofssitz in SW-Spanien, 59000 Ew. Die hochgelegene, mit Mauern und Türmen befestigte Altstadt wird durch zahlreiche Adelspaläste des 15. und 16. Jh. mit prunkvollen Wappenschildern und charakterist. Eckfenstern geprägt (v. a. Casa de los Golfines de Abajo im Platereskenstil, Ende 15. Jh.); Kirchen S. Mateo (platereskes Portal, 16. Jh.) und S. María (16. Jh.). Archäolog. Mus. (prähistor. Grabstele, kelt. Eberdarstellungen, röm. Plastik, Gemäldegal.) in der Casa de las Veletas (auf den Ruinen des Alcázar erbaut, von dem noch die arab. Zisterne erh. ist, 12. Jh.). Außerhalb der Stadtmauern die Kirchen Santiago (Mitte 15. Jh.; Fassade mit wuchtigen Strebepfeilern auf kannelierten Säulen, Retabel von A. BERRUGUETE) und S. Francisco (1472 beg., Fassade 18. Jh.).

Cäcilia, röm. Märtyrerin, Heilige, †angeblich 230 n. Chr. (Reliquien seit 821 in S. Cecilia in Rom). Ihre Legende schildert ein Hochzeitsmahl, bei dem sich C. von der weltl. Musik abwendet und der himml. Musik lauscht; frühe Darstellungen in Ravenna (um 570, S. Apollinare Nuovo), dann in Venedig (11. Jh., S. Marco) und Rom (11. Jh., S. Cecilia, ein Zyklus). Als Attribute finden sich seit dem 14. Jh. ein Blumenkranz, seit dem 15. Jh. Orgel u. a. Musikinstrumente, die C. schließlich auch selbst spielt, so auf der Tafel des MEISTERS DES BARTHOLOMÄUSALTARS (1501). Das klass. Bild der auf die himml. Musik lauschenden C. schuf RAFFAEL (1515).

Cadenabbia, Kurort am Comer See, Italien; **Villa Carlotta** (1747) mit Kunstwerken von A. CANOVA, B. THORVALDSEN u. a.; terrassenförmige Parkanlagen mit trop. Pflanzen.

Cadiner Majolika, seit dem 19. Jh. auf dem Gut Cadinen auf den Elbinger Höhen (Frisches Haff) hergestellte Ware von ziegelbrauner Grundfarbe.

Cádiz [k'aðiθ], span. Hafenstadt und Bischofssitz in S-Andalusien, 142 100 Ew., reizvolles Stadtbild mit Palästen und weißen Häusern, oft mit Balkonen und erkerartigen Aussichtstürmen (Miradores) geschmückt; zahlreiche Kirchen, u. a. ehem. Kathedrale Santa Cruz (urspr. 13. Jh., Neubau ab 1602; im Kirchenschatz 3,35 m hohe Monstranz, 1648), Neue Kathedrale in klassizist. Stil (1722 beg.), S. Augustín (Fassade 1647; Kruzifix von A. MARTÍNEZ MONTAÑÉS, 1666); in den Kirchen Los Capuchinos und S. Felipe de Neri Altarbilder von B. E. MURILLO; Santa Cueva (1783, in der Kuppel Malereien von F. GOYA, um 1794); in der Kirche des Hospitals Nuestra Señora del Carmen (17./18. Jh.) Franziskus-Gemälde von EL GRECO. Archäolog. Mus. (Funde aus der pun. Grabanlage Punta de la Vaca nördlich von C., v. a. Sarkophag mit Porträtplastik des 5. Jh. v. Chr.); Mus. der Schönen Künste (v. a. 20 Gemälde für die Kartause in Jerez de la Frontera von F. DE ZURBARÁN).

Caecilia Metella, Tochter des röm. Konsuls CAECILIUS METELLUS CRETICUS (†53 v. Chr.); ihr Grabmal an der Via Appia südlich von Rom ist ein großer travertinverkleideter Rundbau (20 m Ø, 11 m hoch), von einem Bukranionfries bekrönt. Während des MA. diente der mit einem Zinnenkranz versehene Bau röm. Adelsfamilien als Festung.

Caen [kã], nordfrz. Stadt (123 000 Ew.) in der Normandie mit bed. Kirchenbauten, so die von WILHELM DEM EROBERER gegr. und für die Entstehung got. Baukunst bedeutsamen Abteikirchen (mit frühen Rippengewölben) Ste. Trinité (1059–1066) und St. Étienne (1064–1077; Chor mit Emporen, Umgang und Kapellenkranz, 13. Jh.; Neubau der Abteigebäude mit reicher Innenausstattung; roman. Kreuzgang). Weitere Kirchen: St. Nicolas (11. Jh.) und St. Pierre (13.–16. Jh.) mit 75 m hohem Turm (13.–14. Jh.) und reich dekoriertem Chorumgang; die Apsis (1518–45) in bizarrer Mischung aus Gotik und Renaissance. Erhalten ist auch das von Wilhelm dem Eroberer angelegte Château (Zitadelle) des 11. Jh. (Mauern 14.–15. Jh.). Im Mus. des Beaux-Arts bed. frz. Gemälde des 16.–19. Jh.

Caere [ts'ɛ: re], Stadt der Etrusker, →Cerveteri.

Caeretaner Hydrilen, in schwarzfiguriger Technik unter Verwendung von Rot und Weiß bemalte Hydrien, die in der etrusk. Stadt Caere (→Cerveteri) zw. 530 und 510 v. Chr. von eingewanderten Griechen hergestellt wurden; Darstellung grch. Mythenszenen inmitten reicher Ornamentfriese. Die Werkstatt der C. H. übte großen Einfluß auf die etrusk. Keramik aus.

Caerulelum [lat.], →Ägyptischblau.

Caesarea [lat. ›die Kaiserliche‹], mehrere zu Ehren röm. Kaiser benannte Städte im Röm. Reich, z. B. **C. Mauretaniae** (→Cherchell), **C. Cappadociae** (→Kayseri).

C. Palaestinae, C. Stratonis, C. ad mare, arab. **Kaisarije,** Ruinenstätte rd. 50 km nördlich von Tel Aviv-Jaffa an der Mittelmeerküste. Die von HERODES 22 v. Chr. erbaute Stadt war der bedeutendste Platz des röm. Palästina. Aus röm. Zeit wurden Mauerring, Aquädukt, Hippodrom, Reste des Forums, eines Tempels und Theaters wiederaufgedeckt.

Café du Dôme [kafedyd'om] in Paris, 1903 von R. LEVY und W. BONDY ›entdeckt‹, 1905–14 Treffpunkt der dt. Maler W. HOWARD, R. GÖTZ, A. WEISGERBER, H. PURRMANN, J. PASCIN, R. GROSSMANN, F. AHLERS-HESTERMANN, F. NÖLKEN, W. ROSAM, E. v. KAHLER, G. KARS, O. und MARGARETHE MOLL. Ferner verkehrten hier Plastiker und Kunstschriftsteller. Die ›Dômiers‹ gehörten seit 1907 zur ›Académie Matisse‹. Sie bildete zeitlich parallel zu dem expressionist. Künstlerkreis der ›Brücke‹ eine der Malerei der frz. Fauves nahestehende Variante neuer Stilfindungen im 20. Jh.

Caffi, Ippolito, ital. Maler, *Belluno 26. 10. 1809, †in der Seeschlacht bei Lissa 20. 7. 1866, malte reizvolle, zuweilen an CANALETTO erinnernde Architekturbilder mit kleinfiguriger Staffage; Schlachtenbilder.

Caffieri, aus Italien stammende, von 1660 bis zur Revolution in Frankreich bes. für den königl. Hof tätige Bildhauerfamilie. Philippe d. Ä., *Rom 1634, †Paris 7. 9. 1716, war bei der Ausstattung der königl. Schlösser (Louvre, Versailles), später bes. von Schiffen tätig. Sein Sohn Jacques, *Paris 25. 8. 1678, †ebd. 23. 11. 1755, war wegen seiner dekorativen Arbeiten im Rokokostil (v. a. Uhrgehäuse und Möbel) geschätzt. Dessen Sohn Jean-Jacques, *Paris 30. 4. 1725, †ebd. 21. 5. 1792, schuf virtuos gearbeitete, dem Stil G. L. BERNINIS angenäherte Marmorbildwerke, v. a. Dichter- und Musikerbüsten (in Paris: Comédie Française, Opéra u. a.).

Cagliari [k'aʎari], Hauptstadt Sardiniens und Erzbischofssitz, 238700 Ew. In der Kathedrale (14. Jh., im 17. Jh. verändert) u. a. 2 reliefgeschmückte Ambonen (12. Jh.); reich ausgeschmückte Krypta. Reste der ma. Stadtbefestigung (Torre dell'Elefante und Torre S. Pancrazio, beide 1305 ff.); röm. Amphitheater. Im Archäolog. Mus. u. a. vorgeschichtl. sard. Altertümer.

Cagnacci [kaɲ'attʃi], eigtl. Guido **Canlassi,** ital. Maler, *Castel Sant'Arcangelo di Romagna 20. 1. 1601 oder 1606, †Wien 1681, beeinflußt von CARAVAGGIO und von GUIDO RENI in Bologna, ließ sich 1657 als Hofmaler Kaiser LEOPOLDS I. in Wien nieder; bibl. und mytholog. Bilder mit virtuos gemalten weibl. Akten (›Tod der Kleopatra‹ um 1660; Wien, Kunsthistor. Mus.).

Cagnola [kaɲ'ɔla], Luigi, ital. Baumeister, *Mailand 9. 6. 1762, †Inverigo bei Mailand 14. 8. 1833, Vertreter des oberital., von A. PALLADIO inspirierten Klassizismus, baute die Kapelle der Hl. Marcellina in S. Ambrogio zu Mailand. HW ist der Arco della Pace (oder del Sempione) ebd. (1838 voll.).

Cahors [ka'ɔr], frz. Stadt und Bischofssitz in Aquitanien, 21900 Ew., am Lot, mit der Kathedrale St. Étienne (12.–15. Jh., eine Aquitan. Kuppelkirche; im Bogenfeld des N-Portals die ›Auferstehung‹, 1135; im Inneren Chor- und Kuppelgemälde; got. Kreuzgang des 15. Jh.); Pont Valentré (1308–80), befestigte Brücke des MA. mit 3 Türmen.

Caillebotte [kajb'ɔt], Gustave, frz. Maler, *Paris 19. 8. 1848, †Gennevilliers 2. 3. 1894, malte Genrebilder, Landschaften, Porträts und Stilleben; Förderer der Impressionisten, vermachte seine kostbare Sammlung impressionist. Bilder dem Staat, der nur einen Teil annahm (heute z. T. im Musée d'Orsay).

Cain [ka'ɛ̃], Auguste, frz. Bildhauer, *Paris 4. 11. 1822, †ebd. 6. 8. 1894, Schüler von F. RUDE, schuf Tierplastiken unter dem Einfluß von A.-L. BARYE.

Cajamarca [kaxa-], Stadt im nördl. Hochland von Peru, mit gut erh. kolonialem Stadtbild und Bauten v. a. aus der 2. H. des 17./Beginn 18. Jh.: dreischiffige Kathedrale mit reich ornamentierter Barockfassade, skulptierten Säulen und Nischen; Kirche S. Francisco: Fassade des Zentralschiffs durch Säulen und Statuennischen betont, im Innern indian. Steinmetzarbeiten (Bogenwerk). Die plateresk dekorierte Portalfront der Kirche Belén (florale Ornamentik, gemeißelte Muscheln, kleeblattförmiges Fenster, Säulen und Statuennischen) wird von schmucklosem Mauerwerk flankiert; auch hier im Innern starker indian. Einfluß (bes. Pfeiler). – C. war Hauptstadt eines Gebietes, das die Inka um 1460 eroberten; die erh. Keramik ist gekennzeichnet durch eine helle Grundfarbe (meist orange) mit wellenartigem Dekor. Die häufig gefundenen Dreifußschalen sind für Peru ungewöhnlich (vermutlich aus nördl. Gebieten).

Cajamarquilla [kaxamark'ija], archäolog. Fundort an der mittleren Küste von Peru, 18 km östlich von Lima, mit Resten einer großen Stadtanlage (nach 500). Die Keramik (orangefarbiger Grund mit 6 Farben bemalt, oft mit plast. Aufsätzen) zeigt Nazca-, Moche- und Tiahuanaco-Einfluß.

Calahorra [kala'ɔrra], span. Stadt und Bischofssitz in Altkastilien, Prov. Logroño, rd. 15 000 Ew.; spätgot. Kathedrale (15./16. Jh., Fassade um 1700) mit kostbarem Hostienbehälter (gen. ›Zypresse‹, 1467); Adelspaläste.

Calahorra, La C. [-kala'ɔrra], festungsartiger Palast mit 4 gewaltigen Rundtürmen in der span. Prov. Granada, 1509–12 für DON RODRIGO MENDOZA von ital. Künstlern unter Verwendung aus Italien stammender Bauteile erbaut (zweistöckiger Innenhof mit marmornen Säulen und reich verzierten Kapitellen, prächtige Portale im üppigen Stil der ital. Renaissance).

Calais [kal'ɛ], Hafenstadt im nordfrz. Dép. Pas-de-Calais, 79 400 Ew.; im 2. Weltkrieg stark zerstört (Ruine der got. Kathedrale). Am Hôtel de Ville (Rathaus, 1910–22 im fläm. Renaissance-Stil erbaut) das Denkmal ›Die Bürger von C.‹ (1895 aufgestellt) von A. RODIN, das an die Belagerung durch die Engländer (1347) erinnert. Nouveau Musée (fläm., holländ., frz., ital. und engl. Malerei des 16.–19. Jh.).

Calakmul, Zeremonialzentrum der Maya-Kultur im Bundesstaat Campeche, Mexiko, in dem über 100 skulptierte Stelen aus der klass. Epoche (600–900) gefunden wurden.

Calame [kal'am], Alexandre, schweizer. Maler, Lithograph, Radierer, *Vevey (Kt. Waadt) 28. 5. 1810, †Menton (Dep. Alpes-Maritimes) 17. 3. 1864, Schüler von F. DIDAY, malte schweizer. Landschaften mit romantisch-pathet. Ausdruck.

Calandrelli, Alexander, Bildhauer, *Berlin 9. 5. 1834, †ebd. 26. 5. 1903, Sohn eines 1832 nach Berlin berufenen ital. Gemmenschneiders, Schüler von F. DRAKE, bei dem er 1854–56 arbeitete. Seit 1864 stellte C. in eigenem Atelier dekorative Kleinkunst her. Sein erster großer Auftrag war das Bronzerelief an der O-Seite der Siegessäule in Berlin (1871), sein Hauptwerk das Reiterstandbild Friedrich Wilhelms IV. (1886; Berlin-Ost, vor der Nat.-Gal.).

W. VOMM: Reiterstandbilder des 19. und frühen 20. Jh. in Dtl., 2 Bde. (1979). – Weitere Lit.: →Berliner Bildhauerschule.

Calatayud [-taj'uð], Stadt in NO-Spanien, Prov. Saragossa, 17000 Ew.; Stiftskirche S. María (urspr. maur. Moschee, im 13. Jh. Neubau) mit achteckigem Backsteinturm im Mudéjar-Stil (16. Jh.), plateresken Alabasterportal (1526), got. Kreuzgang; im Kapitelsaal got. Retabel (15. Jh.).

Calcar, 1) Jan Joest van, niederrheinisch-niederländ. Maler, →Joest van Kalkar.

2) Jan Stephan van, niederrheinisch-niederländ. Maler, *Kalkar (Kleve) um 1499, †Neapel nach 1545, war nach seiner Lehrzeit in Holland seit 1536 in Venedig bei TIZIAN tätig, der ihn stark beeinflußte. Später ließ er sich als Bildnismaler in Neapel nieder.

HW: Holzschnitte zur Anatomie des Vesalius (1543).

Calcutta [kælk'ʌtə], engl. Name für →Kalkutta.

Caldarium, altröm. Warmbad, →Thermen.

Caldaro, ital. Name für →Kaltern.

Calder [k'ɔ:ldə], Alexander, amerikan. Plastiker, Graphiker, *Lawton (Pennsylvania) 22. 7. 1898, †New York 11. 11. 1976, experimentierte in Paris (1926–34) mit mechanisch bewegten Drahtfiguren und motorangetriebenen Objekten. Zu Beginn der dreißiger Jahre entwickelte er die ›Constructions animées et sonores‹ (organisch geformte Metallscheiben, die sich an stengelartigen Drähten bewegen), die M. DUCHAMP ›Mobiles‹ nannte. Sie wurden zu Prototypen der Kinet. Kunst. Seine stat. Metallplastiken nannte H. ARP ›Stabiles‹. (BILD S. 152)

HW: Mobiles (1957; Kennedy Airport, New York; 1958; UNESCO-Gebäude, Paris); Stabile: Mensch (1967; Montreal).

A. C., hg. v. M. BESSET (1975, mit Lit.); J. LIPMAN u. M. ASPINWALL: A. C. (New York 1981).

Calderara, Antonio, ital. Maler, * Abbiategrasso (bei Mailand) 28.10.1903, † Viciago am Ortasee 27.6.1978, als Maler Autodidakt. Nachdem seine lichterfüllten Bilder, oft Landschaften, in den 1950er Jahren immer stärker geometr. und monochrome Tendenzen gezeigt hatten, gelangte C. 1959 vollends zur abstrakten Malerei. Seine späten Bilder sind streng gebaute ›Lichträume‹ in hellen Farben.

A. C., Ausst.-Kat., Düsseldorf/Ludwigshafen (1981/82).

Alexander Calder:
Disques jaunes, noirs, rouges;
Mobile, 1972

Calderon [k'ɔ:ldərən], Philip Hermogenes, engl. Maler span. Herkunft, *Poitiers 3. 5. 1833, †London 30. 4. 1898, studierte in Paris bei F. Picot. Sein Werk umfaßt v. a. Historienbilder und Genreszenen.

Cälius, Caelius, Coelius, einer der 7 Hügel des antiken Rom, im SO des Stadtkerns gelegen, in der Kaiserzeit ein vornehmes Villenviertel.

Calima, Bez. für einen Stil im Gebiet des südl. Mittelkolumbien (300 v. Chr. – 1000 n. Chr.), in der frühen Epoche v. a. durch Goldblecharbeiten gekennzeichnet, später finden sich auch gegossene Goldarbeiten (charakteristisch: lange Nadeln mit ornamentierten Enden), häufig sind es Figuren mit kompliziertem Kopfschmuck; z. T. sind die einzelnen Figuren mit vielen Anhängern dekoriert. Es besteht eine große Ähnlichkeit mit dem Quimbaya-Stil.

Callejón de Huaylas [kajex'ɔn ðe u'ajlas], Gebirgstal im nördl. peruan. Hochland, auch Bez. für den Stil von →Recuay.

Callot [kal'o], Jacques, frz. Stecher, Radierer, *Nan-

Jacques Callot: Plünderung eines Dorfes; Radierung 1632, aus der Folge ›Misères de la guerre‹

cy 1592 (oder 1593), †ebd. 24. 3. 1635, lernte in Rom, arbeitete dann in Florenz, nach 1621 in Nancy. Szenen aus der Welt des Jahrmarkts und des Krieges, Stadt- und Landschaftsmotive charakterisieren sein Werk. Phantast. Erfindungs- und realist. Beobachtungsgabe prägen die Formensprache. C. erhob die Radierung zu einer selbständigen, differenzierten Kunst, der er durch den ausdrucksvollen Wechsel von dünnen und kräftigen Strichen lebhafte Schwarzweißwirkungen abgewann. Seine Zeichnungen sind Augenblicksstudien, mit Kreide oder Rötel auf rauhem Papier gemalt, oft auch mit Tinte getuscht.

HW: Misères de la guerre (1632–33); Capricci; Gueux (Bettlerfolge); Balli (Figuren der Commedia dell'arte); Jahrmarkt der Madonna dell' Impruneta (1619–20); Ansichten von Paris.

T. SCHRÖDER: J. C. Das gesamte Werk (1971).

Caltagirone [-dʒir'o: ne], ital. Stadt (39 700 Ew.) und Bischofssitz in Sizilien (Prov. Catania) mit traditionsreicher Terrakotta- und Majolikaherstellung (bed. keram. Mus.); mehrere Kirchen.

Calvaert [k'alva: rt], Denys, genannt Dionisio **Fiammịngo,** flämisch-ital. Maler, *Antwerpen zw. 1540 und 1545, †Bologna 16. 4. 1619, bildete sich in Bologna und Rom, gründete in Bologna eine einflußreiche Schule (DOMENICHINO, G. RENI, F. ALBANI), die an CORREGGIO anknüpfte und so zum Vorläufer der Schule der CARRACCI (→Bologna, Malerschule von Bologna) wurde. C. schuf vorwiegend relig. Darstellungen.

Calvert [k'ælvə:t], Edward, engl. Maler, *Appledore (Devonshire) 20. 9. 1799, †London 14. 7. 1883; in Plymouth und London ausgebildet; sein Schaffen wurde durch W. BLAKE und Eindrücke, die er auf einer Studienreise (1844) nach Griechenland empfing, geprägt. Kritisch gegenüber seinen Werken, zerstörte C. viele seiner Bilder mit den Druckplatten.

R. LISTER: E. C. (London 1962).

Camaïeu [kamaj'ø, frz., von camée], einfarbige Bemalung, die nur in versch. Tonstufen gehalten ist, von Porzellan, Fayence u. a.

Camaïeu-Holzschnitt [kamaj'ø-], **Grau-in-Grau-Schnitt,** →Farbholzschnitt.

Camạro, Alexander, Maler, *Breslau 27. 9. 1901, studierte 1920–25 in Breslau bei OTTO MUELLER, wurde 1951 Prof. an der Akad. Berlin. Seine lyrisch gestimmte Malerei gestaltet mit Hilfe der durch die abstrakte Kunst gewonnenen Mittel Erlebnisse bes. aus der Welt des Theaters, wobei er sich immer mehr einer gegenstandsfreien Phantastik näherte.

Camba, Chamba, kleine Volksgruppe in NO-Nigeria, Afrika. Die C. stellen v. a. aus dem Pfahlstil entwickelte Plastiken in Gestalt von Schutzfiguren her; diese sind meist auf einem eisernen Spieß montiert und werden in einer besonderen Hütte am Eingang des Dorfes in die Erde gesteckt. Daneben gibt es Doppelfiguren, die mit 2 Körpern und 2 Köpfen, aber nur einem Leib und 2 Beinen ausgestattet sind (Zweckbestimmung noch ungeklärt). Der myth. Verbindung des Urahnen mit einer Büffelkuh entspringt die Verwendung einer ganz abstrakt gestalteten Büffelmaske mit riesigem Maul und halbkugeligem Kopf. Mytholog. Bedeutung haben ebenfalls kleine, aus Terrakotta gefertigte Tiere.

Cambiaso, Luca, ital. Maler, Bildhauer, *Moneglia bei Genua 18. 10. 1527, †Escorial 6. 9. 1585, tätig v. a. in Ligurien, 1583 als Hofmaler zur Ausmalung des Escorial nach Spanien berufen. Sein Stil verarbeitet Anregungen versch. Künstler und gehört zu den bedeutendsten Ausprägungen des oberital. Manierismus; auch Zeichner kubisch gegliederter Figuren.

Cambio, Arnolfo di, ital. Baumeister und Bildhauer, →Arnolfo di Cambio.

Cambrai [kãbr'ɛ], Stadt und Bischofssitz in N-Frankreich, nordöstlich von Amiens, 40 000 Ew.; in der Kirche St. Géry (18. Jh.) ein prächtiger Renaissance-Lettner (1545) und 12 große Gemälde (u. a. Grablegung von P. P. RUBENS); erzbischöfl. Palais mit Renaissanceportal (1620); Kathedrale (Ende 18. Jh.) mit barocker Innenausstattung, Skulptur des Bischofs F. FÉNELON (von DAVID D'ANGERS, 1824) und Grisaille-Malereien (Trompe l'œil); ehem. Jesuitenkapelle (Chapelle du Grand-Séminaire, 1692; heute Mus. für christl. Kunst) mit reicher Barockfassade; Rathaus (19. Jh.); Mus. (Skulpturen, Gemälde).

Cambridge [k'eɪmbrɪdʒ], **1)** Stadt in der Cty. Cambridgeshire, S-England, 103 900 Ew., am Cam; Univ.-Stadt; aus röm. Siedlung hervorgegangene bed. Handelsstadt des 13. Jh. Von den ma. Pfarrkirchen wurden St. Benet's mit anglosächs. Turm und St. Mary the Great (entstanden 1478–1522) als flachgedeckte spätgot. Basiliken erbaut. Die Round Church (um 1220) wurde nach dem Vorbild der Grabeskirche in Jerusalem als roman. Rundbau errichtet. Die im 13. Jh. gegr., heute aus etwa 30 Colleges bestehende Univ., nahm ihre Lehrtätigkeit zunächst in Privathäusern auf; erst um 1280 wurde Peterhouse als erstes College gegr., dem im späten MA. weitere, meist als Stiftungen der Königsfamilie und des Hochadels folgten. Für die um größere Höfe angelegten Collegebauten mit Hall und Kapelle als Kernstück sind die spätgot., z. T. in Ziegelstein errichteten Tortürme der Zeit um 1500 charakteristisch (Jesus College, gegr. 1496; Christ's College, gegr. 1505; St. John's College, gegr. 1511, und Trinity College, gegr. 1546). Die Kapelle des 1441 gegr. King's College wurde 1446–80 erbaut und nach Unterbrechung 1508 bis 1515 im Perpendicular Style ausgeführt. Das im 16. Jh. von dem Hofphysiker CAIUS gegr. und nach ihm benannte College wurde ab 1565 durch einen 2. Hof und das ›Gate of Virtue‹ in ital. Renaissanceformen erweitert. Die Bibl. des Trinity College wurde 1676 von C. WREN, das Senate House 1722–30 von J. GIBBS mit einer klassizist. Pilasterfassade und einem Halbsäulenportikus erbaut. Im frühen 19. Jh. wurden Downing College und →Fitzwilliam Museum in Formen des Spätklassizismus, der New Court von St. John's College 1825–31 von T. RICKMAN in Formen des Gothic Revival ausgeführt, die neugot. Kapelle 1863–69 von G. G. SCOTT.

Die Ausweitung des Lehrbetriebs führte im späten 19. Jh. zur Gründung mehrerer neuer Colleges (u. a. Westminster College). Die um 1960 einsetzende Neubautätigkeit bemühte sich um den Anschluß an die internat. Architektur (Churchill College, Univ. Centre, Faculty of History).

2) Stadt in Massachusetts, USA, 95 300 Ew., Sitz der Harvard Univ. (1636 gegr.) mit Gebäuden und Museen, u. a. Massachusetts Hall (1720, von J. LEVERETT), University Hall (1813–15, von C. BULFINCH), Sever Hall (1878–1880, von H. H. RICHARDSON; Abkehr von histor. Baustilen), Graduate Center (1950, u. a. von W. GROPIUS), Carpenter Center for the Visual Arts (von LE CORBUSIER), →Fogg Art Museum und Busch-Reisinger Mus. (Germanic Mus.) mit dt. Kunstwerken des 20. Jh. und einer bed. Abgußsamml. Das Peabody Mus. enthält archäolog. und ethnolog. Sammlungen. Für das Massachusetts Institute of Technology haben A. AALTO (Wohnheim für Studenten, 1947–1949) und EERO SAARINEN (Kapelle, 1955, mit skulpturalem Glockenturm von T. ROSZAK) bed. Bauten errichtet.

Camburg, Stadt an der Saale, unterhalb von Jena, Dt. Dem. Rep.; spätgot. Stadtkirche (um 1520, 1705 bis 1708 barock umgebaut) mit spätroman. Westturm; nahe der Stadt die Ruine der roman. Pfeilerbasilika St. Cyriacus.

Camden Town Group [k'æmdəntaʊn gru:p], Vereinigung engl. Postimpressionisten (u. a. H. GILMAN, S. GORE, LUCIEN PISSARRO, ein Sohn von C. PISSARRO, A. JOHN, H. LAMB), die sich 1911–13 im Atelier des Malers W. SICKERT im Londoner Stadtteil Camden Town trafen. Die Gruppe setzte sich für die zeitgenöss. frz. Malerei, bes. das Werk von P. GAUGUIN und V. VAN GOGH, gegen die Zeitkritik ein.

Cameron [k'æmərən], **1)** Charles, schott. Baumeister *1730/40, †St. Petersburg(?) 1812, bildete sich in Frankreich und Italien, wo er in Rom an den Ausgrabungen der Kaiserthermen teilnahm. 1779 wurde er von KATHARINA D. GR. nach Rußland gerufen, wo er als Hofarchitekt seine HW in klassizist. Stil errichtete (→Puschkin, →Pawlowsk).

2) Sir David Young, schott. Maler, Radierer, *Glasgow 28. 6. 1865, †Perth (Schottland) 16. 9. 1945, schuf, von J. M. WHISTLER beeinflußt, kleinformatige Landschafts- und Architekturbilder.

Cami [dʒ-], türkisch für →Moschee, bes. für die Freitagsmoschee.

Caminha [kam'iɲa], Stadt in N-Portugal, an der Mündung des Minho in den Atlant. Ozean, rd. 2000 Ew., Grenzstadt zu Spanien. Die Kollegiatskirche Igreja Matriz (1488–1565) ist ein Frührenaissancebau mit prächtiger Fassade (v. a. das reich gegliederte Hauptportal); Innenausstattung im Emanuelstil (u. a. achtekkiger Taufstein); Rathaus des späten 15. Jh. mit reichem Baudekor; Uhrturm (15. Jh.); got. Palácio das Pitas (1490).

Cammin i. Pom., poln. **Kamień Pomorski** [k'amjɛjn-], Stadt in der Wwschaft Szczecin (Stettin),

Campanile am Dom in Florenz; beg. 1334 von Giotto

Polen, 7800 Ew.; Kathedrale, gegr. vor 1176, spätromanisch-gotisch bis 1464 erbaut, mit bed. Orgel, Domschatz und Mus. Bischofspalast (16. Jh.). Das Rathaus (15./16. Jh.) brannte 1945 aus.

Campagna [kamp'aɲa], Girolamo, ital. Bildhauer, Baumeister, *Verona zw. 11. 1. und 26. 3. 1549, †Venedig 1625(?), arbeitete in Marmor und Bronze bes. für die Kirchen Venedigs, war außerdem in Padua, Verona und Urbino tätig. Seine Kunst entwikkelte sich von den langgestreckten Skulpturen des Manierismus zu einem beruhigten Frühbarock mit Figuren von reifer Körperschwere.

HW: Hochaltar von S. Giorgio Maggiore in Venedig mit der Bronzegruppe der Trinität (1591–93).

Campagnola [kampaɲ'ɔːla], **1)** Domenico, ital. Maler, Graphiker, *Padua oder Venedig 1500, †Padua 10. 12. 1564, tätig ebd. als Stecher und Entwerfer von Holzschnitten, als Fresko- und Leinwandmaler; bed. sind bes. seine Landschaftszeichnungen. Seine Lehrmeister waren TIZIAN und GIULIO C.; beeinflußt wurde er auch von A. DÜRER.

2) Giulio, ital. Kupferstecher, *Padua 1482, †Venedig nach 1515, tätig ebd., arbeitete als Kupferstecher für den venezian. Verleger ALDO MANUZIO. Seine Werke lassen einen Zusammenhang mit GIORGIONE erkennen; seine Bedeutung als Maler ist umstritten.

Campaña [kamp'aɲa], Pedro de, niederländ. Maler, →Kempeneer.

Campạna-Reli|efs, reliefierte Tonplatten, meist aus Augusteischer Zeit, benannt nach der umfangreichen Samml. des Marchese G. P. CAMPANA (*1808, †1880) in Rom; als Bauschmuck oder Verkleidung von Wänden in röm. Villen (Pompeji) verwendet, meist mit ornamentalem, auch mit figürl. Dekor (mytholog. Szenen, Darstellungen aus dem Leben in Rom).

Campanịle [von ital. campana ›Glocke‹], freistehender Glockenturm ital. Kirchen i. Ggs. zum →Glockenturm nördlich der Alpen (›Schiefer Turm‹ in Pisa; der C. am Dom in Florenz von GIOTTO).

Campbell [kæmbl], Colen, brit. Baumeister, *Schottland um 1675, †London 13. 9. 1729, stand in der Nachfolge von I. JONES und C. WREN, war Förderer des engl. Palladianismus (Mereworth Castle, Kent, um 1722); Hg. des ›Vitruvius Britannicus‹ (3 Bde., 1715, 1717, 1725).

Campen [k'ampə], Jakob van, niederländ. Baumeister, →Kampen.

Cạmpendonk, Heinrich, Maler, Graphiker, *Krefeld 3. 11. 1889, †Amsterdam 9. 5. 1957, studierte bei J. THORN-PRIKKER, stand seit 1911 dem →Blauen Reiter nahe, wurde 1926 Prof. an der Akad. Düsseldorf, emigrierte 1933 und wurde 1935 Prof. an der Rijks-Akad. in Amsterdam. C. suchte in Bildern und Holzschnitten durch Flächenkontraste und Leuchtkraft der Farben eine ornamentale Harmonie. Er widmete sich der Hinterglasmalerei und entwickelte eine eigene Technik, die Zeichnung in die Glasbemalung einzuritzen.

Camphausen, Wilhelm, Maler, *Düsseldorf 8. 2. 1818, †ebd. 16. 6. 1885, malte Historien-, Reiter- und Schlachtenbilder (v. a. aus den Kriegen 1864, 1866 und 1870/71).

Camphuysen [k'amphœjzə], **1)** Govert Dirckszoon, holländ. Maler, *Friesland(?) um 1624, begraben Amsterdam 4. 7. 1672, vorwiegend Tiermaler mit Vorliebe für Kühe; war auch als Porträtmaler am schwed. Hof tätig; beeinflußte offenbar P. POTTER.

2) Jochem Govertszoon, holländ. Maler, Bruder von 3), *Gorinchem (Gorkum) 1601, begraben Amsterdam 21. 1. 1659, wirkte mit seinen Nachtlandschaften auf A. VAN DER NEER.

3) Raphael Govertszoon, holländ. Maler, Bruder von 2), *Gorinchem (Gorkum) um 1597, begraben Amsterdam 23. 10. 1657, schuf v. a. Nachtstücke in der Art von A. VAN DER NEER, doch wärmer im Ton.

Campi, ital. Malerfamilie aus Cremona. Galeazzo (*1477, †1536) malte in der Art seines Lehrers BOCCACCINO. Seine Söhne Giulio (*um 1502, †1572), Antonio (*um 1525, †1587) und Vincenzo (*1536, †1591) waren wie ihr Verwandter Bernardino (*1522, †1591) in Cremona (u. a. Fresken im Dom) und Mailand tätig. Ihr Stil war eklektisch und manieristisch. Ein HW der Schule ist die Ausmalung der Kirche S. Sigismondo bei Cremona mit Kuppelfresken von B. C.

Campigli [kamp'iʎi], Massimo, ital. Maler, *Florenz 4. 7. 1895, †St. Tropez 31. 5. 1971, ließ sich von den archaischen Reizen der kret. und etrusk. Kunst zu streng stilisierten Figuren inspirieren, die sich in hellen Farben vom sandfarbenen Hintergrund abheben.

Campin [kamp'i:n, frz. kãp'ɛ̃], Robert, niederländ. Maler, →Meister von Flémalle.

Campionesen, ital. **Maestri Campionesi,** Baumeister und Bildhauer aus Campione am Luganer See, die vom 12.–14. Jh. tätig waren und erhebl. Anteil an der Entwicklung der roman. Architektur und Plastik in Oberitalien hatten. ANSELMO DA CAMPIONE ist der erste bed. Vertreter der C., der, zus. mit anderen C., den von G. LANFRANCO begonnenen Dombau in Modena seit der 2. H. 12. Jh. fortführte. Als führender Baumeister war MATTEO DA CAMPIONE am Dombau von Monza beteiligt; wichtigster Bildhauer war BONINO DA CAMPIONE (Mausoleum für Stefano und Valentina Visconti, Mailand, S. Eustorgio; Grabdenkmal mit Reiterstandbild des Cansignorio Della Scala, 1375/76, Verona, S. Maria Antica; →Scaliger-Gräber).

Camposanto [ital. ›hl. Feld‹], in Italien Bez. für geometr. Friedhofsanlagen mit monumentaler architekton. Umbauung durch Arkadengänge.

Der bekannteste C., neben dem Dom zu Pisa, wurde seit 1278 bis Mitte des 14. Jh. errichtet. Der rechteckige Umgang ist nach außen geschlossen und öffnet sich mit Arkaden, die mit Maßwerk gefüllt sind, auf den offenen Hofraum. Die Wände wurden im 14./15. Jh. mit Fresken bedeckt, u. a. von F. TRAINI (Triumph des Todes, Weltgericht, Einsiedlerleben), T. GADDI (Gesch.

Hiobs), ANDREA DA FIRENZE (Legende des Hl. Ranieri), ANTONIO VENEZIANO (Fortsetzung der Ranieri-Legende), SPINELLO ARETINO (Legenden der Märtyrer Efiso und Potito) und B. GOZZOLI (Szenen aus dem A. T.). Schwere Schäden durch den Brand des Daches (1944) machten bei den Restaurierungsarbeiten die Abnahme der Fresken notwendig, wobei die originalgroßen Entwurfszeichnungen auf einer unteren Putzschicht zutage kamen.

Campus [k'æmpəs], Peter, amerikan. Video-Künstler, *New York 19. 5. 1937, schuf seit 1972 Videoinstallationen mit Schwarzweiß-Projektoren und Kameras, die C. zu einem der wichtigsten Video-Künstler neben N. J. PAIK machen. C. arbeitet bes. mit dem Effekt der Selbstbegegnung, den er auf einfallsreichen Bändern und in poet. Environments wirkungsvoll inszeniert.

Canaletto, 1) eigtl. Giovanni Antonio **Canal,** ital. Maler, Radierer, *Venedig 18. 10. 1697, †ebd. 20. 4. 1768, Sohn und Schüler des Theaterdekorationsmalers BERNARDO CANAL, meist tätig in Venedig, auch in Rom und London. C. schuf in seiner Frühzeit in malerisch freiem Vortrag, später z. T. unter Benutzung der Camera optica, mit zunehmender Präzision Ansichten von Venedig und Umgebung, von Rom und London (zw. 1746 und 1754), ferner Phantasieansichten (›Vedute ideate‹). Mehrere seiner Städtebilder hat C. auch radiert. Seine Gemälde waren so gefragt, daß er später zahlreiche Mitarbeiter in seiner Werkstatt beschäftigte. Die wichtigsten seiner Schüler waren M. MARIESCHI und C. 2). Ein großer Teil seiner Werke befindet sich in England (v. a. London, Nat. Gal.).

W. G. CONSTABLE: C., 2 Bde. (Oxford 1962); J. C. LINKS: C., 1697–1768 (1982).

Canaletto 1): Piazzetta S. Marco, Venedig (Rom, Palazzo Corsini)

Canaletto 2): Dresden vom rechten Elbufer (ebd., Gemäldegalerie)

2) eigtl. Bernardo **Bellotto,** ital. Maler, Radierer, Neffe von 1), *Venedig 30. 1. 1720, †Warschau 17. 10. 1780, nannte sich nach seinem Onkel. C. war in Rom und Mailand tätig, 1746–58 Hofmaler in Dresden, 1758–60 in Wien, 1761 in München, dann wieder in Dresden. 1768 ging er nach Warschau (seit 1770 Hofmaler). Er malte wie sein Onkel topographisch getreue Ansichten der von ihm besuchten Städte, stilistisch seinem Lehrer ähnlich, aber mit gedämpfter Farbgebung und schwärzl. Schatten; schuf auch Radierungen seiner Ansichten. HW in Dresden (Gemäldegal.) und Warschau (Nat.-Mus.).

S. Kozakiewicz: Bernardo Bellotto gen. C., 2 Bde. (1972, m. Werkkat.).

Canapé [frz.], Sitzmöbel, →Kanapee.

Canberra [k'ænbərə], Hauptstadt Australiens, im SO des Kontinents, 241 300 Ew., seit 1913 nach Plänen des amerikan. Architekten W. B. Griffin (*1876, †1937) gebaut; durch einen 7,2 km² großen Stausee in OW-Richtung geteilt, mit weiträumigen Parkanlagen und streng getrennten Funktionsbereichen; die Straßen gehen strahlenförmig von Zentren aus, die nördlich und südlich des Sees auf Hügeln liegen. 1982 wurde die Austral. Nat.-Gal. mit bed. Samml. eröffnet.

Cancelleria-Reliefs [kantʃe-], große antike Reliefplatten, 1937 am Cancelleria-Palast in Rom gefunden, feierl. Prozessionen mit den Kaisern Vespasian und Domitian (später umgearbeitet zum Bildnis des Kaisers Nerva) darstellend.

Cancelli [lat.], Schranken aus Holz oder Marmor zur Abgrenzung des Altarraumes vom Kirchenschiff. Aus ihrer Verbindung mit dem Lesepult (lat. lectorium) seit dem 13. Jh. ging der →Lettner hervor. – An die Stelle der C. traten seit der Renaissance Chorgitter.

Candela, Felix, spanisch-mexikan. Konstrukteur, *Madrid 27. 1. 1910, ließ sich in Mexiko nieder, wo er seit 1951 Schalenkonstruktionen entwickelte, die komplizierte Raumgebilde ermöglichen und der architekton. Gestaltung neue Wege eröffnen.

HW: Kirche S. Maria Milagrosa, Mexiko, (1954); mit E. DE LA MORA: Kirche S. José Obrero, Monterrey (1959–60); St.-Vinzenz-Kapelle, Mexiko-Coyoacán (1959–60); König-Abdulasis-Univ., Djidda, Saudi-Arabien (Projekt, 1977).
C. FABER: C. und seine Schalen (1965).

Candi [tç-, javan.], Ausprägung von Tempel und Stupa als Grabmonument auf Java. Im C. wurde der Wohnsitz des Gottes, der Ahnen und eines zum Gott erhobenen Fürsten verehrt. Der C. bildet eine Synthese aus Hinduismus und altjavan. Ahnenkult bes. in O-Java, in Zentraljava auch buddhistisch. Der Aufbau ist dreigeteilt: Sockel (oft als Terrasse, darunter häufig hl. Asche), darauf die Cella, darüber ein pyramidenförmiges Dach.

Candi Benta [tç-, javan. ›gespaltener Candi‹], Torbau, bes. auf Bali, in Form eines in der Mitte durchtrennten, stark in die Höhe gezogenen Tempels als Monumentaleingang. Auch auf Java im 14. Jh. in Backstein gearbeitet, so in Trawulan.

Candid, Candido, Peter, niederländ. Maler, →Wit, Pieter de.

Candilis [frz. kãdil'is], Georges, frz. Architekt, *Baku (UdSSR) 11. 4. 1913, war 1945–51 Mitarbeiter im Büro LE CORBUSIERS, 1951–54 Direktor des Architekturbüros Atbat-Afrique in Casablanca. 1954–63 gehörte er zur Architektengruppe Candilis-Josic-Woods, Paris.

HW: Bauten (bes. Wohnbauten) in Marokko, Zentralafrika, auf den Antillen und im Iran; Siedlung Marseille-La Viste (1959); Stadtplanung Toulouse – Le Mirail (Wettbewerb 1961; 1. Bauabschnitt 1967–73 realisiert); Freie Univ. Berlin (Wettbewerb 1963). – **Schriften:** Recherches sur l'architecture des loisirs (1973, dt.); Bâtir la vie. Un architect, temoin de son temps (1977, dt.). – C.-Josic-Woods. Ein Jahrzehnt Architektur und Stadtplanung… (a.d. Engl., Nachdr. 1978).

Cane [ka:n], Louis, frz. Maler, *Beaulieu-sur-Mer (Dép. Alpes-Maritimes) 13. 12. 1943, untersucht in seiner Malerei die materiellen Eigenschaften des Bildes. Er steht damit der Gruppe Supports/Surfaces nahe und berührt Probleme der analyt. Malerei. Seit 1975 bezieht er auch Bildstrukturen aus Werken der Kunstgeschichte (GIOTTO, H. MATISSE) mit ein.

L. C., Ausst.-Kat., Bielefeld (1978).

Canlassi, Guido, ital. Maler, →Cagnacci.

Cano, Alonso, span. Maler, Bildhauer, Baumeister, getauft Granada 19. 3. 1601, †ebd. 3. 9. 1667, Sohn des Kunstschreiners Miguel C., kam 1614 nach Sevilla, wo er Schüler des Bildhauers J. MARTÍNEZ MONTÃÑÉS und der Maler J. DEL CASTILLO und F. PACHECO DEL RIO wurde. 1638 Hofmaler in Madrid, dort tätig im Alcázar (Idealbildnisse got. Könige im Komödiensaal, 1643; beim Brand 1734 teilweise vernichtet, Reste heute im Prado); 1667 Oberbaumeister der Kathedrale von Granada. C. war einer der vielseitigsten span. Künstler des 17. Jh. Als Maler hat er v. a. mytholog., histor. und bes. relig. Themen behandelt. Sein Malstil ist am Ideal der venezian. Schule mit einer lichtdurchfluteten, Goldtöne bevorzugenden Farbigkeit geschult. Mit seinen bemalten Holzskulpturen (→Estofado-Skulptur) hat er die span. Barockplastik entscheidend mitgeprägt. In seinen architekton. Werken verrät C. hingegen eine Neigung zu frühklassizist. Formen, etwa in seinem HW, der Fassade der Kathedrale von Granada, die durch die Kühnheit der monumentalen Gliederung und die Sparsamkeit des Dekors überzeugt (erst nach C.s Tod 1703 voll.).

WW: Malerei: Quellwunder (Madrid, Prado); Leben Mariä (Granada, Kathedrale). – Skulptur: Immaculata (ebd.); Hl. Antonius von Padua (Murcia, S. Nicolás).

Canogar [kanoɣ'ar], Rafael, span. Maler, *Toledo 17. 5. 1935, war 1957 Gründungsmitgl. der abstraktexpressionist. Gruppe ›El Paso‹ in Madrid. 1964 wandte er sich einem politisch engagierten Realismus zu, der die Bedrohung unter Diktaturen in allgemeingültige Metaphern faßt. Seine Bildmontagen verbinden Silhouettenfiguren aus Photos, die Massenmedien entstammen, mit einer farbenarmen, düsteren Malerei. 1967 erweiterte C. den Illusionsraum seiner Bilder reliefartig durch Polyesterfiguren.

Canosa di Puglia [-p'uʎa], ital. Stadt in Apulien (Prov. Bari), 30600 Ew.; Kathedrale (byzantin. Kuppelbau, 1101 gew.) mit Bischofsthron (von 2 Elefanten getragen) und Kanzel (beide aus Marmor, um 1100) und angebauter Grabkapelle für Bohemund, Sohn Robert Guiscards (nach 1111; mit prächtiger Bronzetür).

Canova, Antonio, ital. Bildhauer, *Possagno bei Bassano 1. 11. 1757, †Venedig 13. 10. 1822, bedeutendster und vielseitigster Vertreter der klassizist. Skulptur, dessen kühler, aber durch einen Nachklang barocken Schwunges belebter Stil in ganz Europa bewundert wurde. C. kam 1779 als schon anerkannter Künstler nach Rom. Während der Napoleon. Zeit schuf er Idealbildnisse von Napoleon I. und dessen Familie. Seit

Antonio Canova: Paolina Borghese-Bonaparte als ruhende Venus; 1807 (Rom, Villa Borghese)

1802 Oberaufseher der Kunstdenkmäler des Kirchenstaates, setzte er 1815 die Rückgabe der von Napoleon aus Rom geraubten Kunstwerke durch.

HW: Dädalus und Ikarus (1779, Venedig, Accademia); Grabmal Papst Clemens' XIV. (1783–87; Rom, SS. Apostoli); Grabmal Papst Clemens' XIII. (1787–92; Rom, St. Peter); Amor und Psyche (1793; Paris, Louvre); Grabmal Erzherzogin Marie-Christine (1798–1805; Wien, Augustinerkirche); Paolina Borghese-Bonaparte als ruhende Venus (1807; Rom, Villa Borghese); Venus (1812; Florenz, Palazzo Pitti; BILD Klassizismus). – Entwürfe im C.-Mus. Possagno.

A. C., Ausst.-Kat., Mailand, hg. v. F. RIGON (1982).

Cantarini, Simone, gen. **il Pesarese,** ital. Maler, Radierer, *Pesaro 1612, †Verona 15. 10. 1648, war in Bologna Schüler von G. RENI; bed. waren seine zahlreichen Radierungen (Mailand, Brera).

Canterbury [k'æntəbərɪ], Stadt in der Cty. Kent, SO-England, 34500 Ew. Das ma. Stadtbild mit bed. weltl. und kirchl. Bauten wurde im 2. Weltkrieg teilweise zerstört; der Mauerverlauf der röm. Stadt **Durovernum** wurde im MA. übernommen. 597 gründete der Benediktinerabt AUGUSTIN die Kathedrale und die außerhalb der Mauer gelegene Abtei. Es wurden die Fundamente mehrerer Kirchenbauten ergraben und zugänglich gemacht. Ein 1070 unter Erzbischof LANFRANCUS beg. Umbau der Kathedrale ist nur in den Abmessungen des spätgot. Lang- und Querhauses erhalten, der Chor wurde unter seinem Nachfolger ANSELM gegen Ende des Jh. mit einem 2. Querhaus erneuert; erhalten sind die roman. Krypta sowie Teile des aufgehenden Mauerwerks. Nach Brandzerstörung 1174 wurde der frühgot. Chor durch den frz. Baumeister WILHELM VON SENS beg. und bis 1184 durch seinen engl. Nachfolger WILLIAM über erweitertem Grundriß einschließlich der Chorscheitelkapelle (›Corona‹) fertiggestellt. Um 1375 wurde das basilikale Langhaus, dessen Seitenschiffe wegen ihrer Höhe den Raumeindruck stark prägen, durch den Baumeister T. HOO beg., der Obergaden mit Maßwerkrelief im Stil der Spätgotik um 1400 ausgeführt. Ab 1496 wurde der Vierungsturm mit Fächergewölbe durch J. WASTELL errichtet, die zweitürmige Westfront wurde erst 1832 voll. – Von den ehem. Glasfenstern ist u. a. das Becket-Fenster (um 1220) im Umgang der Trinity Chapel im Chor erhalten.

Von den nördlich gelegenen ma. Abteigebäuden sind Reste, teils als Ruinen erh.; die südlich jenseits des spätgot. Christ Gate von 1517 anschließende Stadt hat mehrere ma. Pfarrkirchen und das monumentale West Gate (1375–81) an der Straße nach London. Das neugot. St. Augustine's College wurde 1844–48 von W. BUTTERFIELD (*1814, †1900) im Bereich der Abteiruinen erbaut.

Canterbury-Schule [k'æntəbərɪ-], Skriptorium in Canterbury, in dem hervorragende Werke der engl. Buchmalerei entstanden. Stilbildend wirkte der →Utrecht-Psalter, der sich damals wahrscheinlich in Canterbury befand, wie ein Psalter Anf. des 11. Jh. (London, Brit. Mus.) und der ›Eadwine-Psalter‹ (um 1150; Cambridge, Trinity College) erkennen lassen. Den Eadwine-Psalter beschließt das ganzseitige Porträt des Schreibers EADWINE. Die C.-S. setzte ihre Tradition i. Ggs. zur →Winchester-Schule noch im 14. Jh. fort.

C. R. DODWELL: The Canterbury School of Illumination 1066–1200 (London 1954).

Cap Blanc [kapbl'ã], Felswand im Beunetal bei Les Eyzies-de-Tayac, Dép. Dordogne, mit altsteinzeitl. Wandreliefs, die in einem 15 m langen Fries Wildpferde und Wisente darstellen. Farbreste sprechen dafür, daß die Tierfiguren urspr. rot bemalt waren.

Capestrano, Ortschaft bei L'Aquila degli Abruzzi (Mittelitalien), Fundort des ›Kriegers von C.‹, einer überlebensgroßen Kalksteinstatue (Chieti, Mus.). Diese Grabfigur eines Häuptlings des umbr. Volksstamms der Picenter um 500 v. Chr. in eigenartiger Tracht gehört zu den bedeutendsten Denkmälern der italischen Kunst.

Cap-Haitïen [-aitj'ɛ̃], Stadt an der N-Küste von Haiti, in der Nähe der Ort →Milot mit der Festung La Ferrière und Ruinen des Schlosses Sans-Souci.

Capodimonte, Schloß am N-Rand von Neapel, 1738 von den span. Bourbonen beg. zur Aufbewahrung der von ihnen geerbten Kunstsammlungen der FARNESE (heute befindet sich deren Antikensamml. im Archäolog. Nat.-Mus. in Neapel; →Farnesische Sammlungen); 1743–59 auch Sitz der gleichnamigen Porzellanmanufaktur (danach nach Buen Retiro in Madrid verlegt); seit 1957 Nat.-Gal. (Museo e Gallerie Nazionali di C.) mit Gemälden (u. a. SIMONE MARTINI, RAFFAEL, TIZIAN, MASOLINO, MASACCIO, CORREGGIO), Porzellansamml., Gobelins u. a.

Capogrossi, Giuseppe, ital. Maler, *Rom 7. 3. 1900, †ebd. 9. 10. 1972, begann 1920 zu malen, von 1946 an zunehmend gegenstandsfrei. Seit 1949 entwikkelte er feststehende Formzeichen mit Schriftcharakter, die die Elemente seiner Bildstruktur bilden.

Cappel, ehem. Prämonstratenserinnenkloster, jetzt Damenstift, bei Lippstadt, NRW; vor 1139 gegr., mit der ältesten ganz gewölbten Basilika Westfalens (12. Jh.); Klostergebäude 16.–18. Jh.

Cappelen, Herman August, norweg. Maler, *Skien 1. 5. 1827, †Düsseldorf 8. 7. 1852, ebd. Schüler von H. GUDE und J. W. SCHIRMER, malte moosgrün und grauviolett getönte norweg. Landschaften von romant. Großartigkeit.

Cappelle, Capelle, Jan van de, holländ. Maler, *Amsterdam 1624 oder 1625, begraben ebd. 22. 12. 1679, schuf als Autodidakt bed. Marinebilder, in denen er, von S. DE VLIEGER ausgehend, aber von REMBRANDT beeinflußt, still vor der Küste liegende Schiffgruppen in warmer Lichtstimmung darstellte. In seinen atmosphärisch reichen Winterbildern wird der Stil von A. VAN DER NEER zu höchster maler. Freiheit entwickelt.

Cappenberg, Ortsteil von Selm, Kr. Unna, NRW, mit ehem. Prämonstratenserabtei (1122 gegr.); in der roman.-got. Kirche wertvolles Chorgestühl (1509–20) und reicher Kirchenschatz (Cappenberger Kruzifix, 12. Jh.; →Cappenberger Barbarossakopf).

Cappenberger Barbarossakopf, Kopfreliquiar aus vergoldeter Bronze, urspr. eine Porträtbüste von Kaiser FRIEDRICH I. BARBAROSSA (12. Jh.; Cappenberg,

Kirche), der sie seinem Taufpaten OTTO VON CAPPENBERG schenkte. (→staufische Kunst)

Caprarola, Gem. in Mittelitalien, südöstlich von Viterbo, mit dem von G. DA VIGNOLA 1559–73 für den Kardinal ALESSANDRO FARNESE erbauten **Palazzo Farnese,** einem beispielhaften manierist. Schloßbau (über dem fünfeckigen Sockelbau einer von A. DA SANGALLO D. J. beg. Festung errichtet) mit einem von zweigeschossigen Arkaden umschlossenen runden Innenhof. Im Inneren die groteskengeschmückte spiralförmige Wendeltreppe (›Scala Regia‹) auf dor. Säulen, die zur Kuppel (mit Fresken von A. TEMPESTA) des Treppenturms führt; Fresken von F. und T. ZUCCARI v. a. in der Eingangshalle. In den Parkanlagen kaskadenartige Wassertreppe.

Capri, ital. Insel im Golf von Neapel mit röm. Überresten, so die Ruinen der Tiberius-Villen, v. a. die Villa Jovis, Hauptwohnsitz des Kaisers an der O-Spitze der Insel, und die Tiberius-Bäder. Die Grotten C.s wurden in röm. Zeit zu Nymphen- und Quellheiligtümern ausgebaut (so u. a. die Blaue Grotte). Kirchl. Bauwerke: Certosa di S. Giacomo (14. Jh., 2 Kreuzgänge) in Capri-Stadt und S. Michele (18. Jh.; Majolikafußboden, die Vertreibung aus dem Paradies darstellend, 1761) in Anacapri.

Capriccio [kapr'ittʃo, ital. ›Laune‹, ›Grille‹] *das,* kleines musikal. Phantasiestück. Die Bez. C. wurde durch die 1617 erschienenen Radierungen von J. CALLOT mit dem Titel ›Capricci‹ in die bildende Kunst eingeführt. Zugleich war damit der Typus für diese Bilderfolge vorgegeben, die zumeist als Druckgraphik erschien: Einleitung durch ein Titelblatt, ein kleines, meist gleichmäßiges Bildformat, Freiheit in der Wahl der einzelnen Motive, die in phantasiereichen Variationen ein Grundthema umspielen, skizzenhafte Lockerheit in Erfindung und Ausführung. Bis Ende des 18. Jh. überwog bei ital., frz. und dt. Künstlern das ornamentale Formenspiel. In G. B. PIRANESIS Vergänglichkeitsphantasien der ›Carceri‹ und G. B. TIEPOLOS ›Varii Capricci‹ wurde jedoch bereits die Variationsbreite dieser Kunstform deutlich. Aber erst F. DE GOYA schuf mit seinen 1803 unter dem Titel ›Caprichos‹ erschienenen 80 Aquatinta-Radierungen eine inhaltl. Aussage bitterer Gesellschaftskritik in gedankenbeladenen Traumvisionen, unterstrichen durch sentenzartige Kommentierungen der einzelnen Blätter.

Capua: Capuanischer Eimer aus dem Grabfund von Lübsow bei Greifenberg (Pommern)

Capua, Stadt und Erzbischofssitz in der südital. Prov. Caserta, 18400 Ew. Der Dom (urspr. 11. Jh., nach Zerstörung im 2. Weltkrieg wiederaufgebaut) hat ein Atrium mit antiken Säulen aus röm. Tempeln des 3. Jh.; Kirche S. Maria dell'Annunziata (im 13. Jh. gegr.; Kuppel von D. FONTANA, 16. Jh.). Im Mus. Campano reiche archäolog. Samml. (u. a. Skulpturen des **Tors von C.** aus der Stauferzeit; →staufische Kunst) und Pinakothek (Gemälde des 15.–18. Jh.). Nordöstlich von C. die roman. Basilika →Sant'Angelo in Formis.

Das antike C., heute **S. Maria C. Vetere,** 4 km südöstlich des heutigen C., war durch seinen Reichtum berühmt. Weit verbreitet war in der frühen Kaiserzeit als Gebrauchsgerät das **Capuanische Bronzegeschirr.** Das meist gegossene Geschirr (Situlen, Eimer, Becken, Kannen, Kasserolen) war vielfach mit Attaschen verschiedenster Formen versehen. – An das antike C. erinnern Reste eines großen kaiserzeitl. Amphitheaters, ferner ein unterirdisches Mithras-Heiligtum mit Wandgemälden.

Caput mortu|um [lat. ›Totenkopf‹], Maltechnik: aus dem MA. stammender Name für eine künstlich erzeugte, violett-rote Eisenoxidfarbe, die seit dem 17. Jh. häufig für →Bolusgrund verwendet wird. Urspr. bezeichnet C. m. einen unbrauchbaren Rückstand aus der Alchemie.

Caracas, Hauptstadt Venezuelas, 1,035 Mio. Ew.; 1567 gegr. Nach schweren Erdbeben 1812 sind nur wenige kolonialzeitl. Bauten erhalten. Die Kathedrale, eine fünfschiffige Basilika, wurde oft umgebaut; Hauptbauzeit 1666 bis Ende 17. Jh., Barock-Fassade (1710–13). Das Panteón Nacional, eine im 19. Jh. in neugot. Stil umgebaute ehem. Kolonialkirche, ist Mausoleum Simón Bolívars. Das Capitol, HW neoklassizist. Baukunst in C. (große Kuppel, Wand- und Deckengemälde mit Darstellungen aus der venezolan. Geschichte), wurde 1877 fertiggestellt. Eindrucksvolle moderne (u. a. Univ. und Museo de Bellas Artes) und ultramoderne Baukomplexe (Centro Simón Bolívar und Parque Central mit Museo de Arte Contemporáneo).

Caracciolo [kar'attʃolo], **Caracciulo, Caraccioli,** Giovanni Battista, gen. **Battistello,** ital. Maler, *Neapel(?) zw. 1575 und 1580, †ebd. zw. dem 19. und 24. 12. 1635, in Neapel ausgebildet, kam Anf. 17. Jh. nach Rom und geriet hier in den Bannkreis von CARAVAGGIO und der Brüder AGOSTINO und ANNIBALE CARRACCI. Nach Neapel zurückgekehrt, wurde sein Schaffen (Altarbilder und Fresken) entscheidend für die Entwicklung der Barockmalerei ebd.

HW: Ruhe auf der Flucht (Neapel, Mus. Nazionale di Capodimonte); Madonna mit Kind und der Hl. Anna (Wien, Kunsthistor. Mus.).

Caradosso, Cristoforo, eigtl. C. **Foppa,** ital. Goldschmied, Medailleur, 1475 zuerst erwähnt, †Rom um 1527, war künstler. Berater von LUDOVICO IL MORO in Mailand und arbeitete seit 1505 für die Päpste in Rom. Seine Goldschmiedearbeiten wurden von B. CELLINI beschrieben, doch können ihm nur Medaillen mit Sicherheit zugeschrieben werden (Medaille anläßlich der Gründung von St. Peter mit dem ersten Kirchenentwurf BRAMANTES und dem Bildnis Papst Julius' II.).

Caran d'Ache [karãd'aʃ, aus russ. karandasch ›Bleistift‹], Deckname für Emanuel **Poiré** [pwar'e], frz. Karikaturist, Illustrator, *Moskau um 1859, †Paris 26. 2. 1909, lebte in Paris, bildete sich als Autodidakt nach W. BUSCH und A. OBERLÄNDER und arbeitete für mehrere Zeitungen und Zeitschriften.

Caratti, Francesco, in Böhmen tätiger Baumeister ital.-schweizer. Abstammung, *Bissone (Tessin), †Prag 1679, baute 1653–65 für den Fürsten Lobkowitz das Schloß Raudnitz, in Prag seit 1659 die Maria-Magdalenen-Kirche und 1669–92 das Palais Czernin am Hradschin, einen sogar die kaiserl. Schlösser übertreffenden Riesenbau in schwerem, an Formen von A. PALLADIO und G. ALESSI anklingenden Frühbarock (unvollendet; heute Außenministerium). – Sein Baustil gliedert mächtige kubische Blöcke durch große Pilaster und Säulenreihen und lockert sie durch monumentale Bögen und Arkaden auf.

Caravaggio [-v'addʒo], **1)** eigtl. **Michelangelo da C.**, auch **Merisi, Amerighi,** ital. Maler, *Caravaggio bei Bergamo 28. 9. 1573, †Porto Ercole 18. 7. 1610, begann 1584 seine Lehrzeit in Mailand bei S. PETERZANO aus Bergamo und kam gegen 1592/93 nach Rom. Seine ersten Bilder, die mit der Stilüberlieferung des Manierismus brachen, riefen in Rom Aufsehen hervor. Die naturnahe Sachlichkeit, mit der er aus dem Alltagsleben gegriffene Modelle malte, wurde Vorbild für eine in der gesamten Barockmalerei verbreitete Gattung des Genrebildes (Bacchus, um 1595, Florenz, Uffizien;

Michelangelo da Caravaggio:
Jugendlicher Bacchus; um 1595
(Florenz, Uffizien)

Lautenspielerin, um 1595, Leningrad, Eremitage; Wahrsagerin, 1588–89, Paris, Louvre, u.a. Halbfigurenbilder mit stillebenartigem Beiwerk). Seinen ersten großen Auftrag erhielt C. vermutlich durch Vermittlung Kardinal DEL MONTES 1599 (Contarelli-Kapelle in S. Luigi dei Francesi, Rom: Berufung und Martyrium des Matthäus, Matthäus und der Engel, 1602). Starke Gegensätze von Licht und Dunkelheit und dramat. Verkürzungen zeigen auch die Bekehrung des Saulus (BILD Barock) und das Martyrium des Petrus in der Cerasi-Kapelle in S. Maria del Popolo, Rom (1600). Doch erregte der Naturalismus, mit dem er das Heilige vergegenwärtigte, immer wieder Anstoß (Tod Mariä, 1605/06, Louvre). Zu den wenigen weltl. Bildern der späteren

Schaffenszeit gehört die Allegorie des Amor als Sieger (um 1596–98, Berlin-West, Staatl. Museen). C. war wegen seines Temperaments in mehrere Prozesse verwikkelt und mußte 1606, als er bei einem Streit einen Widersacher erschlagen hatte, aus Rom fliehen. 1607 malte er mehrere Altarbilder in Neapel (Rosenkranz-Madonna, Wien, Kunsthistor. Mus.) und ging dann nach Malta, wo er in den Malteserorden eintrat. Auch hier war er rastlos tätig (Enthauptung Johannes des Täufers, 1608, La Valetta, S. Giovanni; Bildnis des Maltesergroßmeisters Alof de Wignacourt mit seinem Pagen, 1608, Louvre). Nachdem er 1608 auch aus Malta fliehen mußte, suchte er in Sizilien Zuflucht (Altarbilder in Syrakus, Messina, Palermo). Bei dem Versuch, nach Rom zurückzukehren, wurde er verwundet und starb. Mit dem in wenigen Jahren geschaffenen Werk C.s beginnt eine neue Epoche der europ. Malerei (→ Caravaggisten).

M. MARINI: M. da C. (Rom 1974); H. HIBBARD: C. (London 1982).

2) Polidoro da C., eigtl. **Caldara,** ital. Maler, *Caravaggio um 1500, †Messina 1543, Schüler RAFFAELS in Rom. Seine von B. PERUZZI inspirierten und gemeinsam mit dem Florentiner MATURINO (†um 1528) ausgeführten Fassadendekorationen in Sgraffito-Technik sind meist zerstört, doch in vielen Stichen und Zeichnungen überliefert. Seine Fresken in S. Silvestro al Quirinale in Rom sind wichtig für die Gesch. der Landschaftsmalerei; manierist. Tafelbilder.

Caravaggisten [-vaddʒ'istən], Maler in mehr oder weniger starker Abhängigkeit von →Caravaggio 1), wie G. B. CARACCIOLO, O. GENTILESCHI u. a., die hellbeleuchtete Figuren vor dunklem Hintergrund darstellten. Diese spezielle Art der Helldunkel-Malerei heißt daher auch **Caravaggismus.** Sie verbreitete sich u. a. in den Niederlanden z. B. durch G. v. HONTHORST, H. TERBRUGGEN, in Frankreich durch GEORGES DE LA TOUR und in Spanien durch D. VELÁZQUEZ u. a.

Carcassonne [karkas'ɔn], südfrz. Stadt (44600 Ew.) und Bischofssitz im Vorland der Pyrenäen, durch die Aude in Ville Basse (linkes Ufer) und Cité (rechtes Ufer) geteilt. Die Ville Basse ist schachbrettartig angelegt, mit got. Kirche St. Vincent (14. Jh., Portal mit got. Skulpturen) und Kathedrale St. Michel (Ende 13. Jh., 1849 restauriert); im Mus. des Beaux-Arts eine Gemäldesamml. Die Cité (befestigte Altstadt) wird von einer doppelten Ringmauer (innere Mauer 1286 m lang, mit 25 Türmen; äußere Mauer 1500 m lang, mit 17 Türmen) umgeben (z. T. 6. Jh.; 1130, 1250 und 1280 verstärkt; 1852–79 restauriert), ein großartiges Beispiel des ma. Festungsbaus; Zugang zum Festungsbereich durch die Porte Narbonnaise, Tour de Tréseau und Porte d'Aude. Im Inneren der Cité das Château Comtal (12. Jh., heute Mus.) und die Kirche St. Nazaire (11. bis 14. Jh.) mit bed. Glasmalereien des 13.–16. Jh.

Cardiff [k'ɑ: dɪf], Hauptstadt von Wales, Großbritannien, an der Mündung des Taff in den Bristol Channel. An der bereits in röm. Zeit befestigten Stelle wurde um 1100 das normann. C. Castle angelegt. Die Burg wurde in der 2. H. des 13. Jh. erneuert und 1865–75 durch WIL-

LIAM BURGES mit reicher historist. Innenausstattung ausgebaut. Infolge des städt. Wachstums im späten 19. Jh. entstanden 1904 die Gebäude der Law Courts und der City Hall sowie bis 1909 das 1883 gegr. University College. Im Nat. Mus., 1909 gegr., u. a. frühchristl. und archäolog. Exponate sowie Werke walis. Künstler.

Carducho [karð'utʃo, span.], **Carducci** [kard 'uttʃi, ital.], **1)** Bartolomé, in Spanien tätiger ital. Maler, *Florenz um 1560, †Madrid 1608/10, Bruder und Lehrer von 2), malte in manierist. Stil, war Schüler von B. AMMANATI und F. ZUCCARI, mit dem er 1585 an den span. Hof kam (Fresken in der Bibliothek und den Kreuzgängen des Escorial; weitere Fresken in den königl. Schlössern Valladolid und El Pardo).

HW: Kreuzabnahme, Abendmahl (Madrid, Prado).

2) Vicente, in Spanien tätiger ital. Maler, Kunstschriftst., *Florenz 1568 oder 1578, †Madrid 1638; Bruder und Schüler von 1), an dessen Aufträgen am span. Hof er beteiligt war (›Szenen aus dem Leben Achills‹, Prado, Madrid), wurde 1609 als Nachfolger seines Bruders Hofmaler (u. a. 3 Gemälde für den Königssaal von Buen Retiro, Madrid; heute im Prado, ebd.).

HW: Kartäuserzyklus aus 55 Bildern für die Kartause von El Paular bei Segovia (um 1632; einige davon im Prado, Madrid); Vision des Hl. Franziskus (1631, Budapest, Mus. der Bildenden Künste). – **Malereitraktat:** Diálogos de la pintura (1633).

Cariani, eigtl. Giovanni **Busi,** ital. Maler, *Fipiano al Brembo (Bergamo) zw. 1485 und 1490, †Venedig um 1548, wohl schon vor 1509 in Venedig tätig; von GIORGIONE beeinflußt, später eher an PALMA IL VECCHIO orientiert; schuf relig. Bilder und Porträts.

Caricature, La C. [-karikat'yr], frz. satir. Zeitschrift, gegr. 1830 in Paris, redigiert von C. PHILIPON bis 1835, neugegr. 1838 und 1839, 1842 erloschen. Mitarbeiter waren u. a. H. DAUMIER, GRANDVILLE, P. GAVARNI.

Caritas [lat. ›Liebe‹], die personifizierte →Tugend der göttl. Liebe, seit dem 12. Jh. in den Tugend- und Lasterzyklen der frz. Kathedralplastik, ähnlich in Italien (PISANO, 1266/68; Siena, Relief der Domkanzel); mit Fides und Spes (Glaube und Hoffnung) in der Darstellung des Weltgerichts auf einem Fresko der Regensburger Allerheiligen-Kapelle (12. Jh.). Bei GIOTTO (Padua, Arena-Kapelle) steht sie zum Zeichen der Unabhängigkeit vom Mammon auf Geldsäcken. P. LORENZETTI gab ihr Flügel und setzte sie zw. die beiden anderen theolog. Tugenden (Glaube und Hoffnung).

Carlevaris, auch **Carlevarijs,** Luca, ital. Maler, *Udine 20. 1. 1663, †Venedig 12. 2. 1729, gilt als Begründer der venezian. Vedutenmalerei; zeitweilig Lehrer CANALETTOS 2). 1703 veröffentlichte er 104 radierte Ansichten Venedigs.

Carlin [frz. karl'ɛ̃], eigtl. **Karlein,** Martin, frz. Kunsttischler, *Freiburg im Breisgau 1730, †Paris 1785. Seine v. a. für den Hof LUDWIGS XIV. gefertigten, signierten Möbel, häufig mit Einlegearbeiten aus Sèvresschmuckplatten und Marmormosaik, zeigen hohe Qualität und elegante Proportionen.

Wörter, die man unter C vermißt, suche man unter K, Tsch oder Z

Carlisle [kɑ:l'aɪl], Stadt in der Cty. Cumbria, NW-England, 71 500 Ew., mit normann. Burg und got. Kathedrale, von der sich nach Abbruch im 17. Jh. nur Chor, Querhaus mit spätgot. Vierungsturm und der Ansatz des normann. Langhauses erhalten haben. Der ungewölbte frühgot. Chor des 13. Jh. besitzt einen dreigeschossigen Wandaufriß.

Carlo, Giancarlo de, ital. Architekt, *Genua 12. 12. 1919, ist Gründungsmitgl. des →Team X. Ziel der Planungen C.s ist eine größtmögl. Teilnahme des zukünftigen Gebäudebenutzers am Entwurfsprozeß (Partizipation). Einflüsse des →Brutalismus, der →Rationalen Architektur und des →Regionalismus prägen die Formensprache seiner Bauten.

HW: Studentenwohnungen in Urbino (1965); Arbeitersiedlung Matteotti in Terni (mit anderen, 1970–74). – **Schrift:** An architecture of participation (Melbourne, 1972).

Carlọne, Name mehrerer oberital. Künstlerfamilien, die, gefolgt von Handwerkertrupps, in Italien, Süd-Dtl., Österreich und der Schweiz tätig waren.

1) Carlo Innocenzo, Maler, *Scaria (Como) 1686, †ebd. 17. 5. 1775, war in Süd-Dtl., der Schweiz und v. a. am Hof in Wien tätig; später in der Lombardei.

Werke: Altarbilder und Fresken in Wien, Prag, Ludwigsburg, Einsiedeln, Weingarten, Brescia, Asti, Scaria.

2) Carlo Antonio, Baumeister *Scaria um 1635, †Passau 3. 5. 1708, baute in schwerem Barock mit meist von seinem Bruder Giovanni Battista C. ausgeführtem Stuckwerk.

HW: Kirche und Kloster St. Florian (seit 1688).

3) Diego, Bildhauer, *Scaria 1674, †ebd. 25. 6. 1750.

HW: Skulpturenschmuck der Klosterkirchen Weingarten und Einsiedeln; Statuen für S. Maria di Carignano in Mailand und die Kirche in Scaria.

4) Gian (Giovanni) Andrea, Maler, Sohn von 5), *Genua 22. 5. 1639, †ebd. 4. 4. 1697, empfing seine wichtigsten Anregungen in der röm. Werkstatt von C. Maratti; zeitweise in Perugia und Venedig, doch v. a. in Genua tätig, wo er neben zahlreichen Altarbildern auch eine Fülle von dekorativen Fresken in Kirchen und Palästen ausführte.

5) Giovanni Battista, *Scaria, † um 1717(?), Meister des für die Familie charakteristischen, stark plast. weißen Stuckwerks.

HW: Dekorationen des Passauer Doms (seit 1678), der Klosterkirche Waldsassen (1695–98), der Karmeliterkirche Straubing.

6) Sebastian Baumeister und Bildhauer in Graz.

HW: Mausoleum Erzherzog Carls in der Klosterkirche Seckau (1587–1612, mit reichem Schmuckwerk und Figuren).

Carlos [k'arluʃ], **Frei C.,** portug. Maler fläm. Abstammung, tätig zw. 1517 (Mönch im Hieronymitenkloster Espinheiro, Évora) und 1540, einer der hervorragendsten altportug. Meister, pflegte in seinen Altarbildern für die Klöster Espinheiro, Belém, Guimarães (heute zumeist im Mus. Nacional de Arte Antiga, Lissabon) v. a. Stil und Technik der altniederländ. Malerei.

Carmọna, Stadt in der südspan. Prov. Sevilla, 24 600

Ew., geprägt von maur. Bauten (Alcázar der Almohaden, Stadttore, Kirchtürme im Mudéjar-Stil, Häuser mit Azulejos-Dekor) und dazu kontrastierenden Barockfassaden. Zahlreiche Kirchen, u.a. S. Pedro (15.Jh.), S. Felipe (16.Jh.), Santa María (1428–1518). – Bei C. röm. Nekropole mit mehr als 900 Gräbern vom 2.Jh. v. bis 4.Jh. n.Chr., Resten von Malereien und Skulpturen (v.a. das ›Elefantengrab‹); Funde im Archäolog. Mus.

Carnac, frz. Ort an der Bucht von Quiberon (Bretagne), ein Mittelpunkt vorgeschichtl. Monumentalarchitektur aus der Zeit um 2000 v.Chr. (Megalithgräber, Steinkreise, Steinreihen). Die aus parallelen Menhirreihen gebildeten Steinalleen (›Alignements‹) von C., die insgesamt 4 km Länge haben (nahezu 3000 Menhire), stehen räumlich mit Steinkreisen (›Cromlechs‹) und mächtigen Grabhügeln des Neolithikums in Verbindung. Sie werden allg. als Kultanlagen angesehen, von denen einige wohl auch astronom. Bedeutung hatten.

Carneol [lat. ›fleischfarben‹], **Karneol**, Varietät des →Chalcedon, schon in Ägypten vielfach zu Schmuck verarbeitet; in der klass. Antike wurden Gemmen, Kameen, Siegel bevorzugt aus C. hergestellt. Verwandt ist der →Sarder, auch Sardonyx genannt.

Carnovali, auch **Carnevali,** Giovanni, gen. **il Piccio** [p'ittʃo], ital. Maler, *Montegrino (Lago Maggiore) 29. 9. 1804, †(ertrunken) bei Caltaro am Po 5. 7. 1873, Vorläufer des neuzeitl. maler. Naturalismus; malte Bildnisse, bibl. und mytholog. Szenen.

Carnuntum, stärkste röm. Festung an der pannon. Donaugrenze zw. Bad Deutsch-Altenburg und Petronell (NÖ). Das Kastell (nach 15 n.Chr. angelegt) wurde bes. unter Kaiser CLAUDIUS ausgebaut. Daneben entstand eine Zivilstadt. Um 400 wurde das Ende des 3.Jh. bereits verfallene C. endgültig zerstört. Ausgrabungen (2 Amphitheater, umfangreiche Bäderanlagen, Tempelbezirk, Zivilstadt), ›Heidentor‹. Funde im Mus. Carnuntinum in Bad Deutsch-Altenburg.

Caro [k'ɑːrəʊ], Anthony, engl. Bildhauer, *New Malden (Surrey) 8. 3. 1924, 1951–53 Assistent von H. MOORE, brach mit der figurativen engl. Plastik unter dem Einfluß von C. GREENBERG und DAVID SMITH. C. löst das Volumen in rein abstrakte Flächen und Linien auf (bemalte, horizontal ausgerichtete Metallbleche, T-Träger, Tischskulpturen). Seine Lehrtätigkeit an der St. Martin's School, London, machte C. zum Anreger für eine Richtung jüngerer engl. Stahlplastiker.

HW: Twenty-four-hours (1960; New York, Samml. Greenberg); Early one morning (1962; London, Tate Gal.); Pompadour (1963; Otterloo, Kröller-Müller-Mus.); Prairie (1967; Princeton, Privatsamml.).

DIANE WALDMANN: A. C. (London 1981); D. BLUME: The sculpture of A. C. 1942–1980, 4 Bde. (1982, dt. u. engl).

Carolath, poln. **Siedlisko** [sjɛdl'iskɔ], Ort in der Wwschaft Zielona Góra (Grünberg in Schlesien), Polen. Das Spätrenaissanceschloß (1597–1618) ist z.T. zerstört; im Ostflügel bed. Kapelle von 1615, zweigeschossig in der Tradition der prot. Schloßkapellen von Torgau und Augustusburg; Torbau (1611–14).

Caron [kar'ɔ̃], Antoine, frz. Maler, *Beauvais 1521, †Paris 1599, tätig für die frz. Könige FRANZ I., HEINRICH II. sowie für KATHARINA VON MEDICI, schuf dekorative Kompositionen im Stil der Schule von Fontainebleau (deren Manierismus er bis ins Extrem steigerte); auch Folgen von Zeichnungen (einige als Vorlagen für Gobelins, u. a. ›Die Geschichte der Artemisia‹); einige Tafelbilder (Louvre).

Caroto, Giovanni Francesco, ital. Maler, *Verona um 1480, †ebd. 1555 (oder 1546), entstammte einer in der Lombardei und in Verona tätigen Malerfamilie; Schüler des LIBERALE DA VERONA, später auch A. MANTEGNAS. Sein Stil ist eklektisch, in der Spätzeit mit manierist. Anklängen.

Carouge [kar'u:ʒ], Stadt im schweizer. Kt. Genf, 15000 Ew.; einzige planmäßig ausgeführte neuzeitl. Stadtgründung in der Schweiz (2. H. 18. Jh.), einheitl. Haustyp mit barocken und klassizist. Elementen; Kirche Ste. Croix in ital. Barock (1777/78, Fassade 1824).

Carpaccio [karp'attʃo], Vittore, ital. Maler, *Venedig zw. 1455 und 1465, †ebd. 1525/26, beeinflußt von den Brüdern BELLINI und ANTONELLO DA MESSINA, malte Andachtsbilder, Altarwerke, und für die Gebets- und Versammlungszentren venezian. Bruderschaften (›Scuole‹) schuf er umfangreiche erzählende Bilderfolgen, in denen er Heiligenlegenden und histor. Begebenheiten in die festlich repräsentative Umwelt seiner eigenen Welt versetzte. Bei der Ausführung seiner von Stil-

Vittore Carpaccio: Rückkehr der Gesandten (Venedig, Accademia)

Jean-Baptiste Carpeaux: Die drei Grazien (Paris, Musée du Petit Palais)

wandlungen kaum berührten Gemälde waren ihm wahrscheinlich 2 Söhne behilflich.

HW: Neun Bilder aus der Legende der Hl. Ursula für die Scuola di S. Orsola (1490 bis etwa 1495; Venedig, Gal. dell'Accademia); je 3 Szenen aus dem Leben der Hl. Georg und Hieronymus (1502 bis etwa 1508; ebd., Scuola di S. Giorgio degli Schiavoni); Rückkehr der Gesandten (ebd., Gal. dell' Accademia).

M. Cancogni: L'opera completa del C. (Mailand 1967).

Carpeaux [karp'o], Jean-Baptiste, frz. Bildhauer, Maler, *Valenciennes 11. 5. 1827, †Courbevoie 12. 10. 1875, Schüler von F. Rude und F. Duret, war als Rompreisträger 1854–59 in Italien, wurde von Napoleon III. gefördert. Bei der Überwindung des akad. Klassizismus zeigt C. neubarocke Züge. Zu seinen bedeutendsten Werken gehören in Paris die Giebelskulpturen am Pavillon de Flore des Louvre (1863–66), die Gruppe ›Der Tanz‹ an der Fassade der Opéra (1869 enthüllt; heute im Musée d'Orsay) und ›Die vier Weltteile‹ am Brunnen des Observatoriums (1867–72), alle malerisch modelliert und spontan bewegt. C. hinterließ ein umfangreiches zeichner. Œuvre (etwa 10000 Zeichnungen nach Vorbildern aller Gatt. und Epochen der Vergangenheit).

D. Kocks: J.-B. C. Rezeption und Originalität (1981).

Carpentras [karpãtr'a], frz. Stadt in der Provence, 25500 Ew.; in der Stadtmitte die got. ehem. Kathedrale St. Siffrein (1405 beg.), das Palais de Justice (1640, im Innenhof ein röm. Triumphbogen des 1. Jh. n. Chr.) und die älteste erhaltene Synagoge Frankreichs (15. Jh., Neubau 18. Jh.); Hôtel Dieu (18. Jh.) mit gut erhaltener Apotheke (Fayencen) und Kapelle; mehrere Museen (u. a. archäolog. Mus.). – Rd. 10 km südöstlich von C., in **Vénasque,** Kirche Notre-Dame (13. Jh., Turm 17. Jh.) mit Baptisterium (11. Jh.).

Carpi, ital. Stadt in der Poebene (Prov. Modena), 58400 Ew. An der Piazza dei Martiri, die von einem 210 m langen Portikus gefaßt wird, liegen das Kastell Pio (14./16. Jh.), das klassizist. Theater (1861) und der Dom (Entwurf von B. Peruzzi, 1514 beg.; Fassade 1667 voll.; Kuppel nach 1768). In der Kirche Sagra (urspr. Bau 1184 gew.; neue Fassade von B. Peruzzi, 1515) mit roman. Portal und Glockenturm (1217–21) befinden sich Fresken des 13. Jh.

Carpi, 1) Girolamo da, ital. Maler und Baumeister, *Ferrara 1501, †ebd. 1556, Schüler des B. Garofalo, beeinflußt von D. Dossi, später von Correggio und bes. Raffael; schuf relig. Gemälde und gelangte v. a. als Porträtmaler zu Ansehen; zahlreiche Bauten in Ferrara.

2) Ugo da, ital. Holzschneider, *Carpi um 1480, †Bologna 1532, arbeitete in Venedig, seit 1516 in Rom, schuf mehrfarbige Helldunkelholzschnitte, bes. nach Kompositionen von Raffael und Parmigianino.

Carpioni, Giulio, ital. Maler und Radierer, *Venedig 1613, †Vicenza 28.1.1679; wohlkomponierte, sorgsam gemalte mytholog. Darstellungen (Bacchanalen).

Carrà, Carlo, ital. Maler, *Quargnento (Piemont) 11. 2. 1881, †Rom 13. 4. 1966. C. war 1910 Mitunter-

Carlo Carrà: Mutter und Sohn; 1917 (Mailand, Privatsammlung)

zeichner des Manifests der futurist. Malerei, zu der er einen stark kubistisch geprägten Beitrag leistete. 1916 begegnete er G. DE CHIRICO und ging zu dessen Pittura metafisica über. Bis etwa 1921 malte er perspektivisch exakt konstruierte, karge Räume mit Schneiderpuppen, Alltagsgegenständen, Bauten, deren magische Versunkenheit und Hermetik sich durch ein typisch ital. Grundgefühl für die Größe und Strenge der bildner. Gestaltung von der literarisch angeregten Imagination de Chiricos unterscheiden. C.s Bilder, meist Stilleben und Landschaften, haben auch nach dem Abflauen der ›metaphysischen‹ Intensität noch hohe malerische Qualitäten.

M. CARRÀ: L'opera completa di C. (Classici dell'arte 44, Mailand 1970); ders.: C., Disegni, acqueforti, litografie (Florenz 1980).

Carracci [karr'attʃi], ital. Malerfamilie in Bologna, die Ende des 16. Jh. eine einflußreiche Zeichen- und Malakademie (›Accademia degli Incamminati‹; →Bologna, Malerschule von Bologna) gründete, deren Programm die Beobachtung der Natur mit dem Studium des schon barock gesehenen Spätstils von CORREGGIO, TIZIAN und RAFFAEL verband. Das HW der Schule sind die Fresken in der Galleria des Palazzo Farnese in Rom.

1) Agostino, Bruder von 2), *Bologna 15. 8. 1557, †Parma 23. 2. 1602, stand zeitlebens unter dem Eindruck der Kunst seines Bruders Annibale, der ihn 1597 zur Mitarbeit nach Rom holte; er war schon 1583–84 mit Ludovico und Annibale an der Ausmalung der Paläste Fava, Magnani (heute Salem) und Sampieri (heute Tolon) in Bologna beteiligt. 1600 folgte er einem Ruf des Herzogs RANUCCIO FARNESE nach Parma, in dessen Gartenpalast er einen Saal mit mytholog. Fresken ausmalte (er starb vor dessen Vollendung). C. war bed. als Kupferstecher, beeinflußt durch den Niederländer C. CORT. Seine ungefähr 270 Blätter geben Werke großer Meister (v.a. PAOLO VERONESE und TINTORETTO), aber auch eigene Kompositionen wieder.

WW: Tafelbilder: Letzte Kommunion des Hl. Hieronymus (1593/94; Bologna, Pinakothek); Himmelfahrt Mariä (ebd.).

2) Annibale, Bruder von 1), Schüler von 3), getauft Bologna 3. 11. 1560, †Rom 15. 7. 1609, von CORREGGIO, TIZIAN, TINTORETTO und PAOLO VERONESE sowie in Rom bes. von RAFFAEL und der Antike beeinflußt; führte bereits um 1590 gemeinsam mit seinem Bruder und Vetter mytholog. Fresken in Bologneser Palästen aus; ging 1596 nach Rom, wo er ein Begründer der röm. Barockmalerei wurde. Seine durch Entwurfszeichnungen aufs sorgfältigste durchgearbeiteten Werke sind in ihren starken Bewegungsmotiven von hohem Pathos erfüllt. Sein HW in Rom sind die seit 1596 entstandenen allegorisch-mytholog. Fresken im Palazzo Farnese (v.a. in der Galleria; Deckengemälde um 1600 voll.); außerdem malte er große Altartafeln sowie einzelne Landschaftsbilder mit relig. und mytholog. Staffage, die zu den Vorläufern der heroischen Landschaft gehören; zahlreiche Zeichnungen (im Louvre, Albertina, Uffizien).

WW: Tafelbilder: Madonna mit dem Hl. Matthäus (1588; Dresden, Gemäldegal.); Venus und Adonis (1590; Wien, Kunsthistor. Mus.); Bacchantin (um 1590; Florenz, Uffizien); Almosenspende des Hl. Rochus (1595; ebd.).

D. POSNER: A. C., 2 Bde. (London 1971).

3) Ludovico, Vetter von 1) und 2), getauft Bologna 21. 4. 1555, †ebd. 13. 11. 1619, u. a. Schüler des Bologneser Manieristen P. FONTANA. Seine vielen für Bolo-

Annibale Carracci: Venus und Anchises; 1596–1600, (Fresko im Palazzo Farnese, Rom)

gneser Kirchen gemalten Altarbilder, in denen das eklekt. Wesen der C.-Schule am deutlichsten hervortritt, neigen zu düsterer Farbgebung und sind von einer oft etwas konventionellen Pathetik.

Carracedo [karraθ'eðo], Klosteranlage (990 gegr.) in der nordwestspan. Prov. Léon; erh. sind 2 roman. Rundbogenportale und der Kapitelsaal, über dem ALFONS IX. im 13. Jh. einen Königspalast errichten ließ (z. T. erh., v. a. der Ehrensaal mit Gal. und qualitätvollen Säulenkapitellen).

Carrara, ital. Stadt in der Prov. Massa C., Toskana, 70 200 Ew.; seit röm. Zeit Zentrum der Marmorgewinnung und -verarbeitung. Romanisch-got. Dom (11. bis 14. Jh.) mit weiß-grauer Marmorinkrustation an den Fassaden, z. T. antiken Säulenkapitellen und reich geschmückten Marmoraltären im Inneren; Campanile (1281); im Palazzo Ducale (ehem. ›Rocca‹ der Herrschaft Malaspina, im 16. Jh. zur Residenz ausgebaut) die Kunst-Akad. (1769 gegr.) mit Samml. röm. Funde.

Carreño de Miranda [karr'εɲo-], Don Juan, span. Maler, *Avilés (Asturien) 25. 3. 1614, †Madrid 3. 9. oder 3. 10. 1685. Neben Kompositionen relig. und histor. Inhalts schuf er v. a. Porträts. Geschult an TIZIAN, P. P. RUBENS, A. VAN DYCK und v. a. D. VELÁZQUEZ, dem er als Hofmaler folgte, setzte er die Tradition der höf. Bildnismalerei Spaniens fort. I. Ggs. zu dem auf größtmögl. Schlichtheit reduzierten Bildnisstil des Velázquez benötigte C. de M. zumeist ein aufwendiges Instrumentarium an Requisiten.

HW: Porträts: Karl II. (Madrid, Prado; Wien, Kunsthistor. Mus.; Berlin-West, Staatl. Museen); Der russ. Gesandte P. I. Potemkin (Madrid, Prado).

Carriera, Rosalba, ital. Malerin, *Venedig 7. 10. 1675, †ebd. 15. 4. 1757, berühmt wegen eleganter Pastellbildnisse, arbeitete für die meisten europ. Fürstenhöfe und erfuhr zahlreiche Ehrungen (1720/21 in Paris, 1728–30 in Wien). 1746 setzte ein Augenleiden ihrer Tätigkeit ein Ende. 157 Pastellbilder und 17 Miniaturen gelangten in die Dresdner Galerie. Mit ihrer perlfarbigen, durch samtene Weichheit gekennzeichneten Maltechnik entsprach sie dem Geschmack des Rokoko.

Carrière [karj'ɛ:r], Eugène, frz. Maler, Lithograph, *Gournay-sur-Marne 29. 1. 1849, †Paris 27. 3. 1906, malte v. a. empfindsame Bilder des Familienlebens in verschwimmenden Helldunkeltönen, auch Porträts.

Carriès [karj'ɛs], Jean, frz. Bildhauer, Keramiker, *Lyon 15. 2. 1855, †Paris 1. 7. 1894, schuf naturalist. Porträtbüsten in vollendeter Bronzetechnik, später glasierte Tonbildwerke und Gefäße.

Carrión de los Condes, Ort in der span. Prov. Palencia, im MA. bed. Pilgerstation auf dem Weg nach Santiago de Compostela; Kirche Santa María del Camino (12. Jh., im 17. Jh. umgebaut) mit reich skulptiertem roman. Rundbogenportal (Fries mit bizarren Stierköpfen); Kirche Santiago (über dem Portal hervorragender Fries mit Darstellung der Majestas Domini, flankiert von den Aposteln, 1165); Kloster S. Zoilo (Kreuzgang in vollendetem Platereskenstil, 16. Jh.).

Carstens, Asmus Jakob, Maler, *St. Jürgen bei Schleswig (heute Teil von Schleswig) 10. 5. 1754, †Rom 25. 5. 1798, ausgebildet auf der Kopenhagener Akad., lebte 1783–87 in Lübeck, 1787–92 in Berlin (seit 1790 Prof. an der Akad.), seit 1792 in Rom. Ähnlich dem frühen J. L. DAVID vertrat C. einen strengen Klassizismus; dieser führte ihn zu großangelegten Kartonzeichnungen in reinen Umrißformen (v. a. allegor. und mytholog. Themen), die C. von der Antike (bes. der grch. Vasenmalerei), RAFFAEL und MICHELANGELO ableitete. Die Wirkung seiner Anschauung ist bei B. THORVALDSEN, später bei den →Nazarenern spürbar.

H. MENZ: A. J. C. (1955); H. v. EINEM: A. J. C. (1958).

Cartagena [-x'ena], Hauptstadt des Staats Bolívar, an der N-Küste Kolumbiens, 388 000 Ew. Der monumentale kolonialzeitl. Charakter des alten C. ist noch erhalten. Erste Befestigungsanlagen entstanden 1595, die meisten stammen aus der 1. H. des 17. Jh.; das Castillo San Felipe de Barajas (1657) ist die größte Festungsanlage des südamerikan. Kontinents. Die Klosteranlage La Compañia (oder San Pedro Claver) wurde im 17. Jh. von Jesuiten dreigeschossig über einem Teil der Stadtmauer errichtet; die Kirche (Anf. 18. Jh.) weist barocke und manierist. Stilelemente auf (Kuppel von 1921). Das Kloster Santo Domingo (1570–79 beg.) besitzt eine bemerkenswerte Treppenanlage und die älteste Kirche der Stadt, mit festungsartiger Apsis und Portal im Stil der span. Renaissance. Die Kirche Santo Toríbio (1729 beg.) hat eine bemerkenswerte schöne Holzdecke im Mudéjar-Stil und einen reich vergoldeten Barockaltar. Die dreischiffige Kathedrale (1577 beg.) hat einen barocken Hochaltar. Der Palast der Inquisition (1706; heute Kolonial-Mus.) mit schönem Portal ist ein eindrucksvolles Beispiel des Kolonialbarock.

Carta pesta [ital.], →Papiermaché.

Cartoon [kɑ:t'u:n, engl.] *der,* eine künstlerisch-graph. Form pointierter satir. Darstellung einer sozialen, auch gesellschaftlich-polit. Situation; oft fälschlich mit der →Karikatur gleichgesetzt, derer sich der C. als Mittel bedient. In seiner spezif. Bild-Text-Verbindung begann sich der C. seit dem 18. und v. a. im 19. Jh. – vorwiegend nach engl. und frz. Beispielen von W. HOGARTH bis H. DAUMIER – aus der allg. satir. Kunst zu differenzieren. Frühe satir. Ztschr., wie die politisch aggressive ›La Caricature‹ (Paris, 1830–35) und ›Punch‹ (London, seit 1841), bildeten den Charakter des C. als populärer Reproduktionsgraphik aus. Im viktorian. England verlor der C. an satir. Prägnanz (J. TENNIEL, G. DU MAURIER). Zur Zeit des Jugendstils, in der auch die Ztschr. ›Simplicissimus‹ gegründet wurde (München 1896), entstanden gelegentlich dynamischere, kontrastreiche Zeichnungen (PHIL MAY). Sie zeigen schon Elemente des gegenwärtigen C. mit seiner vom satir. Zweck bestimmten Ökonomie in der Bild-Text-Einheit, wie sie die amerikan. Ztschr. ›The New Yorker‹ (seit 1925) zeigte. Neben Zeichnungen mit knappem Text traten vermehrt C. ohne Worte, bei denen die literar. Funktion allein vom Bild erfüllt wird. Die neue amerikan. C.-Form, von ›New Yorker‹-Zeichnern wie P.

ARNO, G. WILLIAMS und J. THURBER repräsentiert, setzte sich erst Ende der dreißiger Jahre in England durch (›Fougasse‹, eigtl. K. BIRD); seit Ende des 2. Weltkriegs ist sie international verbreitet. Gegenwärtig führend sind Zeichner aus den USA (S. STEINBERG, C. ADDAMS, T. UNGERER, W. DARROW, J. C. SAXON), Frankreich (CHAVAL, ANDRÉ FRANÇOIS, J. J. SEMPÉ, ›MOSE‹, R. TOPOR), England (R. SEARLE, R. EMETT, N. THELWELL, ›FFOLKES‹, G. SCARFE), Dtl. (LORIOT, P. NEUGEBAUER, K. HALBRITTER) und Österreich (P. FLORA).

Carus, Carl Gustav, Kunstphilosoph, Maler, Naturforscher, *Leipzig 3. 1. 1789, †Dresden 28. 7. 1869. Als Maler war C. Autodidakt. Sein ursprüngl. Realismus (Frühling im Rosenthal, 1814, Leipzig) wandelte sich seit 1816 durch den Einfluß C. D. FRIEDRICHS, dem er in seinen besten Arbeiten (Hünengrab im Mondschein, 1820, Bremen, u. a.) überraschend nahekam, zu romant. Stimmungsmalerei. Seine späten Ölskizzen wirken frühimpressionistisch. – C.s ›Briefe über Landschaftsmalerei‹ (1815–24, erschienen 1831) sind wesentlich von Goethes Ideal einer objektiven Landschaftskunst bestimmt.

M. PRAUSE: C. G. C. Leben und Werk (1968).

Casale Monferrato, Stadt und Bischofssitz in der nordital. Prov. Alessandria, Piemont, 43 700 Ew.; zahlreiche Paläste und Kirchen, u. a. roman. Dom (1207 gew., 1859–61 restauriert) mit Kapitellschmuck (12. Jh.) und silberbeschlagenem Holzkruzifix (1404), spätgot. Kirche S. Domenico (1513 gew.) und die Barockkirchen S. Caterina (um 1730 voll.) und S. Filippo Neri (ab 1667).

Casamari, Zisterzienserabtei in Latium, östlich von Frosinone, Mittelitalien; neben →Fossanova eine der ältesten Klosteranlagen der Zisterzienser in Italien (1203 beg.; Kirche 1217 gew.; mit Altarciborium von C. RAINALDI, um 1670).

Casanova, 1) Francesco, ital. Maler, *London 1. 6. 1727, †Brühl bei Wien 8. 7. 1802, Bruder von 2) und des Schriftst. GIACOMO GIROLAMO CASANOVA, wurde 1763 in Paris in die Akad. aufgenommen, seit 1780 für die Gobelin-Manufaktur in Beauvais tätig; seit 1783 in Wien. Er malte Kriegs- und Schlachtenbilder.

2) Giovanni Battista, ital. Maler, *Venedig 4. 11. 1730, †Dresden 8. 12. 1795, Bruder von 1), ging 1752 mit R. MENGS nach Rom, wo er Zeichenlehrer von J. J. WINCKELMANN und ANGELICA KAUFFMANN wurde; seit 1764 Direktor der Akad. in Dresden; Zeichnungen zu Winckelmanns ›Monumenti antichi‹.

Casas y Novoa [-i noβ'oa], Fernando de las, span. Baumeister, †1749, v. a. in Galicien tätig, schuf seit 1726 die Capilla de la Virgen de los Ojos Grandes in der Kathedrale von Lugo und seit 1738 sein HW, die reich verzierte spätbarocke W-Fassade der Kathedrale von Santiago de Compostela.

Caserta, südital. Stadt und Bischofssitz in Kampanien, 67 000 Ew. Das von L. VANVITELLI 1752 beg. Schloß (Palazzo Reale) für KARL III. von Neapel gehört mit dem Escorial und Versailles zu den großen reprä-

Caserta: Treppenaufgang im Palazzo Reale; 1752–74 von L. Vanvitelli

sentativen Schloßbauten des europ. Absolutismus; von außen ein nüchterner Rechteckbau, dessen Inneres mit 4 Höfen sich als großartige Raumfolge um ein zentrales Achteck entfaltet. Bes. hervorzuheben das reich geschmückte Treppenhaus (Plastiken, Deckenfresken), oberes Vestibül, Palastkapelle, Hoftheater und die königl. Gemächer. Im Schloßpark die Castelluccia (Miniaturfestung, 1769), Canalone (Folge von Brunnen, Kaskaden und Bassins) und Große Kaskade (mit Skulpturen der Göttin Diana mit Nymphen).

Cashel [kæʃl], irische Stadt in der Cty. Tipperary, 2700 Ew., eine der ältesten Städte des Landes; sie wird vom Granitkegel des Rock of Cashel, einem alten kelt. Königssitz, überragt und ist seit dem frühen MA. Bischofssitz. Die von Bischof CORMAC MAC CARTHY 1127–34 erbaute und nach ihm benannte Chapel ist im Stil der gleichzeitigen anglo-normann. Architektur vollständig von Blendbögen gegliedert. Nach Erhebung zum Erzbistum wurde 1169 ein Neubau der St. Patrick's Cathedral beg.; frühgot. Bau mit Vierungsturm und Lanzettfenster im Rechteckchor (13. Jh., heute Ruine).

Casino [ital.], **Kasino, 1)** Pavillon oder Gartenhaus im Renaissancegarten. **2)** seit dem 19. Jh. Vergnügungsstätte (Spielcasino). **3)** Speise- und Clubraum für das Offizierscorps.

Casorati, Felice, ital. Maler, *Novara 4. 12. 1886,

†Turin 1. 3. 1963. Sein Schaffen gehört zum magischen Realismus der →Valori Plastici; charakteristisch sind strenge Figurenkompositionen.

Caspar, Karl, Maler, Graphiker, *Friedrichshafen 13. 3. 1879, †Degerndorf (Oberbayern) 22. 9. 1956, schuf u. a. relig. Öl- und Wandgemälde, seit 1910 mit expressionistisch-visionärem Charakter. C. war mit der Malerin **Maria C.-Filser** (*Riedlingen 7. 8. 1878, †Degerndorf 12. 2. 1968) verheiratet.

Cassapanca [ital. ›Truhenbank‹] *die,* durch Arm- und Rückenlehne als Sitzgelegenheit ausgebildete Truhe der Renaissancezeit (bes. Florenz).

Cassatt [k 'æsət], Mary, amerikan. Malerin, *Pittsburgh (Pennsylvania) 22. 5. 1845, †Le Mesnil-Théribus (frz. Dép. Oise) 14. 6. 1926, bildete sich u. a. in Paris, wo sie einen Teil ihrer Jugend verlebt hatte, zur Malerin aus; E. DEGAS veranlaßte sie, mit den Impressionisten auszustellen. Sie malte v. a. Bilder von Mutter und Kind in lichten, weich getönten Farben.

Mary Cassatt: Mutter mit Kind; Pastell (Paris)

Cassino, Stadt in der ital. Prov. Frosinone, Latium, 28 300 Ew.; über das Kloster →Montecassino.

Cassirer, Paul, Kunsthändler, Verleger, *Görlitz 21. 2. 1871, †(Selbstmord) Berlin 7. 1. 1926, eröffnete 1898 mit seinem Vetter Bruno (*1872, †1941) in Berlin einen Kunstsalon, aus dem sich ein Verlag entwickelte (seit 1939 als **Bruno Cassirers Ltd.** in Oxford). P. C. war einer der wichtigsten Förderer des Impressionismus und der Mitbegründer der Berliner →Sezession. Seine Kunstauktionen hatten internat. Bedeutung.

Cassone [ital.] *der, Mz.* **Cassoni,** Truhe, die in der ital. Renaissance für die Aussteuer zur Hochzeit geschenkt wurde. Vorderwand und Schmalseiten wurden

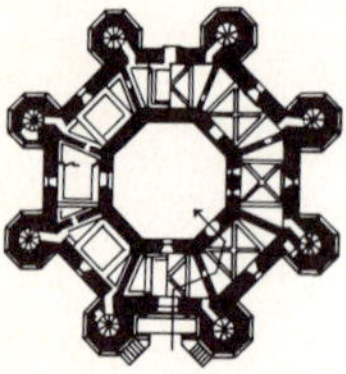

Castel del Monte: Grundriß

oft von bekannten Malern (S. BOTTICELLI u.a.) geschmückt.

Častá [tʃ'asta:], Ort im Westslowak. Kreis, ČSSR, 2200 Ew.; anstelle der zerstörten Burg **Červený Kámen** (13. Jh.) ließen die Fugger seit 1537 ein Schloß errichten, das 1583 in einen luxuriösen Renaissance-Palast umgebaut wurde; reiche frühbarocke Ausstattung (Stuck und Gemälde) im wesentl. bis 1649; im 18. Jh. erneuert und erweitert; seit 1950 Museum.

Castagno [-ɲo], →Andrea del Castagno.

Castel del Monte, Jagdschloß des Hohenstaufenkaisers FRIEDRICH II. in Apulien, S-Italien, südwestlich von Barletta, etwa 1240–50 errichtet. Der monumentale achteckige Bau, von 8 ebenfalls achteckigen Türmen umgeben, läßt antike, byzantin., oriental. und gotisch-zisterziens. Einflüsse, bes. in den Loggien des Hofes und den rippengewölbten Innenräumen, erkennen.

Castel del Monte; 1240–50

Castelfranco Veneto, ital. Stadt in Venetien, Prov. Treviso, 22000 Ew. Der Dom (1723–45; im Inneren die ›Madonna von Castelfranco‹, ein HW des einheim. Malers GIORGIONE, um 1504/05) zählt zu den besten Bauten des Palladianismus in Venetien.

Castel Gandolfo, ital. Stadt in der Prov. Rom, am Albaner See, 5400 Ew.; am Marktplatz die Kirche S. Tommaso da Villanova (von G. L. BERNINI, 1661) und die Sommerresidenz des Papstes, unter URBAN VIII. 1624 von C. MADERNO u. a. beg.; in der Villa Torlonia Plastiken von B. THORVALDSEN.

Castellammare di Stabia, ital. Stadt in der Prov. Neapel, 72400 Ew.; das antike →Stabiae.

Castello, Valerio, ital. Maler, *Genua 1624, †ebd. 1659, schuf, äußerst produktiv, Staffeleibilder und Fresken für Kirchen und Paläste in Genua (Werke u. a. im Palazzo Bianco), anfangs in gefällig eleganter Malweise, später in einer Manier von heftiger und nervöser Unruhe mit virtuosen Lichteffekten.

Castelo Branco [kaʃt'ɛlu br'ãku], Distriktshauptstadt und Bischofssitz in der portug. Prov. Beira Baixa, 21700 Ew.; ehem. Bischofspalast (18. Jh.) mit Mus. (u. a. Gemälde, röm. Funde) und Jardim Episcopal, eine der schönsten barocken Gartenanlagen Portugals (Anf. 18. Jh.) mit Teichen, Wasserspielen und Skulpturen (Apostel-, Engels- und Königsfiguren).

Castel Roncolo, ital. für →Runkelstein.

Castel Sant'Angelo [-'andʒelo], →Engelsburg.

Castelseprio, im frühen MA. blühende Stadt südlich von Varese, Italien, 1287 von den Mailändern zerstört. 1944 wurde in dem dichten Buschwald, der die Trümmer bedeckte, die Kirche S. Maria foris portas mit Fresken aus dem Marienleben und der Kindheit Jesu von hohem künstler. Rang entdeckt; die Datierung ist umstritten (7.–10. Jh.; wohl von byzantin. Künstlern in karoling. Zeit geschaffen).

Castiglione [kastiʎ'o:ne], Giovanni Benedetto, genannt **Il Grechetto** [-grek'etto], ital. Maler, Radierer, *Genua um 1609, †Mantua 1663/65, arbeitete in Genua, Venedig, Rom und Mantua. C. malte meist bibl. Themen mit lebensvollen Tierdarstellungen. In seinen etwa 70 Radierungen suchte C. die Helldunkelwirkungen REMBRANDTS nachzuahmen; er entwickelte die Technik der Monotypie zur Meisterschaft.

Castilho [kaʃt'iʎu], João de, portug. Baumeister, *Santander 1490, †1558 oder 1561, Hauptvertreter des Emanuelstils; 1517 löste er D. BOYTAC als Bauleiter des Hieronymitenklosteres in Belém ab (Vollendung und Ausschmückung der Klosterkirche und des Kreuzgangs; BILD Belém). 1519 begann er den Chor des Christusklosters in Tomar, 1528–33 schuf er die Loggia der Capelas Imperfeitas des Klosters Batalha. C.s Bruder Diogo (†um 1574) war beim Klosterbau in Belém beteiligt und seit 1524 in Coimbra (königl. Palast, Kloster Sta. Cruz) tätig.

Castillo [-ʎo], **1)** Jorge, span. Maler, Graphiker, *Pontevedra 16. 7. 1933, lebt seit 1969 in Berlin (West) und Mexiko. C. war anfänglich von PICASSO (bes. ›Guernica‹) beeinflußt, schuf Kompositionen mit scherenschnittartigen Figuren vor dreidimensionalem Hintergrund, seit 1962 v. a. Radierungen.

W. HAFTMANN u. L. DAVAL: J. C. (1974).

2) José del, span. Maler, Radierer, *Madrid 14. 10. 1737, †ebd. 6. 4. 1793, span. Hofmaler; schuf Porträts, Entwürfe für die königl. Gobelinmanufaktur, Illustrationen zu ›Don Quijote‹.

3) Juan del, span. Maler, *Sevilla 1584, †Cádiz 1640. C. wurde v. a. als Lehrer von A. CANO und B. E. MURILLO bekannt. Sein HW ist der Hochaltar des Klosters Monte Sión in Sevilla (heute im Mus. de Bellas Artes ebd.); Altäre in der Kirche S. Juan de Alfarache ebd.

4) Castillo y Saavedra [-i saaβ'eðra], Antonio del, span. Maler, Bildhauer, *Córdoba 10. 7. 1616, †ebd. 2. 2. 1668. Beeinflußt von F. ZURBARÁN, malte er für die Kirchen in Córdoba Altarbilder mit relig. Themen; ferner Porträts, Historien- und Hirtenbilder.

HW: Anbetung der Hirten (Madrid, Prado); Szenen aus der Geschichte Josephs (ebd.). – Samml. von Zeichnungen (Córdoba, Mus.).

Castle Acre [kɑːsl 'eɪkə], Ort in der Cty. Norfolk, England, östlich von King's Lynn; die Kirche des Cluniazenser-Priorats, eine dreischiffige Basilika mit Staffelchor, ist heute Ruine. Erhalten ist die zweitürmige Westfront (Mitte des 12. Jh.).

Castle Ashby [kɑːsl 'æʃbɪ], Landsitz in der Cty. Northamptonshire, östlich von Northampton, England, eine dreiflüglige Schloßanlage des 16. Jh. mit oktogonalen Hoftürmen. Um 1630 wurde von I. JONES zw. die Flügel ein Verbindungsbau (Galerie) und ein übergiebelter Säulenportikus eingefügt. Die Fassade ist im Stil A. Palladios gehalten.

Castle Howard [kɑːsl h'aʊəd], Herrenhaus in der Cty. N-Yorkshire, nordöstlich von York, England, eine Dreiflügelanlage, die 1699–1712 von J. VANBRUGH als eines der größten engl. Landschlösser erbaut und bis 1726 von N. HAWKSMOOR weitergeführt wurde; sie wurde Vorbild für den späteren →Blenheim Palace. Der Hof ist seitlich von niedrigen Wirtschaftsflügeln eingefaßt und durch Viertelkreisflügel mit dem rückwärtigen Corps de logis verbunden. Der fünfachsige Baublock nimmt die nach dem Vorbild barocker Kirchenvierungen gestaltete Hall auf.

Castres [kastr], frz. Stadt im Dép. Tarn, im Agout-Tal, 47500 Ew. Das Mus. Goya im ehem. Bischofspalast (1666 erbaut, heute Rathaus) enthält eine Samml. bed. span. Gemälde, v. a. Bilder von F. GOYA, D. VELÁZQUEZ, B. E. MURILLO u. a.

Castrum, das röm. Militärlager; aus dem urspr. Marsch- oder Winterlager entwickelte sich eine befestigte Anlage, die im ganzen röm. Imperium von ähnl. Beschaffenheit war. Das von Graben und Mauer umgebene C. mit rechteckigem Grundriß umfaßte nach festgelegtem Plan Unterkünfte, Stabsgebäude, Arsenal, Lazarett, Forum, Schule und Gefängnis.

Çatal Hüyük [tʃat'al-], bed. stadtartige Großsiedlung des frühen Neolithikums (7./6. Jahrtsd. v. Chr.) in Anatolien, südöstlich von Konya (KARTE Alter Orient) mit reichen Funden von Wohn- und Kultbauten aus Lehmziegeln und Holz sowie von Getreide-, Haustier- und Textilresten; keine Keramikfunde (statt dessen Holz- und Steingefäße). Idole und Fresken weisen auf Verehrung zweier Götterpaare und hl. Tiere (Stier, Leopard) hin.

Catamarca, Prov.-Hauptstadt in NW-Argentinien, 60000 Ew. Die 1. Kathedrale wurde bald nach der Stadtgründung (1683) errichtet, der heutige Bau Ende 19. Jh., innen im Stil der Neurenaissance; Fassade mit Säulenportal, flankiert von hohen Ecktürmen. Das Bildnis der ›Virgen del Valle‹ in der Kathedrale ist Zentrum der Marienverehrung und Wallfahrtsziel. Im Museo Calchaquí indian. Kult- und Gebrauchsgegenstände.

Catania, ital. Stadt und Erzbischofssitz an der O-Küste Siziliens, 400000 Ew.; mehrfach durch Erdbeben (v. a. 1693) zerstört, geprägt vom Baustil des 18. Jh. (sizilian. Barock). Der Dom (auf Resten der urspr. normann. Anlage, 1092) hat eine reiche barocke Fassade (1736); auf dem Domplatz Elefantenbrunnen (aus Lava) mit ägypt. Obelisk. Abteikirche (1735 voll.) des ehem. Klosters S. Nicolò, S. Carcere, S. Agata, S. Maria del Gesù und viele andere Kirchen. Das Castello Ursino (heute Mus.: Gemälde, antike und kunstgewerbl. Samml.) ließ Kaiser FRIEDRICH II. etwa 1239–50 erbauen. Reste eines grch. und röm. (Odeon) Theaters.

Catel, Franz, Maler, *Berlin 22. 2. 1778, †Rom 19. 12. 1856, urspr. Holzbildhauer, dann Illustrator, bildete sich seit 1807 in Paris zum Maler und schuf in Rom seit 1811 (unter Einfluß von J. A. KOCH) effektvolle Veduten und Genrebilder.

Catena, Vincenzo, italienischer Maler, *Venedig(?) 1470/1480, †ebd. Sept. 1531, vermutlich Schüler des CIMA DA CONEGLIANO, beeinflußt von G. BELLINI, arbeitete um 1506 in Werkstattgemeinschaft mit GIORGIONE; Altar-, Andachtsbilder, Bildnisse.

HW: Christus erscheint der Hl. Christine (1520; Venedig, S. Maria Mater Domini).

Cathedra [grch.-lat. ›Sessel‹], →Bischofsstuhl.

Cathedra Sancti Petri, der Legende nach Thron des Petrus, Holzthron in der →Peterskirche in Rom, mit karoling. Elfenbeinschnitzereien verkleidet und mit Elfenbeintafeln mit der Schilderung der Taten des Herkules (ihre Datierung und Herkunft ungeklärt).

Catherwood [k'æθəwʊd], Frederick, engl. Maler, Zeichner, *London 27. 2. 1799, †(Schiffsunglück) Sept. 1854. Nach Reisen in Nordafrika und im Vorderen Orient begleitete er 1839–40 und 1841–42 J. L. STEPHENS auf seinen Reisen in Zentralamerika und Mexiko. Seine äußerst genauen und realist. Zeichnungen (als Stiche veröffentlicht) zeigen neben Landschaften v. a. Ruinen, Stelen, Hieroglyphen u. a. Hinterlassenschaften der fast vergessenen Maya-Kultur.

J. L. STEPHENS: Incidents of travel in Central America, Chiapas and Yucatan, 2 Bde. (London 1841); ders.: Incidents of travel in Yucatan, 2 Bde. (New York 1843).

Catlin [k'ætlɪn], George, amerikan. Maler, Ethnograph, *Wilkes-Barre (Pennsylvania) 26. 7. 1796, †Jersey City (New Jersey) 23. 12. 1872, besuchte (1832–40) 48 nordamerikan. Indianerstämme, von denen er Porträts und lebensnahe Szenen malte. (BILD S. 184)

Illustrations of the manners, customs and condition of the North American Indians, 2 Bde. (1841, mit 300 Stahlstichen); Life among the Indians (1861).

H. HARTMANN: G. C. und B. Möllhausen ([2]1981).

Cauer, Kreuznacher Künstlerfamilie, begründet von Emil d. Ä., *Dresden 29. 11. 1800, †Kreuznach (heute Bad Kreuznach) 4. 8. 1867, Studium bei C. D. RAUCH in Berlin. Er schuf v. a. Porträtstatuetten von Persönlichkeiten der Reformationszeit (F. v. SICKINGEN, U. HUTTEN, P. MELANCHTHON), auch von W. A. MOZART und W. SHAKESPEARE, ferner Märchenfiguren, sämtlich in Bronze oder in der von seinem Sohn Karl früh entwickelten ›C.schen Masse‹ oder ›Elfenbeinmasse‹ (mit speziellem Lack überzogener, bes. hart abgesetzter Gips).

George Catlin: Der Ojibwa-Häuptling ›Strong Wind‹; 1845 (Washington D. C., Smithsonian Institution)

Sein Sohn Karl (*Bonn 14. 2. 1828, †Kreuznach 17. 4. 1885) studierte bei C. D. RAUCH und A. WOLFF in Berlin. Sein HW, das Hutten-Sickingen-Denkmal unterhalb der Ebernburg bei Bad Kreuznach, wurde erst 1888 von seinen Söhnen ausgeführt. Seit 1871 unterhielt er in Rom gemeinsam mit seinem Bruder Robert d. Ä. (*Dresden 2. 4. 1831, †Kassel 2. 4. 1893) ein gemeinsames Atelier. Robert studierte zunächst Malerei und schuf erst relativ spät wie sein Vater Märchenfiguren in ›C.scher Masse‹, aber auch Großplastik.

Karls Sohn Hugo, *Kreuznach 5. 10. 1864, †1918, Schüler von R. BEGAS in Berlin, führte 1888 gemeinsam mit seinen Brüdern Ludwig, *Kreuznach 28. 5. 1866, †ebd. 27. 12. 1947, und Emil d. J., *Kreuznach 6. 8. 1867, †1946, das Hutten-Sickingen-Denkmal aus. Ludwig war Schüler von A. WOLFF (Werke: Karl IV., Berlin-West, Siegesallee; Salier-Kaiser, Speyer). Emil lernte bei O. LESSING in Berlin und schuf Monumentalplastik (Brunnenanlage, 1911, Berlin-West, Rüdesheimer Platz). Roberts Sohn Stanislaus, *Kreuznach 18. 10. 1867, †Königsberg März 1943, war 1907–33 Prof. an der Akad. in Königsberg.

Hanna, *1902, Meisterschülerin bei H. LEDERER in Berlin, erhielt 1930 als erste Bildhauerin den Rompreis der Akad. der Künste. Sie schuf 1936 den Olympiabrunnen, der einige Jahre vor dem Berliner Rathaus (heute Berlin-Ost) stand.

A. TESCH: Die Bildhauerfamilie C. (1977). Weitere Lit. →Berliner Bildhauerschule.

Causeuse [koz'ø:z, frz.], **Marquise** [mark'i:z, frz.], schmales Sofa des 18. Jh. für 2 Personen.

Cava de' Tirreni, ital. Stadt und Bischofssitz in Kampanien (Prov. Salerno), 45 000 Ew.; rd. 4 km südwestlich die Abbazia della Trinità della Cava (Abtei 1011 gegr.) mit Kirche (1092 gew.; Neubau 18. Jh.; Barockfassade, 1772), Kloster mit Kapitelsaal (Majolikafußboden, 18. Jh.; Chorgestühl, 16. Jh.), Kreuzgang, Krypta (Fresken) und Mus. (u. a. röm. Altertümer, Gemälde, Handschriften).

Cavael [kav'a:l], Rolf, Maler, *Königsberg (Pr.) 27. 2. 1898, war 1926–32 Lehrer für angewandte Graphik in Frankfurt a. M., dann in Berlin und Garmisch. Seit 1954 lebt er in München. Seine Begegnung mit W. KANDINSKY (1931) und naturwissenschaftl. Studien führten ihn zur abstrakten Malerei mit schwebenden kalligraph. Impulsen. 1949 gründete er die Gruppe Zen.

J. ROH: R. C. (1964).

Cavallini, Pietro, eigtl. P. dei **Cerroni,** ital. Maler, *Rom 1240/50, †ebd. um 1330/50, erneuerte seit 1270 die spätantiken Fresken und Mosaiken in S. Paolo fuori le mura in Rom. C. war der Hauptmeister der röm. Malerei vor GIOTTO; später scheint umgekehrt dieser auf C. eingewirkt zu haben. C. hat als erster plastisch klare Figuren in statuar. Auffassung und einheitl. Beleuchtung dargestellt und entscheidend dazu beigetragen, die ital. Malerei vom byzantin. Einfluß zu befreien.

HW (in Rom): Mosaikenfolge des Marienlebens in S. Maria in Trastevere (1291); Fresko des Jüngsten Gerichts in S. Cecilia (um 1293).

Pietro Cavallini: Seraphim; Ausschnitt aus dem Fresko des Jüngsten Gerichts in S. Cecilia; um 1293, Rom

Cavallino, Bernardo, ital. Maler, *Neapel 25. 8. 1616, †ebd. 1656; kennzeichnend für seine kleinformatigen Werke sind elegante, delikate Farbbehandlung und brillante Belichtung; stellte meist bibl. und relig. Themen dar (›Hl. Cäcilia‹, 1645; Neapel, Mus. Nazionale di Capodimonte).

Cavea [lat.], Zuschauerraum des röm. Theaters.

Cavedoni, Giacomo, ital. Maler, getauft Sassuolo (Modena) 14. 4. 1577, †Bologna um 1660. Ausgebildet in Bologna bei den CARRACCI und geschult an Werken der venezian. Malerei, arbeitete er 1610 kurze Zeit bei G. RENI in Rom, kehrte dann in seine Heimatstadt zurück. Mit seinen Andachtsbildern trug C. venezian. Züge in die Bologneser Barockmalerei.

Caxés [kax'es], Eugenio, span. Maler, *Madrid 1577, †ebd. 1634/42, war seit 1612 Hofmaler; schuf Gemälde relig. und histor. Inhalts (›Vertreibung der Engländer aus der Bucht von Cádiz‹, Madrid, Prado), Fresken und Altarbilder (Toledo, Kathedrale; Guadalupe, Klosterkirche).

Cazin [kaz'ɛ̃], Jean-Charles, frz. Maler, Radierer, Keramiker, *Samer (Pas-de-Calais) 25. 5. 1841, †Le Lavandou (Dép. Var) 27. 3. 1901, malte stimmungsvolle Landschaften seiner Heimat, zuerst mit bibl. Figuren; auch als Keramiker für engl. Steinzeugfabriken tätig.

Cebu [s-], Hafenstadt und Erzbischofssitz auf der gleichnamigen Insel, älteste spanische Stadt (1565 gegr.) auf den Philippinen, 359 000 Ew.; Häuserfassaden mit vorgebauten Balkonen auf mächtigen Holzsäulen; span. Befestigungsanlage (heute Schule und Verwaltungsgebäude).

Cederström [s'e:dərstrœm], Gustaf Freiherr von, schwed. Maler, *Krusenberg bei Uppsala 12. 4. 1845, †Stockholm 20. 8. 1933, Schüler von L. BONNAT in Paris, malte realist. Bilder aus der schwed. Geschichte und aus dem Volksleben.

Cefalù [tʃefal'u], ital. Hafenstadt und Bischofssitz in der Prov. Palermo, 13 000 Ew. Der dreischiffige Dom (1131–48) ist eines der besten Beispiele normann. Baukunst in Sizilien (doppeltürmige Fassade, 1240; Portikus, 1471); reiche Innenausstattung mit prachtvollen byzantin. Mosaiken auf Goldgrund in Apsis und Chor (1148 vollendet).

Celadon, Porzellan mit grünl. Glasur, →Seladon.

Celaya [sel'aja], Stadt im Staat Guanajuato, Mexiko, 1800 m ü. M.; 95 000 Ew. Die klassizistische Kirche Nuestra Señora del Carmen mit großartiger Kuppel ist das HW des in C. geborenen mexikan. Architekten, Bildhauers und Malers F. E. TRESGUERRAS; Fresken von ihm v. a. in der Kapelle des Jüngsten Gerichts.

Celje [ts'ɛ:ljɛ], dt. **Cilli,** Stadt an der Savinja, Rep. Slowenien, Jugoslawien, 31 200 Ew. Als **Claudia Celeia** im 1. Jh. gegr.; Burgruine Ober-Cilli (14. Jh.); Renaissancepalast der Grafen von C. (1580–1660) mit Arkadenhof und reicher Ausstattung (Festsaal mit bemalter Kassettendecke); Kirche St. Daniel (14. Jh.) mit got. Kapelle der Schmerzensreichen Muttergottes mit Glasmalereien (z. T. 15. Jh.); Mus. mit Funden aus der Römerzeit.

Cella [lat.], grch. **Naos,** Kernraum des Tempels; meist eine fensterlose Halle, in der das Götterbild stand. Im Alten Orient war die C. ein Breit- oder Langraum, durch eine Tür mit dem Vorraum verbunden und von dort beleuchtet.

Celle, Stadt nordöstlich von Hannover, Ndsachs.; 74300 Ew.; 1371–1705 Residenz der Herzöge von Braunschweig-Lüneburg. Vierflügeliges Schloß (Umbauten eines Kerns von 1292 in Renaissance- und Barockformen) mit Wohn- und Repräsentationsräumen (Mus.), barockem Schloßtheater (1674/75, ältestes Theater Dtl.s) und Renaissance-Schloßkapelle (1560 bis 1576). In der 1675–78 barockisierten Stadtkirche befinden sich Fürstenepitaphien und 100 Gemälde an den umlaufenden Emporenbrüstungen. Das Alte Rathaus wurde 1561–79 im Stil der Weserrenaissance erbaut, südlich das Neue Rathaus (1785). Zahlreiche Fachwerkhäuser (seit Ende 15. Jh.).

Benvenuto Cellini: Salzfaß für Franz I., 1539–43 (Wien, Kunsthistor. Museum)

Cellini [tʃ-], Benvenuto, ital. Goldschmied, Medailleur, Bildhauer, *Florenz 3. 11. 1500, †ebd. 13./14. 2. 1571, eine der nach Einfallsreichtum und techn. Virtuosität glänzendsten Erscheinungen des ital. Manierismus, arbeitete 1540–45 am Hof FRANZ' I. von Frankreich und trat anschließend in den Dienst von COSIMO I. DE' MEDICI in Florenz. C. veröffentlichte 2 Schriften über Goldschmiedekunst und Skulptur. Seine kulturhistorisch bed. Autobiographie wurde von J. W. VON GOETHE ins Deutsche übersetzt (1803; neu hg. v. H. KEUTNER 1965).

HW: Goldschmiedearbeiten: Salzfaß für FRANZ I. (1539–43; Wien, Kunsthistor. Mus.); Medaillen. – Marmor: Apoll und Hyazinth (1546; Florenz, Bargello); Narziß (1547/48; ebd.); Kruzifix (1562; Escorial). – Bronze: Portal-Lünette einer liegenden Nymphe für Fontainebleau (1543–44; Paris, Louvre); Perseus (1545–54; Florenz, Loggia dei Lanzi). – Büsten: Cosimo I. (1545–48; ebd., Bargello).

Cempoala [s-], archäolog. Fundort an der Golfküste Mexikos, 57 km nördlich der Stadt Veracruz, war zur Zeit der span. Eroberung Zentrum der Totonaken; über ein großes Gebiet finden sich Ruinen von Tempeln, Pyramiden u. a. aus der nachklass. Epoche (900–1520).

Cennini [tʃ-], eigtl. Cennino **di Drea,** ital. Maler, *Colle di Val d'Elsa um 1370, †nach 1398, Schüler von A. GADDI, 1398 in Padua tätig, verfaßte einen Traktat über Malerei, der Ausbildungsweise, Technik und Kunstauffassung des Trecento beschreibt. Seine Malereien sind bis auf geringe Reste verloren.

Centcelles [θentθ'eʎes], frühchristl. Mausoleum bei →Tarragona.

Centre National d'Art et de Culture Georges Pompidou [sãtr nasjɔn'al da:r e də kylt'y:r ʒɔrʒ pɔ̃pid'u], Paris, Stadtteil Beaubourg, daher auch **Centre Beaubourg** [sãtr bob'u:r], Kulturzentrum, wurde von R. PIANO und R. ROGERS erbaut. 1977 eingeweiht, umfaßt es ein Mus. der modernen Kunst, Kunstgewerbeabteilung, Filmsamml., öffentl. Bibliothek und eine Musikschule.

Centula, ehem. Kloster in St. Riquier bei Abbeville (frz. Dép. Somme), gegr. vom Hl. RICHARIUS (†645), durch ANGILBERT, den Schwiegersohn KARLS D. GR., neu erbaut (790–99). Die Rekonstruktion der zerstörten Kirche nach Abbildung und schriftl. Überlieferung ergab eine Säulenbasilika mit 2 Querhäusern, kuppelgewölbtem Vierungsturm und Westwerk, einem der vollkommensten der karoling. Architektur. In der Verbindung von (östl.) Mönchskirche mit (westl.) Laienkirche deutet sich bereits der Einheitsbau der Romanik an.

Centuripae, antike Stadt, heute **Centuripe** [tʃ-], nordwestlich von Catania (Sizilien), erlebte ihre Blüte in späthellenist. Zeit nach der Eroberung durch Rom; Produktionsort einer Gattung von Vasen, die mit aufgesetzten Terrakotten und pastoser Bemalung (weiß, hellblau, rosa, gold) verziert waren.

Cera colla [ital.], Maltechnik: Bindemittel für Temperafarben aus Wachsseife und Leim, das von den byzantin. Malern, auch frühen ital. Meistern verwendet wurde.

Cerano [tʃ-], Giovanni Battista, ital. Maler, →Crespi 2).

Cerasin [lat. cerasus ›Kirschbaum‹], **Kirschgummi,** v. a. in der ma. Buchmalerei verwendetes Exkret des Kirschbaums u. a. Steinobstbäume. Das in Wasser gelöste, gut haftende C. gab den Farben einen emailartigen Schmelz.

Cerezo [θer'eθo], Mateo, span. Maler, *Burgos um 1626(?), †Madrid 29. 6. 1666, Schüler seines gleichnamigen Vaters und des J. CARREÑO DE MIRANDA, gehört zu den wichtigsten späten Hauptmeistern der Madrider Malerschule des 17. Jh. Seine Gemälde in leuchtenden Farben sind stilistisch beeinflußt von den verschiedensten Malern der Zeit.

HW: Myst. Vermählung der Hl. Katharina (1660; Madrid, Prado); Himmelfahrt Mariä (ebd.).

Cernavoda [tʃernav'oda], Stadt an der Donau in der rumän. Dobrudscha. In einem Grab der neolith. Hamangia-Kultur (3500–3000 v. Chr.) wurden 2 menschl. Terrakottastatuetten entdeckt, die in Form und Hal-

Cernavoda: Der Denker (OBEN) und sein weibliches Gegenstück (UNTEN); Terrakotta (Bukarest, Museum der Geschichte der Sozialist. Republik Rumänien)

tung Vorbilder moderner Plastik sein könnten. Sie hatten für den neolith. Totenkult bes. Bedeutung.

Černigov [tʃ-], →Tschernigow.

Černovcy [tʃ-], →Tschernowzy.

Cerquozzi [tʃerku'ɔttsi], Michelangelo, gen. **M. delle Battaglie** [-batt'aʎe], ital. Maler, *Rom 18. 2. 1602, †ebd. 6. 4. 1660, malte Schlachtenbilder (daher sein Beiname), später, unter dem Einfluß des Pieter van Laer, gut beobachtete Szenen aus dem Volksleben (→Bambocciate); war auch als Stillebenmaler tätig.

Cerro de las Mesas [s'erro-], archäolog. Fundort einer Zeremonialstätte im S des Bundesstaates Veracruz, Mexiko (300 v. Chr. – 1200 n. Chr., Blütezeit um 400/500). Der Stil der Funde (u. a. Schmuckstücke und Statuetten aus Jade, 6 Stelen mit Kalenderdaten aus dem 3.–6. Jh.) ist in später präklass. Zeit beeinflußt durch die Olmeken, in klass. Zeit durch Teotihuacán.

Cerro Sechín: Relief auf einer der Steinplatten

Cerro Sechín [s'erro setʃ'in], archäolog. Fundort im Casma-Tal, an der Küste Perus, 1200–900 v. Chr.; an der Fassade einer Tempel-Plattform (52 m lang) 22 große und viele kleine reliefierte Steinplatten, die im andinen Kulturgebiet einzigartig sind. Die tiefen Einritzungen auf den bis 3,50 m hohen Platten zeigen Krieger oder Würdenträger, Tote, halbbekleidete Gestalten und geometr. Elemente.

Certosa [tʃ-, ital. ›Kartause‹], Bez. für Klostergebäude des Kartäuserordens in Italien (C. di →Pavia).

Certosamosaik [tʃ-], Einlegearbeit, mit Elfenbein oder gefärbten Hölzern geometrisch gemustert; die Technik stammt aus dem Orient und wurde u. a. in nordital. Kartäuserklöstern im 14.–16. Jh. zur Möbeldekoration angewendet.

Cerussa, →Bleiweiß.

Ceruti [tʃ-], Giacomo, gen. **il Pitocchetto** [pitokk'etto], ital. Maler, *Lombardei um 1700, †vor dem 1. 1. 1768, tätig um 1720 bis gegen 1760 in Brescia, möglicherweise auch in Venedig, schuf Andachtsbilder, Porträts und v. a. Genreszenen von ernstem Realismus (häufig Darstellungen von Bettlern, daher sein Beiname, dt. ›der kleine Bettler‹).

Cervatos [θerβ'atɔs], Klosteranlage in der span. Prov. Santander. Die einschiffige Klosterkirche (1199 gew., mit got. Spitzbogengewölbe) besitzt eine Vielzahl roman. Kapitelle mit phantast. Tierdarstellungen, die zu den schönsten ihrer Art in Spanien zählen; dämon. Tierköpfe an den Sparrenenden.

Cerveteri [tʃ-], Ort in Latium, nordwestlich von Rom, an der Stelle des antiken **Caere,** einer der bedeutendsten etrusk. Handelsmetropolen mit engen Kontakten zu Griechenland. Besiedelt seit der Villanovazeit, Blütezeit 7. bis frühes 5. Jh. v. Chr., danach langsamer Rückgang der wirtschaftl. und künstler. Bedeutung. Die ausgegrabenen Nekropolen, Tumulus- und Würfelgräber ahmen im Innern Hausarchitektur und -mobiliar nach; in der Tomba dei Rilievi (um 300 v. Chr.) ist an den Wänden Hausrat in Stuck nachgebil-

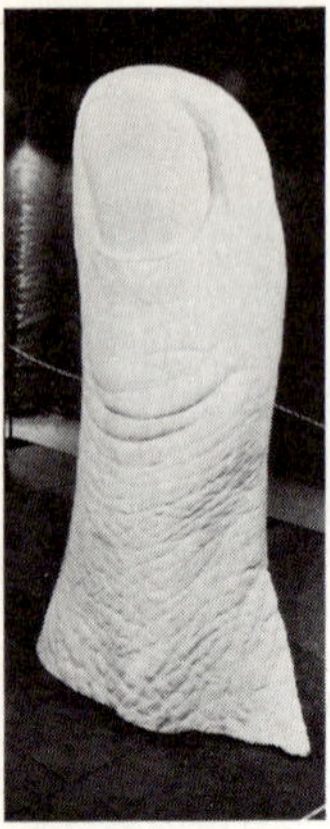

César: Daumen; Gips, 1966, Höhe 2 m

det. Die Gräber enthielten neben importierter grch. Keramik auch einheim. Produkte höchster Qualität: Goldschmuck (Regolini-Galassi-Grab, Mitte 7. Jh. v. Chr.), Bucchero, bemalte, zur Wandverkleidung dienende Tonplatten (6. Jh. v. Chr.) und die ›Ehepaarsarkophage‹ (spätes 6. Jh. v. Chr., Louvre, Paris, und Villa Giulia, Rom), Meisterwerke etrusk. Terrakottaplastik (BILD etruskische Kunst).

César [sez'ar], eigtl. César **Baldaccini** [-tʃ'i:ni], frz. Plastiker, *Marseille 1. 1. 1921, schweißte seit 1952 Metallskulpturen aus Fertigteilen, stellte seit 1962 gepreßte Autoteile aus, seit 1966 Abgüsse und Expansionen von Körperformen; C. gehört zum Nouveau Réalisme.

Cesari [tʃ'e:zari], Giuseppe, gen. **Cavalier d'Arpino,** ital. Maler, *Arpino Febr. 1568, †Rom 3. 7. 1640, erfolgreichster Maler des Spätmanierismus in Rom, dessen Formensprache er mit oberflächl. Virtuosität beherrschte.

HW: Freskenfolge mit Szenen aus der röm. Geschichte (seit den 90er Jahren des 16. Jh. in mehreren Etappen ausgeführt; Rom, Konservatorenpalast, Sala degli Orazi).

Cesena [tʃez'ɛ:na], ital. Stadt und Bischofssitz in der Emilia-Romagna (Prov. Forlì), 89 200 Ew.; Dom (1385 beg., Veränderungen in der Renaissance); im ehem. Minoritenkloster die Biblioteca Malatestiana (1447 bis 1452, ein dreischiffiger gewölbter Raum mit kannelierten Säulen) mit wertvollen Hss. Oberhalb von C. das Kloster Madonna del Monte mit einschiffiger Kirche (im 12. Jh. gegr., im 15. und 16. Jh. erweitert, Umbau im 18. Jh.), die u. a. eine Votivbildersamml. enthält.

České Budějovice [tʃ'ɛskɛ: b'udjɛjɔvitsɛ], Stadt in der ČSSR, →Budweis.

Český Krumlov [tʃ'ɛski: kr'umlɔf], Stadt in der ČSSR, →Krumau.

Céspedes [θ'espeðes], Pablo, span. Maler, Gelehrter, *Córdoba um 1538, †ebd. 26. 7. 1608, war Mitarbeiter von F. ZUCCARI bei der Ausmalung röm. Kirchen, seit 1577 wieder in Spanien, wo er Fresken und Altarbilder für die Kathedralen von Sevilla und Córdoba schuf. C. verfaßte kunsttheoret. Abhandlungen.

Cestius-Pyramide, Grabmal des röm. Prätors GAIUS CESTIUS EPULO (†vor 12 v. Chr.) in Rom, nahe der Porta San Paolo; der nach ägypt. Vorbild errichtete marmorverkleidete Bau umschließt eine rechteckige, 4,80 m hohe Grabkammer.

Ceta [tç-], **Candi C.** [tç-], aus 14 Terrassen zusammengesetzter Komplex am NW-Abhang des Lawu (O-Java) mit schweren, gedrungenen Skulpturen und menhirähnl. Steinen (Ende 15. Jh.).

Cetinje [ts'ɛtinjɛ], Stadt im Lovćen-Massiv, Rep. Montenegro, Jugoslawien, 12 000 Ew.; war seit 1481 Fürstenresidenz, 1878–1918 Hauptstadt von Montenegro, ist überragt von der Ruine der Burg Tablja; orthodoxes Kloster (gestiftet 1484 als Sitz eines Metropoliten, erneuert 1701, mit Schatzkammer); Palais Biljarda des Fürstbischofs Petar II. Njegoš (1838), heute Mus.

Das Palais des Fürsten und späteren Königs von Montenegro (1863–71 erbaut) ist ebenfalls Mus.

Ceuta [θ'euta], Hafenstadt am marokkan. Ufer der Straße von Gibraltar, seit 1580 span. Exklave, 67200 Ew. Das arab. **Sebta** hatte seine Blüte 710–1415 (v. a. im 14. Jh.) als arabisch-berber. Ausgangsbasis nach Spanien. Maler. spanisch-maur. Stadtbild. In der Medina die ehem. portug. Festung Candelero (15. Jh.) im Stil von VAUBAN; Kirche Nuestra Señora de Africa (1704 bis 1726; Kirchenschatz); Kathedrale (1729; Gemälde) und Rathaus (1929; Glasgemälde). Im O der Monte Acho (eine der Säulen des Herakles) mit Festungsanlage; im W turmbewehrte Reste eines altarab. Hafens.

ceylonesische Kunst, Kunst auf →Sri Lanka, im Einflußbereich der →indischen Kunst.

Cézanne [sez'an], Paul, frz. Maler, *Aix-en-Provence 19. 1. 1839, †ebd. 22. 10. 1906, ging nach kurzem Jurastudium 1861 nach Paris, um sich für die École des Beaux-Arts vorzubereiten, wo er aber die Aufnahmeprüfung nicht bestand. Als Maler bildete er sich v. a. durch das Studium der klass. und barocken Meister im Louvre (N. POUSSIN, P. P. RUBENS u. a.) und verarbeitete zeitgenöss. Anregungen (E. DELACROIX, G. COURBET, H. DAUMIER, É. MANET) im romant. Naturalismus seiner frühen Bilder. In den Zeichenkursen der Académie Suisse begegnete er dem 9 Jahre älteren C. PISSARRO, der ihn in den Kreis der Impressionisten einführte. 1874 und 1877 nahm C. an den Ausstellungen der Impressionisten teil, zog sich dann aber von ihnen zurück.

Bleibender Gewinn war für ihn die Aufhellung der Palette und die Methode der Freilichtmalerei, die er vor allem durch Pissarro kennenlernte, mit dem er in Auvers-sur-Oise gemeinsam gemalt hatte (1873–74). Seit 1889 lebte er mit wenigen Unterbrechungen in völliger Zurückgezogenheit und ohne Verbindung zum Pariser

Paul Cézanne: Die großen Badenden; 1900–05 (London, National Gallery)

Kunstleben nur noch im Süden, zumeist in Aix-en-Provence.

C.s Kunst ist v. a. auf die Farbe gestellt. In seinen reifen Werken gibt es weder maler. Helldunkel noch impressionist. Atmosphäre; an die Stelle von Lichtvaleurs treten Kontrastwirkungen absolut gesetzter Farben und chromat. Stufungen, deren meist diagonal verlaufender Auftrag das Bild mit einem dichten, jedoch selten pastosen Gewebe überzieht. So erreichte C. eine neue eigengesetzl. Bildordnung, der sich auch die Formen einfügen mußten, wobei er sogar Veränderungen des Augenscheins in Kauf nahm: Uneinheitlichkeit von Perspektive und Beleuchtung, Deformierung der Maßverhältnisse, Rückführung auf geometr. Grundformen. C.s Landschaften, Stilleben, Figurenkompositionen und Porträts haben in dieser Konsequenz der modernen Kunst (Kubismus) die nachhaltigsten Impulse verliehen. (BILDER Selbstporträt, Stilleben)

Correspondance, hg. v. J. REWALD. – K. BADT: Das Spätwerk C.s (1971); J. DUNLOP: The complete paintings of P. C. (London 1972); P. C., les dernières années 1895–1906, Ausst.-Kat., Paris (1978); JUTTA HÜLSEWIG: Das Bildnis in der Kunst P. C.s (1981); P. C. Aquarelle. Ausst.-Kat., Tübingen (1982).

Chac [tʃak], Bez. für den Regengott bei den Maya in Yucatán; stets mit rüsselförmiger Nase dargestellt, bes. als Fassadendekoration im Puuc-Stil.

Chacmool [tʃakmoˈɔl], Bez. für eine v. a. für die Tolteken typ. Steinskulptur: eine menschl. Gestalt, stets auf dem Rücken liegend dargestellt, mit seitlich gewendetem Kopf und angezogenen Beinen; die Hände halten eine auf dem Bauch stehende Schale. (BILD Tolteken)

Chaco Canyon National Monument [tʃˈɑːkəʊ kˈænjən næʃnl mˈɔnjʊmənt], die größten Ruinenstätten der prähistor. Anasazi-Kultur (Pueblo-Phase, ab 700 n. Chr.) im NW von New Mexico, USA (→Pueblo-Indianer). Pueblo Bonito, die im 10. Jh. entstandene, bis etwa 1300 bewohnte größte und nahezu vollständig freigelegte Anlage, ist aus fein behauenen Sandsteinblöcken errichtet, die durch kleinere Steinschichten getrennt sind. Die fünfstöckige Großanlage enthielt mehr als 800 Räume und 32 Kivas.

Chadạtu, assyr. Stadt, →Arslan Tasch.

Lynn Chadwick: Der Fremde; Eisen, 1956

Chadwick [tʃˈædwɪk], Lynn, engl. Bildhauer, *London 24. 11. 1914, urspr. Architekt und Designer, kam von Mobiles und ›Semi-Mobiles‹ seit 1953 zu insektenartig deformierten menschl. Figuren aus Metall, die zu den prägnantesten Formfindungen der expressiven engl. Nachkriegsplastik gehören.

Chafạdji [-dʃi], Ruinenstätte im Diyala-Gebiet östlich von Bagdad (KARTE Alter Orient), im Altertum **Tutub**. Unter den Bauten der 1. H. des 3. Jahrtsd. v. Chr. ist der Tempel für den Mondgott Sin, eine ovale Anlage mit Hochterrasse, bedeutsam. Im Tempel wurden zahlreiche Beterstatuetten gefunden. Aus altbabylon. Zeit (1. H. 2. Jahrtsd. v. Chr.) stammen im Hügel D Reste eines weiteren Sin-Tempels mit Terrakotta-Löwen als Türhüterfiguren. In dieser Zeit war C. mit dem Namen **Dur-Samsuiluna** Grenzfestung.

Chagall [ʃag'al], Marc, frz. Maler, Graphiker russ. Herkunft, *Liosno (Gouv. Witebsk) 7. 7. 1887, †Saint-Paul-de-Vence 28. 3. 1985, studierte an der Petersburger Akademie und bei L. BAKST; 1910–14 in Paris, dann wieder in Rußland, kehrte 1923 nach Frankreich zurück; 1941–47 hielt er sich in den USA auf, lebte seit 1950 in Vence (Alpes-Maritimes). C.s Malerei stand in der Frühzeit dem Expressionismus nahe, übernahm nach 1910 vorübergehend die Formzergliederung des Kubismus und beeinflußte in den 20er Jahren den Surrealismus, ohne sich letztlich einer best. Richtung zuzuordnen. Thematisch gestaltet er immer wieder Erin-

Marc Chagall: Über Witebsk; 1922 (Zürich, Kunsthaus Zürich)

nerungen aus seiner Heimat, der Welt des Chassidismus und der russ. Märchen, die er zu Traumvisionen von glühender Farbigkeit verdichtet. Neben seinen Gemälden, die über viele Museen der Welt verteilt sind, schuf er Buchillustrationen (Radierungen zu Gogols ›Tote Seelen‹ 1923–27, Lafontaines ›Fabeln‹ 1927–36, zur Bibel 1931–56, Farblithographien zu ›Tausendundeine Nacht‹ 1948, ›Daphnis und Chloe‹ 1954–60). Bühnendekorationen (z. B. zu I. STRAWINSKYS Feuervogel 1945). Decken- und Wandbilder (Pariser Oper 1964; Metropolitan Opera, New York 1967). Entwürfe für Glasfenster (Jerusalem 1961, Zürich 1970, Mainz 1978 ff. u. a.) und Mosaiken (Chicago 1974).

H. KELLER: M. C. Leben und Werk (1978); M. C., druckgraph. Folgen 1922–1966, Ausst.-Kat., Hannover (1981); J. CASSON: M. C. (1982).

Chaire [ʃɛːr, frz.] *die*, kastenförmiges Sitzmöbel mit hohen Seitenbrettern als Armlehnen und ebenfalls hochgezogenem Rückenbrett; seit der Gotik bekannt, bes. in der Renaissance in Flandern und Frankreich.

Cha|ire [tʃ-, jap.], Teedose für die japan. Teezeremonie aus Ton oder Lack, in etwa 25 versch. Formen, mit Elfenbein- oder Lackdeckel. (BILD Chaki)

Chairestratos, attischer Bildhauer wahrscheinlich der Zeit um 300 v. Chr.; die Marmorstatue der Göttin Themis aus dem Nemesis-Heiligtum von Rhamnus (heute Nat.-Mus. Athen) trägt seine Signatur.

Chaiselongue [ʃɛ:zl'ɔ̃g, frz. ›langer Stuhl‹] *die,* im 18. Jh. entstandenes, flaches, gepolstertes Ruhebett ähnlich der →Bergère mit verlängertem Sitzteil, das aus 2–3 Teilen zusammengesetzt sein kann. Die klass. C. hat eine schräge asymmetr. Rückenlehne.

Chaitya|halle [tʃ-], indisch-buddhist. dreischiffiger Langbautempel mit Apsis, in der ein Stupa zur rituellen Umwandlung errichtet war. Die seit dem 2. Jh. v. Chr. als Höhlentempel angelegten C. in Bhaja, Pitalkhora, Ajanta und Karla lassen in der Form des Tonnengewölbes und der Gitterkonstruktion der Fassade mit hufeisenförmigem Giebel (Kudu) hölzerne Freibauten als Vorbilder erkennen. (BILD Ajanta)

Chaki: Teeschale (Köln, Museum für Ostasiatische Kunst)

Chaiya [tʃ-], auch **Grahi,** bed. Stätte der frühen →thailändischen Kunst, z. T. javanisch beeinflußt (Shrivijaya-Stil). Das Wat Phra Mahathat, beg. 8. Jh., erinnert in seinen Reliefs stark an Borobudur, in seiner Ziegelstein-Architektur an die Cham-Kunst (Dong-Duong).

Chaki [tʃ-, jap.], bei der japan. Teezeremonie verwendete Geräte, wobei neben Chasen (Teebesen aus Bambus) und Chashaku (Bambuslöffel) bes. die Gefäße aus Keramik: →Chawan (Teeschale), →Cha'ire (Teedose), Mizusashi (Wassergefäß), →Koro (Räuchergefäß) und →Hana-ike (Blumenvase) von hohem künstler. Wert sind. Nach anfängl. Bevorzugung chines. Gefäße oder solcher in chines. Stil (kara-yo) kamen unter Zen-Einfluß auch japan. Töpferwaren nach korean. Vorbildern in Gebrauch. Unregelmäßige Formen, sparsamer Dekor, Kontrast von Glasur und Ton unter Vermeidung äußerer Perfektion wurden schließlich Grundvoraussetzung. Als charakterist. C.-Keramiken gelten die gesteinsartige Form des Iga-yaki, die dicke milchige Glasur des Shino-yaki, der kräftige Dekor des Oribe-yaki sowie das plast. →Raku-yaki (meist ohne Scheibe hergestellte Chawan). Die schlichten eisernen Wasserkessel (Tetsubin) verbinden dieselbe kunstvolle Unregelmäßigkeit und Rauheit mit zweckvoller Form, wie sie die Zen-beeinflußte Ästhetik verlangte.

Chaki: Keramikdose für Teepulver (Cha'ire) und Bambuslöffelchen (Köln, Museum für Ostasiatische Kunst)

Chakra [tʃ-, Skt. ›Rad‹], indischer Diskus, aus der Sonnensymbolik stammende magische Wurfscheibe und Attribut des Gottes Vishnu.

Chalamurti [tʃ-, Skt.], nicht fest installiertes indisches Götterbild, das bei Prozessionen verwendet wurde; auch Amulett.

Chalcedon [k-, n. der grch. Stadt Chalcedon am Bosporus] *der,* kryptokristalline Abart des Quarzes; vielfarbig oder farblos durchscheinend. Neben **Achat**

sind Schmucksteine: roter **Carneol,** grüner **Chrysopras,** wolkig-brauner **Mokkastein** (auch Baumachat), brauner, rot durchscheinender **Sarder** (auch Sardonyx) und **Moosachat** mit grünen, stengeligen Einschüssen. Undurchsichtig und oft intensiv gefärbt ist der →Jaspis. Seit der Antike wird C., neben seiner Verwendung als Schmuckstein, zu Vasen, Schalen und Kleinplastiken (›Bad der Diana‹; vor 1705, von J. M. DINGLINGER, Dresden, Grünes Gewölbe) verarbeitet.

Chalgrin [ʃalgr'ɛ̃], Jean-François-Therèse, frz. Baumeister, *Paris 1739, †ebd. 20. 1. 1811, seit 1770 Mitgl. der Architektur-Akad., ein Hauptvertreter des frz. Klassizismus, begann 1806 den Arc de Triomphe in Paris (1837 von A. BLOUET voll.); weitere Arbeiten u.a. am Palais du Luxembourg (Escalier d'honneur) und am Théatre de l'Odéon ebd.

Chalkidische Vasen, schwarzfigurige Vasengattung der 2.H. 6.Jh. v.Chr., die sowohl attischen wie korinth. Einfluß zeigt, deren Beischriften aber im chalkid. Alphabet geschrieben sind. Da Funde nur aus Unteritalien (bes. Reggio Calabria) und Etrurien stammen, nicht jedoch aus Chalkis auf Euböa, ist die Herstellung in einer oder wahrscheinlich mehreren chalkid. Kolonien mit Sicherheit anzunehmen. Die Anordnung des Figuren- und Pflanzendekors hat ornamentalen Charakter, die Form der Gefäße ist betont elegant; eine herausragende Sonderform sind die chalkid. →Augenschalen.

Chalkographie [grch. ›Kupferschreiben‹], veraltete Bez. für die Kupferstechkunst.

Chalkolithikum, →Neolithikum.

Châlons-sur-Marne [ʃal'ɔ̃ syrm 'arn], frz. Stadt und Bischofssitz an der Marne, 56000 Ew. Von den vielen Kirchen sind die Kathedrale St. Étienne (13.Jh., Krypta 11.Jh., Fassade 17.Jh.) mit schönen Glasfenstern (13.–16.Jh.) und mehreren Grabmälern (13.–19.Jh.) und die Kirche Notre-Dame-en-Vaux (13.Jh., von 4 Türmen flankiert) mit prächtigen Fenstern (16.Jh.) hervorzuheben; Hôtel de Ville (Rathaus, 18.Jh.); Mus. mit vorgeschichtl. Funden, Plastiken und Gemälden.

Chalon-sur-Saône [ʃal'ɔ̃ syrs'o:n], frz. Stadt in Burgund, an der Saône, 61000 Ew.; maler. Altstadthäuser im Viertel um die ehem. Kathedrale St. Vincent (12. bis 15.Jh., Fassade 19.Jh.) mit Kreuzgang und Sakristei des 14./15.Jh. Gegenüber der Kirche St. Pierre (18. und 19.Jh.) das Mus. Denon (Gemäldesamml., röm. und merowing. Funde). Auf der Saône-Insel die Tour du Doyenné (15.Jh.) und Hôpital (im 16.Jh. gegr.) mit Kapelle (Glasfenster des 16.Jh.) und Refektorium (Holzvertäfelungen, Zinngeschirr).

Chaltschajan, Khalchayan, Ruinenhügel in S-Usbekistan, UdSSR (KARTE zentralasiatische Kunst), entdeckt und freigelegt 1960–63. Der Hügel besteht aus einer Festung und einem Komplex mit 3 Monumentalbauten, darunter ein Prunkbau mit Säulenvorhalle, in dem Fragmente von Malereien und Figurenfriesen gefunden wurden. C. wurde zu Beginn des Kushan-Reiches gegr. (1. Jh. n. Chr.), die dort gefundenen Werke sind von ausgeprägt höf. Charakter.

B. STAWISKI: Mittelasien-Kunst der Kuschan (1979).

Chalukya-Dynastie [tʃ-], ind. Dynastie des 6.–8. Jh. im Deccan. Ihre hinduist. Tempel in Badami, Aihole, Mahakuta, Pattadakal und Alampur spiegeln im Nebeneinander von nord- und südind. Bauelementen das Versuchsstadium der vorkanonischen Tempelarchitektur. Die anmutigen, vitalen Steinplastiken führten die Kunst der Gupta-Dynastie in eigener Ausprägung fort.

Cham [kam], frz. Karikaturist, A. de →Noé.

Chamba [tʃ-], Malschule der →Rajput-Malerei, nach dem Ort und Distrikt im ind. Himachal Pradesh. Die Malschule bestand von etwa 1680 bis 1860.

Chamba [tʃ-], Stamm in Nigeria, →Camba.

Chamberlain [tʃ'eɪmbəlɪn], John Angus, amerikan. Bildhauer, *Rochester (Indiana) 16. 4. 1927, entwickelte seit 1958 Assemblagen aus verbogenem und zusammengepreßtem Autoschrott, die Formprobleme von Masse, Verdichtung, Licht, Farbe darstellen. Später ging C. verwandten Problemen auch in anderen Materialien nach: Schaumstoff (1966/67), galvanisiertem Metall (1967/78), geschmolzenem Acrylglas (1970), Alufolien (1971) u. a.

Chambers [tʃ'eɪmbəz], Sir William, engl. Baumeister, *Göteborg (Schweden) 23. 2. 1723, †London 8. 3. 1796, studierte in China und Indien Bau- und Gartenkunst, war in Paris Schüler J. F. BLONDELS; in Italien Studium der Bauten A. PALLADIOS. Seit 1755 in London, wurde er Hofarchitekt. C. gilt als Vertreter des frühen Klassizismus (Somerset House, London, beg. 1776) sowie der Landschaftsgartenbaukunst, wobei er sich auf ›chines.‹ Parkgebäude spezialisierte (Kew Gardens bei London).

Chambéry [ʃãber'i], frz. Stadt und Erzbischofssitz im Dép. Savoie, 57 000 Ew., mit Kathedrale (15. und 16. Jh.), Elefantenbrunnen (1838) und Schloß der Herzöge von Savoyen (13. Jh., mehrfach erweitert) mit Ste. Chapelle (1408 beg.; Fassade 17. Jh.; 3 Glasfenster des 16. Jh.) und Portail St. Dominique (15. Jh.). Mus. des Beaux-Arts (v. a. ital. Gemälde und Fayencen) und Mus. Savoisien (Altertumskunde).

Chambord [ʃãb'ɔːr], Schloß im frz. Dép. Loir-et-Cher, am Cosson, das größte der Loire-Schlösser (400 Räume), 1519–38 unter FRANZ I. erbaut, eine rechteckige, von 4 Türmen flankierte Anlage mit quadrat. Mittelbau (Donjon, an den Ecken mit 4 Türmen verziert, im Zentrum reich geschmückte Doppelwendeltreppe) und bizarrer Dachterrasse (Häufung von Giebeln, Türmchen, Kaminen). C. gilt im Verzicht auf Verteidigungsanlagen und der Ausbildung des Zentralbaugedankens der ital. Renaissance als Idealtypus des frz. Schloßbaus im 16. Jh. BILD Loire-Schlösser

Cham-Kunst [tʃam-], Kunst des ehem. Hochkulturvolkes der Cham (auch Tscham) in Zentral- und S-Vietnam. Zu einer ersten Reichsbildung **(Champa)** kam es im 2. Jh.; aus dieser Zeit sind jedoch noch keine Kunstdenkmäler überliefert. Älteste gesicherte Zeugnisse der C.-K. sind einige, in einem einheitl. Stil vertretene Sandsteinskulpturen, vermutlich aus der Regierungszeit des Königs Prakashadharma (653–686) in →Mi-Son. Diese, v. a. ein Ziergiebel und ein Sockel (Stil Mi-Son E 1) offenbaren eine eigene für die Cham charakterist. Formensprache mit Sinn für eleganten Dekor und anmutige Bewegung, die sich von der zeitgenöss. Khmer-Kunst merklich abhebt. Diese Monumen-

Cham-Kunst: Verbreitungsgebiet

te, wie auch die späteren Bauten und Kunstwerke, sind ausschließlich Ausdruck relig. Kunst und im wesentl. vom shivaitischen Linga-Kult des Gottkönigtums ›Devaraja‹ bestimmt. Daneben ist die kult. Verehrung Vishnus nur von untergeordneter Bedeutung.

Als Beginn der eigentl. Cham-Architektur gelten die als Stil von Hoa-Lai bezeichneten Heiligtümer mit charakterist. Aufbau: auf quadrat. Grundriß errichtete Türme (Kalan) mit pyramidenförmiger, geschoßartiger Gliederung. Die Linienführung wird unterstrichen durch mit feingearbeiteten Ornamenten verzierte Pilaster, Blendarkaturen, die Fenster und Scheinfenster umfassen, und vorgestellte Portalhalle. Für die Traditionsgebundenheit der Cham-Architekten spricht, daß während der 5 Jahrhunderte anhaltenden Bautätigkeit für Sakralbauten fast ausschließlich Ziegelsteine benutzt wurden, Sandstein hingegen nur beschränkte Verwendung fand (Portaleinrahmungen, Bekrönung der Turmsanktuarien, Treppen usw.).

Mit der Gründung eines neuen Königreiches in den N-Provinzen Champas durch König INDRAVARMAN II. (875–898), der sich zum Buddhismus bekannte, und der Errichtung der Hauptstadt Indrapura (Dong-Duong) beginnt die glanzvollste und schöpferischste Phase der C.-K., sowohl der Architektur als auch der Plastik, die im 10. Jh. ihren Höhepunkt erreicht. In dem 875 begonnenen, durch Formenvielfalt und Großzügigkeit der Komposition gekennzeichneten buddhist. Tempelkomplex Lakshmindravalokeshvara von Dong-Duong bekundet sich ein machtvoller Gestaltungswille, der auf der Grundlage autochthoner, traditionsgebundener Elemente mannigfache Anregungen fremder Kunstäußerungen (Khmer und Java) zu einem in sich geschlossenen Stil zu verbinden weiß. Der Baudekor der Zeit hat in zunehmendem Maße die Neigung zu alles überwuchernder, üppig-verworrener Blattornamentik. Die kraftvolle Eigenständigkeit ausstrahlende Plastik entfaltete sich v. a. im Hochrelief; die überkommenen Rundplastiken von streng hierarchischer, massiger und wenig gegliederter Gestalt, meist mit Schmuck überladen, stellen den ethnischen Typ der Cham dar: gleichförmig stilisierte Gesichter mit stark betonten durchgehenden Brauen, hervorstehende Augen, eine breite, platte Nase und wulstige Lippen. Die in die Zeit wiedereinsetzender Belebung des Shiva-Kultes (Anfang des 10. Jh.) zu datierenden Turmheiligtümer von Khuong-My repräsentieren, auf künstler. Traditionen von Dong-Duong fußend, eine Übergangskunst, in der der klassizist. Stil von Mi-Son A 1 in Erscheinung tritt, eine harmonisch ausgewogene Raumgliederung und der Abbau überbordender Dekorelemente. Die meist im hohen Relief gearbeiteten Skulpturen von Mi-Son und Tra-Kieu, die zeitweilig von der Khmer-Kunst, später von der indones. beeinflußt sind (Kopfschmuck und Haartracht), zeichnen sich aus durch sinnlich-verhaltene Anmut bei eleganter rhythm. Bewegtheit des Kör-

Cham-Kunst: Deva-Figur aus Dong-Duong, 91 cm hoch, 9. Jh. (Zürich, Museum Rietberg, Sammlung v. der Heydt)

pers (Tänzerinnen und Musikanten). Gleichzeitig entstanden frei stilisierte, überaus phantasievolle Tierplastiken, die auch noch in der Endphase der C.-K. zu ihren ausdrucksstärksten Schöpfungen gehören.

Mit dem Niedergang des Cham-Reiches durch krieger. Auseinandersetzungen mit den Khmer und Vietnamesen setzte der künstler. Zerfall ein. Die nach der Verlegung der Hauptstadt nach Vijaya (bei Binh-Dinh) errichteten Sakralbauten (Hung-Thanh, Mi-Son G 1, Thap-Mam) sind mehr oder minder geglückte Kopien der Khmer-Turmheiligtümer. Die Bauornamentik sowie die Skulpturen wirken manieriert und starr. Mit den Shiva geweihten Tempeln von Po Klaung Garai (Ende des 13. Jh.) und Po Rome (Anf. 16. Jh.) erliegt die C.-K. mangelnder Gestaltungskraft und Phantasielosigkeit.

Der Erhaltungszustand der Bauwerke ist durch das trop. Klima und die Zerstörungen im Vietnamkrieg stark gefährdet. Die nicht mehr am Ort befindl. Kunstwerke sind v. a. in den Museen von Saigon (Ho-Chi-minh-Stadt) und Da-Nang. In Europa besitzt das Musée Guimet in Paris eine einzigartige Sammlung.

B. P. Groslier: Hinterindien, Kunst im Schmelztiegel der Rassen (1960); J. Boisselier: Die Kunst der Champas in: Indien und Südasien, Propyläen Kunstgesch. Bd. 16 (1971).

Cham-Kunst: Kopf einer männlichen Figur, Stein, 39 cm hoch, 10./11. Jh. (Stuttgart, Linden-Museum)

Champagne-Kreide [ʃãp'aɲ-], reine, bes. helle Kreide, vorwiegend aus der frz. Landschaft Champagne, in der Malerei als Füllstoff für Grundierungen und für Leimfarbanstriche geschätzt.

Champaigne [ʃãp'ɛɲ], **Champagne,** Philippe de, frz. Maler fläm. Herkunft, getauft Brüssel 26. 5. 1602, †Paris 12. 8. 1674, studierte in Antwerpen und seit 1621 in Paris, wo er, anfänglich von N. Poussin beeinflußt, mit dem er an der Ausschmückung des Palais du Luxembourg arbeitete, 1628 zum Hofmaler ernannt wurde. Im Auftrag weltl. und geistl. Herren (Richelieu, Mazarin; Kuppelfresken der Église de la Sorbonne, 1642–44) sowie für das Kloster Port-Royal gestaltete C. Porträts und bibl. Themen. Seine besten Leistungen zeigen eine Synthese aus sinnl. Realismus und geistiger Nüchternheit in klassisch geprägter Form unter dem Eindruck des Jansenismus. In der Akad. der Künste, die er 1648 mitgründete, galt er als strenger Theoretiker des frz. Classicisme und geriet i. Ggs. zu Poussin.

HW (alle Louvre, Paris): Kardinal Richelieu (1635); Pariser Ratsherren (1648); Bildnis eines Mannes (1650); Angélique Arnauld (1654); Exvoto von 1662; Selbstbildnis (1668).

Champlevé [ʃãləv'e, frz.] *das,* Grubenschmelz, eine Technik der Emailkunst.

Champmol, Chartreuse de C. [ʃartr'ø:z dəʃãm'ɔl], Kartause bei →Dijon.

Champs [ʃã], frz. Gem. 20 km östlich von Paris, im Marnetal. Das Schloß (seit 1703 von J.-B. Bullet de Chamblain erbaut) wurde vorübergehend auch von Madame de Pompadour bewohnt; reiche Innenausstattung (Régence und Louis-quinze).

Chạmunda [tʃ-], hinduist. Göttin, Erscheinungsform der →Durga mit grausigem Ausdruck als Töterin der Dämonen Chanda und Munda, von denen sie ihren

Namen bezieht. Am mageren Körper trägt sie Skorpione und eine Schädelkette, als 7. der →Matrikas sitzt sie auf einem Leichnam.

Chan, Han [pers. ›Haus‹], →Karawanserei.

Chancay [tʃaŋk'ai], Flußtal an der mittleren Küste Perus, Bez. für eine vorkolumb. Kultur dieses Gebiets (um 1000–1400), von der Keramik, Textilien und Holzskulpturen gefunden wurden. Charakteristisch für die Keramik sind große eiförmige Tongefäße, oft mit extrem kleinen anmodellierten Köpfen und Armen, z. T. ist der menschl. Körper auch aufgemalt; dazu kommen Tonfigurinen in menschl. Gestalt mit aufgemalten Mustern als Kleidung sowie Doppelgefäße mit verbindendem Henkel und aufmodellierten Figuren. Viele der Textilien (Naturfarbe der Baumwolle, ferner rot, braun, goldgelb, weiß, schwarz) sind in Kelimtechnik mit Schlitzbildung hergestellt, meist mit stilisierten geometr. Figuren als Muster.

Chan Chan [tʃan-], Hauptstadt des Chimú-Reiches (1000–1470), nahe der heutigen Stadt Trujillo, Peru. Mit einer Fläche von 18 km^2 war C. C. eine der größten vorkolumb. Ansiedlungen in Amerika. Das Zentrum bilden 10 rechteckige Komplexe (der größte fast 400 m^2 groß, mit über 12 m hohen Mauern), die nach einem immer gleichen Muster errichtet sind; möglicherweise Grabheiligtümer der Chimú-Herrscher. Um das Zentrum herum wurden ausgedehnte Wohnbezirke, Pyramiden- und Tempelreste gefunden. Einige der aus Lehmziegeln bestehenden Gebäude, die mit teppichartigen Reliefs verziert sind, zeigen noch den urspr. Verputz und Reste von Malereien.

C. C.: Andean Desert City, hg. von M. E. MOSELEY und K. C. DAY (Albuquerque, New Mexico, 1981).

Chandẹlla-Dynastie [tʃ-], mittelind. Herrschergeschlecht des 10.–12. Jh., Schöpfer der Tempel von →Khajuraho in ausgereiftem Nagara-Stil.

Chạndigarh [tʃ-], **Tschạndigarh,** Hauptstadt des Staates Pandschab, Indien, 233 000 Ew. Anlagen und Hauptgebäude der modernen Stadt nach Plänen von LE CORBUSIER.

Chandra [tʃ-], ind. Mondgott, in nachvedischer Zeit mit Soma identifiziert, fährt einen von Gazellen oder Pferden gezogenen Wagen. C. bezeichnet auch die Mondsichel als Haarschmuck des Gottes Shiva **(Chandrashẹkhara Shiva).**

Ch'angan, alte Stadt in China, →Sian.

Ch'angp'ing [tʃaŋpiŋ], amtlich chines. **Changping,** Ort in der chines. Prov. Hopeh, etwa 50 km nordwestlich von Peking; in der Nähe die Gräber von 13 Ming-Herrschern. Der ›Geisterweg‹ beginnt mit einem monumentalen, 1550 zum Gedächtnis an die Dynastiegründung (1368) errichteten, fünffach gestuften Ehrentor (P'ai-lou) und führt nach 5 km zum Ch'ang-ling, dem Grabhügel des Kaisers Yung-lo (1403–1424). Von dieser Hauptachse zweigen Wege zu den übrigen Grabhügeln in westl. und östl. Richtung ab. Hinter dem Ehrentor das ›Große rote Tor‹ (1425), dessen mittlerer

Durchgang für die verstorbenen Kaiser und dessen linker für die lebenden Herrscher bestimmt war. Weiter nördlich der Stelenpavillon mit einem 10 m hohen Monolithen, der von einer steinernen Riesenschildkröte getragen wird. Im nächsten Abschnitt die zu den bedeutendsten Werken mingzeitl. Monumentalskulptur zählenden Steintiere und Figuren von Kriegern und Zivilbeamten und zuletzt der von einer zinnenbekrönten Mauer umgebene Grabhügel Ch'ang-ling, in dessen Innern sich der tonnengewölbte Grabkomplex (heute Museum) befindet.

Ch'angsha [tʃaŋʃa], **Changsha,** Hauptstadt der Prov. Hunan im S Zentralchinas, am O-Ufer des Siangkiang gelegen, etwa 800000 Ew. Reste der Stadtmauer aus der Ming-Zeit erh. Im Zuge der ›Politik der offenen Tür‹ wurde C. 1904 für den ausländ. Handel geöffnet. Gebäude westl. Stils aus dieser Zeit sind erh. Zahlreiche Gräber der späten Chou-Zeit in der näheren Umgebung, mit den ältesten bekannten, stark stilisierten, farbig gefaßten hölzernen Grabfiguren, die auf einen im Königreich Ch'u herausgebildeten Lokalstil weisen. In der Nähe, bei Ch'enchiatashan, wurde 1949 das älteste bisher bekannte Fragment eines Gemäldes auf Seide ›Frau mit Phönix und Drache‹ (Ende Chou-Zeit) entdeckt. Das Provinz-Mus. enthält bed. Stücke aus dem 1971 4 km östlich in Mawangtui ausgegrabenen Schachtgrab der Markgräfin von Tai (2. Jh. v. Chr.; →chinesische Kunst; →Totenbanner).

Changu Naraỵana [tʃ-], Tempelstätte im östl. Katmandu-Tal, Nepal, dem Gott Vishnu geweiht. Neben dem (wiedererrichteten) Haupttempel des 17./18. Jh. finden sich bis ins 7. Jh. datierende Steinskulpturen und eine beschriftete Kultsäule mit einer Garuda-Figur (5. Jh.) aus der Zeit der Licchavi-Dynastie.

Chanhu Daro [tʃ-], Grabungsstätte in Sind, Pakistan, mit den Überresten einer Stadtanlage der Harappa-Kultur. Unter den Funden sind Specksteinsiegel mit relig. Szenen (Stier und liegende Frau, Tiger und kniender Mann).

Chania [xanj'a], Hafenstadt, 40600 Ew., in einer Bucht im NW der Insel Kreta (KARTE kretisch-mykenische Kunst). Griechisch-schwed. Ausgrabungen auf der Anhöhe Kastelli über dem Hafenbecken (der antiken Akropolis) haben unter modernen Wohnhäusern Reste stattl. minoischer Gebäude zum Vorschein gebracht. Keramikfunde zeigen eine kontinuierl. Besiedlung seit dem Neolithikum. Die bisher aufgedeckten Hausmauern lassen einzelne Blütezeiten der minoischen Stadt erkennen, die letzte in der ›Nachpalastzeit‹. Keramikimporte aus Phaistos, Knossos und Zypern weisen auf die Bedeutung dieser westkret. Stadt. Man kann davon ausgehen, daß sie, wie die anderen minoischen Zentren, einen Palast als Verwaltungszentrum hatte. Auch aus der näheren und weiteren Umgebung von C. viele Funde der neolithischen und minoischen Periode.

Aus venezian. Zeit (1252–1645) sind große Abschnitte der einst 4 km langen Umwallung erhalten; Moschee aus türk. Zeit (1645–1898). – Archäolog. Mus. in der Francesco-Kirche.

Ch'an-Malerei [tʃan-], Malerei des chines. Meditations (Ch'an)-Buddhismus (in Japan als Zen-Buddhismus bezeichnet), der sich im 7. Jh. zu einer eigenen Schulrichtung formierte. Die Ch'an-Mönche sahen in der Einsicht in die eigene Natur durch Meditation und der ›plötzlichen‹ Erleuchtung, nicht aber im Studium der Sutren, den Weg zur Buddhaschaft. Dadurch gewann die Überlieferung ›von Geist zu Geist‹, d. h. das Meister-Schüler-Verhältnis, höchste Bedeutung. Die Thematik der C.-M. umfaßt neben sehr naturnahen, als Meditationshilfe dienenden →Porträts von Patriarchen und Priestern, Illustrationen schriftlich überlieferter, unkonventioneller Erleuchtungs-Präzedenzfälle (z. B. Liang K'ai: ›Huineng der 6. Patriarch im Moment der Erleuchtung Bambus hackend‹) sowie monochrome, den menschl. Aspekt betonende Buddha-, Lohan- und Kuan-yin-Darstellungen und schließlich Landschafts-, Tier- und Pflanzenmotive, die sich vielfach mit der Symbolik der Literatenmalerei (Bambus, Pflaume, Orchis, Kiefer) überschneiden. Die Malweise reflektiert in ihrer intuitiven Ursprünglichkeit und Expressivität und in der Reduktion auf wenige, spontan hingeworfene Tuschespuren die versch. Meditationsstufen; zugleich zeigt sie Parallelen zu der Ästhetik der Literatenmalerei und verweist damit auf die wechselseitige Beeinflussung von Ch'an-Buddhismus und neo-konfuzian. Literatentum. Eine Vorstellung von der bed. C.-M. der Südl. Sung- und Yüan-Zeit geben die durch japan. Mönche nach Japan gelangten Werke des →Liang K'ai und des →Mu-hsi (BILD chinesische Kunst).

H. BRINKER: Die Zen-Buddhist. Bildnismalerei in China u. Japan (1973).

Chantereine, Chanterène [ʃãtr'ɛ:n], **Chantarenne,** Nicolas (Nicolau), in der 1. H. 16. Jh. in Portugal tätiger Bildhauer frz. Herkunft, ein Hauptmeister des Emanuelstils; seit 1517 beim Bau des Klosters Bélem bezeugt; seit 1518 in Coimbra tätig, wo er im Kloster Santa Cruz für die Könige ALFONS I. und SANCHO I. 2 Prunksarkophage schuf. Der Hauptaltar in der Kapelle des Palácio da Pena bei Sintra ist ein HW der Renaissance-Skulptur in Portugal (1532 voll.; Aufbau aus schwarzem und weißem Marmor mit Alabastergruppen, -girlanden und reichem Reliefschmuck).

Chantilly [ʃãtij'i], frz. Stadt nördlich von Paris, 11 000 Ew. Das Schloß (1386 beg., mehrfach umgebaut) besteht aus dem trapezförmigen Grand Château (um 1530; während der Frz. Revolution zerstört, im 19. Jh. wiederhergestellt) und dem rechteckigen Petit Château (16. Jh., von J. BULLANT) und beherbergt Kunstsamml. im →Musée Condé. In dem seit 1663 von A. LE NÔTRE angelegten Park u. a. Maison de Sylvie (Mus.), Jeu de Paume (Ballspielhaus, 1757), Écuries (Stallungen, 1719–35) und Pferderennbahn (1834).

In C. gründete LOUIS-HENRI V. BOURBON 1725 eine Porzellanmanufaktur, die Weichporzellan, z. T. mit Zinnglasur, für Geschirre und Dosen in Form von Früchten herstellte. Als Dekor kommen →Deutsche Blumen und Motive in Camaïeu-Malerei vor.

Chantrey [tʃ'ɑ:ntrɪ], Sir Francis Leggatt, engl. Bild-

Wörter, die man unter Ch vermißt, suche man unter K, Kh, Sch oder Tsch

hauer, *Jordanthorpe (Derbyshire) 7.4. 1781, †London 25. 11. 1841, schuf u.a. das Reiterstandbild des Herzogs von WELLINGTON vor der Londoner Börse und die Porträtbüste von Sir W. SCOTT (Edinburgh, Scottish Nat. Portrait Gal.).

Chantry Chapel [tʃ'ɑːntrɪ tʃæpl, engl.], in England eine in spätgot. Zeit vorkommende Grabkapelle, zunächst als kleinerer Einbau in Kirchen, im 15. Jh. als selbständige Kapelle (Winchester College). Monumentalstes Beispiel ist die C. C. König HEINRICHS VII. (1485–1509) in der Westminster Abbey, London.

Chanukka-Leuchter, achtarmiger Leuchter, auf dem an jedem Tag des achttägigen jüd. Lichterfestes (Chanukka) ein weiteres Licht entzündet wird; ein beliebter Gegenstand der jüd. häusl. Sakralkunst.

Chao Meng-fu [dʒ-], chines. Landschafts-, Figuren-, Pferde- und Bambusmaler, Kalligraph und Dichter, *Wuhsing (Chekiang) 1254, †1322, Nachkomme des Sung-Kaiserhauses, wurde 1286 an den Hof des Mongolenherrschers KHUBILAI KHAN gerufen und nahm dort hohe Beamtenposten ein. Zu seinen HW gehören: ›Herbstfarben auf den Ch'iao- und Hua-Bergen‹ (Nat. Palace Mus. Taipei) sowie ›Schaf und Ziege‹ (Freer Gal. of Art, Washington).

Chaplain [ʃapl'ɛ̃], Jules Clément, frz. Medailleur, Bildhauer, *Mortagne 12. 7. 1839, †Paris 13. 7. 1909, arbeitete, ausgehend von der Tradition der ital. Renaissance, zahlreiche Medaillen und Plaketten mit Porträts von Zeitgenossen.

Chapter House [tʃ'æptə haʊs], in der engl. Klosterarchitektur seit dem 12. Jh. anstelle des kontinentalen Kapitelsaals vorkommender freistehender Saalbau, in got. Zeit (Westminster Abbey, Salisbury, York) meist über achtseitigem Grundriß mit Mittelstütze errichtet.

Chapu [ʃap'y], Henri, frz. Bildhauer, Medailleur, *Le Mée 29. 9. 1833, †Paris 21. 4. 1891, arbeitete allegor. und mytholog. Figuren, Grabmäler und Büsten. Seine besten Leistungen sind Medaillen und Plaketten.

J.-B. S. Chardin: Selbstporträt mit Brille Pastell, 1775 (Paris, Louvre)

Chardin [ʃard'ɛ̃], Jean-Baptiste Siméon, frz. Maler, *Paris 2. 11. 1699, †ebd. 6. 12. 1779, 1728 in die Akad. in Paris aufgenommen. Motivisch und stilistisch an die holländ. Malerei des 17. Jh. anknüpfend, entfaltete er in Gemälden und Pastellen seine eigene Bildsprache. Geometrisch klar, schlicht und solide, von abstrakter Strenge, in der Wiedergabe der Körperlichkeit der Gegenstände unübertroffen sind die subtil gestellten Stilleben, die privat gestimmten Bildnisse und Genreszenen sind Höhepunkte frz. Kunst. (BILD S. 204)

HW (alle Louvre, Paris): Der Rochen (1728); Die Hausbesorgerin (1738); Das Tischgebet (1740); Die fleißige Mutter (1740); Ein Nachtisch (1763); Selbstporträt mit Brille (1775).

C., 1699–1779. Ausst.-Kat., Paris (1979).

Chareau [ʃar'o], Pierre, frz. Innenraumgestalter, Architekt, *Le Havre 3. 8. 1883, †East Hampton (New York) 1950, trat erstmals auf dem ›Salon d'Automne‹ von 1919 mit Möbeln hervor. Sein HW ist die 1928–32 in Paris erbaute ›Maison de Verre‹.

J.-B. S. Chardin: Stilleben mit Zinnkrug (Karlsruhe, Staatliche Kunsthalle)

Chares, grch. Bildhauer um 300 v. Chr., aus Lindos, schuf den zu den Sieben Weltwundern gerechneten **Koloss von Rhodos,** eine etwa 32(?) m hohe Bronzestatue des Sonnengottes Helios, von der keine Darstellung erhalten ist.

Chariten, von den Römern **Grazien** gen., im grch. Mythos göttl. Dienerinnen v. a. der Aphrodite, wohl von Vegetationsgöttinnen abzuleiten, deren Namen, Zahl und Wesen wechselten und die schließlich in Dreierzahl als Begleiterinnen großer Götter Anmut und Schönheit verkörperten. – Auf grch. Vasen und Reliefs wurden sie seit dem 6. Jh. v. Chr. in langen Gewändern dargestellt, später meistens unbekleidet, so z. B. die hellenist. Skulptur ›Die drei Grazien‹ (röm. Marmorkopie, Siena, Dom-Mus.), die in der röm. und neuzeitl. Kunst oft kopiert und variiert wurde.

Charité-sur-Loire [ʃarit'e syrlw'a:r], **La C.-s.-L.,** frz. Städtchen an der Loire, nördlich von Nevers, 6500 Ew. Die ehem. Abteikirche Ste. Croix (1107 gew., nach 1167 verändert) gehört zu den bed. roman. Bauwerken in Burgund (prächtige Kapitelle im Chor); in den Religionskriegen des 16. Jh. teilweise zerstört.

Charivari [ʃa-], frz. satir. Zeitschrift, erschien 1832 bis 1893 in Paris, gegr. und hg. von C. PHILIPON. Bed. Zeichner waren u. a. H. DAUMIER, P. GAVARNI, CHAM u. a.; mehrere Neugründungen unter gleichem Titel.

Charkow [x-], Gebietshauptstadt im NO der Ukrain. SSR, 1,464 Mio. Ew. Kloster und Kirche Mariae Schutz und Fürbitte (1689 beg.), Kathedrale Mariae Himmelfahrt (1771 beg.) mit Ikonostase nach Entwurf von B. F. RASTRELLI, im 2. Weltkrieg stark beschädigt. Frühklassizist. Palast KATHARINAS II. (1776 beg., vielleicht nach Plänen von Rastrelli), heute Teil der 1805 gegr. Univ. 1925–29 entstand das ›Haus der Staatl. Industrie‹ (i. S.

des Konstruktivismus von S. S. SERAFIMOV, S. M. KRAWEZ und M. D. FELGER). Histor. Mus. und Kunstmus.

Charleroi [ʃarlrw'a], Stadt in der belg. Prov. Hennegau, 22500 Ew.: urspr. Festung (von VAUBAN ausgebaut), heute moderne Industriestadt. Die Basilika St. Christophe (1956–58) bezog die alte Barockkirche (Fassade 1667) als Querschiff ein; Rathaus (1930–36) mit 70 m hohem Belfried; Musée de Verre (Gläser von der Antike bis heute).

Charlet [ʃarl'ɛ], Nicolas Toussaint, frz. Maler, Lithograph, *Paris 20. 12. 1792, †ebd. 30. 12. 1845, Schüler von A.-J. GROS, verherrlichte in seinen Bildern NAPOLEON I. und die ›Große Armee‹.

Charlieu [ʃarlj'ø], frz. Städtchen in Burgund, südwestlich von Mâcon, 6000 Ew., mit Resten der ehem. Benediktinerabtei, u.a. Vorhalle (12. Jh.) mit reich skulptiertem roman. Portal, Kreuzgang (15. Jh., mit gekuppelten Säulen des 11. Jh.), Kapitelsaal (15. Jh.), Kapelle (16. Jh.). Ehem. Franziskanerkloster mit Kreuzgang (schöne Kapitelle des 14./15. Jh.).

Charlottenburg, Verwaltungsbez. von Berlin (West), 170300 Ew., entstand aus der Wohnstadt C. und entwickelte sich bes. am Kurfürstendamm und im Gebiet um die Kaiser-Wilhelm-Gedächtniskirche (1891–95, mit 1961 entstandenem zweiteiligem Neubau von E. EIERMANN) zum Zentrum von Berlin (West) mit Theater, TU, Funkturm (1926), Olympiastadion (1936), Europa-Center (1965). Schloß C. (1695–1743) ist das einzige erh. Hohenzollernschloß Berlins (Kunstgewerbe-Mus., u.a. Welfenschatz; Mus. für Vor- und Frühgeschichte). Die 1746 voll. Goldene Galerie gilt als bedeutendste Raumschöpfung des preuß. Rokoko. Im Ehrenhof des Schlosses A. SCHLÜTERS Reiterstandbild des Großen Kurfürsten (1703; BILD A. Schlüter); im Park das Mausoleum der Königin LUISE (1810; Sarkophag von C. D. RAUCH, 1811–15; BILD Rauch), das Belvedere (1788) und der SCHINKEL-Pavillon (1825). Ägypt. Mus. (Büste der Königin Nofretete); Antiken-Mus.; Georg-Kolbe-Mus.; Kunstbibl.

Charlottenhof, Schloß in Potsdam, Dt. Dem. Rep., ein eingeschossiger Bau im Stil einer ländl. röm. Villa von K. F. SCHINKEL (1826–29), umgeben von einem Landschaftspark (1825 von P. J. LENNÉ entworfen), der sich südlich an den Park Sanssouci anschließt; im Park die Röm. Bäder von Schinkel und L. PERSIUS (1828–44).

Charon, grch. Mythos: der Fährmann, der die Toten über die Unterweltsströme (Acheron, Kokytos, Styx) fährt, Unbestattete aber zurückweist. Eine dem Toten in den Mund gelegte Münze galt als Fährgeld. – Auf grch. Vasen und Reliefs wurde die Überfahrt der Toten oft dargestellt. Bilder des Totendämons **Charun,** weit schrecklicher als der bärtige C. gestaltet, sind auf etrusk. Grabdenkmälern und Vasen erhalten. Das MA. dämonisierte C., in der Neuzeit wurde er zur Personifikation des Todes (MICHELANGELO, G. MARCKS).

Charonton [ʃarɔ̃t'ɔ̃], Enguerrand, frz. Maler, →Quarton.

Charpentier [ʃarpãtj'e], **1)** Alexandre, frz. Bildhauer, Kunstgewerbler, *Paris 10. 6. 1856, †Neuilly-sur-Seine 4. 3. 1909, wurde bes. durch seine Porträtmedaillen und Plaketten bekannt; schuf auch Möbel und Innenausstattungen.

2) François-Philippe, frz. Kupferstecher, *Blois 3. 10. 1734, †Paris 22. 7. 1817, erfand in den 50er Jahren des 18. Jh. ein Aquatintaverfahren; arbeitete nach Bildern von F. BOUCHER, J. H. FRAGONARD, P. P. RUBENS.

Charragạn, Kharragan, Ort im NO von Hamadan, Iran. Die zwei seldschuk. Grabtürme (1067/68 und 1093) zählen zu den schönsten verzierten Ziegelmonumenten des Landes. Beide sind oktogonal mit runden Vorbauten und hohen konischen Dächern. Der ältere Turm zeigt Überreste von 2 inneren Treppenstiegen in 2 von seinen 8 Vorbauten, der jüngere eine spiralförmige Stiege mit Ziegeldekor.

Chạrsadda [tʃ-], altindische Hauptstadt (z. Z. des Feldzuges Alexanders d. Gr.) nahe Peshawar, Pakistan. Weibl. Terrakotta-Idole mit maskenhaften Gesichtern (4.–2. Jh. v. Chr.), baktrisch-hellenist. Funde, Werke der Gandhara-Kunst und der Shahi-Zeit (7.–8. Jh.) belegen die über 1000jährige Besiedlung.

Charton [ʃart'ɔ̃], Enguerrand, frz. Maler, →Quarton.

Chartres [ʃartr], Stadt und Bischofssitz südwestlich von Paris, auf einer Anhöhe links der Eure, 42 000 Ew. Die Kathedrale, Anf. 12. Jh. beg., 1134 und 1194 durch

Chartres: Westfassade der Kathedrale; Anfang 12. Jh. begonnen

Brände zerstört (bis auf die Westfassade), wurde 1260 geweiht. Die dreischiffige Basilika mit Querhaus, fünfschiffigem Chor und Kapellenkranz (auf alten Fundamenten) gehört zu den ersten rein gotischen Bauten des 12./13. Jh. Das Mittelschiff ist etwa 130 m lang, 13,85 m breit und 36,5 m hoch (Seitenschiffhöhe 14 m) und wird durch ein Strebewerk aus Pfeilern und zweifachen Bögen abgestützt. Unter dem Chor die Krypta St. Lubin (9. Jh.); die Krypta des Hl. Fulbertus (1020–24) unter Chorhaupt und Seitenschiffen ist mit 108 m Länge die größte roman. Krypta Frankreichs. Der Südturm ist 106 m, sein Helm 45 m hoch; der Nordturm mit spätgot. Helm von 1507–13 ist 115 m hoch. Die Kathedrale von C. ist bes. bekannt durch den reichen Figuren- und Reliefschmuck der Portale: ›Königsportal‹ der Westfassade (gegen 1145–55), dessen Säulenfiguren am Anfang der Entwicklung zur got. Skulptur stehen (BILD Gotik); Nordquerhaus-Vorhalle (um 1200–50); Südquerhaus-Vorhalle (um 1215 bis nach 1240). Von diesen Skulpturen ging eine weitreichende Wirkung auf die frz. und dt. Skulptur des 12.–13. Jh. aus. Bed. ist der erhaltene Zyklus von rd. 150 farbigen Glasfenstern (BILD Glasmalerei): u. a. die 3 Westfenster (um 1160), die Rosenfenster der Westfassade und des Südquerhauses (um 1210–20, Ø 13,35 m) und die Folge von 22 Szenen aus dem Leben Karls d. Gr. im Chorumgang (um 1200–20). In der Kirche St. Pierre (10.–12. Jh.) schöne Glasfenster aus dem 14. und 16. Jh.; im ehem. Bischofspalast (17.–18. Jh.) das Mus. des Beaux-Arts (ma. Bildwerke, Gemälde u. a.).

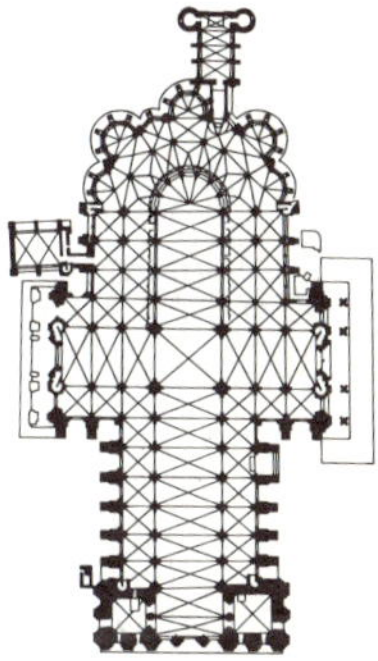

Chartres: Grundriß der Kathedrale

Chase [tʃeɪs], William Merritt, amerikan. Maler, *Franklin (Indiana) 1. 11. 1849, †New York 25. 10. 1916, studierte ebd. und 1872 bei K. v. PILOTY in München. In den USA gründete er eigene Schulen, die die jüngere Künstlergeneration beeinflußten. C. malte v. a. Porträts (›J. A. McNeill Whistler‹, 1885; New York, Metropolitan Mus.), Stilleben und Genrebilder.

Chashitsu [tʃaʃitsu, jap.], kleiner Pavillon in einfachem Stil für die japan. Teezeremonie (→Teehaus).

Chassériau [ʃaserj'o], Théodore, frz. Maler, *Sainte-Barbe-de-Samana (heute Dominikan. Rep.) 20. 9. 1819, †Paris 8. 10. 1856. In seinen mytholog. und allegor., teils monumentalen Werken verbindet sich die kühle, linienstrenge Form von J. A. D. INGRES mit dem malerisch romant. Stil von E. DELACROIX.

HW: Esther vor der Begegnung mit Ahasver (1841); Die beiden Schwestern (1843); Araberführer im Kampf (1852); Das Dampfbad (1853; Musée d'Orsay, Paris).

Châteaudun [ʃatod'œ̃], frz. Stadt am Loir, südwestlich von Chartres, 16000 Ew. Das spätgot. Schloß (um 1460) mit älteren Teilen (46 m hoher Rundturm des 12. Jh.), einem spätgot. und einem Renaissance-Treppenhaus (mit offenen Lauben, 1510–18), beherbergt ein reiches Tapisserie-Mus.; in der Schloßkapelle (Mitte 15. Jh.) bed. Samml. spätgot. Skulpturen. Weitere Kirchen: Église de la Madeleine (12. Jh.), St. Valérien (12. und 15. Jh.), Friedhofskapelle Notre-Dame du Champdé (nur Fassade im Flamboyant-Stil erhalten).

Châtelaine [ʃatl'ɛːn, frz. ›Burgfrau‹], Kette am

Chattri

Frauengürtel des späten 15. und 16. Jh., an der Gebrauchs- und Schmuckgegenstände hingen (Besteck, Schlüssel, Tasche); später nur noch eine Kette mit Schmuckanhängern.

Chatranez [ʃatran'e], Nicolas, im 16. Jh. in Portugal tätiger Bildhauer frz. Abstammung, →Chantereine.

Chatsubo [tʃ-, jap.], bauchiger Behälter, der in Japan zur Aufbewahrung von Teeblättern dient. 4 kleine Henkel um die Öffnung dienten zum Verschnüren mit einem Brokatverschluß. C. gehören nicht zur Teezeremonie, sind aber meist von hohem künstler. Wert.

Chatsworth House [tʃ'ætswəːθ haʊs], Landsitz in der Cty. Derbyshire, Mittelengland, der ab 1686 im Stil des Classicisme umgestaltet wurde. – Gartenanlage von J. PAXTON (*1801, †1865).

Chattra [tʃ-, Skt.], Schirm als Emblem ind. Herrscher und Götter. Mehrere übereinandergesetzte C. bilden die Spitze des →Stupa.

Chattri [tʃ-, Hindi], in der ind. Baukunst ein offener Pavillon, der aus einer Kuppel besteht, die auf einem hohen Sockel von mehreren Säulen getragen wird. C. markieren in Nordindien den Verbrennungsplatz eines hinduist. Adeligen außerhalb der Altstadt. C. sind mit niedrigem Sockel auch als Bauelement an nordind. Palästen anzutreffen.

Chaturmukhaliṇga [tʃ-], hinduist. phallische Kultplastik Shivas mit 4 in die Himmelsrichtungen weisenden Köpfen. Die C. entstanden seit dem 1. Jh. in der Mathura-Kunst.

Chaturvyuha [tʃ-], hinduist. Kultplastik des →Vasudeva, aus dessen Körper 3 Figuren (Samkarshana, Pradyumna und Aniruddha) heraustreten. Die Emanationen symbolisieren die Stufen der Gotteserkenntnis und der kosmischen Evolution.

Chaudet [ʃod'ɛ], Denis-Antoine, frz. Bildhauer, *Paris 3. 3. 1763, †ebd. 19. 4. 1810, Klassizist i. S. der strengen Doktrin, schuf Einzelfiguren und Gruppen, die antike Motive behandeln, sowie Standbilder und Büsten NAPOLEONS I., von dem er bes. bevorzugt wurde.

Chauen [ʃ'auən], **Chéchaouen** [ʃeʃaw'ɛn, frz.], span. **Xauen,** Marktstadt in N-Marokko, 15400 Ew. Lokale Scherifengründung von 1471, bis 1920 ›heilige Stadt‹ des Islam. Maler. Stadtbild mit maur. Architekturelementen; Große Moschee und weitere 10 Heiligtümer (v. a. ›Mausoleum Sidi Ben Yahia‹, 1592) mit farbigen Emaillen; mittelalterl. Schloßturm; Kunstgewerbezentrum (Teppiche).

Chaumont-sur-Loire [ʃom'ɔ̃ syrlw'aːr], Ort im frz. Dép. Loir-et-Cher; in einem Park über der Loire das turmbewehrte Schloß, ein Bau des 15./16. Jh. mit reich ausgestatteten Wohnräumen; prächtige Stallungen.

Chauri [tʃ-, Skt. Chamara], indischer Wedel aus weißen Yakhaaren. Die C. wird in Malerei und Plastik von Assistenzfiguren als Herrschaftsemblem der Götter getragen.

Chaval [ʃav'al], eigtl. Yvan Francis **Le Louarn** [ləlu'arn], frz. Cartoonist, *Bordeaux 10. 2. 1915, †Paris 22. 1. 1968. Sein resignativer Sarkasmus und seine starren, präzisen Konturen wurden stilbildend (Illustrationen zu J. SWIFT, E. KÄSTNER).

Chavannes, Pierre **Puvis de C.** [pyv'is dəʃav'an], frz. Maler, →Puvis de Chavannes.

Chaves [ʃ'avɪʃ], Kurort im nordportug. Distrikt Vila Real, im Tâmega-Becken, 11 500 Ew.; 140 m lange röm. Brücke (2. Jh. n. Chr.) mit eingelassenen Meilensteinen; mehrere Barockkirchen, u. a. da Misericórdia (im Inneren Azulejos-Wandbilder mit bibl. Szenen); ma. Kastell; Mus. (röm. Funde, Volkskunst). Etwa 5 km von C., in Outeiro Seco, roman. Kapelle (Kapitellschmuck mit Tiermotiven und Menschengestalten; Freskenreste mit bibl. Szenen; heute im Mus. Soares dos Reis in Porto).

Chavín [tʃaβ'in], die älteste vorkolumb. Hochkultur im Andenraum (1200–300 v. Chr., Blütezeit 700–200 v. Chr.), die sich von der nördl. Küste Perus nach S bis zur Paracas-Halbinsel ausbreitete und weitreichende Einflüsse auf nachfolgende Kulturen hatte. Hauptzentrum war vermutlich →Chavín de Huántar. Bei der Verzierung von Rundsäulen und Steinbildwerken der Monumentalarchitektur sowie im Dekor von Goldarbeiten, Keramik und Textilien herrscht das Raubkatzenmotiv vor, auch Mischwesen aus Mensch und Tier sind häufig. Die Gefäße (meist kugelige Form mit abgeflachtem Boden) haben einen wuchtigen Steigbügelhenkel mit senkrechtem Ausguß. Es gibt auch Schalen und langgestreckte Flaschen sowie plast. Abbilder von Menschen, Tieren und Pflanzen. Die Gefäße, fast immer unbemalt (Grundfarbe zw. schwarz und rotbraun, selten zweifarbig: rot und orange), sind mit eingeritzten Mustern (vor und nach dem Brand) verziert. Von der Küste sind Gold- (meist Treib-)Arbeiten und Textilien mit eingewebten oder aufgemalten Mustern überliefert. (BILD Andine Hochkulturen)

Chavín de Huántar [tʃaβ'in ðe u'antar], archäolog. Fundort im Hochland N-Perus (3000 m ü. M.), namen-

Chavín de Huántar: Relieffigur eines Jaguar-Mischwesens

Chedi

gebend für die Chavín-Kultur, mit der ersten Tempelanlage des Hochlandes aus behauenem Stein in Monumentalarchitektur.

Chawan [tʃ-, jap.], Teeschale aus meist glasiertem Ton oder Steingut, die während der japan. Teezeremonie verwendet wird; neben →Cha'ire das wertvollste Gefäß unter den Teegeräten (→Chaki). Hauptformen: kummenförmig (wan-nari), fast tellerförmig (hira-chawan), zylindrisch (tsutsu-nari), sich nach unten konisch verjüngend (temmoku-nari).

Cheb [xɛp], Stadt in der ČSSR, →Eger.

Chéchaouen [ʃeʃaw'ɛn, frz.], Marktzentrum in Marokko, →Chauen.

Chedi [tʃ-], turmartiges Gebäude in Thailand, oft mit rundem kuppelförmigem Unterbau und nach oben spitz zulaufend; beherbergt i. d. R. einen Gegenstand relig. Verehrung. Das C. geht über das ceylones. Vorbild auf den ind. Stupa zurück. Schöne alte C. finden sich in Sukhothai und Nakhon Si Thammarat.

Chełmno [x'ɛłmnɔ], poln. Name von →Culm.

Chełmoński [xɛłm'ɔĩski], Józef, poln. Maler, *Boczki bei Łowicz 7. 11. 1849, †Kuklówka bei Grodzisk Mazowiecki 6. 4. 1914, nahm in München (1872 bis 1874) den Einfluß der Münchner Schule, in Paris dann (1875–87) Elemente der Plein-air-Malerei auf und war danach in Polen tätig. Er schuf poln. Landschafts- und Volksbilder, auch Tierbilder.

M. MASLOWSKI: J. C. (Warschau 1973).

Chelsea [tʃ'elsɪ], Stadtteil von London, 1745–84 Standort der dann nach Derby verlegten Porzellanmanufaktur. Neben Arbeiten im Stil von Meißen und Sèvres sind für C.-Porzellan Riechfläschchen (C.-toys) mit plast. Schmuck kennzeichnend.

Cheltenham [tʃ'eltnəm], Stadt in der Cty. Gloucestershire am Fuß der Cotswold Hills, SW-England; nach der Entdeckung einer Mineralquelle 1718 entwikkelte sich die Marktstadt um die Wende zum 19. Jh. zu einem Badeort mit regelmäßigem Stadtgrundriß und klassizist. Häuserfronten. Um 1825 wurde die früheste engl. Gartenstadtanlage beg., aber verändert ausgeführt. Die ›Promenade‹ von 1823 mit palaisartigem Mittelabschnitt mit Säulenportikus ist seit 1916 Stadtverwaltung. Das C.-College wurde seit 1841 von J. WILSON als symmetr. Anlage im Perpendicular Style erbaut, die Chapel 1896 von H. A. PROTHERO nach dem Vorbild von Eton College.

Chemtou [tʃɛmt'u], heutiger Name der antiken Siedlung **Simitthus,** in der Medjerda-Ebene, NW-Tunesien. Im Altertum war hier ein Bergheiligtum der Numider (Berberstämme, um 200 v. Chr. zu einem Staat vereinigt) für Baal Hammon und Tanit, das in röm. Zeit in ein Saturnheiligtum mit Monumentalaltar, Freitreppe und Hallenanlage umgewandelt und im 6. Jh. mit einer dreischiffigen Basilika überbaut wurde. Am Berghang finden sich zahlreiche Felsreliefs als Votive für Saturn. Der benachbarte Hügel war reich an gelbem Marmor, in der antiken Welt als ›Marmor Numidicum‹ bekannt. Am Fuß eines weiteren, dritten Hügels gründete AUGUSTUS 27 v. Chr. eine Wohnstadt (Ruinen von Thermen, Forum, Theater und Amphitheater); 800 m entfernt wurde ein 40 000 m² großes ummauertes Arbeits- und Wohnlager für die Arbeiter der Marmorbrüche angelegt; eine 3000 m² große Manufaktur zur Herstellung von Marmorgegenständen wurde freigelegt. In Ruinen sind ferner eine 30 km lange Wasserleitung, eine Marmorbrücke und ein mehrschiffiger Wasserspeicher erhalten.

Chenes-Stil [tʃ-], Bau- und Dekorstil der Maya-Kultur; Verbreitungsgebiet: südlich der Puuc-Hügelkette und nördlich des Río-Bec-Gebietes, mit dessen Stil er eng verbunden ist; kennzeichnend ist ein die ganze Gebäudefassade einnehmender Dekor; der Eingang ist oft als Jaguarmaul gestaltet, z. B. Hochob in N-Campeche, Yucatán, Mexiko.

Chengchou, Chengchow, amtlich chinesisch **Zhengzhou** [dʒɛŋdʒɔu], Hauptstadt der chines. Prov. Honan, südlich des Gelben Flusses. Funde von gestampften Erdwällen, Keramikbrennöfen sowie reich ausgestatteten Gräbern, die in die Zeit des 16.–14. Jh. v. Chr. datiert werden (Chengchou-Periode), als u. a. ›Ao‹, wahrscheinlich das heutige C., Hauptstadt der Shang-Dynastie war; Provinz-Mus. mit archäolog. Funden.

Ch'engtu [tʃɛŋdu], **Tschengtu,** amtlich chines. **Chengdu**, Hauptstadt der chines. Prov. Szechwan, etwa 1,7 Mio. Ew.; zentraler Palastbez. aus der Zeit der Yüan- (14. Jh.) und Ming-Dynastie (17. Jh.) z. T. erh.; im westl. Außenbez. im Park gelegene Hütte des Dichters TU FU (*712, †770) mit späteren Erweiterungen und Tempel; im nordwestl. Außenbez. Grab des Regionalherrschers WANG CHIEN (9. Jh.); im SW der dem Heerführer und Gelehrten CHU KOLIANG (*181, †234) geweihte Tempel Wu-hou-ssu; Provinz-Mus. (archäolog. Funde).

Chenonceaux [ʃənɔ̃s'o], Ort im frz. Dép. Indre-et-Loire, bekannt durch das Renaissance-Schloß inmitten von weitläufig angelegten Gärten (BILD Loire-Schlösser), 1515–22 als Lustschloß auf den Pfeilern einer ehem. Mühle im Fluß Cher erbaut, in der 2. H. 16. Jh. von P. DELORME, später von J. BULLANT durch einen Brückenbau mit 2 übereinanderliegenden Galerien erweitert; im Innern die wohl früheste geradläufige Treppe der frz. Renaissance; prächtige Möbel und Kunstgegenstände in den Wohnräumen von DIANE DE POITIERS, der Mätresse König Heinrichs II., und der frz. Königin KATHARINA VON MEDICI, die C. nacheinander besaßen.

Cheops, ägypt. **Khufu,** ägypt. König (etwa 2551 bis 2528 v. Chr.) der 4. Dynastie, erbaute die **Cheopspyramide** (urspr. 146,6 m, jetzt 137 m hoch), die größte der 3 Pyramiden bei →Giseh; C. gilt als Gründer mehrerer Tempel.

Chephren, ägypt. **Kha'efre,** ägypt. König (etwa 2520–2494 v. Chr.) der 4. Dynastie, erbaute bei →Gi-

Chephren: König C. mit dem Horusfalken; um 2500 v. Chr., gefunden in Giseh, Gesamtfigur 168 cm hoch (Kairo, Ägyptisches Museum)

seh, südwestlich der Cheopspyramide die zweitgrößte Pyramide (136,4 m hoch), den zugehörigen Taltempel mit mächtigen Granitpfeilern und Königsstatuen aus Diorit (Kairo, Ägypt. Mus.) sowie den großen Sphinx.

Cheramyes, Name eines Stifters auf einer Statue aus dem Hera-Heiligtum von Samos; die überlebensgroße Frauenfigur aus Marmor ist ein bed. Werk der ostgrch. Plastik aus der Zeit um 570–560 v. Chr. (heute im Louvre; Kopf verloren).

Cherchell [ʃɛrʃ'ɛl], alger. Hafenstadt, rd. 100 km westlich von Algier, 40 300 Ew., hieß als karthag. Handelsplatz **Jol,** wurde von König JUBA II. von Mauretanien, der hier 25. v. Chr. – 24 n. Chr. residierte, zu Ehren des röm. Kaisers **Caesarea Mauretania** genannt. Der König ließ die Stadt mit Kunstwerken (Kopien nach klass. Werken) schmücken, heute z. T. im Mus. von C. Ausgrabungen legten die Stadtmauer (7 km Umfang), Theater, Amphitheater, Thermen, Tempel, Forum und Villen frei.

Chéret [ʃer'ɛ], Jules, frz. Maler, Graphiker, *Paris 31. 5. 1836, †Nizza 23. 9. 1932, verwendete um die Mitte der 1870er Jahre als einer der ersten die farbige Lithographie, aus der er einen neuen Plakatstil entwickelte.

Chersiphron, aus Knossos (Kreta) stammender Architekt, zus. mit seinem Sohn METAGENES Erbauer des gewaltigen archaischen Tempels der Artemis von Ephesos (2. H. 6. Jh. v. Chr.) und (laut VITRUV) Verf. einer diesen Bau behandelnden Schrift.

Cherub [hebr.], *Mz.* **Cherubim,** in der Kunst des alten Vorderen Orients (bes. in Assyrien) oft dargestelltes Mischwesen aus Tier- und Menschengestalt; im A. T. ein myth. Wesen in der Umgebung Jahwes, bildlich an der Bundeslade und im Tempel dargestellt. – Ähnlich sind im N. T. die vier ›Lebewesen‹, die nach Offb. 4, 6 ff. den Thron Gottes umstehen; sie gleichen Löwen, Stieren, Menschen und Adlern, tragen viele Augen und 6 Flügel. Später wurden sie als Symbole der →Evangelisten gedeutet.

Chester [tʃ'estə], Stadt in der Cty. Cheshire im westl. Mittelengland, 61 400 Ew. Von der röm. Stadtanlage **Deva** ist das Straßenraster innerhalb der ma. Stadtmauern weitgehend erhalten; das heutige Stadtbild wird v. a. von den Fachwerkbauten des späten 19. Jh. geprägt. Von der 1092 beg. Abteikirche (seit 1540 Kathedrale) sind Teile des Nordquerarms erhalten. Im 14. Jh. vollständiger Neubau, bei dem die N-Seite des Langhauses erst Ende des 15. Jh. ausgeführt wurde. Das hölzerne Fächergewölbe wurde 1868 bei Restaurierung durch G. G. SCOTT eingezogen. Die Stiftskirche St. John Baptist, die im späten 11. Jh. vorübergehend Kathedralsrang hatte, wurde um 1100 als flachgedeckte Querhausbasilika beg. – Das normann. **Castle** erfuhr um 1800 eine Umgestaltung durch T. HARRISON im Stil des →Greek Revival. Über der Shire Hall erhebt sich eine kassettierte Kuppel über ionischen Säulen; 1810 bis 1822 wurden die Propyläen errichtet.

Cheverny [ʃəvɛrn'i], Ort im frz. Dép. Loir-et-Cher; inmitten des Parks liegt das frühbarocke Schloß (1634 erbaut) mit gut erhaltener Innenausstattung des 17. Jh. (v. a. Tapisserien); Jagdmus. im Nebengebäude.

Chiaramonti [kjara-], **Museo C.**, Rom, heute Teil der Vatikan. Museen, benannt nach seinem Gründer Papst PIUS VII. (1800–23), vorher B. G. CHIARAMONTI, der die Samml. antiker Skulpturen nach Beratungen mit A. CANOVA einrichten ließ.

Chiaravalle di Fiastra [kjara-], Gem. in der ital. Prov. Macerata, in den Marken; Zisterzienserabtei (1142 gegr.) mit Abteikirche (12. Jh./13. Jh.; Vorhalle mit roman. Portal und rechts und links je 2 Triforienfenstern; im Inneren roman. Kapitelle); prachtvoller Kreuzgang.

Chiaroscuro [kjarosk'uro, ital.] *der,* das in Malerei und Graphik angewandte →Helldunkel.

Chiaveri [kjav'ɛ:ri], Gaetano, ital. Baumeister, *Rom 1689, †Foligno 5. 3. 1770, früh in russ. und um 1720–49 in sächsisch-poln. Diensten, begann 1739 den Bau der kath. Hofkirche in Dresden als fünfschiffige Basilika mit Turm, in dessen ital. Ausformung die Einturm-Fassade der dt. Gotik fortwirkt (1755 voll.).

Chibcha [tʃ'ibtʃa], →Muisca.

Chicago [ʃık'ɑ: gəʊ], die zweitgrößte Stadt der USA, in Illinois, am SW-Ufer des Michigansees, 2,97 Mio. Ew. Das Stadtbild wurde nach verheerenden Zerstörungen durch einen Großbrand (1871) seit Ende des 19. Jh. von Vertretern der modernen Architektur (→ Chicago, Schule von C.) mit beispielhaften Gebäuden, eigenwilligen und hohen Wolkenkratzern für Verwaltung und Wirtschaft geprägt. Das Robie House, 1907 bis 1909 von F. L. WRIGHT als Privathaus erbaut, ist heute Institut für Internat. Angelegenheiten. L. MIES VAN

Chicago, Schule von C., Warenhaus Carson Pirie Scott von L. H. Sullivan; Chicago, 1899, 1903–04

DER ROHE, der 1938 in die USA emigrierte, schuf oder plante zahlreiche Bauwerke für diese Stadt, u. a. mehrere Gebäude für das Illinois Institute of Technology; Lake Shore Drive Apartments (1950/51); Federal Center (1973). Das Gebäude des Warenhauskonzerns Sears, Roebuck & Co. (›Sears Tower‹, von SKIDMORE, OWINGS and MERRILL, 1973) ist eines der höchsten Gebäude der Erde (442 m). Die jüngste Entwicklung ist durch Bauten der jungen Generation von Architekten (u. a. HARRY WEESE, S. TIGERMAN, T. HALL BEEBY, S. E. COHEN) gekennzeichnet; eine größere Zahl von Skulpturen (u. a. von A. CALDER, P. PICASSO, C. OLDENBURG, TONY SMITH) wurde aufgestellt, ferner ein 23 m langes Mosaik (›Die vier Jahreszeiten‹) von M. CHAGALL (1974). Bedeutendstes Museum ist das →Art Institute of Chicago. Das Oriental Institute der Univ. C. enthält eine reiche Sammlung aus der Frühzeit der Kulturen im Vorderen Orient.

Chicago, Schule von C., School of C. [sku:l ɔv ʃɪk'ɑ:gəʊ], Architektengruppe, deren Mitgl. nach dem Großbrand (1871) der Stadt C. in den 80er und 90er Jahren des 19. Jh. eine Reihe bemerkenswerter Gebäude errichteten und Tendenzen der modernen Architektur vorwegnahmen. Merkmale dieser Bauten sind die konsequente Verwendung des Stahlskelettes und die Suche nach einer der neuen Konstruktionsweise angemessenen Form. Die bekanntesten Architekten der Schule von C. waren W. LE B. JENNEY, L. H. SULLIVAN und D. ADLER, D. H. BURNHAM und J. W. ROOT, W. HOLABIRD, M. ROCHE. Das Warenhaus Carson Pirie Scott, Chicago (1899, 1903–04), von Sullivan und das Reliance Building von Burnham und Root (1890, 1904) sind Höhepunkte des Schaffens der Schule von C.– L. H. Sullivan begründete mit seinen Schriften die Theorie des →Funktionalismus. **Second School of Chicago** [s'ekənd-] heißt die von L. MIES VAN DER ROHE beeinflußte Wiederbelebung und Entwicklung der Schule von C. in den 40er Jahren des 20. Jh.

C. W. CONDIT: The Chicago school of architecture (Chicago 1964).

Chichén Itzá [tʃitʃ'en its'a], Zeremonialzentrum der vorkolumb. Maya-Kultur in N-Yucatán, Mexiko, in dem, räumlich nebeneinander, Hinterlassenschaften aus der klass. Epoche (600–900) wie auch aus der unter toltek. Einfluß stehenden nachklass. Zeit (900–1200) erhalten sind. Der gesamte archäolog. Bereich erstreckt sich über rd. 8 km^2. Charakteristisch für C. I. ist eine weiträumige Bauweise, ohne Verschachtelung von Gebäudekomplexen. Im älteren Teil sind wichtigste Gebäude das ›Observatorium‹, wegen seiner Rundform mit innerer Wendeltreppe auch ›Caracol‹ (›Schnecke‹) gen., und das ›Nonnenhaus‹, ein in deutlich zu unterscheidenden Phasen errichtetes Gebäude; die Baudekoration zeigt Puuc-Stil oder eine Mischung zw. Puuc- und Chenes-Stil. – Der jüngere, aus der toltek. Zeit stammende Teil weist eindeutige, bis zur Ausgestaltung einzelner Gebäude gehende Parallelen mit Tula auf, so der ›Kriegertempel‹ mit den vorgelagerten Säulenhallen, den reliefgeschmückten Frontpfeilern, den plast. Quetzalcoatl-Säulen, die den Treppenaufgang flankie-

Chichén Itzá: Kriegertempel

ren, sowie den kleinen Atlanten, die im Tempel eine Steinplatte tragen. Das höchste Gebäude ist eine Stufenpyramide (›Castillo›) mit 4 symmetr. Treppenaufgängen; im Innern in einer Kammer die vollplast. Skulptur eines Jaguars sowie ein →Chacmool. Der Ballspielplatz hat gewaltige Ausmaße (168 × 70 m) und steile, mit Reliefs geschmückte Seitenbegrenzungen. Parallelen zu Tula zeigen auch die Motive des Dekors (auf Reliefs und auf den polychromen Wandgemälden im Jaguartempel am Ballspielplatz): vornehmlich Darstellungen von Kriegern, Adlern, Jaguaren, Totenschädeln. Vom Zentrum der Anlage führt eine 300 m lange gepflasterte Zeremonialstraße zu einem Brunnen (›Cenote‹), in dem reiche Opfergaben (u. a. aus Gold und Jade gefunden wurden.

K. Ruppert: C. I. Architectural notes and plans (Washington, D. C., 1952).

Chichester [tʃ'ɪtʃɪstə], Stadt in der Cty. W-Sussex, England, 20 900 Ew., an der Kreuzung zweier Handelswege von den Römern als **Noviomagus Regnensium** gegr.; das spätgot. Marktkreuz stammt von 1501; Häuser im Georgian Style. Der Bau der Kathedrale wurde um 1100 mit Umgangschor beg., der nach einem Brand (1114) 1186–99 erneuert wurde; im Anschluß wurde die Kirche vollständig gewölbt. Der freistehende Glokkenturm stammt aus dem 15. Jh.

Chidambaram [tʃ-], hinduist. Tempel- und Wallfahrtsstätte in S-Indien. Der mehrfach umwallte Tempelkomplex mit 40 m hohen Tortürmen (Gopura) wurde seit der Chola-Zeit (10./11. Jh.) ständig ausgebaut (Tempelteich, 1000-Säulen-Halle). Stein- und Bronzeplastiken stellen v. a. den Gott Shiva als Nataraja und Figuren in unterschiedl. Tanzposen dar.

Chi|eng Mai [tʃ-], Stadt in N-Thailand, 1296 gegr. als Hauptstadt des Reiches von →Lan Na. Die wichtigsten Baudenkmäler sind: Wat Chedi Chet Yot, 15. Jh., wohl aus Anlaß der 2000. Wiederkehr der Geburt des Buddha in enger Anlehnung an den Mahabodhi-Tempel von Bodh Gaya errichtet, deshalb auch Bodharama gen., von ungewöhnlich reichem, Gottheiten (keine Buddhas) darstellenden Baudekor geschmückt; Wat

Chieng Man, der älteste Tempel der Stadt, Ende 13. Jh. erbaut, mehrfach restauriert; Wat Phra Singh, 14./15. Jh., im alten Zentrum der Stadt.

Chi|eng Sen [tʃ-], Stadt in Thailand, um 1330 gegr.; war bed. innerhalb der Kunst von →Lan Na. Das Wat Pa Sak, errichtet vom Gründer der Stadt, verbindet Elemente des Wat Kukut (→Lamphun) mit bes. gut ausgearbeitetem Fassadendekor in Stuck und Terrakotta.

Ch'ienhsien, amtlich-chinesisch **Qianxian** [tʃiɛnhsiɛn], Stadt in der chines. Prov. Shensi, 85 km von Sian entfernt. 6 km nördlich auf dem Liangshan-Hügel das Grab des T'ang Kaisers Kao-tsung (628–683) und seiner Gemahlin Kaiserin Wu (624–705); weiter südlich die seit 1960 ausgegrabenen Gräber der Kronprinzen Chang-huai und I-te sowie der Prinzessin Yung-t'ai (frühes 8. Jh.), mit bed., für die Malerei der T'ang-Zeit aufschlußreichen Wandmalereien. →chinesische Kunst.

Chieti [kj'ɛːti], Stadt und Erzbischofssitz in Mittelitalien, am Fuß der Abruzzen, 55 100 Ew., mit röm. (u. a. Zisterne aus dem 1. Jh.; Baureste des Theaters) und ma. Bauwerken, v. a. die Kathedrale (840 umgestaltet; Glockenturm, 1335–1498). Archäolog. Mus. mit grch. und röm. Funden.

Chiffonière [ʃifɔnj'ɛːrə, frz.] *die,* Kommode auf hohen, zierl. Beinen für Nähutensilien u. a.

Chigi [k'iːdʒi], röm. Adelsfamilie aus Siena, der Papst ALEXANDER VII. (1655–67) entstammt. Agostino **il Magnifico,** (*1465, †1520) war der Bankier von Päpsten, Pächter der Münze, der Salinen und des Alauns von Tolfa bei Civitavecchia; er ließ 1508–11 von B. PERUZZI die Villa →Farnesina in Rom erbauen. Der Palazzo C., 1562 von GIACOMO DELLA PORTA beg., ist seit 1961 Residenz des ital. Ministerpräsidenten.

Chigikanne [k'iːdʒi-], eine Kanne (Olpe) der Zeit um 630 v. Chr. (ehem. Samml. Chigi, heute Mus. Nazionale di Villa Giulia, Rom), ein HW der frühen korinth. Vasenmalerei: der Hauptfries des reich bebilderten Gefäßes stellt, in sehr feiner und farbenreicher Zeichnung, 2 gegeneinander kämpfende Kriegerreihen dar.

Childerich-Grab, das Grab des merowing. Königs CHILDERICH I. (†482), einer der bedeutendsten Funde aus dem Bereich der merowingisch-fränk. Kultur, zugleich für die archäolog. Forschung ein fester Datierungspunkt (→Arnegunde-Grab). Es wurde 1653 bei der Kirche St. Brice in Tournai gefunden; die noch vorhandenen Stücke der reichen, meist goldenen Grabbeigaben sind in der Pariser Nat.-Bibl.

Chilkat [tʃ'ilkat], Decken oder Umhänge der nördl. →Nordwestküsten-Indianer, aus Zedernbast (Kette) und Wolle von Bergziegen (Schuß) gewebt, rechteckig mit einer Spitze an der einen Längsseite, häufig mit abstrakten, symbol. Mustern.

Chillida Juantegui [tʃiʎ'iða xuant'egi], Eduardo, span. Plastiker, Zeichner, *San Sebastián 10. 1. 1924, verwendet seit 1950 geschmiedetes Eisen für seine vom

Eduardo Chillida Juantegui: Enclume de rêve Nr. 9; 1959 (Zürich, Kunsthaus)

Gegenständlichen stark abstrahierten Gebilde; raumgreifende, verknotete oder ineinandergeschobene Kompositionen folgten, seit 1962 auch aus Holz und Granit.

P. VOLBOUNDT: C. (a.d. Frz. 1967); G. CELAYA: C. Räume (a.d. Span. 1974); W. SCHMALENBACH: E. C. Zeichnungen (1977).

Chillon [ʃij'ɔ̃], Schloß bei Montreux im schweizer. Kt. Waadt, auf einer Felseninsel im Genfer See; älteste erh. Teile 12. Jh., heutige Gestalt bereits 13. Jh., hervorragend bewahrt; Wappen- oder Rittersaal mit Renaissance-Kassettendecke, ›Camera domini‹ mit Wandmalereien (Mitte 14. Jh.).

Chimäre, grch. Mythos: vorzeitl. Mischwesen mit Löwenhaupt, Ziegenkörper und Schlangenende, auch dreiköpfig, dessen Eltern Typhon und Echidna selbst Ungeheuer waren; lebte in der Unterwelt oder hauste in Lykien und wurde dort von Bellerophon allein oder mit Hilfe des Flügelrosses Pegasus getötet. Die C. war Wappentier u. a. von Korinth.

Im Altertum, selten auch noch in der Neuzeit, wurde die C. seit dem 7. Jh. v. Chr. meist zus. mit Bellerophon, aber auch allein (Bronzeplastik, 5. Jh. v. Chr., Florenz, Archäolog. Mus.) dargestellt.

Chimay [ʃim'ɛ], Städtchen in der belg. Prov. Hennegau. Das Château des Princes im Spätrenaissancestil (1607) wurde nach Brand (1935) wiederhergestellt; original erh. ist das Rokokotheater mit vergoldetem Stuck (1838). Spätgot. Backsteinkirche St.-Pierre-et-Paul (16. Jh.) mit barockem Turm (1737).

Chimú [tʃim'u], vorkolumb. Kultur, die sich im Anschluß an die Moche-Kultur an der N-Küste Perus entwickelte (1000–1470). Das Reich von Chimor, ehemals mit einer Ausdehnung von 900 km von Tumbez im N bis Paramonga im S, wurde erst 60 Jahre vor der span. Eroberung von den Inka erobert; Hauptstadt war Chan Chan. Der Kunststil ist geprägt durch Moche- und Tiahuanaco-Einfluß, es läßt sich aber hier ein künstler. Niedergang feststellen. In der Keramik wurde eher Massenware produziert (fast ausschließlich mit Mo-

Chimú: Steigbügelgefäß aus schwarzer Keramik

chinesische Kunst: Sakralbronze des Typs Ku, 32,6 cm hoch; Anyang, späte Shang-Dynastie, 12.–11. Jh. v. Chr. (Köln, Museum für Ostasiat. Kunst)

deln hergestellt). An Formen wurden von der Moche-Kultur Steigbügelgefäße übernommen (v. a. einfarbig schwarz oder rot reliefiert); der Tiahuanaco-Einfluß zeigt sich in doppelbauchigen, mit Flachrelief verzierten Gefäßen. Die Motive, sowohl in der Keramik wie bei den Goldarbeiten, sind stereotyp wiederholte, in den Formen starre Figuren.

Chinan [dʒ-], Stadt in China, →Tsinan.

chinesische Kunst. Die frühesten Zeugnisse der c. K. sind die in Gräbern und Siedlungen des Spätneolithikums (um 5000–2000 v. Chr.) gefundenen Keramiken der nach den ersten Fundorten Yangshao (Honan) und Lungshan (Shantung) benannten Kulturen. Eine Vorstellung von der Kunst der Shang-Dynastie (16. bis 11. Jh. v. Chr.) geben v. a. die in der Umgebung des heutigen Chengchou ausgegrabenen Fundamente der 2. Shang-Hauptstadt Ao mit Resten von Bronzegießereien, Keramikwerkstätten und einer Stadtumwallung aus gestampfter Erde, sowie die Orakelknochenfunde und die kreuzförmig angelegten reich mit Sakralbronzen, Bronzewaffen, Keramik, Jade- (Nephrit-) und Knochenschnitzereien ausgestatteten Schachtgräber der letzten Shang-Herrscher bei →Anyang. Der Dekor der →Sakralbronzen umfaßt immer in Frontalansicht wiedergegebene apotropäische Masken (→T'ao-t'ieh) und zoomorphe und geometr. Motive. Auf den Stücken der frühen Shang-Zeit ist der Reliefdekor in sparsamen Bändern angebracht; erst in der späten Shang- und frühen Chou-Zeit überzieht er das gesamte Gefäß und wird stärker plastisch herausgearbeitet.

chinesische Kunst: Kniender gepanzerter Bogenschütze, gebrannter Ton, 122 cm hoch, aus der 1974 entdeckten unterirdischen Grabanlage des Kaisers Ch'in Shih-huang-ti bei Lint'ung, Prov. Shensi, Ch'in-Dynastie, etwa 220–210 v. Chr.

Ab Mitte der Westl. Chou-Dynastie (11. Jh.–771 v. Chr.) wurden die Motive zunehmend abstrahiert und in verschlungene Bandornamente aufgelöst. Das Vordringen nomadisierender Randvölker aus dem Ordosgebiet führte zur Verlegung der Hauptstadt der Chou nach Osten in die Stadt →Loyang (Östl. Chou-Dynastie 770–222 v. Chr.). Der in der Ch'un-ch'iu-Periode (722 bis 481 v. Chr.) durch die Berührung mit den Steppenvölkern einsetzende Kulturaustausch manifestiert sich in der Bronzekunst in einem den südsibir. Grabfunden ähnelnden Tierstildekor und zunehmend realist. Darstellungen (Szenen von Bogenschützen, Konzerten, Tänzen, Jagdszenen, Land- und Seeschlachten), aber auch in den von der nomad. Reitertracht übernommenen Gürtelschnallen und Gewandagraffen. Die Übernahme der Technik der Gold- und Silbertauschierung sowie der Türkis- und Malachiteinlage führte zu einem 1. Höhepunkt chines. Gold- und Silberschmiedekunst.

In der Chan-kuo-Periode (481–222 v. Chr.) führten der Machtzerfall des Chou-Könighauses und die zunehmende Unabhängigkeit der Lehensfürsten zu einer Luxusentfaltung in den Fürstengräbern, die sich v. a. in sorgfältig und detailliert gearbeiteten Gegenständen des persönl. Bedarfs äußert. In der Prov. Hupeh, in der Region des ehem. Südstaates Ch'u wurden bronzene Spiegel, Glockenspiele, mit Dämonen abwehrende Kopfmasken bestattete Pferde, als Grabwächter fungierende lackierte Holzfiguren, Jadeschnitzereien, bemalte und beschriebene Seidentücher bei →Changsha sowie Tongefäße mit Feldspatglasur ausgegraben. Die farbig lackierten Holzschnitzereien und mit Lackmalereien versehenen Speisegeräte sind stilistisch abhängig von den figürl. Motiven und abstrakten Ornamentdekors der Bronzekunst.

Einblick in die bisher unterschätzte Kunst der Ch'in-Zeit (221–206 v. Chr.) bietet die monumentale Grabplastik, die seit 1974 im Bereich um den Grabhügel des sich

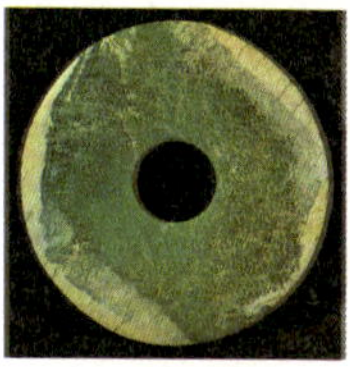

chinesische Kunst: Pi-Ringscheibe aus Jade; Grabbeigabe, 2. Jahrtsd. v. Chr., Ø 24 cm (Köln, Museum für Ostasiat. Kunst)

chinesische Kunst: OBEN Zwei liegende Leoparden, Bronze, zum Teil vergoldet, Höhe 3,5 cm, Ende des 2. Jh. v. Chr.; aus dem Grab der Prinzessin Tou Wan in Manch'eng, Provinz Hopei. UNTEN Fußschale, Gold, getriebene Lotosblätter mit ziselierten Tieren und Pflanzen, Höhe 5,5 cm, Ø 13,5 cm, T'ang-Dynastie, Mitte 8. Jh.; aus Hochiats'un, Sian

chinesische Kunst: ›Fliegendes Pferd‹, Bronze, Höhe 34,5 cm, Länge 45 cm, 2. Jh. n. Chr.; aus einem Grab in Wuwei, Provinz Kansu

selbst als Ersten gottähnl. Kaiser von China betitelten CH'IN SHIH-HUANG-TI bei Lint'ung, Shensi, ausgegraben wird. Bisher waren nur die histor. Taten dieses Kaisers bekannt, wie die Zentralisierung der Verwaltung und die Errichtung der ›Großen Mauer‹ (→Chinesische Mauer). Sichtbarer Ausdruck seines Herrschaftsanspruches und seines taoistisch geprägten, dem Diesseits verhafteten Jenseitsglaubens ist seine innerhalb eines Jahrzehnts errichtete Grabanlage. Um den als kosmisches Universum und Palaststadt konzipierten Grabhügel wurde in unterird. Korridoren eine riesige, mehr als 7000 Einzelfiguren umfassende Armee von lebensgroßen bewaffneten Infanteristen, Kavalleristen, Schlachtrossen, Quadrigen und hölzernen Streitwagen in Stellung gebracht. Die aus hartem grauem Ton, bei relativ hohen Temperaturen gebrannten Plastiken dürften in industriell organisierten Werkstätten hergestellt worden sein. Die einzelnen aus Modeln gepreßten Teilstükke wurden vor dem Brennen zusammengefügt und zuletzt mit kalter Bemalung lebensnah farbig gefaßt. Hände und über einer Rohform unterschiedlich modellierte Köpfe brannte man separat.

WESTL. HAN-DYNASTIE 206 V. CHR. – 9 N. CHR.
ÖSTL. HAN-DYNASTIE 25–220 N. CHR.

Die Ausdehnung des Imperiums der Han-Dynastie bis nach Indochina, Zentralasien und Nordkorea hatte einen regen Waren- und Kulturaustausch zur Folge. Die Vormachtstellung Chinas und den Einfluß seiner Zivilisation auf die Nachbargebiete bezeugen die archäolog. Funde aus den Gräbern in Noin Ula (Mongolei) und →Lo-lang (Nordkorea). Zu den bedeutendsten Grabfunden der früheren westl. Han-Zeit (206 v. Chr. – 9 n. Chr.) zählen die Felsengräber in →Manch'eng (Hopeh) mit 2 Totengewändern aus Jade, welche jeweils aus mehr als 2000 mittels Golddraht aneinander befestigten Jadeplättchen bestehen und den Leichnam vor

chinesische Kunst:
Reliefplatte aus einem Grab in Ch'ingp'inghsien,
Prov. Shantung, 114 n. Chr.
(Zürich, Museum Rietberg)

dem Zerfall schützen sollten. Das Grab der Markgräfin von Tai in Mawangtui (→Changsha) brachte ein T-förmiges, mit opaken Mineralfarben bemaltes seidenes →Totenbanner (Fei-i) zu Tage, das vermuten läßt, daß die seit der Zeit der Fünf Dynastien (907–960) in der profanen Malerei an Beliebtheit gewinnende hochformatige Bildform der Hängerolle ihren Ursprung im Totenbanner der Han-Zeit und nicht, wie bisher angenommen, in den später mit dem Buddhismus nach China gelangten Tempelbannern hat. Typische Beispiele für die Lackkunst der Han-Zeit sind die 3 ineinandergestellten Särge der Markgräfin von Tai. Charakteristisch sind Dekorborten mit Wolkenspiralmustern und Darstellungen von geflügelten Pferden, Kranichen, Einhörnern und Phantasiewesen. Neuerungen im Grabgut sind häufig feuervergoldete bronzene Öllampen in Form einer die flache Schale haltenden rundplast. Figur, sowie mit Einlagen und Inkrustationen geschmückte Weihrauchbrenner, durch deren durchbrochen gearbeiteten, die Paradiesinsel repräsentierenden Hügeldeckel der Rauch entweichen sollte. Von einem zunehmend erzählerisch realist. Stil sind auch die Gürtelschnallen, Gewandagraffen und Bronzespiegel geprägt. Die in Mawangtui ausgegrabenen Seidengewänder vermitteln eine Vorstellung von der hochentwickelten chines. Textilkunst.

Im 1. Jh. n. Chr. fanden mit echten Tonnengewölben oder Scheinkuppeln aus vorkragenden Ziegelschichten überwölbte Ziegelkammergräber weite Verbreitung. Für die Wandverkleidungen, Türstürze und Giebelzonen verwendete man Steinreliefs (→Shantung-Reliefs) oder Reliefziegel, durchbrochen gearbeitet oder mit eingepreßten Mustern geschmückt, später auch mit Wandmalereien. Die Darstellungen zeigen kosmologisch-symbol. oder historisch-belehrende Themen. Eine Mörtelauflage diente als Malgrund für die parallel gereihten, oft sehr lebendig gestikulierend dargestellten Figuren, welche in variierendem Pinselduktus mit schwarzer Tusche konturiert und farbig ausgemalt wurden. Sie geben eine Anschauung von dem hohen Niveau der sonst nur aus literar. Quellen bekannten Malerei in den Palästen der Han-Zeit. Die im Grabgut sehr zahlreichen kalt bemalten oder mit Bleisilikatglasuren

chinesische Kunst:
T'ang-Tänzerin,
Grabbeigabe,
gebrannter Ton, 26 cm
hoch, 7. Jh. (Paris,
Musée Cernuschi)

versehenen Tonfiguren von Kriegern, Pferden und Musikanten zus. mit Tonmodellen von Hausrat, Ställen, Wohnhäusern und mehrstöckigen Wachtürmen in Ständerbauweise vermitteln ein Abbild von Kultur und Architektur der Han-Zeit.

ZEIT DER 6 DYNASTIEN (LIU CH'AO-ZEIT) 221–589

In der durch Kleinstaaterei gekennzeichneten Periode nach dem Zusammenbruch des Han-Reiches breitete sich der seit Mitte des 1. Jh. n. Chr. über die Seidenstraßen nach China gelangte Buddhismus rasch aus. Im 3. Jh. tauchten der Buddha und Bodhisattvas im Dekor

chinesische Kunst: RECHTS Tunhuang, ›Einer der Sieben Buddhas der Vergangenheit‹; Wandmalerei mit Temperafarben in Höhle 257, um 550; UNTEN ›Ausritt zur Jagd‹, Malerei an der Ostwand des Korridors im Grab des Kronprinzen Chang-huai, bei Ch'ienhsien, T'ang-Zeit, kurz nach 684

von Spiegeln und als vergoldete Kleinplastiken in einer noch an die Gandhara-Kunst erinnernden Prägung auf. Während von der frühen buddhist. Architektur kaum Beispiele erhalten sind (→Tsinan, Vier-Tor-Pagode), bezeugen die zw. dem späten 4. und 6. Jh. entstandenen Höhlentempel von →Tunhuang (Kansu), →Maichishan (Kansu), →Yünkang (Shansi), →Lungmen (Honan), und T'ienlungshan (Honan) sowie Votivstelen die Ausbreitung der buddhist. Kunst. Ist der archaische Stil bei Plastik und Skulptur der Nördl. Wei-Dynastie (385 bis 535) durch ›nasse Faltenwürfe‹ und eine flächiglineare Auffassung geprägt, kamen in der Plastik der Nördl. Ch'i-Dynastie (550–577) Einflüsse der Gupta-Kunst zur Geltung, welche zu einem geschmeidigeren, stärker plastisch ausgeformten Stil führten. Das harte, porzellanartige bräunlich oder grau-grün glasierte Steinzeug Yüeh Yao, das als Vorform des späteren →Seladon gilt, fand weite Verbreitung. Beliebt waren sassanidisch und zentralasiatisch beeinflußte Gefäßtypen (z. B. Pilgerflasche) und solche mit einem Reliefdekor von Löwen und Hühnerköpfen. Von der Malerei ist, abgesehen von den Wandmalereien in Gräbern und in den buddhist. Höhlentempeln, eine nur durch spätere Kopien vermittelte Anschauung möglich (KU K'AI-CHIH). Mit dem Faßbarwerden erster Künstlerpersönlichkeiten tritt sie aus dem Schattendasein eines von anonymen Personen betriebenen Handwerks und wird neben Dichtung, Kalligraphie und Musik in den Rang einer der hohen Künste der Elite erhoben. Die Kalligraphie erfährt mit der Ausprägung des expressiven, flüssig-eleganten Stils des WANG HSI- CHIH (um 321–379) einen Höhepunkt.

chinesische Kunst: Würdenträger aus Blauweißporzellan, Ming-Zeit, Mitte 16. Jh. (Frankfurt am Main, Museum für Kunsthandwerk, Sammlung Carl Cords)

T'ANG-DYNASTIE 618–906

Unter den T'ang-Herrschern wuchs das durch die Sui-Dynastie (581–618) geeinte China zu einem kosmopolit. Reich, das in der damals weltgrößten Metropole Ch'angan (heutiges →Sian) ausländ. Händler und Kaufleute (Moslems, Juden, Christen, Parsen und Ma-

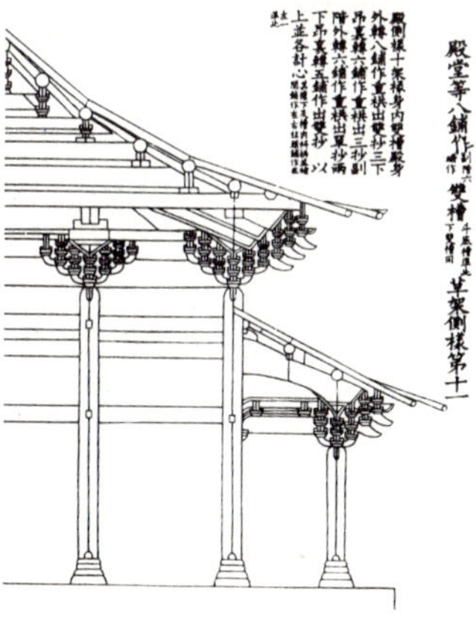

chinesische Kunst: Konstruktionsschema einer mehrschiffigen Halle; aus dem Handbuch für Baumeister Ying-tsao fa-shih, 1100

chinesische Kunst: Ausschnitt aus der Deckenkonstruktion der Halle der Jahreszeitengebete (Chi-nien-tien) im Himmelstempel, Peking, mittlere Ch'ing-Zeit, 1754, wiederaufgebaut 1889

nichäer) aufnahm. Die Einflüsse fremder Kulturen, v.a. sassanidische, zeigen die technisch und künstlerisch hochentwickelte Gold- und Silberschmiedekunst. Die Präsenz der Ausländer spiegelt sich auch in den unter keram. Grabfiguren zahlreichen bärtigen, langnasigen Kameltreibern, Musikanten und Tänzerinnen, aber auch in den karikaturartig überzeichneten Physiognomien der Barbarenfürsten in den Wandmalereien im Grab des Kronprinzen CHANG HUAI. Die Grabanlagen der Kronprinzen Chang-huai und I-te sowie der Prinzessin YUNG-T'AI (frühes 8. Jh.) in Ch'ienhsien zeigen das Schema eines mit Erde aufgeschütteten, einer gekappten Pyramide gleichenden Grabhügels. Grabwege und Grabkammern sind reich mit Wandmalereien ausgestattet (u. a. Darstellungen der Jagd, Szenen von Hofdamen im Palastgarten, buddhist. und taoist. Tempelprozessionen, vortragende Tänzer und Musikanten), wobei Raumtiefe durch Überschneidungen von Figuren und Landschafts- oder Architekturmotiven angedeutet wird. Die Wandmalereien vermitteln eine Anschauung von den größtenteils nur aus literar. Quellen oder späteren Kopien bekannten Werken der T'ang-Meister (WU TAO-TZU, YEN LI-PEN, HAN KAN, LI SSU-HSÜN, WANG WEI).

Von dem hohen Niveau buddhist. Wandmalerei, Skulptur und Plastik zeugen heute die in der T'ang-Zeit fortgeführten Höhlentempelanlagen in Lungmen und Tunhuang. Außer von der Großen und der Kleinen Wildganspagode in Sian sind kaum Beispiele buddhist. Architektur erhalten (Wut'aishan), denn im Zuge der 845 einsetzenden Buddhistenverfolgungen wurden zahlreiche Tempel und Schreine zerstört und bronzene Kultplastiken konfisziert und eingeschmolzen. Eine Anschauung von der Plastik der T'ang-Zeit vermitteln jedoch die frühen, noch stark unter dem Einfluß chines. Vorbilder stehenden japan. Werke.

SUNG-DYNASTIE 960–1279

Nach einer Zeit der Teilstaatlichkeit (Zeit der Fünf Dynastien 907–960), in deren Verlauf Teile Nordchinas in die Hand der Kitan (Liao)-Dynastie übergingen, kam es unter der Nördl. Sung-Dynastie (960–1127) zur Reichseinigung. Die erstarkende Dschurdschen (Chin)-Dynastie im Gebiet der heutigen Mandschurei vertrieb die Sung 1127 aus ihrer Hauptstadt →Kaifeng in den Süden. Hauptstadt der Südl. Sung-Dynastie (1127–1279) wurde das am malerischen Westsee gelegene Hangchou. Kennzeichnend für die Malerei der Nord-Sung-Zeit ist die Entwicklung und Reifung einer selbständigen, der spezifisch chines. Natur- und Weltauffassung entsprechenden Landschaftsmalerei, die fortan das vornehmste Thema chines. Malerei bilden sollte. In Nordchina werden die Maler LI CH'ENG (†967), FAN K'UAN (†1030), YEN WENKUEI (*967, †1044), HSÜ TAO-NING (1. H. 11. Jh.) und KUO HSI (* um 1020, †1090) in heroischen, vertikal komponierten Landschaften als Persönlichkeiten faßbar, während den beiden aus dem Süden stammenden Patriarchen der Landschaftskunst TUNG YÜAN (†962) und CHÜ-JAN (†um 980) weite ebene Horizontalkompositionen zugeschrieben werden. Als bedeutendster Figuren- und Pferdemaler der Zeit galt LI KUNG-LIN. In dem Malerkaiser HUI-TSUNG (regierte 1101–1126) fand die von in Themen spezialisierten Künstlern betriebene Akademiemalerei mit naturnahen, polychromen Pflanzen- und Tierdarstellungen und lyr. Landschaften (CHAO LING-JANG) einen bes. Förderer. I. Ggs. dazu formulierten die Vertreter der →Literatenmalerei um den Gelehrten und Staatsmann SU TUNG-P'O (1036 bis 1101) und MI FU (*1051, †1107) ihren persönl. Ausdruck im monochromen Tuschespiel. Charakteristisch für die Vertreter der nach den Malern MA YÜAN und HSIA KUEI (†1230) benannten Ma-Hsia-Schule an der Akad. in Hangchou sind Kompositionen, bei welchen das Gegenständliche der Landschaft in einer unteren Bildecke konzentriert wird, so daß die unbemalte Leere einen breiten Raum einnimmt. Dem lyrischen Gehalt dieses Landschaftstils entspricht das intime Format des Album- oder Fächerblatts. Im Bereich der Frauen- und Kinderdarstellung gelangte SU HAN-CH'EN zu großem Ruhm. Die großen unkonventionellen Meister der →Ch'an-Malerei, LIANG K'AI (1. H. 13. Jh.) und MU-HSI (Mitte 13. Jh.), die sich in den Klöstern am Westsee (→Hangchou) niederließen, reduzierten radikal die Anwendung künstler. Mittel und erzielten damit in ihren monochromen Tuschbildern eine konzentrierte Expressivität. Die →Keramik erlebte in der Sung-Zeit einen künstler. Höhepunkt (→Seladon, →Temmoku, Tz'u-chou-yao, Ting-yao, Ying-ch'ing-yao u. a.). Buddhist. Kultbilder wurden in der Sung-Zeit aus weniger kostspieligen Materialien in Holz, Ton oder Trockenlack hergestellt und polychrom gefaßt. Zu den bedeutendsten Werken zählen die unter der Kitan(Liao)-Dynastie entstandenen Lohan-Figuren.

YÜAN-DYNASTIE 1279–1368

Die Mongolenherrscher waren nicht Kunstmäzene wie ihre Vorgänger (HUI-TSUNG) der Sung-Zeit; sie installierten keine Malakademie an ihrem Hof in Peking. Dies begünstigte die Entfaltung einer unabhängigen →Literatenmalerei. Enge Bindung an die realist. Traditionen der T'ang- und Sung-Zeit lassen die Werke des vielseitigen Meisters CHAO MENG-FU erkennen. Die ›Vier Großen Meister der Yüan-Zeit‹, HUANG KUNG-

chinesische Kunst: Mu-hsi, ›Affenmutter mit Jungem‹; Hängerolle, Tusche auf Seide, Mitte 13. Jh. (Kioto, Daitokuji)

WANG, WU CHEN, NI TSAN und WANG MENG, waren nicht zur Zusammenarbeit mit den Mongolen bereit; sie begaben sich als Literatenmaler in eine geistige Emigration. Kennzeichen ihres neuen, unkonventionellen Stils ist eine kalligraph. Auffassung, die die individuelle Pinselhandschrift und Tuschetechnik betont und das Interesse an getreuer Naturschilderung in den Hintergrund treten läßt. Zugleich gewann die Kalligraphie in Form von Bildaufschriften, die inhaltlich und formal mit dem Bild eine Einheit bilden, zunehmend an Bedeutung. Die starke Verbreitung der symbolträchtigen Bambusmalerei ist als eine Form des geistigen Widerstandes gegen die Fremdherrschaft zu verstehen. Gegen Ende der Yüan-Zeit entstand das erste →Blauweißporzellan.

MING-DYNASTIE 1368–1644

Die Ming-Dynastie ging aus einer Volksbewegung gegen die Mongolenherrscher hervor; 1403 wurde die Hauptstadt von Nanking nach →Peking verlegt. In dieser Epoche des Friedens und Wohlstands entstanden vielfach erhaltene Bauten wie Pagoden, Tempel, Grabanlagen (→Ch'angp'ing), Paläste, Stadtmauern und Gartenanlagen (→Suchou). Auch der Buchdruck und der Druck von →Farbholzschnitten erlebte eine Blüte; Kunstkennerschaft und Sammlerwesen nahmen einen großen Aufschwung. In der Malerei formierten sich versch. Lokalschulen, am bedeutendsten die auf der Tradition der Süd-Sung-Akad. fußende ›Che-Schule‹ mit TAI CHIN (*1388, †1462) als Hauptmeister sowie die ›Wu-Schule‹, die die Literatenmalerei fort-

chinesische Kunst: Ma Yüan, ›Auf einem Gebirgspfad im Frühling‹, Albumblatt, Tusche und leichte Farben auf Seide, zwischen 1190 und 1230 (Taipei, Palastmuseum)

setzte und in der alten Kunststadt Suchou ihr Zentrum hatte. Ihre Hauptvertreter Shen Chou (*1427, †1509), Wen Cheng-ming (*1470, †1559), T'ang Yin (*1470, †1523) und Ch'iu Ying (1. H. 16. Jh.) beriefen sich auf die Landschaftsmalerei der Nördl. Sung-Periode und die Vier Großen Meister der Yüan-Zeit. Sie entwickelten die Tendenzen zur Vereinfachung der Naturformen weiter. Am Ende der Ming-Zeit traten bed. Theoretiker hervor, v. a. Tung Ch'i-ch'ang (*1555, †1636), der die Malerei vorangegangener Epochen nach dem bis ins 20. Jh. weitverbreiteten Schema einer dem akadem. Stil der Che-Schule entsprechenden ›Nordschule‹ und einer dem Stil der Wu-Schule entsprechenden ›Südschule‹ klassifizierte.

Die Ming-Dynastie, bes. des 15. Jh., gilt als goldenes Zeitalter des Blauweißporzellans und der Porzellane mit Kupferrot- oder Eisenrot-Unterglasurmalerei.

CH'ING-DYNASTIE 1644–1912

Nach ihrer Machtübernahme war die mandschur. Ch'ing-Dynastie bemüht, sich durch die Kontinuität chines. Kultur- und Kunsttraditionen zu legitimieren. Entsprechend wurde an der kaiserl. Akad. ein verharrender Eklektizismus gepflegt. Der am Hof Kaiser Ch'ien-lungs tätige Jesuitenmissionar G. Castiglione (*1688, †1768, chines. Lang Shih-ning) beeindruckte mit seinen realist., in europäisch-chines. Mischstil porträtierten Pferden und Hunden; jedoch hatten diese westl. Impulse keinen nennenswerten Einfluß auf den höf. Stil. Auch unter den unabhängigen Malern mit den ›Vier Wang‹, Wang Shih-min (*1592, †1680), Wang Chien (*1598, †1697), Wang Hui (*1632, †1717) und Wang Yüan-ch'i (*1642, †1715) sowie Wu Li (*1632, †1718) und Yün Shou-p'ing (*1633, †1690), die als die ›Sechs Großen Orthodoxen‹ der frühen Ch'ing-Zeit

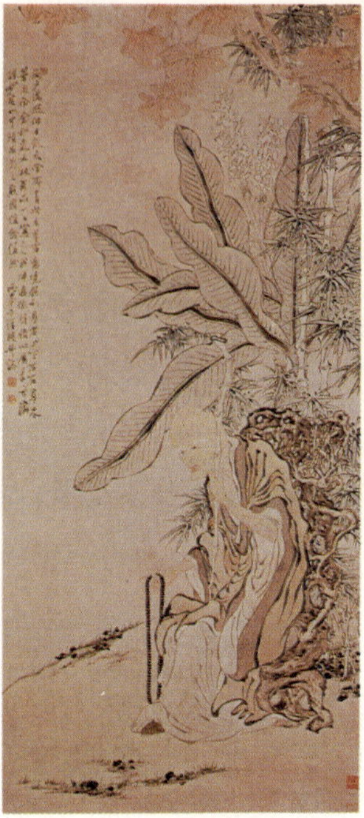

chinesische Kunst: Lo P'ing, ›Lohan‹, Hängerolle, Tusche und leichte Farben auf Papier, 18. Jh. (Köln, Museum für Ostasiat. Kunst)

gelten und sich auf die Vier Großen Meister der Yüan-Zeit und die Tradition der Wu-Schule der Ming-Zeit beriefen, herrschte ein ausgeprägter Traditionalismus vor. Von einer unkonventionellen Malweise und zugleich intensiven Auseinandersetzung mit der konkreten Natur zeugen die expressiven Werke der als ›Individualisten‹ bekannten Mönchsmaler SHIH-CH'I (* um 1610, †1693), PA-TA-SHAN-JEN (* um 1626, †1705) und SHIH T'AO (*1641, †1717), die, nicht bereit, mit den mandschur. Fremdherrschern zu kollaborieren, ein mönchisches, weltabgewandtes Wanderleben führten. Im 18. Jh. wurde das wirtschaftlich aufblühende Yang-chou zu einem neuen Zentrum der Malerei. Zu den bekanntesten der ›Acht Exzentriker von Yang-choue‹ zählen HUANG SHEN (*1687, †1768), LO P'ING (*1733, †um 1799) und CHENG HSIEH (*1693, †um 1775). Kennzeichnend für ihren Stil ist bewußte Unkonventionalität und das Experimentieren mit originellen künstler. Effekten. Ab Mitte des 19. Jh. wurde Shanghai zum Zentrum der Malerei. Das Eindringen des Westens in China im Zeitalter des europ. Kolonialismus und die Auseinandersetzung mit dem militärisch und wirtschaftl. überlegenen Westen im 19. und 20. Jh. hatten eine kulturelle Krise zur Folge, die auf allen Gebieten der Kunst zu einer Verunsicherung führte. Auf dem Gebiet der Porzellanherstellung ist bes. für die K'ang-hsi-Zeit (1662–1722) große Qualität zu verzeichnen. Neben Blauweißporzellan gab es die opake Biscuit-Ware (→Famille jaune). In der Yung-cheng-Ära (1723 bis 1735) war der vorherrschend in Rot- und Rosatönen gehaltene Schmelzfarbendekor der Famille rose beliebt. Im 18. Jh. erreichten die monochromen Porzellane ein sehr hohes Niveau (→Sang de bœuf, →Blanc de Chine, →Seladon). Chines. Porzellan wurde seit dem 17. Jh. in Europa beliebtes Sammelobjekt und fand in den europ. Manufakturen Nachahmung (→Chinoise-

Karte zur **chinesischen Kunst**

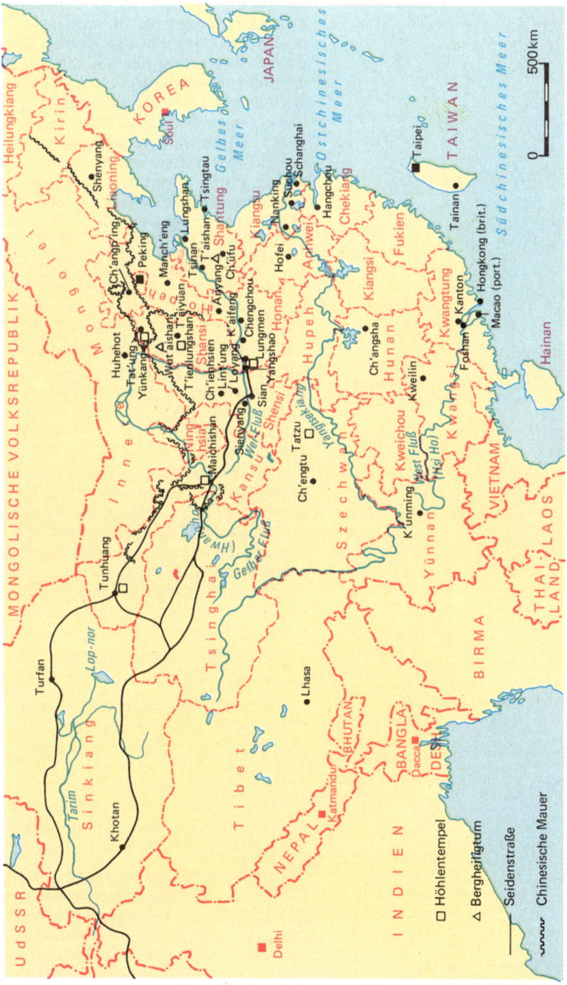

rie). In China wurde im Auftrag der ostind. Handelskompanien seit dem 18. Jh. die größtenteils in der Porzellanmetropole Chingtechen hergestellte Exportware produziert, die an Qualität jedoch hinter der für kaiserl. Bedarf hergestellten Ware zurücksteht. Es entstanden Porzellane mit europ. Formen und Motiven (antike Mythen, christl. Motive, Genrestoffe, histor. Szenen, Porträts, Wappenporzellan).

MODERNE

Das Haupt der modernen Maler war lange Zeit CH'I PAI-SHIH (*1863, †1957), der durch seine volkstüml. Tuschemalereien berühmt wurde. Neben zahlreichen traditionellen, mehr die Kenner ansprechenden Stilen ist der Regierung der VR ein Sozialist. Realismus erwünscht. Auch die Holzschnittkunst gelangte wieder zu Bedeutung. Die seit 1949 in Peking u. a. Städten Chinas einsetzende Bautätigkeit schloß sich dem internat. techn. Stil an und versucht selten, traditionelle Vorbilder zu verwenden. Seit der Kulturrevolution (1966–68) hat die Archäologie an Bedeutung gewonnen.

W. SPEISER u. a.: C. K. (z. T. a. d. Frz., 1965); R. GOEPPER: Kunst und Kunsthandwerk Ostasiens (1968); J. FONTEIN: Die Kunst der Chinesen, in: Propyläen Kunstgeschichte 17 (1968); M. SULLIVAN: C. K. (a. d. Engl., 1974); Chinese art, Bd. 1: DAISY LION-GOLDSCHMIDT u. J.-C. MOREAU-GOBARD: Bronze, jade, sculpture, ceramics (London 1980); Bd. 2: R. S. JENYNS u. W. WATSON: Gold, silver, later bronzes, cloisonné, cantonese enamel, lacquer, furniture, wood (ebd. 1980); China. Kunst und Kultur, hg. v. W. WATSON (a. d. Frz., 1980).

Chinesische Mauer, Große Mauer, chines. **Wan Li Ch'ang Ch'eng** [-tʃaŋ tʃɛŋ, ›Mauer von 10 000 Li‹], mit einer Länge von etwa 2450 km das größte Festungsbauwerk der Erde. 221–210 v. Chr. unter Kaiser CH'IN SHIH-HUANG-TI aus schon bestehenden älteren Erdwällen zur Abwehr einfallender Nomaden errichtet. Ihre heutige Form erhielt sie zu Beginn der Ming-Dynastie (1368–1644). Die durchschnittl. Höhe beträgt 10–16 m, die Dicke rd. 8 m an der Basis und 6 m an der Mauerkrone. Die auf der Mauer verlaufende, mit Ziegelsteinen gepflasterte Straße war in unregelmäßigen Abständen mit zweistöckigen Wachtürmen und an Punkten, an denen die großen Handelsstraßen sie kreuzten, mit starken Toren befestigt. Über ihren Verlauf: KARTE chinesische Kunst.

Chinesisch|weiß, Maltechnik: bes. hochwertige Sorte von Zinkweiß, v. a. für Aquarellmalerei benutzt.

Ch'ing [tʃiŋ], **Ts'ing,** Dynastie der Manchu, die China 1644–1912 beherrschte. →chinesische Kunst

Ch'ingtao [tʃ-], Stadt in China, →Tsingtau.

Chinguetti [ʃɛ̃gɛt'i], relig. Zentrum des Islam am W-Rand der Sahara, Mauretanien. In der durch die Sandwüste bedrohten Stadt ist von den ehem. 11 Moscheen noch eine erhalten (13. Jh., mit wuchtigem Minarett).

Chinoiserie [ʃinwazr'i, frz.], Bau- oder Kunstmotive, die an den Dekor und die Genredarstellungen auf den durch die Portugiesen, Niederländer und die engl. Ostindienkompanie nach Europa gelangten chines. Porzellane (bes. Blauweißporzellan) und Lackwaren anknüpften und in der europ. Kunst des 18. Jh. sehr verbreitet waren. C. finden sich in der Malerei (J. A. WATTEAU, F. BOUCHER), im Ornamentstich (G. HUQUIER, *1695, †1772; J. PILLEMENT, *1728, †1808), in der Innendekoration, Möbel- und Textilkunst, in der Fayence, in der Porzellanplastik und -malerei (J. G. HÖROLDT) und in Parkanlagen.

China und Europa – Chinaverständnis und Chinamode im 17. und 18. Jh., Ausst.-Kat., Berlin (1973); MADELEINE JARRY: China und Europa. Der Einfluß Chinas auf die angewandten Künste Europas (a. d. Frz., 1981).

Chinon [ʃin'ɔ̃], Städtchen im frz. Dép. Indre-et-Loire, an der Vienne, 8300 Ew., mit ma. Stadtbild (Rue Voltaire, Grand Carroi), überragt von den Ruinen eines wuchtigen Schlosses, das aus 3 versch. Burganlagen des 11.–13. Jh. besteht, die durch tiefe Gräben voneinander getrennt sind (im Uhrturm Jeanne d'Arc-Mus.).

Chios, grch. Insel vor der W-Küste Kleinasiens; bed. die Mosaiken im griechisch-orthodoxen Kloster (Nea Moni) westlich der Hauptstadt C. Sie sind datierbar (11. Jh.) und scheinen damit die Überlieferung zu bestätigen, das Kloster sei von Baumeistern aus Konstantinopel unter dem byzantin. Kaiser KONSTANTIN IX. MONOMACHOS (1042–55) erbaut worden. Die einräumige Kirche steht auf oktogonalem Grundriß, Naos, Eso- und Exonarthex sind überkuppelt. – In C. wurden in der Antike dünnwandige Keramikgefäße hergestellt, vorwiegend mit Tierfriesen dekoriert **(Chiotische Vasen,** 7./6. Jh. v. Chr.).

Ch'i Pai-shih [tʃi baɪ ʃi], **Tsi Poschi,** chines. Maler, Holzschnitzer, * Hsiangtan (Prov. Hunan) 1863, †Peking 1957. Beeinflußt durch die Individualisten der frühen Ch'ing-Zeit wie PA-TA-SHAN-JEN und SHIH-T'AO, malte er Blumen, Vögel, Insekten; war einer der bekanntesten chines. Maler des 20. Jh.

Chippendale [tʃ'ɪpəndeɪl], Thomas, engl. Kunsttischler, getauft Otley (Yorkshire) 5. 6. 1718, begraben London 13. 11. 1779, schuf einen neuen engl. Möbelstil, bes. für Sitz- und Schreibmöbel. Durch sein Vorlagenwerk ›The gentleman and cabinet maker's director‹ (1754, Neuaufl. 1955) gewann sein Stil großen Einfluß. Gute Proportionen und Zweckmäßigkeit sind für seine v. a. in Mahagoni ausgeführten Möbel charakteristisch. In seinem Ornament verwertete er Motive des frz. Rokoko und Ostasiens.

J. LOWE: Möbel von T. C. (1955).

Chirico [k'i:-], Giorgio de, ital. Maler, Graphiker, →De Chirico.

Chiriquí [tʃirik'i], Gebiet in SO-Costa Rica und W-Panama, danach Bez. für einen Stil (300 v. Chr. – 1500 n. Chr.): Keramik mit schwarzer und roter Bemalung (stilisierte Tiere, geometr. Muster) auf hellbraunem bis gelbem Grund; figürl. Keramik (Menschen- und Tiergestalten), mit geometr. Mustern bemalt. Charakteristisch für die Goldarbeiten (hohl oder auf einen Tonkern gegossen) ist, daß Figuren oder Figurengruppen mit einem Rahmen umgeben sind.

Chitor [tʃ-], **Chittor, Chittaurgarh,** historisch bedeutende, im 8. Jh. gegr. Festung auf einem Tafelberg in Rajasthan, Indien, mit Tempeln (12.–15. Jh.), den Palastruinen RANA KUMBHAS (15. Jh.), dem jinistischen ›Kirtistambha‹ (Ruhmesturm, 12. Jh.) und dem ›Jayastambha‹ (Siegesturm, 15. Jh.).

Chiusa [ki'u:sa], ital. für →Klausen 2).

Chiusi [ki'u:si], Ort in der südöstl. Toskana, Italien, 9000 Ew., an der Stelle des etrusk. **Camars** oder **Clevsin,** lat. **Clusium,** eine der größten nordetrusk. Städte. Von der Kunst C.s sind nur Grabausstattungsstücke erh. (zum großen Teil im Etrusk. Mus. von C.): aus dem 7./6. Jh. v. Chr. Kanopen, später mit Flachreliefs verzierte Kalksteinurnen und -cippi (→Cippus), v. a. aus dem 5./4. Jh. v. Chr. auch Kalksteinstatuen mit einem Hohlraum zur Aufnahme der Asche im Innern und aus dem 3.–1. Jh. v. Chr. Alabaster- und Terrakottaurnen mit Reliefs. Ausgemalte Grabkammern nach dem Vorbild von →Tarquinia (meist aus dem 5. Jh. v. Chr.).

Ch'iu Ying [tʃiu iŋ], chines. Maler, * T'aits'ang (Prov. Kiangsu), tätig um 1522–1560. Obwohl er die Malerei als Broterwerb ausübte (Berufsmaler), war er wie sein Lehrer T'ANG YIN bei den Literatenmalern von Suchou sehr geschätzt. In der Figurenmalerei und den Landschaften im ›Blau-grün-Stil‹ nahm er Traditionen der T'ang-Zeit (LI SSU-HSÜN) wieder auf. Feine Pinselzeichnung, Liebe zum Detail und leuchtende, transparente Farben zeichnen seine Werke aus. Eine klare Erfassung seines Œuvres ist nicht möglich. Zu seinen HW gehört das Gemälde ›Kaiser Kuang-wu eine Furt durchreitend‹ (Nat. Gal. of Canada, Ottawa).

Chiwa [x-], Stadt in einer Oase am mittleren Amu-Darja in der Usbekischen SSR, 26 000 Ew. Die Altstadt (Itschan-Kala), im wesentlichen aus der Zeit der Chane von C. (16. Jh.), ist um ein zentral gelegenes Schloß (›Kunya-Ark‹) in regelmäßiger Rechteckform angelegt. Anf. 19. Jh. entwickelte sich ein eigener Baustil mit Marmor-, Kachel- und geschnitzter Holzdekoration. Beispiele dafür sind der Basar (1830), das Pahlawan-Mahmud-Mausoleum (1810–25), die Allakuli-Chan-Medrese (1834/35) und das Minarett Kelte-Minar (1851/52); histor. Museum im ehem. Tasch-Chauli-Palast (1830–38).

Chlumec nad Cidlinou [xl'umɛts n'adtsidlinɔu], Stadt im Ostböhm. Kreis, ČSSR, 5000 Ew.; auf einer Anhöhe Schloß Karlová Koruna (Karlskrone), 1721 bis 1723 nach Plänen von G. SANTINI und F. M. KAŇKA errichtet, heute Zweigstelle der Prager Nat.-Gal. und des Kunstgewerbemuseums.

Chnum, grch. **Chnumis, Chnubis,** altägypt. Gott, dargestellt als Mensch mit Widderkopf mit doppelt gedrehtem Gehörn; galt als Schutzherr des Katarakt-Gebietes von Assuan, der die fruchtbringende Überschwemmung des Nils heraufführt, und Schöpfer des menschl. Leibes, den er vor der Geburt auf der Töpferscheibe bildet. Sein bedeutendster Tempel lag auf der Nil-Insel →Elephantine.

Chodowiecki [xɔdɔvj'ɛtski], Daniel Nikolaus, Ma-

Wörter, die man unter Ch vermißt, suche man unter K, Kh, Sch oder Tsch

Daniel Chodowieki: Selbstbildnis des Künstlers mit seiner Familie; Radierung, 1771

ler, Radierer, *Danzig 16. 10. 1726, †Berlin 7. 2. 1801, ebd. seit 1743 (bis 1754 als Kaufmann, dann zunächst als Emailmaler). Er lernte bei C. R. RODE und wurde 1764 Mitgl., 1790 Vizedirektor, 1797 Direktor der Akad. der bildenden Künste. – C. malte in kleinem Format Porträts und häusl. Szenen oder Bilder in der Art von J.-B. GREUZE, J.-B. PETER und N. LANCRET. Bed. sind seine (mit der kalten Nadel überarbeiteten) Radierungen (2075 Blatt, meist Illustrationen zu Erstausgaben von Werken J. W. v. GOETHES, F. SCHILLERS, M. CLAUDIUS', F. G. KLOPSTOCKS u. a.), bes. anziehend die 2000 erhaltenen Zeichnungen, darunter die 108 getuschten Federzeichnungen von seiner Reise nach Danzig (1773). – Als Hauptvertreter des →Zopfstils schildert C. in treffender Beobachtung die bürgerl. Welt des friderizian. Preußen und des geistigen Dtl. seiner Zeit. Auffassung und Erzählung sind schlicht und anmutig, Zeichnung und Gruppierung gewandt und sicher, die graph. Durchführung zart und tonreich. (BILD S. 228)

J. JAHN: D. C. und die künstler. Entdeckung des Berliner bürgerl. Alltags (1954); C. BRINITZER: Die Gesch. des D. C. (1973); P. DEHMERT: D. C. (1977); J.-H. BAUER: D. N. C., Das druckgraph. Werk. Eine Ergänzung zum Werkverzeichnis von W. ENGELMANN (1982).

Choenkannen, attische bauchige Kleeblattkannen (meist 5. und 4. Jh. v. Chr.), die wohl beim Wetttrinken während des im Frühling stattfindenden dionysischen ›Anthesterienfestes‹ in Athen benutzt wurden.

Chojnik, poln. Name für →Kynast.

Chojnów [x'ɔjnuf], poln. Name für →Haynau.

Chojo [x'odʒo], →Khocho.

Chokwe [tʃ-], **Cokwe, Tschokwe, Batshiok,** Bantu-Volk im Lunda-Gebiet, beiderseits der Grenze

Chokwe: Maske eines schönen Mädchens (Mwana Pwo); Holz mit Kupferdraht, Pflanzenfasern und Wolle, 22 cm hoch (München, Privatsammlung)

Zaire/Angola. Der Kunststil der C., der leicht vom Stil der →Luba beeinflußt ist, zeichnet sich bei den Figuren durch einen massigen, schweren Charakter aus sowie durch deren dynamische, fast aggressive Haltung. Die Arme und die bes. großen Hände sind oft frei und befinden sich dann vor der Brust. Die Figuren sind meist sehr fein geschnitzt und wirken trotz ihrer betonten Massigkeit nicht plump oder klobig. Als bedeutendste Werke der C. – gleichzeitig als hervorragende Erzeugnisse der schwarzafrikan. Kunst – gelten die Darstellungen des Kulturbringer-Ahnen Tshibinda Ilunga.

Bei den Masken der C. lassen sich 4 Typen unterscheiden, von denen 2 aus Holz geschnitzt und 2 aus Rohrgestell gefertigt sind, das mit Rindenstoff bespannt ist. Die Holzmasken stellen einen Mann und eine Frau dar und traten früher bei ›Schauspielen‹ auf, welche die Schwächen der beiden Geschlechter mimisch darstellten. Die männl. Maske (›Cihongo‹) trägt einen die ganze Breite des Gesichts einnehmenden Mund und einen weit ausladenden Bart; sie verkörpert den Geist des Reichtums. Die weibl. Maske (›Mwana Pwo‹) hat weiche, verklärte Züge. Die fast 2 Meter hohe mit Rindenstoff bespannte Maske ›Cikunza‹ (Tshikuna), mit hohem, spitz zulaufendem Aufsatz, ist die Inkarnation des guten und mächtigen Schutzgeistes, der Fruchtbarkeit spendet und das Jagdglück beeinflußt; sie tritt bei den Beschneidungszeremonien auf. Besondere Bedeutung hat die ›Cikungu‹ (Tshikungu)-Maske, mit kühn geschwungenem Kopfschmuck; sie wird auch, als Symbol der Dynastie, den Kultur-Heroen beigefügt.

Neben Masken und Figuren schnitzen die C. für den kult. und profanen Gebrauch Würdestäbe, Mörser, Karyatiden-Hocker und Stühle, meist mit Masken, Ahnenfiguren und Szenen-Darstellungen geschmückt.

M.-L. BASTIN: La sculpture Tshokwe (Meudon 1982).

Chola-Dynastie [tʃ-], südind. Herrschergeschlecht (9.–13. Jh.), das seine Macht zeitweilig bis nach →Sri Lanka ausdehnte. Herrscher der C.-D. waren die Schöpfer der hinduist. Tempel von →Thanjavur, →Darasuram, →Gangaikondacholapuram u. a. Ihre Steinplastik in Granit und Bronzekunst führte die Kunsttradition der →Pallava-Dynastie fort.

Cholula [tʃ-], Stadt im Bundesstaat Puebla, Mexiko, 20 000 Ew. C. war z. Z. der span. Eroberung (1520/21) Hauptkultzentrum in Zentralmexiko. Das bedeutendste Bauwerk, die Hauptpyramide (150–750), mit einer Grundfläche von 160 000 m² die gewaltigste in Mesoamerika, ist mehrfach überbaut worden; das Innere wurde durch Tunnelgrabungen erforscht; auf dem Gipfel der Pyramide (55 m hoch) die Kapelle Nuestra Señora de los Remédios (18. Jh.). In der Stadt großes ehem. Franziskanerkloster S. Gabriel (1529–1580; überwiegend in got. Stil; Fresken 16. Jh.). Die zugehörige Capilla Real wurde (um 1540 ?) in Form einer Moschee im Mudéjar-Stil mit Offener Kapelle und 49 Kuppeln errichtet (erst 1731 vollendet). Pfarrkirche S. Andrés (gew. 1640) mit schöner Kuppel (1782; innen ausgemalt und mit churrigueresker Ornamentik ausgestaltet).

Chomutov, Stadt in der ČSSR, →Komotau.

Chons [ägypt. chonsu ›Wanderer‹], ägypt. Mondgott, in Menschengestalt oder mit dem Kopf eines Falken dargestellt, trägt häufig Sichel und Scheibe des Mondes als Kopfschmuck, in der Hand ein Zepter. C. wird auch als Kind mit Seitenzopf dargestellt. Sein Haupttempel in Theben (→Karnak) ist fast vollständig erhalten.

Chons

Chor [grch. choros ›Tanz(platz)‹], zunächst der für die Sänger bestimmte Raum vor dem Altar, dann der den Geistlichen vorbehaltene, das Hauptschiff i. d. R. im O abschließende Teil des Kirchenraumes mit dem Hochaltar und dem Chorgestühl. Er ist oft, bes. wenn sich eine Krypta unter ihm befindet, um einige Stufen erhöht und durch Chorschranken oder einen →Lettner, seit dem 17. Jh. auch ein schmiedeeisernes Gitter, vom Kirchenschiff getrennt. Durch Weiterführen der Seitenschiffe um den C. entsteht der **Chorumgang,** oft mit ausstrahlenden **Chorkapellen** (bes. häufig in der frz. Baukunst). Der Abschluß des C. wird **Chorhaupt** gen. In roman. Zeit wurden größere Kirchen in Dtl. meist mit einem 2. C. im W gebaut (›doppelchörige Anlagen‹, Dome von Mainz, Worms, Bamberg).

Chorazin, im N. T. erwähnter Ort nördlich von Kapernaum mit Ruinen einer aus Basalt am höchsten Punkt einer (hier ausgegrabenen) jüd. Stadt erbauten spätantiken Synagoge (3./4. Jh. n. Chr.). Sie war außen mit Pilastern geschmückt und im Innern durch drei Säulenreihen, davon eine quer zum Längsbau, gegliedert. Bemerkenswert ist ein Wandfries mit z. T. profanen Motiven, der vermutlich deshalb schon in der Antike von jüd. Bilderstürmern z. T. zerstört wurde (erh. die Darstellung der Weinlese und ein Medusenhaupt). Gefunden wurde auch ein ›Thron des Moses‹ für den Vorleser der Thora.

Choregische Monumente, in der grch. Antike Denkmäler mit dem Siegespreis (meist Dreifüße) eines Choregen (Chorleiter), den dieser bei dramat. Aufführungen errungen hatte. Die Dreifüße wurden in Athen auf oft tempelähnl. Bauten aufgestellt und dem Dionysos geweiht. Die Straße am O-Hang der Akropolis, an der diese C. M. standen, hieß Tripodes (›Dreifüße‹); hier steht heute noch der 334 v. Chr. von dem Athener Choregen LYSIKRATES errichtete Rundbau, auf dem er den von ihm gewonnenen Dreifuß anbringen ließ.

Chorgestühl, Sitze für Klerus und Mönche im Chorraum kath. Dom- und Ordenskirchen, vielfach auch in (älteren) Pfarrkirchen. Urspr. eine einfache Bank, wurde das C. seit dem frühen MA. immer reicher ausgestaltet. Die offenen oder durch Trennwände abgeteilten Sitze (Stallen) wurden zu beiden Seiten des Chores in 2 oder mehreren von hohen Seitenwangen begrenzten Reihen angeordnet. Kniebänke, Klappsitze, Armlehnen (Accoudoirs), eine Rückwand (Dorsale) sollten den Gebrauch erleichtern, ebenso wie die an der Unterseite der Klappsitze angebrachten →Miserikordien, die den Körper auch beim Stehen stützen können.

Die C. boten im MA., bes. in der Spätgotik und der Barockzeit (Ottobeuren; Zwiefalten; Weingarten; Mainz, Dom), ein reiches Feld für die Schnitzplastik, die Miserikordien oft auch für derb profane Themen (Gestühl des Kölner Doms, 1. H. 14. Jh.). Jörg →Syrlin d. Ä. schuf um 1470 das C. für das Ulmer Münster.

H. SACHS: Ma. C. von Erfurt bis Stralsund (1964); K. J. HEYER: Das barocke C. in Schlesien (1978).

Chörlein am Sebaldus-Pfarrhof in Nürnberg

Chorgitter, Doxale, hohes Gitter, das als Ersatz für die vorher gebräuchl. Chorschranken den Chor nach W abschließt. Im späten MA. kommen C. selten vor; seit dem 17. Jh., bes. in süddt. Barockkirchen, mit großem kunsthandwerkl. Geschick, häufig auch perspektivisch gestaltet und so Teil der barocken Raumillusion (Klosterkirche Weingarten).

Chorhaupt, der Abschluß des Chors, in Wirklichkeit meist des Altarhauses. Er kann gerade geschlossen sein, ist im roman. Stil meist halbrund, im got. viereckig, im Barock gewöhnlich wieder halbrund (→Apsis).

Chorin, Gem. in der Uckermark, bei Eberswalde, Dt. Dem. Rep., mit ehem. Zisterzienserkloster (1258 gegr., 1273 nach C. verlegt, 1542 aufgehoben). Die Kirche (um 1273 beg., gew. 1334), eine dreischiffige Pfeilerbasilika, ist ein frühes HW der Backsteingotik und der mitteldt. Zisterzienserbaukunst; seit dem 18. Jh. Ruine. Erh. ist die reich gegliederte Westfassade mit Spitzbogen und Rosetten, Wimperge mit Fialen und Krabben.

Chorkapelle, die in unmittelbarer Nachbarschaft des Chors angeordneten Kapellen zur Aufnahme von Nebenaltären. Sie waren urspr. für Mönche und Kleriker bestimmt, seit dem wachsenden Einfluß des Bürgertums in der got. Zeit dienten sie auch als bevorzugte Altarplätze für Zünfte, Korporationen und einzelne Familien. In der roman. Kunst sind sie beiderseits des Altarraumes und am Querhaus angeordnet, in der Gotik durch einen Chorumgang verbunden. Liegt die C. in der Mittelachse des Chors, spricht man von Scheitelkapelle; sie war meist der Jungfrau Maria geweiht (→Marienkapelle).

Chörlein, halbrunder oder vieleckiger Erker an Burgen, Rat- und Wohnhäusern, der urspr. als Kapelle diente, weil Altäre nicht unter Wohnräumen stehen durften.

Chorsabad, heutiger Name von →Dur Scharrukin.

Chorschranken, Brüstungen aus Stein, Stuck, seltener Holz, die in roman. und got. Kirchen den Chor gegen die den Laien zugängl. Teile abgrenzen. Sie wurden mit Malereien, Bildteppichen und Reliefplastik geschmückt. Bed. C.-Reliefs der dt. Kunst sind in der Liebfrauenkirche zu Halberstadt (um 1190, Stuck), in St. Michael in Hildesheim (um 1200) und im Georgenchor des Bamberger Doms (um 1225). Im Barock wurden die C. meist beseitigt oder durch Gitter ersetzt.

Chortürme, Türme beiderseits des Chors an ma. Kirchen, bes. in Dtl. **Chorturmkirche,** eine Kirche, deren Altar sich im Erdgeschoß eines Turmes befindet.

Chor|umgang, Ambitus, Deambulatorium, der Umgang um den Altarraum, später um →Chor und Altarraum, als Zugang zu den meist in einem Kapellenkranz angeordneten Nebenaltären; seit dem 10. Jh. in Frankreich (Tours, St. Martin) eine kennzeichnende Bauform von Klosterkirchen und Kathedralen; in der dt.-roman. Baukunst selten (ältestes Beispiel St. Godehard in Hildesheim, 1172), seit der Gotik häufiger (Kölner Dom, Pfarrkirchen in Freiburg, Lübeck u. a.), ebenso in Italien und Spanien. In Frankreich blieb der C. in größeren Pariser Kirchen bis ins 18. Jh. üblich; sonst selten in der Renaissance (Granada, Kathedrale) und im Barock (Cádiz, Kathedrale; Rom, S. Carlo al Corso; Wettingen, Schweiz).

Chosen-Karatsu [tʃ-], auch **Ko-Karatsu** oder **Hikakari,** japan. Keramikart mit bräunl., grünl. oder weißl. Glasur, seit etwa 1600 von korean. Töpfern in Karatsu auf Kyushu hergestellt.

Chotscho, Ruinenstadt in Zentralasien, →Khocho.

Chou [dʒɔu], **Tschou,** chines. Dynastie, gliedert sich in: **Westl. Chou-Dynastie** (11. Jh. – 771 v. Chr.) und **Östl. Chou-Dynastie**, welche in die Ch'un-ch'iu-Periode (›Zeit der Frühlings- und Herbstannalen‹, 722–481 v. Chr.) und die Chan-kuo-Periode (›Zeit der streitenden Reiche‹, 481–222 v. Chr.) zerfällt. →chinesische Kunst

Christchurch [kr'aısttʃə:tʃ], Stadt in Hampshire an der S-Küste Englands. Gegen Ende des 11. Jh. Gründung eines Kanonikerstifts; die Kirche wurde im frühen 12. Jh. als Querhausbasilika mit Dreiapsidenchor errichtet, der Chor in got. Zeit erneuert.

Christian, Johann Joseph, Bildhauer, Stukkateur, *Riedlingen a. d. Donau 12. 2. 1706, †ebd. 22. 6. 1777, ein Meister der schwäb. Rokokoplastik, der Stuckbildnerei und Holzschnitzkunst zu vollkommener Einheit zu verbinden wußte (Chorgestühle in den Klosterkirchen Ottobeuren und Zwiefalten).

R. HUBER: J. C., der Bildhauer des schwäb. Rokoko (1960); P. VOLK: Rokokoplastik in Altbayern, Bayerisch-Schwaben und im Allgäu (1981).

Christiansen, Hans, Maler, Kunsthandwerker, *Flensburg 6. 3. 1866, †Wiesbaden Febr. 1945; u. a. Entwürfe im Stil der Art Nouveau für die Kunstwebschule in Scherrebek bei Tondern; 1899–1902 Mitgl. der →Darmstädter Künstlerkolonie.

Christie's [kr'ıstız], eigtl. **Christie, Manson & Woods Ltd.** [-mænsən ænd wʊdz-], 1766 von J. CHRISTIE (*1730, †1803) gegr. Versteigerungshaus für Kunstobjekte aller Epochen, aber auch für Weine, Kostüme, Spielzeug, Autographen u. ä. Stammhaus in London.

D. SUTTON: C. since the war, 1945–58 (London 1959). – Jb. C. Review of the season (seit 1958).

Christkindl, Stadtteil von Steyr, OÖ; Wallfahrtskirche, 1706 nach Plänen von C. A. CARLONE beg., von J. PRANDTAUER weitergeführt (1725 gew.), ein runder Zentralbau mit 4 kreuzförmig angeordneten halbrunden Apsiden.

christliche Kunst, i. w. S. die Kunst der christl. Kulturwelt, i. e. S. die Kunst, die die Darstellung des Lebens Christi und der Heiligen beeinflußt (→Christusbild, →Heiligenbild; →Ikone; →Altarbild), die den →Kirchenbau, den Bau von →Klöstern und die Gestaltung der →liturgischen Geräte prägt. Besondere Stilmittel sind Bild (→Bilderstreit, →Bilderverehrung), Symbol (→christliche Symbole), Allegorie und typolog. Bezüge (→Typologie 2). Eigenständige künstler. Form und Ausdruck des christl. Glaubens verbinden sich in der c. K. auf unterschiedl. Weise (→frühchristliche Kunst, →byzantinische Kunst; →Nazarener). Ihr Standort wird von der Spannung zw. dem Anspruch des Kunstwerks und dem des Glaubens bestimmt.

In Dtl. besteht seit 1893 die ›Dt. Gesellschaft für c. K.‹ (Sitz: München), seit 1947 erscheint in München ›Das Münster, Ztschr. für c. K. und Kunstwissenschaft‹.

H. LÜTZELER: Die c. K. des Abendlandes ([7]1954); Zeichen des Glaubens, Geist der Avantgarde. Relig. Tendenzen in der Kunst des 20. Jh., Ausst.-Kat., Berlin-West (1980); GERTRUD SCHILLER: Ikonographie der c. K., 1 ff. (1981 ff.).

christliche Symbole, Sinnbilder des Glaubens, die in frühchristl. Zeit als Verhüllung des Bekenntnisses in einer feindl. Umwelt und geheimes Mittel der Verständigung entstanden. Oft haben sie Parallelen in der profanen Umwelt und sind aus ihr zu verstehen. Ebenso oft entstammen sie allegor. Auslegungen der Bibel. Zu den c. S. gehören bes. das →Kreuz und das →Christusmonogramm. Im einzelnen erscheint Christus im Symbol des Guten Hirten, als Fischer (Symbol des Menschenfischers: Angler), als Philosoph (Symbol des Lehrers). Die rettende Kraft Gottes wird im Bild des Iona (auch Symbol der Auferstehungshoffnung) u. a. dargestellt. Die Christen erscheinen als ›Oranten‹ (Anbetende), ihr Bekenntnis kommt im Symbol des Fisches zum Ausdruck (grch. ichthys = **I**esus **ch**ristos **th**eou **y**ios **s**oter ›Jesus Christus Gottes Sohn Retter‹). Als christliche Tiersymbole gelten Lamm, Taube, Hirsch (nach Ps. 42/41,2), Pfau (Paradieseshoffnung), Phönix (Auferstehung); dazu treten Sachsymbole (Anker, Schiff u. a.)

Im MA. wurde die Symbolsprache immer reicher, die Zahl der c. S. nahm ebenso zu wie ihre Vieldeutigkeit. Die allegor. Deutung der Hl. Schrift führte zu neuen Sinnbildern für die Inhalte und Hauptgestalten des Glaubens (Mariä u. a.), eindeutiger sind die Attribute der Heiligen, da sie dem Bericht über ihr Martyrium entnommen sind (→Attribut). In den Kirchen der Reformation nahm die Bedeutung der c. S. ab; eine neue Fülle von Symbolen findet sich im kath. Barock, so das Dreieck als Sinnbild der Dreifaltigkeit (mit Auge Gottes oder Tetragramm).

Christo, eigtl. Christo **Jawatschew,** bulgar. Künstler, *Gabrowo (Bulgarien) 13. 6. 1935, kam 1958 nach Paris, lebt seit 1964 in New York. C. stand 1960 dem Nouveau Réalisme nahe. Er verpackt Objekte, umhüllt Monumente und Gebäude, verändert Landschaftsabschnitte mit Folien u. a. Seine Aktionen, denen virtuose

Christo: Running Fence; Kalifornien, 1972–76

Zeichnungen und Collagen vorausgehen, provozieren neue Seherfahrungen.

HW: Valley Curtain (1970–72; Rifle, Colorado); Running Fence (1972–76; Kalifornien).

Schrift: Valley Curtain (Stuttgart 1973).

Christophorus [grch. ›Christusträger‹], legendärer Märtyrer, der Pilger und schließlich Christus selbst über einen Fluß getragen haben soll. Abbildungen des 10./11. Jh. (Wandmalerei in Rom, S. Maria Antiqua, um 1070) zeigen ihn als jugendl. Märtyrer; erst seit dem 12. Jh. wurde er als bärtiger Riese dargestellt, der das Jesuskind auf den Schultern trägt und sich auf einen Stab stützt (um 1145; Hocheppan, Burgkapelle). Hinzu trat seit dem 14./15. Jh. die Ausgestaltung nach der Legende (das durchschrittene Wasser u. a.). A. DÜRER (Stich von 1521) gab ihn als Eremit mit Fackel wieder. Ein Holzschnitt von J. BREU (um 1520/30) folgt einer allegor. Deutung M. LUTHERS (C. als Allegorie für den mühsamen Weg durch das Meer der Welt).

Christus, Petrus, niederländ. Maler, *Baerle (Brabant) um 1420, †Brügge 1472 oder 1473, wohl Schüler von J. VAN EYCK, dessen Atelier er 1441 übernahm und dessen unvoll. Werke er zu Ende führte. Seine relig. Darstellungen und Porträts zeigen eine für die Zeit erstaunl. Wirklichkeitserfassung und Empfinden für körperl. und räuml. Volumen. C. verbindet darin Einflüsse ROBERT CAMPINS und ROGIERS VAN DER WEYDEN. (BILD S. 240)

HW: Sir Edward Grymestone (1446; London, Nat. Gal.); Hl. Elegius (1449; New York, Samml. R. Lehmann); Altarflügel mit Verkündigung und Geburt Christi (1452; Berlin-West, Staatl. Museen); Porträt einer jungen Frau (ebd.); Maria zw. den Hl. Hieronymus und Franziskus (1457; Frankfurt a. M., Städelsches Kunstinstitut); Beweinung Christi (Brüssel, Musées Royaux des Beaux-Arts).

P. H. SCHABACKER: P. C. (Utrecht 1974).

Christusbild, die im Gemälde oder in der Plastik dargestellte Gestalt Christi. Von seinem Aussehen ist kein authent. Abbild überliefert, da die Urgemeinde seine Wiederkehr erwartete und die Juden das Gottesbild überhaupt ablehnten. Darstellungen von Einzelszenen aus dem Leben Jesu beruhen auf den Evangelien wie

Petrus Christus: Porträt einer jungen Frau (Berlin-West, Staatliche Museen)

auf den Apokryphen. Über die Kindheit: →Geburt Christi, Anbetung der →Drei Könige, →Darstellung Christi im Tempel; über sein Wirken: →Taufe Christi, Berufung der →Apostel, →Wundertaten Christi; über die Passion: →Abendmahl, Gebet am →Ölberg, Gefangennahme, Geißelung, →Dornenkrönung, →Ecce homo, Kreuztragung (→Kreuzweg), →Kreuzigung, →Kreuzabnahme Christi, →Beweinung Christi, →Grablegung Christi, →Auferstehung Christi, →Himmelfahrt Christi. Die →Verklärung Christi konnte dem Passionszyklus vorangestellt werden. – Neben den Darstellungen, die auf den Evangelien beruhen, ist das C. durch die Ankündigung der Propheten, Psalmworte und die →Apokalypse des Johannes geprägt: Christus, umgeben von den 4 lebenden Evangelistensymbolen, als Überwinder von Schlange und Drachen (Aspis und Basilisk). Zum Thema der Bildhauer wurde der Gekreuzigte (→Kruzifix). Weitere plast. Werke eigneten sich v. a. als →Andachtsbild 2). Diese Darstellungen zeigen wie die Bilder des Jesuskindes, des →Jüngsten Gerichtes und des →Gnadenstuhls v. a. einen Heilsvorgang, keinen histor. Ausschnitt aus dem Leben Jesu.

Geschichte. In der →frühchristlichen Kunst wurde die Gegenwart Christi durch Geheimzeichen (→christliche Symbole), seit Anerkennung des Christentums als Staatsreligion vermehrt durch sinnbildl. Darstellungen wiedergegeben: der Gute Hirte der Katakombenmalerei als jugendl. Held, bartlos mit kurz gelocktem Haar, dem antiken Schönheitsideal des Apollo folgend. Als Träger von Offenbarung verbindet sich mit dem Hirten das Bild von Christus als göttl. Orpheus. Seit dem 5. Jh. bestand daneben das Bild des reifen, würdigen Christus mit in der Mitte gescheiteltem, langem Haar und Bart. Seit dem →Bilderstreit gab das C. möglichst das vermutete Urbild (→Acheiropoieta) wieder; daher wiederholen sich nun bestimmte Typen durch die Jahrhunderte. – Als →Maiestas Domini oder als →Pantokrator sitzend oder stehend wurde Christus bis zur Romanik bes. in der Apsis dargestellt, in der Romanik selbst auch an der W-Fassade (Tympanon) in Darstellungen des Weltgerichts. Im MA. wurde das C. neben dem →Marienbild zum zentralen Thema der Kunst. Zu den Acheiropoieta dieser Zeit gehören v.a. das Schweißtuch der →Veronika (Antlitz Christi) und das Turiner Grabtuch (Grabtuch mit der Gestalt Christi; seit 1578 im Turiner Dom). Dem jeweiligen Ausdruck der Frömmigkeit entsprechen so unterschiedl. Auffassungen wie der ›Beau Dieu‹ als Kathedralplastik der hohen Gotik, das lyr., idealisierende C. des Schönen Stils und der Gekreuzigte auf den spätgot. Altären von M. GRÜNEWALD. Das C. der Renaissance wird noch von spätmittelalterl. Vorbildern bestimmt, ist jedoch zum anderen auch in die neue Welterfahrung hineingestellt. Die vollkommene körperl. Schönheit wurde zum Spiegel des Göttlichen, so in der Darstellung Christi als Weltenrichter durch MICHELANGELO (Sixtin. Kapelle). – Thema des reformator. C. ist v.a. das Abendmahl (auf dem Altar-Retabel), einziges Kultbild ist das Kruzifix. Die Kath. Reform betont eher das C. der Passion. Die C. des 17./18. Jh. zeigen Christus als Mensch in dieser Welt; besondere Lichtführung zeigt sein Erscheinen als Wunder (v.a. REMBRANDT). Bed. ist auch das C. des Rokoko im Deckenfresko (Christus in der Himmelsglorie von J. B. NEUMANN, 1743, Wieskirche). Nach dem sentimentalen C. der Nazarener im 19. Jh. fand erst das 20. Jh. zu einem Versuch eines künstlerischen C. Seit Anfang des 20. Jh. haben sich dem Thema des C. gewidmet: E. NOLDE, M. BECKMANN, L. CORINTH, E. BARLACH, M. CHAGALL und G. ROUAULT.

H. KRAUSE-ZIMMER: Das zwiefache C. in frühchristl. Kunst (1972); E. LESSING: Der Mann aus Galiläa, in Bildern dargestellt (1972); F. VAN DER MEER: Christus. Der Menschensohn in der abendländ. Plastik (1980).

Christusmonogramm, symbol. Zeichen für den Namen Christi, gebildet aus den grch. Anfangsbuchstaben X (Chi) und P (Rho): XP, später ⳩. In dieser Form findet es sich auf dem Feldzeichen und den Münzen KONSTANTINS D. GR., später v.a. auf Grabinschriften; seit dem 5. Jh. wurde es vom →Kreuz verdrängt, im 15. Jh. durch die 3 ersten Buchstaben des grch. Namens Jesu, das IHS, ersetzt (gedeutet als lat. ›Jesus, hominum salvator‹, dt. ›Jesus, Retter der Menschen‹, auch als die grch. Anfangsbuchstaben des Namens ›Jesus‹).

Christusmonogramm

Chromfarben, künstl. rote, gelbe und grüne farbkräftige Mineralpigmente, in der Malerei seit ihrer Entdeckung im frühen 19. Jh. genutzt. **Chromgelb** (Königsgelb) und **Chromrot** sind wegen ihrer nur bedingten Brauchbarkeit heute fast verdrängt.

Chromoxidgrün, olivfarbenes Grün, **Chromoxidhydratgrün,** feuriges kaltes Grün, um die Mitte des 19. Jh. entdeckte Chromfarbe, heute viel verwendete Künstlerfarbe.

Chronogrammm [grch.], lat. Inschrift, deren einzelne durch Farbe oder Form hervorgehobene Buchstaben eine Jahreszahl ergeben. Ein C. in Versform ist ein **Chronostichon** (mit Distichon Chronodistichon).

Chrudim, Stadt im Ostböhm. Kreis, ČSSR, 17 000 Ew.; Kirche Mariae Himmelfahrt (14. Jh., im 19. Jh. neugot. ergänzt); bed. Bürgerhäuser des 16. Jh., z. B. Mydlářovský-Haus von 1573–77 mit dreigeschossiger Arkatur.

chrys|elephantine Bildwerke, Gold|elfenbeinwerke, Kultbilder, deren Kern aus Holz bestand, die nackten Körperteile waren mit Elfenbein belegt, die Gewandpartien aus Goldblech. Die bekanntesten Werke waren die Athena Parthenos und der Zeus von Olympia von PHIDIAS und die Hera von Argos des POLYKLET.

Chrysocolla [grch. ›Goldleim‹], **1)** versch. Kupfermineralien, in der Antike zum Löten von Gold benutzt; **2)** wasserhaltiges Kupfersilikat, in antiken Wandbildern des vorderen und mittleren Orient nachgewiesenes grünes Mineral.

Chrysographie [grch.], die Kunst, mit Gold zu schreiben oder zu malen, bes. von byzantin. und frühmittelalterl. Künstlern geübt. Es wurden nicht nur einzelne Buchstaben mit Goldplättchen belegt, sondern ganze Schriften, bes. relig. Inhalts, mit einer Goldfarbe aus echtem Pudergold und Eiweiß, oft auf rotem Pergament, geschrieben. In der Tradition der byzantin. C. stehen auf dem Gebiet der Tafelmalerei die →Ikonen, die bei miniaturhafter Feinheit reich mit Goldmalerei geschmückt sind.

Chrysolith [grch. ›Goldstein‹], durchsichtiger grüner, gelber und gelbgrüner Schmuckstein, auch **Olivin** oder **Peridot** gen. Im A. T. als Sinnbild des 10. jüd. Stammes im Brustschmuck des Hohepriesters erwähnt. Kreuzfahrer brachten den C. im MA. nach Europa; im Barock zu Kleinplastiken (u. a. von J. M. DINGLINGER) verarbeitet.

Chrysopras [grch. ›Goldlauch‹], grünfarbige Varietät des →Chalcedon; bed. Vorkommen seit dem MA. in Schlesien. C. wurde für Wandmosaiken (Wenzelskapelle im Prager Veitsdom, 14. Jh.) und zus. mit Brillanten zu Dosenschmuck verwendet.

Chryssa [kr'ɪsə], Varden M., amerikan. Bildhauerin griech. Herkunft, *Athen 1933, lebt in Paris. Seit 1956 verwendete C. Buchstaben als serielle Bildelemente, in den 60er Jahren entwickelte sie Objekte und begehbare Environments mit Leuchstoffröhren (›Gates to the Times Square‹, 1964–68).

P. RESTANY: C. (Paris 1974).

chthonische Gottheiten, grch. Religion: Fruchtbarkeit und Leben spendende Gottheiten (Gaia, Demeter, Plutos); sie gaben Heil und Orakel, doch nahmen sie als Unterweltsgötter auch die Toten bei sich auf.

Ch'üfu [tʃ-], amtlich chinesisch **Qufu,** Stadt im O der Prov. Shantung, China, 10 km östlich von Yenchou; Geburtsort des KONFUZIUS (551–479 v. Chr.) mit Konfuziustempel (gegr. 195 v. Chr., nationales Heiligtum seit 152 n. Chr., 1724 wiederaufgebaut), eine von einer Mauer umschlossene Monumentalanlage (647 × 152 m) mit Achse in N-S-Ausrichtung. Die ehem. Residenz der

Konfuzius-Nachkommen, die während des Kaiserreichs Prinzenstatus hatten, ist heute Mus. Im nördl. Außenbezirk das Grab des Konfuzius, Nachahmung kaiserl. Grabanlagen mit freistehenden Ehrenpforten und einem von steinernen Grabwächtern in Tier- und Menschengestalt flankierten Geisterweg.

Chullpa [tʃ-], runder oder eckiger Grabturm im südl. Hochland von Peru, nahe dem Titicaca-See. C. gehören entweder der Inka-, der direkten Vorinka- oder der Tiahuanaco-Kultur an, sind aus behauenen Quadern errichtet, mit oben vorspringendem Gesims.

Chur [ku:r], Hauptstadt des schweizer. Kt. Graubünden, 33 500 Ew., Bischofssitz. Über der Altstadt liegt an der Stelle eines Römerkastells **(Curia Raetorum)** die Bischofsburg (›Hof‹); sie umfaßt das bischöfl. Schloß (Renaissance, Fassade 18. Jh.) und die spätroman. Kathedrale (12./13. Jh.) an Stelle einer karoling. Kirche (Marmorfragmente bei Restaurierung gefunden), eine dreischiffige Pfeilerbasilika mit hervorragender Bauplastik und reicher Ausstattung von karoling. Zeit bis Barock. Die spätgot. Pfarrkirche St. Martin (1464–91) steht auf den Fundamenten einer karoling. Kirche. Ehem. Klosterkirche St. Luzi (1. H. 8. Jh., in romanisch-got. Zeit umgebaut) mit einer in der Schweiz einmaligen Ringkrypta. 1955–57 wurden die Reste der frühchristl. Saalkirche St. Stephan (um 500) ausgegraben. Rathaus mit got. Balkendecke (1494), Bürgerhäuser (seit 15. Jh.). – Dom-Mus.; Kunsthaus (v. a. bündnerische Künstler 18.–20. Jh.).

Churburg, bedeutendste erhaltene Burg des 16. Jh. in Südtirol, bei Schluderns (ital. Sluderno) im oberen Vintschgau, um 1230 von den Bischöfen von Chur errichtet, mit Arkadenhof (1537–60; Wandmalereien) und Rüstkammer.

Church [tʃə:tʃ], Frederick Edwin, amerikan. Maler, *Hartford (Connecticut) 4. 5. 1826, †New York 7. 4. 1900, Vertreter der →Hudson River School, Schüler von T. COLE. Auf seinen ausgedehnten Reisen entstanden zahlreiche Landschaftsbilder, die sich durch besondere Motivwahl hervorhoben (›Niagara-Fälle‹, 1857; Washington, D. C., Corcoran Art Gal.).

Churriguera [tʃurriɣ'era], span. Bildhauer und Baumeisterfamilie. Alberto (*Madrid 7. 8. 1676, †Orgaz 1750) und sein Bruder Joaquín (*Madrid 20. 3. 1674, †Salamanca 30. 9. 1724) arbeiteten zus. am Bau der Neuen Kathedrale von Salamanca. Bedeutendstes Familienmitglied ist ihr Bruder José Benito (*Madrid 21. 3. 1665, †ebd. 2. 3. 1725), nach Ausbildung in Salamanca seit 1689 in Madrid tätig. Von G. GUARINI ausgehend, schuf er einen neuen Dekorationsstil, den →Churriguerismus, der in der span. Kunst bis zum Klassizismus andauerte. Sein erstes erfolgreiches Werk war ein Katafalk für die Königin María Luisa (1689; in der Kirche de la Encarnación, Madrid), gebildet aus Totenschädeln, Knochen und Sensen. Von nun an wurde er von König KARL II. mit Aufträgen überhäuft. Von seinen zahlreichen prunkvollen Altarwerken blieben 3 Altäre für S. Esteban in Salamanca erh. Im Auftrag des

José Churriguera: Hauptretabel in S. Esteban in Salamanca; 1693

königl. Schatzmeisters Don J. DE GOYENECHE lieferte C. die Entwürfe für den Bau der Stadt →Nuevo Baztán. Das Stadthaus in Salamanca (1722/23) ist das vollendetste Beispiel seiner Profanarchitektur.

Churriguerismus [tʃuriger'ismus], Bez. für die späte Phase des span. Barock (etwa zw. 1690 und 1750), benannt nach ihrem Begründer und Hauptvertreter J. B. →Churriguera, verbreitet von dessen Söhnen GERÓNIMO und NICOLÁS CHURRIGUERA. Im C. werden ital. Einflüsse (F. BORROMINI, G. GUARINI) mit Elementen des gotisierenden →Platereskenstils zu wuchernden Formen verbunden. Charakteristisch ist die überreiche Ornamentik an Fassaden und Wänden sowie Altären. Vertreter des C. waren u. a. P. DE RIBERA, N. TOMÉ.

Chu Ta [tʃu-], chinesischer Mönchsmaler, →Pa-ta-shan-jen.

Chyše [x'iʃɛ], ehem. Adelssitz im Westböhm. Kreis, ČSSR, Renaissanceschloß von 1578, Mitte des 19. Jh. im Stil der engl. Gotik umgestaltet. Ehem. Karmeliterkloster mit Kirche (Ende 17. Jh.). Auf einer Anhöhe die Kirche der Kreuzerhöhung (2. H. 17. Jh.), eine basilikale Anlage mit Zweiturmfassade.

CIAM, Abk. für **Congrès Internationaux d'Architecture Moderne** [kɔ̃gr'ɛzɛ̃tɛrnasjɔn'o darʃitɛkt'yr mɔd'ɛrn, frz.], internat. Vereinigung von Architekten, die sich mit neuen Problemen der Architektur und des

Städtebaus befaßten und sich von den historisierenden Tendenzen abwendeten; gegr. 1928 in La Sarraz (Schweiz) unter Beteiligung der dt. Architektenvereinigung ›Der Ring‹. Bedeutsam waren die Leitsätze für den Städtebau in der ›Charta von Athen‹. Insgesamt fanden 10 Kongresse statt: La Sarraz (Schweiz, 1928), Frankfurt a. M. (1929), Brüssel (1930), Athen (1933), Paris (1937), Bergamo (1949), Hoddesdon (England 1951), Sigtuna (Schweden 1952), Aix-en-Provence (1954), Dubrovnik (1956); außerdem das Treffen in Otterloo (Niederlande, 1959). Hier wurde auch die schon in Dubrovnik geforderte Auflösung der CIAM beschlossen. Das →Team X, das den Kongreß in Dubrovnik und Otterloo vorbereitete, kommt noch in regelmäßigen Abständen zusammen.

La Charte d'Athènes, hg. v. LE CORBUSIER (Paris 1941); CIAM '59 in Otterloo, hg. v. O. NEWMAN (Hilversum 1961).

Ciardi [tʃ'ardi], Guglielmo, ital. Maler, *Venedig 13. 12. 1842, †ebd. 6. 10. 1917, wurde in Florenz von den Macchiaioli beeinflußt; schuf Landschafts- und Marinebilder in zunehmend impressionist. Stil, die zu den reizvollsten der ital. Freilichtmalerei gehören (›Messi d'oro‹, 1883; Rom, Gal. Nazionale d'Arte Moderna).

Cibber [s'ɪbə], Caius Gabriel, engl. Bildhauer, *Flensburg 1630, †London 1700, studierte in Rom. Um 1660 war er Schüler von N. STONE in London und Hofbildhauer; hier schuf er u. a. die beiden Männerfiguren ›Melancholie‹ und ›Wahnsinn‹ (um 1670), die für das Bethlehem Hospital bestimmt waren und sich heute im Guildhall Mus., London, befinden.

Ciborium [lat. ›Becher‹] *das*, frei stehender, meist mit Pyramidendach abgedeckter Viersäulenbau über dem Altar, v. a. in Italien, schon seit vorromanischer Zeit, auch Baldachin; in Dtl. nur über den Nebenaltären üblich.

Cicerone [tʃitʃe-, ital.], Bez. für Fremdenführer, die wegen ihrer Beredsamkeit scherzhaft mit CICERO verglichen wurden; v. a. bekannt geworden durch den C. genannten, von J. BURCKHARDT bearbeiteten Führer zu den Kunststätten Italiens von 1855.

Cieplice Śląskie Zdrój [tsjɛpl'itsɛ sjl'ɔ̃skjɛ zdruj], poln. Name für Bad →Warmbrunn.

Cieszyn [tsj'ɛʃin], poln. Name von →Teschen.

Cignani [tʃiɲ'a:ni], Carlo, ital. Maler, *Bologna 15. 5. 1628, †Forlì 6. 9. 1719, Schüler von F. ALBANI, später bes. von G. RENI beeinflußt. C. war der letzte bed. Monumentalmaler Bolognas, wies zugleich mit seiner gefälligen Behandlung profaner Themen der lokalen Malerei eine neue Richtung.

HW: Fresken in S. Michele in Bosco, Bologna; Kuppelfresko der Himmelfahrt Mariae im Dom zu Forlì (1686–1706); Joseph und die Frau des Potiphar (Dresden, Gemäldegal.); Pera und Cimon (Wien, Kunsthistor. Mus.).

Cigoli [tʃ'i: goli], eigtl. Ludovico **Cardi,** gen. **Il Cigoli,** ital. Maler, Bildhauer, Baumeister, *Castelvecchio di

Cigoli (Toskana) 12. 9. 1559, †Rom 8. 6. 1613. Beeindruckt von F. BAROCCI, wurde er der Begründer der Barockmalerei in Florenz (Auferstehung, 1591, Arezzo, Mus.; Kreuzabnahme, 1597, Ecce Homo, gegen 1606, beide Palazzo Pitti, Florenz). Als Baumeister entwickelte sich C. unter dem Einfluß des Palladianismus: Hof des Palazzo Nonfinito, Florenz (1604).

Cilli [ts-], Stadt in Jugoslawien, →Celje.

Cillium, röm. Ruinenstadt in Tunesien, →Kasserine.

Cima [tʃ'i:ma], Giovanni Battista, gen. **C. da Conegliano** [-koneʎ'a:no], ital. Maler, *Conegliano 1459 oder 1460, begraben ebd. 3. 9. 1517 oder 1518, lebte seit 1492 in Venedig, wo er von G. BELLINI beeinflußt wurde, malte viele Altar- und Andachtsbilder in feiner, anmutiger Form und warmer Farbigkeit.

HW: Taufe Christi (1494; Venedig, S. Giovanni in Bragora); Madonna unter dem Orangenbaum (um 1496; ebd., Gal. dell'Accademia); Anbetung der Hirten (1510; ebd., S. Maria del Carmine).

Cimabue [tʃimab'u:e], eigtl. **Cenni di Pepo** [tʃ'enni-], ital. Maler, *Florenz 1240(?), †nach 1302, war 1272 in Rom, 1301/02 in Pisa tätig; einer der bedeutendsten Wegbereiter der florentin. Malerei und Vorläufer GIOTTOS. Die von der byzantin. Kunst entlehnten Formen der Duecento-Malerei verschmolz er mit den Stilelementen der aufkommenden Gotik und der sienes. Malerei und steigerte die Ausdruckskraft durch den strengen Aufbau seiner Kompositionen.

Cimabue: Kruzifix (Florenz, S. Croce)

HW: Thronende Madonna mit Engeln und Propheten (auf Holz; Florenz, Uffizien); Kruzifix (auf Holz 4,48 : 3,90 m, 1966 schwer beschädigt; restauriert, ebd., Mus. von S. Croce); Madonnenfresko in der Unterkirche von San Francesco, Assisi; Fresken im Chor und Querschiff der Oberkirche, ebd.; Mosaikfigur des Evangelisten Johannes in der Apsis des Doms zu Pisa (1301–02).

E. BATTISTI: C. (Mailand 1965).

Cimiotti [tʃimi'ɔtti], Emil, Bildhauer, *Göttingen 19. 8. 1927, entwickelte aus Figurengruppen gegenstandsfreie Gebilde, vegetative oder animal. Ballungen mit schwebenden Schirmformen.

Cimitile [tʃi-], Gem. in der ital. Prov. Neapel. Von kunsthistor. Interesse sind die 4 frühchristl. Basiliken (u. a. S. Felice in Pincis mit Mosaikresten, Santi Martiri, mit Fresken geschmückt).

Cincinnati [sɪnsɪn'ætɪ], Stadt in Ohio, USA, 403 000 Ew.; C. Art Mus. (umfangreiche Kunstsamml., u. a. Werke von A. MANTEGNA, TIZIAN, REMBRANDT, B. E. MURILLO), Taft Mus. (u. a. chines. Porzellan, europ. Malerei).

Cingoli [tʃ'iŋgoli], ital. Städtchen in den Marken (Prov. Macerata), wegen seiner Lage ›Balkon der Marken‹ genannt, geprägt von ma. Bauten, u. a. Palazzo Municipale (13. Jh., 1531 erneuert), die Kirchen S. Domenico (13. Jh.; im Inneren Rosenkranzmadonna von L. LOTTO), S. Esuperanzio (1278; mit Fresken).

Cinquecento [tʃiŋkwetʃ'ɛnto, ital. ›fünfhundert‹, Abk. für 1500] *das*, in der ital. Geistes-, Kunst- und Kulturgeschichte Bez. für das 16. Jh.; i. e. S. als Stilbegriff der Kunstgeschichte Bez. für die Epoche der ital. Hochrenaissance in Abgrenzung gegenüber dem →Quattrocento, der Frührenaissance. Herausragende Künstler waren v. a. BRAMANTE, LEONARDO DA VINCI, MICHELANGELO und RAFFAEL in Rom, das Florenz als Kunstzentrum ablöste; auf dem Gebiet der Malerei entwickelte sich daneben in Venedig mit GIORGIONE, GIOVANNI BELLINI und TIZIAN ein weiterer Schwerpunkt. (→Renaissance)

Cipollino [tʃi-, ital. cipolla ›Zwiebel‹], Marmor, dessen Glimmerlagen den Eindruck von Zwiebelschalen erwecken; Fundorte: Toskana, Piemont in Italien und Euböa in Griechenland. In der röm. Antike wurden Säulen aus C. u. a. am Macellum in Pozzuoli, im Audienzsaal der Hadriansvilla und am Faustinatempel auf dem Forum in Rom verwendet.

Cippus [lat.] *der*, bei Etruskern und Römern ein pfahlartiges Grenzzeichen aus Stein oder Holz, meist mit Inschrift. Das Wort C. wird auch verwendet für etrusk. Grabsteine verschiedenster kub., zylindr. oder kugeliger Formen, die v. a. in Chiusi mit Reliefs verziert sind; seltener von Porträtköpfen bekrönt.

Circus [lat.] *der*, in der römischen Antike die langgestreckte Bahn für Wagen- und Pferderennen. Der größte C. des Altertums war der **Circus Maximus** in Rom, der mit seinen Anfängen in die Frühzeit Roms zurückgehen soll; im Lauf der Jh. wurde er immer wieder vergrößert. Er war in der Kaiserzeit etwa 600 m lang und 150 m breit, soll unter AUGUSTUS etwa 55 000–60 000 Plätze, später noch mehr, besessen haben. C.-Bauten gab es in der Kaiserzeit in fast allen größeren röm. Städten.

Cirencester [s'aɪərənsestə], Stadt in der Cty. Gloucestershire, westlich von Oxford, S-England, 13000 Ew. Das röm. **Corinum** war im 2. Jh. neben London die größte Stadt Englands. Die spätgot. Pfarrkirche St. John Baptist (1515–30) hat einen dreistöckigen Portalvorbau und einen eindrucksvollen Turm (um 1400).

Cire perdue [si:r pɛrd'y, frz.], Begriff der Bildhauerkunst, →Abguß, →Bildguß.

Cismar, Teil der Gem. Grömitz in Ostholstein, mit ehem. Benediktinerkloster (1238 beg.). Der got. Chor der 1560 z. T. profanierten Kirche birgt einen geschnitzten Reliquienschreinaltar (um 1310/20).

Cisneros-Stil [θizn'erɔs-], nach dem span. Kardinal und Kunstmäzen F. JIMÉNEZ CISNEROS (1495–1517) benannter span. Baustil. Unter Verzicht auf Monumentalität zeichnet den C.-S. expressive und dekorative Wirkung aus, die auf den späteren Platereskenstil weist. Hauptbeispiele sind der Kapitelsaal der Kathedrale in Toledo von E. DE EGAS (1504–12) und das Gebäude der ehem. Univ. in Alcalá de Henares (1508 beg.) vom Hauptmeister des C.-S., P. GUMIEL, von dem auch die Aula ebd. stammt (1517).

Ciste [grch.-lat.], im archäolog. Sprachgebrauch ein zylindr. Behälter mit Deckel, oft aus Bronze oder Holz mit Bronzebeschlägen. V. a. 2 Gattungen sind zahlreich erhalten: eimerförmige Rippencisten mit horizontal angeordneten Rippen, außerdem mit Mustern verziert (Eisenzeit N-Italiens, mit weiter Exportstreuung im Mittelmeergebiet) und gravierte praenestinische C.; dieser aus Palestrina (Praeneste) stammende Typus des 4. und 3. Jh. v. Chr., zylindrisch oder oval, mit Tierfüßen, hat figürl. und ornamentales Dekor und einen figürlich gestalteten Deckelgriff. (→Ficoronische Ciste)

Cîteaux [sit'o], das 1098 vom Hl. ROBERT, Abt von Molesme, gegr. Mutterkloster der Zisterzienser, im frz. Dép. Côte d'Or (Burgund), 1790 aufgehoben. Von den Baulichkeiten sind nur wenige Reste erhalten. Die Bedeutung von C. liegt v. a. in der Festlegung der landschaftl. Gegebenheiten (waldreiche Täler), in der künftig Zisterzienserklöster entstehen sollten. Während der 1106 gew. erste Kirchenbau ohne größere Wirkung blieb (diese ging vom 1145 gew. 2. Bau von →Clairvaux aus), entstand erst mit dem Chorneubau (1195 gew.; gerader Chorabschluß, einfache Innenausstattung) ein weithin befolgtes Leitbild (Maulbronn, Eberbach, Arnsburg, Walkenried u. a.), das VILLARD D'HONNECOURT in seinem ›Musterbuch‹ (um 1240) abbildete. Von C. aus wurden die 4 ältesten Zisterzienserklöster (La Ferté, 1113; Pontigny, 1114; Morimond und Clairvaux, beide 1115) sowie weitere 109 Filiationen gegründet. (→Zisterzienserbaukunst)

Città del Vaticano [tʃitt'a-], →Vatikanstadt.

Città di Castello [tʃitt'a-], ital. Stadt und Bischofssitz in der Prov. Perugia, links des Tiber, 36400 Ew., mit vielen Palästen und Kirchen. Der einschiffige Dom (Neubau nach 1466; got. Portal; Fassade von 1632; im Inneren schöne Kapitelle, um 1500) besitzt einen reichen Domschatz (Gemälde von PINTURICCHIO, Silberantependium, 12. Jh.); got. Kirche S. Francesco (1273, mit Vitelli-Kapelle von G. VASARI). Im Palazzo Vitelli alla Cannoniera (von A. DA SANGALLO D. J., 1521–32) befindet sich die Pinakothek; Palazzo Vitelli (von Vasari, 1540); Palazzo Comunale (1336 beg.); Palazzo del Governo (Mitte 14. Jh., Barockfassade von 1686).

City [s'ɪtɪ, engl.] *die,* urspr. die Bez. für die engl. Stadt mit Bischofssitz, dann für alle größeren Städte in England und den Kolonien mit Verwaltungssitz. Später allg. i. S. von Altstadt (City of London, u. a.) gebraucht; dann Bedeutungswandel zur Geschäftsstadt.

Ciudad Rodrigo [θiuð'að rɔðr'iγo], Stadt und Bischofssitz in der span. Prov. Salamanca, 13 700 Ew., ehem. Grenzfestung gegen Portugal (Alcázar, 14. Jh.); zahlreiche Häuser des 15. und 16. Jh. (u. a. Rathaus mit Arkaden-Gal.). Die dreischiffige romanisch-got. Kathedrale (um 1165–1319) besitzt hervorragende Skulpturen an den Portalen (am S-Portal Fries mit den 12 Apostelfiguren; das Hauptportal, um 1280, mit Szenen aus der Heilsgeschichte, Marienkrönung im Tympanon, Archivoltenplastik mit Jüngstem Gericht).

Čiurlionis [tʃurlj'ɔnis], Mikalojus Konstantinas, litauischer Maler, Komponist, *Varena (Litauen) 4. 9. 1875, †Pustelnik (bei Warschau) 10. 4. 1911, versuchte seit 1905, musikal. Erlebnisse in visionären Bildern zu gestalten und gilt damit als Vorläufer abstrakter Kunstformen. Die meisten seiner Bilder befinden sich im Č.-Museum in Kaunas.

Cividale del Friuli [tʃivid'a:le-], nordital. Stadt in der Prov. Udine, 5500 Ew., reich an Kunstdenkmälern des 8.–10. Jh., Häusern und Palästen des MA., der Renaissance und des Barock (beim Erdbeben 1976 wurde C. d. F. teilweise erheblich beschädigt). Im Zentrum der Dom (Neubau des 15./16. Jh.; mit reicher Innenausstattung, u. a. Silber-Paliotto, Gemälde von G. A. PORDENONE) mit Christl. Mus. (reliefgeschmücktes Taufciborium und Kastenaltar mit figürl. Darstellungen, beide 8. Jh.), Palast der venezian. Statthalter (wohl von A. PALLADIO, 1565–96), Palazzo Comunale (Neubau ab 1545) und das Archäolog. Nat.-Mus. im Palazzo Nordis (16./17. Jh.) mit langobard. Schmuckfunden und ma. Hss. Die Kapelle (›Tempietto Longobardo‹) des Klosters S. Maria in Valle (8. Jh., ohne Umbauten erh.), eines der bedeutendsten Denkmäler des Früh-MA., besitzt reiche Stuckdekorationen (bes. 6 Frauenfiguren, wohl byzantinisch) und Fresken (wohl 8./9. Jh.). BILD S. 250

Civita Castellana [tʃ'ivita-], ital. Stadt etwa 50 km nördlich von Rom, 15 800 Ew., das antike **Falerii,** Zentrum des Gebietes der Falisker, eines kulturell stark von Etrurien abhängigen Volksstammes. Die Nekropolen des 7.–3. Jh. v. Chr. enthielten neben einheim. auch gute grch. Keramik. Im 4. Jh. v. Chr. produzierten hier vielleicht von Athenern begründete Werkstätten rotfigurige Vasen. Von Tempeln im Stadtgebiet stammt Tonplastik hervorragender Qualität (spätes 6.–3. Jh. v. Chr., heute Villa Giulia, Rom). 241 v. Chr. wurde die Bev. von den

Cividale del Friuli: ›Tempietto Longobardo‹ in S. Maria in Valle; 8. Jh.

Römern 5 km westwärts nach **Falęrii Novi** umgesiedelt, dessen Mauerring fast vollständig erh. ist. – Dom (roman. Basilika des 12. Jh., im 18. Jh. verändert; Vorhalle mit Bogenportal, 1210; im Inneren Cosmaten-Fußboden); Kastell ›La Rocca‹ (1494–1500, von A. DA SANGALLO D. Ä.) mit achteckigem Festungsturm (1512).

Civitali [tʃivit'a:li], Matteo, ital. Bildhauer, *Lucca 5. 6. 1436, †ebd. 12. 10. 1501, gehörte zu den Nachfolgern der von DESIDERIO DA SETTIGNANO und den beiden ROSSELLINO vertretenen Richtung der florentin. Skulptur. Seine Werke, mit ausgezeichnet delikater Marmorbehandlung, verzichten weitgehend auf figürl. und ornamentalen Schmuck und zeigen einen klaren Aufbau. C. arbeitete in Lucca, wo sich seine HW im Dom befinden (Grabmal des Pietro Noceto, 1472; zwei Tabernakelengel, 1473–76; Grabdenkmal D. Bertinis, 1479; Kapelle des Volto Santo, 1481; Regulusaltar, 1484 bis 1485).

Civitavecchia [tʃivitav'ɛkkia], ital. Hafenstadt in der Prov. Rom, 46 100 Ew.; Fort Michelangelo (viereckige Festung, 1508 beg.; Entwurf von BRAMANTE, unter Mitwirkung von A. DA SANGALLO D. J. und MICHELANGELO 1557 voll.).

Claesz [kla:s], Pieter, niederländ. Maler, *Burgsteinfurt um 1596/97, †Haarlem 1. 1. 1661, Vater des Landschaftsmalers N. BERCHEM; malte ähnlich wie W. C. →Heda schlichte Stilleben, die Frühstückstische mit Metallgefäßen in feiner helltoniger Farbigkeit wiedergegeben. (BILD S. 251)

Claire, Godefroid de C. [godfrw'a dəkl'ɛ: r], niederländ. Goldschmied, →Godefroid de Huy.

Pieter Claesz: Stilleben (Amsterdam, Rijksmuseum)

Clairobscur [klɛrɔbsk'yr, frz.] *das,* das in der Malerei und Graphik angewandte →Helldunkel. **Clairobscur-Holzschnitt, Helldunkelschnitt,** →Farbholzschnitt.

Clairvaux [klɛrv'o], ehem. Zisterzienserabtei in der Gem. Ville-sous-la-Ferté im frz. Dép. Aube, 1115 von BERNHARD VON C. gegr. auf dem von Herzog HUGO VON TROYES dem Orden zur Kultivierung geschenkten Grund ›clara vallis‹ (lat., danach C.), einst eine der berühmtesten Abteien des Abendlandes mit (beim Tod Bernhards, 1153) 300 Mönchen und 400 Konversen. Der erste Kirchenbau (1115–33) war eine schlichte Rechteckkirche, erst der 2. Bau nach Planung von 1133 (gew. 1145) wurde mit seinem Rechteckschema (gerade schließendes schlichtes Sanktuarium und Kapellen am Querhaus; ›plan bernardin‹) und der Gesamtdisposition der Klosteranlage als Wirtschaftseinheit weithin vorbildlich für Zisterzienserklöster. Die Anlage von C. ist nach Abbruch in der Frz. Revolution nur in wenigen Resten erhalten, während das 1118 von C. aus (als eines seiner 355 Filiationen) gegr. Fontenay noch heute eine Vorstellung der urspr. Anlage gibt (→Zisterzienserbaukunst).

Clason, Isak Gustaf, schwed. Architekt, *Rottneby (Dalarna) 30. 7. 1856, †Rättvik (Dalarna) 19. 7. 1930, war 1890–1904 Prof. an der TH Stockholm. Mit seiner Forderung nach Verwendung von natürl. Material und Übereinstimmung von Funktion und Form beeinflußte er die schwed. Architektur, blieb selbst aber noch historisierenden Formen verhaftet.

HW in Stockholm: Nordisches Mus. (1892–1907); Hallwylsches Palais (1893–98).

Classicisme [klasis'ism], frz. Bez. für eine im 16. Jh. aufkommende ›klass.‹ Stilrichtung in Frankreich, die sich an der Antike orientierte (meist über das Studium der ital. Renaissance, im 17. und 18. Jh. unter dem Einfluß des von A. PALLADIO geprägten →Palladianismus), sich auf VITRUVS architekturtheoret. Schriften stützte (erste frz. Vitruvausgaben 1530, 1539, 1542) und sich durch Sinn für Proportion, Komposition und Harmo-

Classicisme: L. Levau und J. Hardouin-Mansart, Schloß Versailles, Gartenseite; seit 1661

nie auszeichnete. Begünstigt durch das Aufkommen eines zentralen Königtums, wurde der C., neben dem andere Stilrichtungen weiterbestanden, zum beherrschenden, offiziellen Stil. Neuerdings erkennt man Anfänge des C. bereits in der frz. Renaissance unter FRANZ I. (Flügel Franz' I. im Schloß Blois, 1515–24; Louvre-Flügel von P. LESCOT, Paris, ab 1546; Schloß Chambord, ab 1519), wobei oft ital. Künstler (Innenausstattung des Schlosses →Fontainebleau) mitwirkten, und v. a. unter HEINRICH II. (→Henri-deux). Mit dem Palais du Luxembourg in Paris (1615–31) von S. DE BROSSE und F. MANSARTS Flügel des Gaston d'Orléans im Schloß Blois (1635–38) wurde jene Epoche eingeleitet, die man i. e. S. mit C. bezeichnet und die unter LUDWIG XIV. (→Louis-quatorze) ihre höchste Blüte erreichte. Die Doktrin des zum ›Staatsstil‹ erhobenen und an neugegr. Akademien gelehrten C. (im dt. Sprachgebrauch meist ›Barock-Klassizismus‹ gen.) bewirkte, daß sich in Frankreich ein Barock wie in Italien oder Deutschland kaum ausbreiten konnte. Das Scheitern G. L. BERNINIS mit seinen Louvre-Entwürfen (1664/65) gegenüber denjenigen von C. PERRAULT ist von fast symbol. Bedeutung: Paris löste Rom als Kunstmetropole ab. Höhepunkt des C. unter Ludwig XIV. ist der Umbau von Schloß Versailles durch L. LEVAU und J. HARDOUIN-MANSART zw. 1661 und 1687/88. Unter LUDWIG XV. (→Louis-quinze) blieb der C. trotz der Ausbreitung des Rokoko (v. a. in Malerei und Innendekoration) als übergreifendes Stilprinzip weiterhin für die frz. Kunst bestimmend, bis im späten 18. Jh. die Wiederentdekkung der Antike zum Klassizismus (in Frankreich ›Néoclassicisme‹ gen.) führte.

L. HAUTECOEUR: Histoire de l'architecture classique en France, 7 Bde. (Paris 1948–57); F. G. PARISET: L'art classique (ebd. 1965).

Claude Lorrain: Die Verstoßung der Hagar (Morgenlandschaft); 1668 (München, Alte Pinakothek)

Claude Lorrain [klodlɔr'ɛ̃], eigtl. Claude **Gellée** [ʒəl'e], frz. Landschaftsmaler, Radierer, *Chamagne bei Mirecourt (Lothringen) 1600, †Rom 23. 11. 1682, Schüler von A. TASSI, ließ sich 1627 in Rom nieder. Seine frühen Bilder zeigen, beeinflußt von P. BRIL und A. ELSHEIMER, einen kulissenhaften Aufbau. Später, unter dem Einfluß von N. POUSSIN, verband C. L. Nähe und Ferne als einheitl. Ganzes durch die atmosphär. Wirkung des Lichtes bei festgefügter, rational klarer Komposition. Seine Hinwendung zum klassisch-strengen Aufbau kommt in den 7 relig. Darstellungen mit Motiven aus dem A. T. und N. T. (1639/40) zum Ausdruck, die er für den Königl. Palast Buen Retiro in Madrid schuf (4 Bilder heute im Prado, ebd.). Er schilderte die Natur genau und liebevoll, bettete oft mytholog. und bibl. Szenen sowie antike Ruinen und Paläste (v. a. in seinen zahlreichen Hafenbildern) in die Landschaft ein. Bemerkenswert sind die meist mit der Feder und dem Pinsel flüssig und leicht ausgeführten Zeichnungen; etwa 200 dieser Blätter nach eigenen Gemälden faßte C. L. zu einem Buch zusammen, das, von R. EARLOM gestochen, 1777 als ›Liber veritatis‹ (heute im Brit. Mus., London) erschien. C. L. schuf auch 44 Radierungen. Weicher und entspannter als Poussin, verkörpert er die feierl. Gelassenheit der klass. idealen →Landschaftsmalerei. Bed. war sein Einfluß auf die Kunst des 18. und 19. Jh., bes. in England. – HW in Paris (Louvre), London (Nat. Gal.); Leningrad (Eremitage).

Clausholm, Schloß in der Gem. Hadsten, Jütland, Dänemark; einer der ersten Barockbauten Jütlands (1693–99) mit langen Seitenflügeln und schlichten Fassaden, Vorbild zahlreicher dän. Barockanlagen.

Clausthal-Zellerfeld, Stadt im Oberharz, Ndsachs., 16300 Ew. In **Clausthal** Heiliggeistkirche (1637–42), die größte Holzkirche Dtl.s mit 2200 Plätzen, Außenbau und Innenraumwirkung höchst originell. In **Zellerfeld** Salvatorkirche (1674–83, 1863/64 innen neugotisch umgebaut).

Clerf, frz. **Clervaux** [klɛrv'o], Städtchen im nördl. Luxemburg. Das Schloß, aus mehreren Gebäudeteilen (12.–17. Jh., Renaissanceflügel um 1595) gewachsen, und die neuroman. doppeltürmige Pfarrkirche (1911) bilden eine reizvolle Baugruppe. Ebenfalls neuromanisch sind die Gebäude der 1909 gegr. Benediktinerabtei auf der steilen Höhe über C.

Clerici [kl'eritʃi], Fabrizio, ital. Maler, Architekt, Bühnenbildner, *Mailand 15. 5. 1913, lebt in Rom; er schuf Opernausstattungen, bes. in Venedig, Rom und Florenz, und zeigte auf Ausstellungen surrealist. Malerei von phantast. Thematik und strengem Stil.

P. WALDBERG: F. C. (1974).

Clermont-Ferrand [klɛrmɔ̃fɛr'ã], frz. Stadt und Mittelpunkt der Auvergne, Bischofssitz, 155000 Ew. Die aus dunklem Lavagestein erbaute Altstadt (v. a. Rue de Gras) wird überragt von der got. Kathedrale (1248 beg. nach dem Vorbild der Kathedrale von Amiens, Türme und Fassade des 19. Jh. von E.-E. VIOLLET-LE-DUC; Glasfenster des 13. und 14. Jh.) und der Kirche Notre-Dame du Port (12. Jh.), einem HW der roman. Baukunst in der Auvergne (im Inneren Kapitelle mit reichem Figurenschmuck; in der Krypta eine schwarze Madonna, 17. Jh.). Mus. Bargoin (Altertümer, ma. Plastiken und Gemälde), Mus. du Ranquet in der Maison des Architectes (16. Jh.).

Cleve, 1) auch **Cleef,** Joos van, eigtl. **van der Beke,** niederländ. Maler, *Kleve um 1490, †Antwerpen 1540 oder 1541, seit 1511 Meister in Antwerpen, danach wahrscheinlich Italienaufenthalt, 1529 Porträtmaler am frz. Hof; malte zunächst in altniederländ. Tradition und wurde später ein wichtiger Vermittler der Kunst LEONARDOS DA VINCI nach dem Norden Europas. Die ihm zugeschriebenen Altarbilder (›Tod Mariä‹, um 1523, München, Alte Pinakothek; daher auch ›Meister des Todes Mariä‹ gen.; ›Anbetung der Könige‹, 1525/26, Dresden, Gemäldegal. u. a.) zeigen kunstvolle Anordnung der Figuren und meisterhafte Wiedergabe der Details.

2) Maerten van, niederländ. Maler, *Antwerpen 1527, †ebd. 1581, stellte in Gemälden und Zeichnungen volkstüml. Themen im Stil von P. BRUEGEL D. Ä. dar.

Cleveland [kl'i:vlənd], Stadt in Ohio, USA, 574000 Ew. Das Mus. of Art enthält neben der Gemäldesamml. (europ., v. a. alt-dt. Malerei) Teile des Welfenschatzes. Das Temple Mus. of Religious Art and Music gibt einen Überblick über die relig. Kunst des Judentums.

Cliché verre [kliʃev'ɛr, frz.], →Glasklischee.

Cliff dwellings, Cliff houses [kl'ɪf dw'elɪŋz, -h'aUZIZ, engl. ›Felsenwohnungen‹, ›-häuser‹], Siedlungen der Vorfahren der heutigen Pueblo-Indianer an den

Steilhängen von Canyons in N-Arizona, N-New Mexico, S-Utah und SW-Colorado (→Mesa Verde), USA. Häuser, z.T. ganze Siedlungen, sind in die natürl. Felsüberhänge eingebaut. Die meisten werden in die Zeit zw. 1100 und 1300 n.Chr. datiert.

Clodion [klɔdj'ɔ̃], eigtl. Claude **Michel** [miʃ'ɛl], frz. Bildhauer, *Nancy 20. 12. 1738, †Paris 28. 3. 1814, Schüler von L.-S. ADAM und J.-B. PIGALLE, arbeitete 1762–71 in Rom, 1795–98 in Nancy, sonst meist in Paris. C. war ein Tonplastiker von ungewöhnl. Begabung; seine Kleinplastiken aus versch. Material (Statuetten, Reliefs, Vasen) gehören zu den besten Leistungen des späten 18. Jh.

Cloisonné [klwasɔn'e, frz.], **Émail cloisonné** [em'aj-] *das,* **Zellenschmelz,** eine Technik der →Emailkunst.

Cloisonismus [frz. cloison ›Scheidewand‹], Malweise, bei der die Farbflächen durch schwarze Linien umrahmt sind, vergleichbar der Cloisonné-Technik in der Emailkunst oder den Glasfenstern mit Bleistegen. Der C. wurde von V. v. GOGH, H. TOULOUSE-LAUTREC und von den Malern von →Pont Aven (P. GAUGUIN, E. BERNARD) zw. 1886 und 1891 angewendet, wobei der Streit um die Erfindung heute am ehesten für Bernard (gemeinsam mit L. ANQUETIN) entschieden wird. Die Bilder zeigen eine flächige Farbkontrastierung, wie sie auch im japan. Farbholzschnitt vorkommt.

Cloisonism, Ausst.-Kat., Amsterdam (1981).

Cloisters [kl'ɔɪstəz], Abteilung des →Metropolitan Museum of Art, New York.

Clonfert [kl'ɔnfə:t], Ort in der histor. Prov. Connacht, NW-Irland. Von der Kirche der im 6. Jh. gegr. Abtei ist ein Stufenportal des späten 12. Jh. mit eingestellten Säulen und Wimperg erh., letzterer mit eingefügter Blendarkatur und menschl. Köpfen, die in der Dreiecksmusterung des oberen Teils zw. rosettenförmigen Blättern und Blüten wiederholt werden.

Clonmacnoise [klɔnməkn'ɔɪz], Ruinenstätte einer 548 gegr. Klosteranlage südlich von Athlone, Irland, mit Resten der Kathedrale u.a. Kirchen des 10.–15. Jh.; Burgruine (13. Jh.), 2 Rundtürme (10.–12. Jh.), Steinkreuze (BILD), Grab- und Gedenksteine (6.–12. Jh.).

Cloppenburg, Stadt in Ndsachs., 20800 Ew.; Museumsdorf für bäuerl. Kultur des Oldenburger Münsterlandes (1934 gegr.), das größte Freilicht-Mus. Dtl.s mit 40 wertvollen niedersächs. Bauernhäusern.

Close [kləʊs], Chuck, amerikan. Maler, *Monroe (Washington, D.C.) 5. 5. 1940. Nach abstrakten Anfängen malt und zeichnet C. seit 1967 Porträtköpfe nach photograph. Vorlagen. Seine überdimensionierten Bilder kopieren keine einzelne Photographie, sondern demonstrieren das photograph. Sehen selbst mit seinen versch. Schärfegraden. (BILD Fotorealismus)

Clouet [klu'ɛ], **1)** François, gen. **Janet** [ʒan'ɛ], frz. Maler, Sohn von 2), *Tours(?) zw. 1505 und 1510, †Paris 22. 9. 1572, seit 1540 Hofmaler von FRANZ I., dann

François Clouet: Pierre Quthe; 1562 (Paris, Louvre)

HEINRICH II. Zwei von ihm signierte Bilder sind erhalten (›Pierre Quthe‹, 1562, Paris, Louvre; ›Inconnue au bain‹, um 1550, Washington, Nat. Gal. of Art); viele Zuschreibungen, darunter v. a. 50 farbige Porträtzeichnungen (20 in Paris, Nat.-Bibl., weitere in Chantilly, Mus. Condé). Sein Stil ist stark vom florentin. Manierismus (A. BRONZINO, J. DA PONTORMO, F. SALVIATI) sowie der Schule von Fontainebleau beeinflußt. In der Meisterschaft des Porträts und der Wiedergabe des Stofflichen erinnert C. an H. HOLBEIN D. J. Naturalist. Sachlichkeit kennzeichnet seinen Stil.

2) Jean, gen. **Janet** [ʒan'ɛ], frz. Maler, * Flandern um 1480, † Paris 1540 oder 1541, bis 1529 Hofmaler FRANZ' I. Ihm werden rund 130 Porträtzeichnungen in schwarzer Kreide und Rötel zugeschrieben (Chantilly, Mus. Condé) sowie Porträtminiaturen in den ›Commentaires des Guerres Galliques‹ (1529; Paris, Nat.-Bibl.) und kleine Ölbildnisse in fläm. Tradition. Neben H. HOLBEIN D. J. gehört C. zu den besten Porträtisten der Renaissance nördlich der Alpen.

P. MELLEN: J. C. (London 1971).

Clọvio, Giulio, ital. Miniaturmaler, *Grižane (Kroatien) 1498, †Rom 3. oder 4. 1. 1578, kam 1516 nach Italien, bildete sich bei GIULIO ROMANO als Miniaturmaler aus. Er war 1524–26 in Ungarn, später in Rom und Florenz tätig und fertigte u. a. viele Kopien nach Zeichnungen RAFFAELS, MICHELANGELOS u. a. an.

Cluj-Napọca [kluʒ-], Stadt in Rumänien, →Klausenburg.

Cluny [klyn'i], Stadt im frz. Dép. Saône-et-Loire, Burgund, nordwestlich von Macôn, 4300 Ew. – C. verdankt seine Entstehung der 909 von WILHELM VON AQUITANIEN gegr. Benediktinerabtei und war im frühen MA. Ausgangs- und Mittelpunkt einer umfassenden Erneuerung des Mönchtums, auch der Weltgeistlichen und Laienwelt.

Die ma. Klosteranlage wurde in der Frz. Revolution fast völlig zerstört; durch Ausgrabungen konnte die Baugesch. der Kirche rekonstruiert werden: Der 1. Bau stammte aus der Gründungszeit, der 2., 981 gew., war eine dreischiffige, kreuzförmige Basilika mit langgestrecktem O-Teil (Altarraum, Kapellen, Nebenräume) sowie Vorhalle und Atrium im W; er wurde Vorbild für viele benediktin. Kirchen des 11. und 12. Jh.

Der 3. Bau (1089–Mitte 12. Jh.), von riesiger Ausdehnung (187,30 m lang) und gewaltiger Höhe, besaß 5 Längsschiffe, 2 Querschiffe, einen Chorumgang mit 5 Kapellen, 8 Türme und eine dreischiffige Vorkirche. Er verkörperte gegenüber dem asket. Charakter des 2. Baus den Geist einer höchste Machtansprüche vertretenden Hierarchie; auch diese Anlage, die größte abendländ. Kirche des MA., hatte Nachfolgebauten in Frankreich. Im Zuge der Frz. Revolution wurde die Kirche bis auf den Südflügel des westl. Querhauses abgebrochen.

Clusium, etrusk. Stadt, →Chiusi.

Coatlicue [Nahuatl ›unsere Herrin mit dem Schlangenrock‹], die Erdgöttin der Azteken, die Mutter des Stammesgottes Huitzilopochtli. (BILD Azteken)

Cobá, großes Zeremonialzentrum der vorkolumb. Maya-Kultur im Bundesstaat Quintana Roo, Mexiko, zw. 5 Seen; erst z. T. freigelegt; Blütezeit um etwa 700, mit Pyramiden, Tempeln, Stelen, mehreren Zeremonialstraßen, von denen eine (100 km lang) C. mit Yaxuna, einem Kultzentrum südlich von Chichén Itzá, verbindet.

Cobra, Abk. für **Co**penhagen-**Br**üssel-**A**msterdam, eine 1948 in Amsterdam gegr. avantgardist. Gruppe

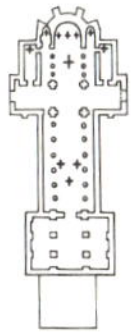

a

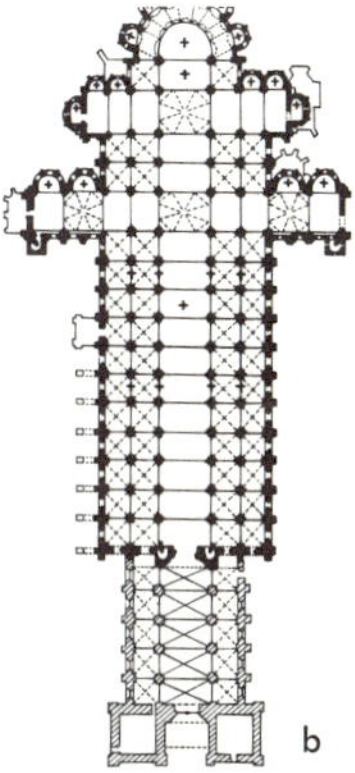

b

Cluny: a die in der 2. H. des 10. Jh. erbaute 2. Kirche, deren Ostteile bis in das 18. Jh. erhalten blieben. **b** der 1089 begonnene und gegen Mitte des 12. Jh. vollendete Neubau der 3. Kirche; Gesamtlänge 187,30 m (nach den Ausgrabungen von Conant)

Cobra: A. Jorn, eine Cobra-Gruppe; 1965 (München, Galerie van de Loo)

von dän., fläm. und niederländ. Malern (A. JORN, K. APPEL, P. ALECHINSKY, CONSTANT, G. CORNEILLE u. a.), die bis 1951 gemeinsam mit dem fläm. Schriftsteller C. DOTREMONT die gleichnamige Ztschr. herausgab. Ihr Programm, das eine Verschmelzung von Expressionismus, Surrealismus und Abstraktion mit den Mitteln des Informel anstrebte, beeinflußte ähnl. Gruppen. v. a. in Dtl., Italien und Spanien. (BILD P. Alechinsky)

C., Ausst.-Kat., Hamburg (1982)

Coburg, Stadt in Oberfranken, 46 000 Ew.; seit 1572 mehrfach Residenz (1826–1918 Hzgt. Sachsen-C.-Gotha). Die Veste C. (12.–16. Jh.) ist eine der größten dt. Burgen (Kunstsamml.: Graphik, Waffen, Glas, Kutschen, Münzen). Im Stadtschloß ›Ehrenburg‹ (16. Jh., ab 1811 unter Beteiligung von K. F. SCHINKEL neugotisch umgebaut) Mus. (Prunkräume, Gemäldegal.). Landestheater (1840) mit bemerkenswerten klassizist. Innendekorationen; Barockrathaus (1750); mehrere hervorragende Spätrenaissancebauten (v. a. ›Cantzley‹); Stadtbefestigung. Die Morizkirche (15./16. Jh. und 1740–42) vereinigt Spätgotik und Barock (Prunk-Alabaster-Epitaph).

Coca, Städtchen in der span. Prov. Segovia, Altkastilien; im Mudéjar-Stil aus Backstein erbautes Kastell (15. Jh.) auf quadrat. Grundriß mit dreifacher Ummauerung, vieleckigen Türmen, die wiederum mit kleineren Türmchen verziert sind; achtstöckiger Backsteinturm der Kirche S. Nicolás aus dem 13. Jh. erh.

Cochem, Stadt an der Mosel, Rheinl.-Pf., mit ma. Stadtbild, 7100 Ew.; über der Stadt Burg C. (um 1027; 1689 Ruine, 1868–77 wiederaufgebaut) mit Mus.; 4 km nordwestlich die Burgruine Winneburg (13. Jh.).

Cochenille [kɔʃn'ij, frz.], Maltechnik: aus getrockneten weibl. Schildläusen (Coccus cacti) gewonnener roter Farbstoff, aus dem →Karminrot hergestellt wird.

Cochin [kɔʃ'ɛ̃], Charles-Nicolas d. J., frz. Zeichner, Kupferstecher, auch Schriftst. und Kunsttheoretiker, *Paris 22. 2. 1715, †ebd. 29. 4. 1790, lernte bei seinem Vater Charles-Nicolas C. D. Ä. (*1688, †1754), der nach den Zeichnungen seines Sohnes stach, und bei J. P. LE BAS; war 1749–51 in Italien. C. zeichnete und radierte Bildnisse (Gelehrte und Künstler), Szenen von Hoffestlichkeiten (Hochzeit des Dauphin, 1745) und bes. Illustrationen zu Werken von LA FONTAINE, FÉNELON, TASSO, ARIOSTO; bed. Graphiker des Rokoko.

Cock, Hieronymus, niederländ. Verleger, Radierer, *Antwerpen um 1507 oder 1510, †ebd. 3. 10. 1570; angeregt durch den Graphikvertrieb der Raffael-Werkstatt in Rom, errichtete er ab 1548 in Antwerpen seinen Verlag ›Zu den Vier Winden‹; als größter Stichverleger seiner Zeit vertrieb er Kompositionen von H. BOSCH, P. BRUEGEL D. Ä., F. FLORIS, M. VAN HEEMSKERCK u. a.

T. RIGGS: H. C. Printmaker and publisher (New York 1977).

Cockerell [k'ɔkərəl], Charles Robert, Baumeister, Archäologe, *London 28. 4. 1788, †ebd. 17. 9. 1863, 1810–16 Studienreise nach Griechenland, Italien und Kleinasien; beteiligte sich an den Ausgrabungen des

Aphaiatempels auf Ägina und des Apollontempels von Bassae, veröffentlicht in der Publikation ›The temples of Jupiter Panhellenius at Aegina and of Apollo Epicurius at Bassae‹ (1860). Er schuf Rekonstruktionszeichnungen vom Kapitol, Forum Romanum, Parthenon, von Pompeji, Halikarnassos u.a. Eigene Bauten C.s, meist klassizist. Stils, sind u.a. die Bibliothek der Univ. (Law Library) und das Fitzwilliam Mus. in Cambridge sowie das Ashmolean Institute in Oxford.

D. WATKIN: Life and work of C. R. C. (London 1974).

Coclẹ, Kulturprov. an der Pazifikküste Panamas. Bedeutendster Fundort ist Sitio Conte (Blütezeit 650 bis 1200) mit Stadtanlage und großem Begräbnisplatz. Die Keramik ist polychrom (schwarz, rot und lila auf weißem Grund), mit geometr. Mustern bemalt; vorherrschende Motive sind ein Krokodildämon und ein den Buchstaben C und Y ähnl. volutenartiges Element. Bei den Goldarbeiten überwiegen plast. Frosch- und Adlerfiguren.

Cọdde, Pieter, holländ. Maler, *Amsterdam 11. 12. 1599, begraben ebd. 12. 10. 1678, stellte sittenbildl. Szenen in tonig gemalten Innenräumen dar (Wachstuben, Tanzgesellschaften). Darin verbinden sich Anregungen von F. HALS (dessen 1637 unvollendet gebliebenes Amsterdamer Schützenstück er vollendete; heute im Rijksmus. ebd.) mit dem Helldunkel des frühen REMBRANDT. C. ist ein wichtiger Vertreter der frühen Genre- und Gesellschaftsmalerei am Anf. des 17. Jh.

Cọdex [lat. ›Buch‹] *der,* **Kodex,** Abk. **Cod.,** *Mz.* **Cọdices,** Buchform. Der handgeschriebene C. trat in der Spätantike und im MA. an die Stelle der Buchrolle. Er war viereckig, bestand aus Lagen von Pergamentblättern und war in meist mit Leder überzogenen Holzdeckeln gebunden. Für kostbare Hss. wurden die Deckel mit Edelmetall überzogen und mit Edelsteinen, Perlen, Elfenbeinschnitzereien u.a. reichlich geschmückt (Kleinodienbände). – C. werden auch die →Bilderhandschriften der Mesoamerikan. Hochkulturen genannt.

Cọdex Amiatịnus, →Amiatinus.

Cọdex Aụre|us [lat. ›goldenes Buch‹], Bez. für mittelalterliche Pracht-Hss. mit goldenen Buchstaben (→Chrysographie) oder goldenen Einbanddeckeln. Bes. bekannt sind der C. A. der →Echternacher Malerschule, das in goldener Unzialschrift geschriebene Lorscher Evangeliar und der C. A. von St. Emmeram in Regensburg, ein Evangeliar in Goldschrift, miniaturengeschmückt und mit goldenem Einband; 870 für KARL DEN KAHLEN von BERINGAR und LIUTHARD angefertigt (seit 1811 in der Bayer. Staatsbibl. München). BILD S. 260

Cọdex Rossanẹnsis, nach seinem Aufbewahrungsort (Rossano, Diözesan-Mus.) benannter illustrierter Evangelientext des 6. Jh. (Herkunft: Palästina/Syrien, Kleinasien oder Konstantinopel). Er ist in Fragmenten erhalten (Matthäus und Markus) und in goldenen und silbernen Unzialen auf Purpurpergament geschrieben. Miniaturen, außerhalb des Textes am Anfang des Bandes stehend, wiederholen ältere Vorbilder.

Codex Aureus aus St. Emmeram in Regensburg, 870 (München, Bayer. Staatsbibliothek)

Ihr höf. Stil zeigt in ausgewogenen Kompositionen große elegante Figuren mit knappen, sprechenden Gesten.

Codex Sinopensis, in Syrien entstandener Evangelientext des 6. Jh. (Paris, Bibl. Nat.). Er ist in goldenen Unzialen auf Purpurpergament geschrieben; nur Fragmente (Matthäus) sind erhalten. Die Miniaturen stehen jeweils am unteren Rand und nehmen in voller Breite ein Viertel der Seite ein. Ihr Bildinhalt folgt eng dem Text, weist kaum architekton. oder landschaftl. Elemente auf und zeigt kleine, untersetzte, kraftvoll agierende Figuren in leuchtenden Farben.

Codroipo, nordital. Stadt in der Prov. Udine, 12 000 Ew. Im Ortsteil Passariano die **Villa Manin,** eine schloßartige Anlage des 18. Jh., von dem letzten Dogen Venedigs, LUDOVICO MANIN, erbaut, mit reicher plast. Ausschmückung (v. a. in Schloßkirche und Park).

Coducci [kod'uttʃi], **Codussi,** Mauro, gen. **Moretto,** ital. Steinmetz, Baumeister, *Valle Brembana um 1440, †Venedig im April 1504, verwendete als erster in Venedig die Bauformen der Renaissance (seit 1469).

HW (alle Venedig): Kirche von S. Michele in Isola (1468–80), oberer Teil der Fassade von S. Zaccaria (1483), S. Maria Formosa (1492), Uhrturm auf dem Markusplatz, Palazzo Vendramin-Calergi (um 1500 beg.).

Coecke van Aelst [k'u:kə van a:lst], Pieter, fläm. Maler, Baumeister, *Aalst 14. 8. 1502, †Brüssel 6. 12. 1550, reiste (vor 1525) nach Italien und (1533) in die Türkei; dortige Eindrücke schilderte er in einer Holzschnittfolge. C. van A. malte im Stil seines Lehrers B. VAN ORLEY romanist. Historienbilder; er lieferte auch Entwürfe für Glasfenster und Tapisserien und schuf dekorative Skulpturen und Pläne für Bauwerke im niederländ. Renaissancestil. C. van A. übersetzte S. SERLIOS

Architekturtraktat ins Französische und Niederländische. Er war der Schwiegervater von P. BRUEGEL D. Ä., als dessen Lehrer er überliefert wird.

Coelinblau, Maltechnik: beständiges, künstl. Mineralpigment, seit etwa 1860 in der Malerei verwendet.

Coello [ko'eʎo], **1)** Alonso, span. Maler, →Sánchez Coello.

2) Claudio, span. Maler, *Madrid 2. 3. 1642, †ebd. 20. 4. 1693, Sohn eines portug. Bronzegießers. C. lernte bei F. RIZI, wurde aber weit stärker von J. CARREÑO DE MIRANDA beeinflußt, der ihn zu seinem Mitarbeiter machte und ihm das Studium der Gemälde im Escorial ermöglichte. C. wurde 1685 Nachfolger Carreños als Hofmaler. Sein monumentaler Stil, sein Anspruch, das Porträtfach ebenso wie Kompositionen relig. Inhalts zu meistern, und seine tiefe, satte Farbigkeit zeigen seine Ausrichtung an TIZIAN und P. P. RUBENS. C. schuf Fresken (Deckenfresko im Vestiarium der Kathedrale von Toledo, 1671) sowie in königl. Auftrag zahlreiche Porträts und Altarbilder, u. a. den ›Sagrada-Forma-Altar‹, der Karl II. und seine Familie beim Gebet zeigt (1685, in der Sakristei des Escorial).

Coemeterialbasilika, in frühchristl. Zeit eine Basilika im Bereich eines unterird. oder ebenerdigen Friedhofs (lat. coemeterium), meist in der Nähe von Märtyrergräbern oder -gedenkstätten.

Coesfeld [k'o:s-], Kreisstadt in NRW, westlich von Münster, 30 700 Ew., ehem. Mitgl. der Hanse; Altstadt 1945 zu 80% zerstört. Spätgot. Lambertikirche (Westfront 1686–1703) mit Gabelkreuz des frühen 14. Jh.; Jesuitenkirche (1673–92, nach Wiederaufbau innen modern gestaltet) und ehem. Kolleg (1663); Jakobikirche (1948/49) mit wiederverwendetem Stufenportal des 13. Jh., spätroman. Taufstein und Antwerpener Schnitzaltar (um 1520).

Cogniet [kɔɲ'ɛ], Léon, frz. Maler, *Paris 29. 8 1794, †ebd. 20. 11. 1880, malte anfänglich im klassizist. Stil von J. L. DAVID, später Historienbilder i. S. der Romantik (›Marius auf den Ruinen Karthagos‹; Toulouse, Mus. des Augustins). Als Lehrer war er von nachhaltigem Einfluß (E. MEISSONIER, L. BONNAT).

Cogolludo [kogoʎ'uðo], Ort in der span. Prov. Guadalajara, Neukastilien; 1492–95 in ital. Renaissance-Stil erbauter Palast (Fassade aus gleichförmigen Quadern, isabellin. Doppelfenster und Portal); Pfarrkirche (16. Jh.; Christus-Gemälde von J. DE RIBERA).

Coimbra [ku-], Distriktshauptstadt und Bischofssitz in Mittel-Portugal, 57 000 Ew., auf einem Hügel über dem Mondego-Tal gelegen, mit Ober- und Unterstadt. In der Oberstadt die Alte Kathedrale, ab 1170 in roman. Stil erbaut als Wehrkirche mit schmucklosem Äußeren; nur das dreistöckige N-Portal (1540 ff. unter Mitwirkung von JOÃO DE ROUÃO), das zu den besten Arbeiten im Emanuelstil zählt, lockert die eintönige Front auf; dreischiffiges Inneres mit Dreiapsidenchor, spätgot. fläm. Hochaltarretabel (um 1500), Grabdenkmal des Bischofs ALMEIDA mit Reliefszenen (nach 1543; von

João de Rouão), emanuelin. Taufbecken (Anf. 16. Jh.); Kreuzgang des 13. Jh. Die Neue Kathedrale im Barockstil wurde von B. ALVARES 1598 ff. für die Jesuiten errichtet. Im ehem. Bischofspalast (16. Jh.) das Mus. Machado de Castro (röm. Funde aus →Conimbriga, ma. Plastik, Gemäldegal.). Die Alte Univ. (1307 gegr.) ist seit 1540 im ehem. königl. Schloß untergebracht (barokkes Tor, 1634; Schloßkirche mit emanuelin. Portal von D. BOYTAC, 1500; Alte Bibliothek mit prächtiger barokker Innenausstattung, 1716–1723). In der Unterstadt die roman. Kirche S. Tiago (1064) und das ehem. Augustinerkloster S. Cruz (1131 beg.), das ab 1502 bis etwa 1540 im Emanuelstil von den beim Klosterbau in Belém tätigen Meistern (Boytac, N. CHANTEREINE, D. DE CASTILLO, João de Rouão) umgebaut und ausgestattet wurde: einschiffige Klosterkirche mit sechseckigem Chor und 2 Königssarkophagen von Chantereine, mit 12 m hohem Aufbau, gedrehten Tausäulen am Triumphbogen, prachtvoller Kanzel mit Statuen der Kirchenväter von João de Rouão; zweistöckiger Kreuzgang mit emanuelin. Dekor und Passionsreliefs. Auf dem linken Mondego-Ufer das Kloster S. Clara mit alter (1286–92; heute Ruine) und neuer Klosterkirche (1649–96); in der Nähe das Kloster de Celas (13. Jh.; im Kreuzgang hervorragende Figurenkapitelle).

Cokwe [ʃ-], Volk in Angola, →Chokwe.

Colchester [k'əultʃistə], Stadt in der Cty. Essex, O-England, 79 600 Ew. In der auf eine röm. Gründung zurückgehenden Stadt wurde nach der Eroberung durch die Normannen um 1080 eine Burg mit dem größten in England erh. roman. Bergfried (Keep), ähnlich dem White Tower in London, errichtet. Das Rathaus wurde 1898–1902 von J. BELTON erbaut.

Colditz, Stadt in Sachsen, über der Zwickauer Mulde, Dt. Dem. Rep., 6700 Ew.; über der Stadt das Schloß (1578–91 unter Verwendung spätgot. Teile), große unregelmäßige Anlage um 2 Höfe; Stadtkirche St. Ägidien, Chor mit Netzgewölbe (1. H. 15. Jh.), Langhaus mehrfach verändert; Altes Rathaus, Renaissancebau mit Volutengiebeln über 3 Seiten (voll. 1540, 1650–57 erneuert).

Cole [kəul], Thomas, amerikan. Maler brit. Herkunft, *Bolton le Moors (Lancashire) 1. 2. 1801, †Catskill (New York) 11. 2. 1848, kam 1819 in die USA. Seine Darstellungen der Catskill Mountains erweckten erstmals das Interesse an der amerikan. Landschaft. C. war Mitbegründer der →Hudson River School. Neben realist. Landschaften vom Hudson entstanden auch allegor. und relig. Ideallandschaften (›Der Pokal des Riesen‹, 1833; New York, Metropolitan Mus.).

Colịma, Bundesstaat in W-Mexiko, an der Pazifikküste, auch Stilbez. innerhalb der →Westmexikanischen Kulturen.

Colịn [frz. kɔl'ɛ̃], Alexander, fläm. Bildhauer, *Mecheln 1527 oder 1529, †Innsbruck 17. 8. 1612, schuf seit 1558 den Figurenschmuck des Ottheinrichsbaus vom Heidelberger Schloß, seit 1564 Reliefs für das Grabmal Kaiser Maximilians I. (Innsbruck, Hofkirche), ferner

Grabdenkmäler (Kaiser Ferdinand I. mit Gemahlin und Sohn Maximilian II., 1589 voll.; Prag, St. Veits-Dom) und Brunnen.

Collage [kɔl'a:ʒə, frz.], ein Bild mit auf die Malfläche geklebten Stücken von Papier (u. a. mit Text), Tapete, Stoffen, Drahtgaze u. a. Diese Art der Montage wurde als →Papiers Collés von G. Braque und P. Picasso eingeführt und von vielen Kubisten und Futuristen nach versch. ästhet. Gesetzen angewendet. Dadaisten und Surrealisten vermehrten den Textanteil, entwickelten die **Photo-C.** und erweiterten die Auswahl der Materialien (→Assemblage, →Combine-Painting). Die durch Abtragung wieder zerstörte C. ist die **Décollage;** als ihre Erfinder gelten W. Vostell und R. Koehler.

H. Wescher: Die Gesch. der C... ([2]1974).

Collage von Kurt Schwitters; 1921 (Hofheim a. Ts., Privatsamml.)

Collantes [koʎ'antes], Francisco, span. Maler, *Madrid 1599, †ebd. 1656, Schüler von V. Carducho, malte v. a. Landschaften, bibl. Szenen mit Landschafts- oder Architekturkulisse und relig. Themen.

HW: Vision Hesekiels (1630; Madrid, Prado).

Colle, Raffaello dal, ital. Maler, *Borgo San Sepolcro um 1490, †ebd. 17. 11. 1566, Schüler und Gehilfe Raffaels, später Giulio Romanos. Er malte Altarbilder und war an der Ausschmückung der Villa Imperiale bei Pesaro beteiligt.

Colle di Val d'Elsa, ital. Städtchen in der Toskana (Prov. Siena). In Colle Basso (Unterstadt) die Kirche S. Agostino (Fassade 13. Jh.; im Inneren Gemälde von Ghirlandaio und Bronzino); in Colle Alto (Oberstadt, mit Häusern und Türmen aus dem MA.) der Dom (1603 beg.; im Inneren Bronzekruzifix von Giambologna), Palazzo Campana (1539 von Baccio d' Agnolo beg.), Palazzo Pretorio (1335 beg.) u. a.

Colleoni, Coleone, Bartolomeo, ital. Söldnerführer, *Schloß Solza bei Bergamo 1400, †Schloß Malpaga bei Bergamo 4. 11. 1475, seit 1454 Generalkapitän von Venedig. Seinen Ruhm bezeugt das 1479–88 von A. DEL VERROCCHIO entworfene und von A. LEOPARDI gegossene Reiterstandbild vor der Kirche SS. Giovanni e Paolo in Venedig sowie die C.-Kapelle in →Bergamo.

Collins [k'ɔlınz], William, engl. Maler, Radierer, *London 18. 9. 1788, †ebd. 17. 2. 1847, erhielt seine Ausbildung an der Royal Academy, London, unternahm ausgedehnte Studienreisen auf den Kontinent, u.a. nach Italien (›Villa d'Este‹, 1842; London, Victoria and Albert Mus.). Sein Schaffen umfaßt Kinderbilder, ländl. Bauern- und Fischerszenen (›Fischende Kinder‹, 1837; Cambridge, Fitzwilliam Mus.).

Colmar, auch **Kolmar,** Stadt im Oberelsaß (64200 Ew.) mit gut erhaltenem mittelalterl. Stadtkern. Bedeutendstes kirchl. Bauwerk ist das got. Münster St. Martin (nach 1234 bis Ende 15. Jh.; Chor 1375 voll.; Turmhelm des S-Turms 1575, Wahrzeichen von C.), im Inneren auf dem linken Seitenaltar M. SCHONGAUERS Gemälde ›Maria im Rosenhag‹ (1473); weiterhin Dominikanerkirche (1283–Anf. 14. Jh.); Franziskanerkirche (1292–1340, 1491 erneuert) u.a. Im Mus. Unterlinden (Dominikanerinnenkloster, 1232 gegr., Kirche 1252 bis 1569) der →Isenheimer Altar von MATHIAS GRÜNEWALD und Altartafeln u. a. von Schongauer. Unter den zahlreichen Bürgerbauten sind hervorzuheben das Kaufhaus (Ancienne Douane, 1480), Pfisterhaus (1537), Arkadenbau (1606), Kopfhaus (1609), Rathaus (Ende 18. Jh.) sowie die Häuser am Obstmarkt (Place du Marché-aux-Fruits) und Münsterplatz (Place St. Martin) und das Viertel rechts und links der Lauch (›La Petite Venise‹).

Colombe [kɔl'ɔ̃b], **1)** Jean, frz. Buchmaler, vermutlich Bruder von 2), *Bourges um 1440, †ebd. 1529, vollendete für KARL VON SAVOYEN die ›Très riches heures du duc de Berry‹ (1485) und führte für LUDWIG VON LAVAL ein Stundenbuch aus (1480–89).

2) Michel, frz. Bildhauer, vermutlich Bruder von 1), *in der Bourgogne um 1430, †Tours um 1515, arbeitete im Umkreis von J. FOUQUET in spätgot. Formen Altar- und Grabskulpturen. In seinen reifen Werken ist schon ein Hauch der frühen Renaissance zu spüren. C. war der bedeutendste frz. Bildhauer der 2. H. des 15. Jh.

HW: Grab Franz' II. der Bretagne und seiner Gemahlin (1502–07; Nantes, Kathedrale).

Colombo, Hauptstadt von Sri Lanka (Ceylon), an der W-Küste der Insel, 618000 Ew.; im 16. Jh. als portug. Niederlassung gegr.; aus brit. Zeit einige Kirchen und Kolonialbauten; im Nat.-Mus. zahlreiche buddhist. Skulpturen versch. Kunstepochen sowie hinduist. Bronzen der Chola-Zeit.

Colonia, span. Baumeisterfamilie dt. Abstammung (wohl aus Köln), in →Burgos seit etwa 1440 als Baumeister der Kathedrale nachweisbar. Juan de C. (*1410, †1481), auch **Hans von Köln** gen., schuf die

Turmhelme in durchbrochenem Filigran nach dem Vorbild des Kölner Domrisses und die Capilla de la Visitación; er entwarf die Pläne für die Kartause von Miraflores, die von seinem Sohn Simón de C. (†vor 1511) voll. wurde. Dieser erbaute die oktogonale Capilla del Condestable der Kathedrale, ein hervorragendes Beispiel des Isabellinischen Stils. Francisco de C. († nach 1542), Sohn Simóns, schuf mit der Puerta de la Pellejería der Kathedrale ein Glanzstück des frühen Platereskenstils.

Color-field-painting [k'ʌlə fi:ld p'eɪntɪŋ, engl.], →Farbfeldmalerei.

Columbarium [lat. ›Taubenschlag‹] *das,* röm. und frühchristl. Grabstätte mit über- und nebeneinander angeordneten Wandnischen zur Aufnahme von Aschenurnen. Die Wände waren oft mit Ranken und mytholog. Motiven bemalt oder stuckiert, im 2. Jh. n. Chr. häufig mit reicher Stuckarchitektur geschmückt. Im 3. Jh. wurden die C. vielfach in Arkosolien umgewandelt. Heute werden auch diese Grabmonumente C. genannt; sie enthalten z. T. mehrere, in Stockwerken angeordnete, künstlerisch ausgestattete Räume.

Columbus [kəl'ʌmbəs], Stadt in Indiana, USA, 26457 Ew., mit vielen Beispielen moderner und zeitgenöss. Architektur, u. a. First Christian Church (1942, von ELIEL und EERO SAARINEN), Lillian C. Schmitt Elementary School (1957, von H. WEESE), North Christian Church (1964, von Eero Saarinen), Cleo Rogers Memorial Library (1969, von J. M. PEI), das Gebäude der lokalen Tageszeitung (1971, von M. GOLDSMITH) und das Commons and Courthouse Center (1970, von C. PELLI, mit Skulptur von J. TINGUELY). Zweig des Indianapolis Mus. of Art.

Columna [lat.], die →Säule, v. a. die einzelstehende

Alex Colville: Tankstelle; 1966 (Köln, Museum Ludwig)

Säule; **C. caelata,** die in ihrem unteren Abschnitt mit Relieffiguren geschmückte Säule (Artemision in Ephesos, 6. und 4. Jh. v. Chr.).

Colville [k'ɔlvɪl], Alex, kanad. Maler, *Toronto 24. 8. 1920, fand früh Anschluß an die realist. Malerei der 1920er Jahre in den USA und stellte so die Verbindung zu den jüngsten Tendenzen des Realismus her. Die scheinbar banalen Situationen von Menschen und Tieren in typ. Lebensräumen deuten die Absurdität der modernen Zivilisation. (BILD S. 265)

A. C., Ausst.-Kat., Hannover (1969).

Comasken, Magistri Comacini, Baumeister und Steinmetzen aus der Gegend von Como, deren Zusammenschluß bereits für das Jahr 643 durch ein Edikt des Langobardenkönigs ROTHARI urkundlich bezeugt ist. Als Bildhauer waren die C. bes. im 12. Jh. wirksam. Einflüsse ihrer Kunst lassen sich bis ins Poitou, an den Oberrhein und nach Lund verfolgen. Im 17. und 18. Jh. gingen bed. Baumeister und Bildhauer (D. FONTANA, C. MADERNO, F. BORROMINI) aus den Familien hervor.

Combine-Painting [kəmb'aɪn p'eɪntɪŋ, engl. ›kombinierte Malerei‹], Kunstwerke aus dem Bereich der →Assemblage. Der Begriff C.-P. stammt von R. RAUSCHENBERG, der, anknüpfend an die Collagetechnik der Dadaisten und Surrealisten, in seinen Werken seit 1953 bis Anfang der 1960er Jahre Partien von spontaner Malerei mit Objekten wie Tapetenresten, Gegenständen aus Holz, Metall, Gummi, Glas, Stoff, ausgestopften Tieren, Radios oder Lampen verband. Er befestigte diese auf dem Bildträger oder brachte sie in losen Zusammenhang mit ihm. Oftmals handelt es sich um gebrauchte Gegenstände der Konsumproduktion. (BILD S. 267)

Comics [k'ɔmɪks, engl.], schwarz-weiße oder farbige, gezeichnete Bildergeschichten in Fortsetzungen, die als kurze Bildstreifen **(C.-Strips)** in der Presse oder als mehrseitige C.-Hefte **(C.-Books)** mit Helden- und Antihelden-Figuren erscheinen, deren Dialogtexte in typischen Sprechblasen (engl. ›Speech balloons‹) eingeschlossen sind. Kulturgeschichtlich sind die C. Nachfolger der volkstüml. Bilderbogen, der satirisch-polit. Karikaturen und der amerikan. Groschenromane (›Pulps‹) des 19. Jh. Die ersten C.-Strips entstanden 1894 in den USA und erreichten mit der Serie ›The Katzenjammer Kids‹ (seit 1897) von R. DIRKS, einer amerikan. Version des ›Max und Moritz‹ von W. BUSCH, ihren ersten publizist. Großerfolg. Das Grotesk-Komische betonten die C. ›The Krazy Kat‹ von G. HERRIMANS (1913 ff.) und ›Mickey-Mouse‹ (1930 ff.) von WALT DISNEY. Nach dem 2. Weltkrieg wurden auch Wildwest-, Science-fiction-, Horror-, Kriminal-Serien u. a. als C. bearbeitet. Die C. von J. COLLIN ›Tricky Cad‹ (1953–59) werden wegbereitend für die Pop Art gehalten. In den 60er Jahren fand eine Wechselwirkung zw. Pop Art und C. statt. Auf der Suche nach der Entmystifizierung des Bildes übernahmen Künstler wie W. N. COPLEY und Vertreter der Pop Art (R. LICHTENSTEIN) die Beschriftung ihrer Bilder von den C., andererseits übernahmen die C.-Zeichner die grellen Farben der Pop Art

Combine-Painting:
R. Rauschenberg, ›Black market‹; 1961 (Köln, Museum Ludwig)

und betonten die Klischee- und Konsumzwänge ihrer Heldenfiguren (G. PEELLAERTS u. P. BARTIERS ›Jodelle‹ 1966 ff.). In den 1970er Jahren setzten sich wieder humorist., zeichnerisch qualitätvolle C. durch (R. GOSCINNY u. A. UDERZO ›Asterix‹).

Commodité [kɔmɔdit'e, frz.] *die,* architekturtheoret. Begriff des 18. Jh., der die sinnvolle und funktionale Zuordnung der Räume fordert und bürgerl. Wohnvorstellungen anklingen läßt. (Schloß Wilhelmsthal, Kassel, 1747–61; Schloß Benrath, 1755–69.)

Communs [kɔm'œ̃, frz.] *Mz.,* Teil der barocken, meist dreiflügeligen Schloßanlage: die Nebengebäude für wirtschaftl. Zwecke und zur Unterbringung der Bediensteten, die an das →Corps de logis anschließen und die →Cour d'honneur umschließen.

Como, nordital. Stadt und Bischofssitz an der SW-Spitze des Comer Sees, 98 000 Ew. In der Altstadt mit Türmen der ma. Stadtbefestigung (v. a. Porta Torre, 1192) der got. Stadtpalast Broletto (mit Turm; um

1215), Renaissance- und Barockbauten, der Dom (Ende 14.–16. Jh.; Kuppel von F. JUVARRA, 18. Jh.; reichskulptierte Portale; im Inneren u. a. Wandteppiche des 17. Jh.) und die Kirchen S. Abondio (Basilika des 11. Jh.), S. Fedele (Neubau 11./12. Jh.) u. a. Im Palazzo Giovio das Stadtmus. (v. a. archäolog. Funde). Bei C. die Villa dell' Olmo (klassizist. Bau des 18. Jh.).

Compiègne [kɔ̃pj'ɛɲ], frz. Stadt an der Oise, nordöstlich von Paris, 38 000 Ew., mit spätgot. Rathaus (Hôtel de Ville, Anfang 16. Jh.; in einem Anbau das Mus. de la Figurine Historique mit Blei- und Zinnsoldatensamml.) und den got. Kirchen St. Jacques (13. und 15. Jh.) und St. Antoine (13. und 16. Jh.); im Hôtel de Songeons (18. Jh.) das Mus. Vivenel (v. a. Samml. grch. Vasen). Schloß (1751–88 von J.-A. GABRIEL unter LUDWIG XV. errichtet, später um- und ausgebaut) mit reich ausgestatteten königl. und kaiserl. Gemächern (heute Nat.-Mus.).

Compluvium [lat.], *das,* Dachöffnung im →Atrium des antiken röm. Hauses.

Computer-Kunst [kɔmpj'u:tər-], Graphiken und Objekte, die mit Hilfe von Computern hergestellt werden. An der Stelle des Originals steht das Programm, das beliebig abgerufen werden kann. Die Themen aus der abstrakten Kunst erscheinen meist in Ordnungssystemen in serienhafter Reihung oder rhythm. Variationen (M. ADRIAN, G. NEES, P. STRUYCKEN, L. SUMNER, Z. SYKORA).

A. A. MOLES: Kunst und Computer (a. d. Frz., 1973).

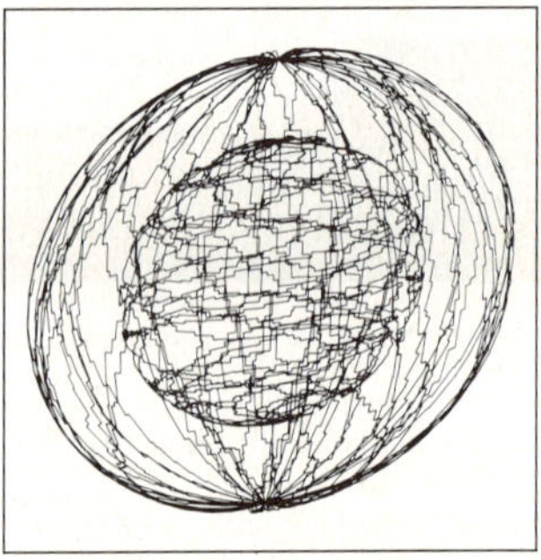

Computer-Kunst: Georg Nees, Computer-Graphik

Conca, Sebastiano, ital. Maler, *Gaeta 8. 1. 1680, †Neapel 1. 9. 1764, ausgebildet bei F. SOLIMENA in Neapel, doch nach 1706 v. a. in Rom tätig, schuf theatralisch-bewegte Andachtsbilder und Deckenfresken von spätbarockem Überschwang.

Concept Art [k'ɔnsept ɑ:t, engl. ›Ideenkunst‹], **Conceptual Art** [kəns'eptjʊəl ɑ:t], **Konzeptkunst,** internat. Kunstströmung bes. der 1970er Jahre. Auf die materielle Verdinglichung im Kunstwerk wird verzichtet. Statt dessen sollen Konzepte oder Ideenprojektionen (zusammengestellt in schriftl. Aufzeichnungen, Photos, Landkarten u. a.) den schöpfer. Denkprozeß des Betrachters anregen (R. BARRY, J. DIBBETS, J. KOSUTH, T. ULRICHS u.a.).

K. HONNEF: C. A. (1973).

Condivi, Ascanio, ital. Maler, Bildhauer, *Ripatransone (Marken) um 1525, †(ertrunken) 10. 1 . 1574. C. kam früh nach Rom in den Kreis MICHELANGELOS, dessen persönlich gehaltene, wichtigste Lebensbeschreibung er noch zu Lebzeiten des Künstlers verfaßte (1. Ausg. 1553 bei A. Blado, Rom).

Conegliano [koneʎ'a:no], ital. Stadt in der Prov. Treviso, Venetien, 23000 Ew., mit für die Gegend charakterist. Wandmalereien an Palast- und Hausfronten, so v.a. am Bruderschaftsgebäude der Scuola di S. Maria dei Battuti, deren Kirche (›Dom‹ gen., 1491 beg.) eine ›Sacra Conversazione‹ (1493) des einheimischen Malers G. B. CIMA enthält; an den ›Dom‹ angeschlossen die ›Sala dei Battuti‹ (Fresken und Ausstattung des 15./16. Jh.).

Confessio [lat.] *die,* Ruhestätte eines Märtyrers, später auch anderer Heiliger. Die C. war zunächst die Vorkammer eines Märtyrergrabes, aus ihr entwickelte sich dann die →Krypta. Durch eine Fensteröffnung (Fenestella) ist oft der Einblick in das Grab selbst möglich. – Bekannt sind die C. der röm. Basiliken, bes. in St. Peter in Rom.

Confident [kɔ̃fid'ã, frz.], **Tête-à-tête** [tɛ:tat'ɛ:t, frz.], Sitzmöbel des 19. Jh. mit S-förmiger Grundform. Die beiden Sitze sind in den Rundungen so angeordnet, daß sich die Benutzer gegenübersitzen.

Congonhas: Wallfahrtskirche Bom Jesus de Matosinhos

Congonhas [koŋg'oɲas], früher **C. do Campo,** Stadt im Staat Minas Gerais, Brasilien, 15000 Ew., wird überragt von der Wallfahrtskirche Bom Jesus de Matosinhos, einem Hauptwerk des brasilian. Barock; zu der Terrasse, auf der die Kirche steht, führt eine doppelläufige Treppenanlage mit 12 lebensgroßen Prophetenfiguren (1800–1806; aus Speckstein) von ALEIJADINHO, die zu den bedeutendsten Kunstwerken der Epoche zählen. Im Garten Passionsweg mit 64 (von ehemals 66) lebensgroßen Statuen aus Zedernholz (1796–1800) von

Aleijadinho und seiner Schule. (BILD lateinamerikanische Kunst)

Congrès Internationaux d'Architecture Moderne [kõgr'ɛzɛ̃tɛrnasjɔn'o darʃitɛkt'yr mɔd'ɛrn, frz.], →CIAM.

Conimbriga, röm. Ruinenstätte, 18 km südwestlich von Coimbra, Portugal, im 1. Jh. n. Chr. gegr., 468 von den Wandalen zerstört und nie wieder besiedelt; der Name C. wurde im MA. von Coimbra übernommen. Ausgrabungen in C., einer Bade- und Villenstadt der Römer, legten v. a. gut erh. Wasser-, Bade- und Heizungsanlagen sowie Villen frei; überall reicher Mosaikschmuck, bes. in den Häusern vor der Mauer (Casa das Termas, Casa dos Mosaicos). Im Mus. von C. Ausgrabungsfunde: Keramik, Skulpturen (qualitätvoller Augustuskopf), Grabplatten u. a.; weitere Funde in versch. größeren portugies. Museen.

Coninxloo, Gillis van, niederländ. Maler, *Antwerpen 24. 1. 1544, begraben Amsterdam 4. 1. 1607, wurde von den heroischen Waldlandschaften der Bruegel- und Tizian-Schule beeinflußt, die er mit neuartiger Naturbeobachtung vereinigte. Seine Waldlandschaften zeigen hintereinander gestaffelte Raumzonen in versch. Perspektiven mit abwechslungsreichen Motiven. Er begründete eine neue reine Landschaftskunst, zuerst in Antwerpen, dann in Dtl. (Frankenthal/Pfalz), wohin er 1585 als Reformierter emigriert war (→Frankenthaler Schule), schließlich seit 1595 in Amsterdam. Sie wurde von P. BRIL und A. ELSHEIMER in Rom, von J. BRUEGEL D. Ä. in Flandern und den holländ. Landschaftsmalern bis zu J. VAN RUISDAEL fortgeführt.

Conopeum [lat.], **1)** der Baldachin über dem Altar. **2)** bes. in Italien gebräuchl. zeltartige Verhüllung des Tabernakels. **3)** großer Seidenschirm, der bei Prozessionen dem Klerus einer Basilika vorangetragen wird.

Conques [kõk], Dorf im südfrz. Dép. Aveyron, an der Ouche-Schlucht. C. war im MA. Sitz einer Benediktinerabtei und bekannter Wallfahrtsort auf dem Weg nach Santiago de Compostela. Die Abteikirche Ste. Foy (11./12. Jh.; mit reich skulptierten Kapitellen) ist ein HW roman. Baukunst in S-Frankreich; im Giebelfeld des Portals befindet sich ein Relief des Weltgerichts, im Kirchenschatz mit Goldschmiedearbeiten des 9. bis 15. Jh. v. a. das vergoldete, mit Edelsteinen und Filigran bedeckte Bildwerk der Hl. Fides (Ste. Foy; um 980).

Conrad von Einbeck: (Selbstporträt?); um 1420, Halle, Moritzkirche

Conrad von Einbeck, Architekt, Bildhauer, leitete seit 1388 den Bau der Moritzkirche in Halle/Saale. Trotz seiner Herkunft aus der Prager Parler-Hütte steht er als Bildhauer i. Ggs. zum →Schönen Stil. Seine großplast. Steinskulpturen im Innern der Kirche (5 signiert und z. T. datiert) weisen C. v. E. als einen der eigenwilligsten Bildhauer seiner Zeit aus. Bes. seine ›Klagende Maria‹ (kurz nach 1416) beeindruckt durch Kompaktheit und drastisch übersteigerten Ausdruck.

WW: Geißelsäulenchristus (1419); Selbstbildnis als Porträtbüste (vielleicht verselbständigte Epitaph-Büste, um 1425).

W. SCHADENDORF: C. v. E. (1953); Die Parler und der Schöne Stil 1350–1400 (Ausst.-Kat., Köln, Bd. 2, 1978).

Conrad von Soest: Kreuzigung, Detail des Passionsaltars; 1403, Bad Wildungen, Stadtkirche

Conrad von Soest [-zo:st], Maler, *Dortmund um 1370, †ebd. um 1424/25, 1394 bis um 1425 ebd. tätig. Neben MEISTER FRANCKE war er einer der bedeutendsten dt. Maler der Gotik. Seine Kunst wurde von der frühburgund. Malerei bestimmt.

HW: Passionsaltar (1403; Bad Wildungen, Stadtkirche); Hochaltar (um 1420; Dortmund, Marienkirche; in Fragmenten erh.).

A. STANGE: C. v. S. (1966).

Consagra, Pietro, ital. Bildhauer, *Mazara del Vallo (Sizilien) 4. 10. 1920; studierte 1938–44 an der Kunstakad. in Palermo; siedelte 1944 nach Rom über. Er ist Mitbegründer der Gruppe ›Forma‹ und Mitherausgeber der gleichnamigen Ztschr. Seine Plastiken aus Bronze oder Stahl bauen auf einem ausgelängten Gerüst auf mit sperrigen, auseinanderlaufenden Einzelteilen, die vektorielle Strömungen vermitteln.

Constable [k'ʌnstəbl], John, engl. Maler, *East Bergholt (Suffolk) 11. 6. 1776, †London 31. 3. 1837, stammte aus einer ländl. Gegend in SO-England, später wohnte er in Hampstead bei London, malte fast ausschließlich Landschaften. Im Ggs. zu den meisten seiner Kollegen galt ihm das topograph. Element wenig; er spezialisierte sich auf die Atmosphäre, das Wetter. Die vor der Natur angefertigte Aquarellskizze und bes. die Ölskizze gewannen bei ihm große Bedeutung, etwa in den Serien der Wolkenbilder (meist im Victoria and Albert Mus., London). Große Popularität genießen die größeren, im Atelier vollendeten Gemälde, wie ›Der Heuwagen‹ (1821; London, Nat. Gal.) und die Reihe der Ansichten der Kathedrale von Salisbury. Bes. die Impressionisten schenkten C. später starke Beachtung. (BILD S. 272)

B. TYLOR: C. (London 1973).

Constant [kõst'ã], eigtl. C. Anton **Nieuwenhuys** [n'i:wənhœjs], niederländ. Maler, Bildhauer, *Amster-

John Constable: Die Kathedrale von Salisbury; (São Paulo, Kunstmuseum)

dam 21. 7. 1920; begann 1945 mit seinen ›experimental‹-Bildern und wurde Mitgl. der Gruppe →Cobra. Seit 1953 beschäftigt sich C. mit städtebaul. Experimenten.

Schrift: Spielen oder töten. Der Aufstand des Homo Ludens (1971).
H. VAN HAAREN: C. (Amsterdam 1966).

Constantine [kɔ̃stãt'in], Stadt in NO-Algerien, 490000 Ew., urspr. eine phönik. Gründung **(Kirtha).** Das 311 zerstörte röm. **Cirta** wurde im 4. Jh. von KONSTANTIN D. GR. als **Constantina** wiederaufgebaut. Altstadt mit Militärkasba (1855). Große Moschee El-Kebir (1221) über röm. Tempel (korinth. Säulen); Moschee Souk El-Ghezel (1730, 1838–1962 kath. Kathedrale) mit röm. Granitsäulen und tunes. Fayencen. Moschee Salah Bey (1776) im türk. Stil, prachtvoller Michrab und Minbar, polychrome Marmorintarsien, Fayencen, ital. Marmorsäulen; Medrese Salah Bey (1775, reichverzierte Marmorsärge); türk. Moschee Sidi Lakhdar (1789) mit achteckigem Minarett; Palais Ahmed Bey (1830–35) mit schönen Arkadenpatios. Auf dem Boufrika-Hügel die neue Univ. (1974, erbaut von O. NIEMEYER). Imposante Brücken über die Rhumelschlucht, v. a. Hängebrücke Sidi M'Cid (1912, 175 m hoch). Mus. Cirta (ehem. ›G. Mercier‹, 1930) mit bed. archäolog. Abteilung.

Contours découpés [kɔ̃t'u:r dekup'e, frz.], **ausgeschnittene Figuren,** aus flachen Knochen (meist Zungenbein) nach Art von Laubsäge- (Kontursäge-) arbeiten angefertigte Objekte der paläolith. Kleinkunst. Die C. d. bilden eine Leitform des mittleren Magdalénien. Sie stellen i.d.R. Tierköpfe dar (Wildpferd, Bison, Steinbock), deren Details durch Gravierung hervorgehoben sind. Am Kopfansatz angebrachte Löcher lassen darauf schließen, daß sie als Anhänger (Amulette) oder als Kleiderbesatz verwendet wurden.

Contre-Épreuve [kɔ̃trepr'œv, frz.], Graphik: →Gegendruck.

Contrefait-Büchse [kɔ̃trəf'ɛ-, frz.], aus Elfenbein eiförmig gedrehte Büchse, die beim Öffnen eine zweite (aus dem gleichen Stück heraus gedrehte) zeigt. Hauptmeister war der Nürnberger Kunstdrechsler L. ZICK.

Contucci [kɔnt'uttʃi], ital. Bildhauer, →Sansovino 1).

Cooper [k'u:pə], Samuel, engl. Maler, *London(?) 1609, †ebd. 5. 5. 1672, bildete sich an den Werken A. VAN DYCKS, porträtierte die Großen seiner Zeit (O. CROMWELL, KARL II.) in Miniaturen (Nat. Portrait Gal., London).

Coornhert, Dirck Volkertszoon, niederländ. Kupferstecher, Radierer und Schriftst., *Amsterdam 1522, †Gouda 29. 10. 1590, arbeitete u.a. als Radierer für H. COCK in Antwerpen; C. beeinflußte H. GOLTZIUS.

Copaivabalsam, Maltechnik: als Trocknungsverzögerer für Ölfarben im 19. Jh. verschiedentlich verwendeter →Balsam; die Trocknung kann Jahre dauern, die Bilder vergilben.

Copán, Zeremonialzentrum der vorkolumb. Maya-Kultur in Honduras, nahe der Grenze nach Guatemala, aus der klass. Epoche (Blütezeit um 600–800). Der Hauptkomplex (›Akropolis‹), der den südl. Teil der Anlage einnimmt, wird bestimmt durch ineinander verschachtelte Gebäude (Pyramide, Tempel, Terrassen) und 2 Höfe, die auf unterschiedl. Ebenen liegen und durch Treppen verbunden sind. Dem Hauptkomplex vorgelagert sind ein Ballspielplatz und der weiträumige Hauptplatz, der auf 3 Seiten von langgestreckten niedrigen Treppen umgeben ist; in seiner Mitte eine

Copán: ›Hieroglyphentreppe‹

schmucklose Pyramide; in 2 nahezu parallelen Reihen sind höchst kunstvolle, z. T. fast rundplastisch skulptierte Stelen, meist aus grünem Trachyt, aufgestellt, denen Altäre (›Zoomorphe‹) zugeordnet sind; weitere Stelen und Altäre stehen vor einzelnen Gebäuden und verstreut auf Anhöhen im Tal des Río C. Inschriften finden sich auf Stelen und auf den Stirnseiten der 63 Stufen der ›Hieroglyphentreppe‹ mit Angaben aus 200 Jahren der dynast. Geschichte von C. Die Inschriften sind in der Blütezeit charakterisiert durch einen barokken Reliefstil, während die früheren und späteren Reliefs flacher ausgeführt sind.

F. ROBICSEK: C., home of the Mayan Gods (New York 1972); H. HOHMANN u. A. VOGRIN: Die Architektur von C., Honduras (1982).

Coperta [ital.], farblose und durchsichtige Bleiglasur, die, um den Glanz der Farben zu heben, vor dem Brand über die Bemalung und Zinnglasur von Fayencen gezogen wird.

Copley [k'ɔplɪ], **1)** John Singleton, amerikan. Maler, *Boston (Massachusetts) 3. 7. 1738(?), †London 9. 9. 1815, lernte bei seinem Stiefvater, dem Kupferstecher P. PELHAM, und bildete sich als Autodidakt in der Öl- und Pastellmalerei aus. Seine Gruppenbilder (›Die Familie C.‹, um 1785) und Porträts der Bostoner Gesellschaft ragen sowohl durch ihre künstler. Gestaltung als auch durch psycholog. Erfassung hervor (›Mr. and Mrs. R. Izard‹, 1775, Boston, Mus. of Fine Arts). 1774 kam er auf Anregung von B. WEST nach London. Die realist. Darstellungsweise der Historienbilder C.s beeindruckte seine Zeitgenossen besonders.

John S. Copley: Die Familie Copley; um 1785 (Washington, D. C., National Gallery of Art)

2) William N., amerikan. Maler, Ausstellungsleiter, *New York 24. 1. 1919, begann 1947 zu malen, übersiedelte 1951 nach Paris und hielt enge Kontakte zu M. Ernst, M. Duchamp und M. Ray. In New York (seit 1963) entsteht seine mit reichen Comic-Zitaten belegte Bilderwelt mit Anspielungen auf die Pop-Welt.

W. N. Copley: Ausst.-Kat., Eindhoven (1980/81).

Coppo di Marcovaldo, ital. Maler, *Florenz um 1225, †nach Januar 1276, in Florenz, Siena und Pistoia nachweisbar, ein Hauptmeister der toskan. Tafelmalerei des 13. Jh.; obwohl noch der byzantin. Bildtradition verpflichtet, zeigt sich in seinen Werken ein neuer Sinn für die plast. Erscheinungsform der Figur, der auf die florentin. Renaissancemalerei hinweist.

HW: Madonna in S. Maria dei Servi, Siena (1261); Madonna in S. Martino dei Servi, Orvieto (Zuschreibung).

Coques [kɔks], auch **Cocks, Cox,** Gonzales, fläm. Maler, *Antwerpen 8. 12. 1614, †ebd. 18. 4. 1684, malte unter dem Einfluß von A. van Dyck kleinformatige Familien- und Einzelporträts im Innenraum, auf Terrassen oder vor Parkhintergründen; stand in Diensten niederländ. Fürsten und Karls I. von England.

Córdoba [k'ɔrðoβa], **1)** span. Stadt und Bischofssitz in Nieder-Andalusien, 250 000 Ew. Nach der Eroberung durch die Mauren (711) wurde C. ein bed. Kulturzentrum des Islam. Noch heute ist die Stadt von der

Córdoba 1): Inneres der Moschee ›La Mezquita‹

maur. Periode (bis 1236) geprägt: engwinklige Straßen, sechzehnbogige Brücke über den Guadalquivir mit Kastell La Calahorra, Ruinen arab. Mühlen, Alcázar. Bedeutendster Bau ist die 785 gegr. Omajjadenmoschee (auf einer westgot. Kirche mit röm. Fundamenten errichtet, bis 990 dreimal erweitert). Die Moschee (›La Mezquita‹), auf gewaltigem rechteckigem Grundriß (180 m lang, 130 m breit) erbaut, mit weitem Innenhof (Orangenbaumhof), besteht im Inneren aus einem riesigen Betsaal mit über 850 Säulen (aus Granit, Jaspis und Marmor), die in der Längsrichtung durch übereinandergestellte, zweifarbig gemauerte Hufeisenbögen verbunden sind; Artesonado-Decken sind teilweise erh.; prunkvoll ausgestattete Gebetsnischen (Michrab) mit Goldgrundmosaik. In der Mitte des Betsaals wurde 1523 die platereske Kathedrale errichtet, bestehend aus einem mächtigen Chor mit Apsis und über 30 Kapellen mit reicher Ausstattung. Zahlreiche Kirchen mit Mudéjar-Dekor; im Judenviertel (›barrio judio‹) blieb die (neben Toledo) einzige ma. Synagoge (1314/15) Spaniens erhalten. Archäolog. Mus. (u. a. röm. Skulpturen, maur. Samml., u. a. Bronzehirsch aus →Medina as-Sahra); Mus. de Bellas Artes (Gemäldesamml., v. a. span. Werke des 17. und 19. Jh.); Stierkampf-Mus. (u. a. Gemälde mit Kampfszenen und Torero-Porträts).

2) Prov.-Hauptstadt in Argentinien, 800 000 Ew., maler. kolonialzeitl. Stadtbild. Die Kathedrale (Ende 17. bis 2. H. 18. Jh.) ist dreischiffig mit barocker Kuppel und mächtigen, gegliederten Ecktürmen. Die Jesuitenkirche La Compañia (um 1645 bis 1671) ist ein HW der Kolonialkunst: einschiffig mit Querschiff, reichen Holzschnitzereien und Deckenmalereien. Zu den ältesten noch erhaltenen Klöstern im Land gehören S. Teresa (2. H. 18. Jh. beendet; ein eindrucksvolles Zeugnis aus der Kolonialzeit) und Santa Catalina de Siena (im 19. Jh. völlig umgestaltet). Das Rathaus (Cabildo; um 1785 beendet, mit klassizist. Fassade) beherbergt einen Teil des Regional-Mus., das ehem. Haus des span. Vizekönigs (Casa del Virrey; Anf. 18. Jh.) das Mus. Colonial e Histórico.

Cori, Städtchen in der ital. Prov. Latina, in Latium, 10 000 Ew., mit 2 km langer Stadtmauer aus dem 4. Jh.; auf einer Berghöhe der röm. Herkules-Tempel (89–80 v. Chr.; erh. sind 9 dor. Säulen der Vorhalle, jeweils 9 m hoch); Ruinen des Tempels der Castor und Pollux (80 v. Chr.) an der Kirche S. Oliva (Fresken des 16. Jh.).

Coria, span. Stadt und Bischofssitz in der Prov. Cáceres, rd. 10 000 Ew.; umgeben von Stadtmauern; turmartiges Kastell (15. Jh.); einschiffige got. Kathedrale (im 16. Jh. umgebaut, Turm 18. Jh.; spätgot. Chorgestühl).

Corinth, Lovis, Maler, Graphiker, *Tapiau (Ostpreußen) 21. 7. 1858, †Zandvoort (Niederlande) 17. 7. 1925, bildete sich an der Königsberger Akad. (1876 bis 1880), in München, Antwerpen (1884, v. a. an den Bildern von P. P. Rubens) und Paris (1884–87). 1890–1900 arbeitete C. in München, seitdem in Berlin (ebd. führendes Mitgl. der Sezession).

Den tonigen Realismus seiner frühen Werke entwickelte C. zu einer aufgehellten Freilichtmalerei, die ihn (wie M. Liebermann und M. Slevogt) zum Hauptvertreter des dt. →Impressionismus werden ließ. Von einem oft übersteigerten Pathos der Wirklichkeitserfassung sind seine zahlreichen, z. T. bibl. und mytholog. Figurenbilder erfüllt (v. a. bei der Darstellung des Aktes). Nach einem Schlaganfall (1911) wurde sein Pinselduktus leidenschaftlich expressiv, beherrscht von einem visionären Element. Die Wahl der Motive zeigt da-

Lovis Corinth: Selbstporträt; Zeichnung, 1922

Lovis Corinth: Ostern am Walchensee, 1922 (New York, Privatbesitz)

gegen Abklärung und Reife (Walchenseelandschaften, Blumenstilleben). Zu allen Zeiten hat C. bed. Porträts gemalt (E. Graf Keyserling, 1896; P. Hille, 1902; R. Rittner als Florian Geyer, 1907; E. Meyer, 1910/11). Seine zahlreichen Selbstporträts gewannen im Alter eine ergreifende Verinnerlichung. Etwa seit 1911 wandte sich C. der Graphik zu (Radierungen, Lithographien; Buchillustrationen). C. war auch Schriftsteller (Ges. Schriften, 1920; Selbstbiographie, 1926). Er war seit 1904 verheiratet mit der Malerin Charlotte BEREND (*Berlin 26. 5. 1880, †New York 10. 1. 1967), die neben ihm ihre künstler. Selbständigkeit bewahrte. – 1940 wurde im Geburtshaus von C. in Tapiau ein C.-Museum begründet.

Schrift: Das Erlernen der Malerei, ein Hb. (1920, Nachdr. 1979). CHARLOTTE BEREND-C.: Die Gemälde von L. C. (1958); L. C., Ausst.-Kat., München (1975); Handzeichnungen und Aquarelle, 1875–1925, bearbeitet von ANNE RÖVER und B. SCHNACKENBURG (1975); L. C. Eine Dokumentation, hg. v. T. CORINTH (1979).

Coriolano, vermutlich italianisierter Name der aus Nürnberg stammenden, in Italien tätigen Künstlerfamilie **Lederer.** Cristoforo C. arbeitete um 1600 als Holzschneider in Bologna. Von ihm sind u.a. die Holzschnitte in der Ornithologie des ULISSE ALDOVRANDI (Bologna 1599 bis 1603). Sein Sohn Bartolomeo C., nachweisbar 1627–47, lebte als Holzschneider in Bologna und Rom. Er arbeitete bes. nach Werken des GUIDO RENI und war einer der letzten Meister des ital. Farbholzschnitts. Cristoforos anderer Sohn Giovanni Battista C. (†Bologna 1649) war als Holzschneider und Kupferstecher tätig. Er stach bes. nach Werken der CARRACCI und ihrer Schule.

Corneille [kɔrn'ɛj], eigtl. **Cornelis Guillaume van Beverloo,** niederländ. Maler, *Lüttich 3. 7. 1922, studierte in Amsterdam, war 1948 Mitbegründer der Gruppe →Cobra, lebt seit 1950 in Paris. Seine abstrahierenden, stark farbigen und zugleich graphisch ausdrucksvollen Bilder bevorzugen die Thematik der Stadt, des Labyrinths und der Wüste.

Corneille de Lyon [kɔrn'ɛj də lj'ɔ̃], gen. **Corneille de**

la Haye [-dəla'ɛ], frz. Maler, *Den Haag(?) zw. 1500 und 1510, tätig in Lyon 1534–74, schuf als Hofmaler kleinformatige Porträts der frz. Hofgesellschaft z.Z. HEINRICHS II. und KARLS IX. Viele seiner Porträts wurden in Lyon 1553 im Album ›Promptuarium Iconum‹ als Stiche veröffentlicht.

Cornelisz [-s], **1)** Cornelis, genannt **C. van Haarlem,** holländ. Maler, *Haarlem 1562, †ebd. 11. 11. 1638, übersteigert in seinen meist großformatigen Bildern mit bibl. oder mytholog. Themen (›Der Bethlehemit. Kindermord‹, 1590, Amsterdam, Rijksmus., und 1591, Haarlem, Frans-Hals-Mus.) den von B. SPRANGER geprägten Figurentyp in gekünstelten Stellungen zu teilweise unnatürlich verdrehten Haltungen. C. gründete um 1593 mit C. VAN MANDER und H. GOLTZIUS die ›Haarlemer Akad.‹, in der der holländ. Manierismus seinen Höhepunkt findet. Seine Schützenstücke (1583 und 1599, Haarlem, Frans-Hals-Mus.) waren wichtig für die Entwicklung des Gruppenbildes.

2) Jakob, auch **van Oostsanen** oder **van Amsterdam,** holländ. Maler, *Oostzaan (Nordholland) vor 1470, †Amsterdam vor dem 18. 10. 1533, seit 1500 in Amsterdam nachweisbar. Seine Gemälde (Porträts, Votivtafeln, Altarbilder) zeichnen sich durch prachtvolle Kostüme in leuchtenden Farben aus; er schuf ein umfangreiches Holzschnittwerk.

3) Pieter, gen. **Kunst,** holländ. Maler, *Leiden um 1490, †ebd. um 1560/61, ältester Sohn von C. ENGEBRECHTSEN, hinterließ neben Glasgemälden ein umfangreiches zeichner. Œuvre, entstanden unter dem Einfluß von LUCAS VAN LEYDEN.

Cornelius, Peter von (seit 1825), Maler, *Düsseldorf 23. 9. 1783, †Berlin 6. 3. 1867, studierte seit 1795 an der Düsseldorfer Akad. In Rom (1811–19) schloß sich C. den →Nazarenern an. Hier entstanden seine Fresken in der Casa Bartholdy und Entwürfe zu (nicht ausgeführten) Wandbildern im Casino Massimo. 1819 berief ihn der bayer. Kronprinz Ludwig (der spätere LUDWIG I.) nach München. Seit Ende 1821 war er zugleich Akademiedirektor in Düsseldorf, seit 1824 dann ausschließlich Akademiedirektor in München. Unter Beteiligung von Schülern schuf C. 1820–30 hier die Fresken in der Glyptothek, 1826–40 die in der Alten Pinakothek, 1836–39 die in der Ludwigskirche. 1840 folgte er einem Ruf nach Berlin und war hier seit 1845 v.a. mit den Entwürfen für die Wandmalereien des Campo Santo (u.a. ›Apokalypt. Reiter‹) beschäftigt, der für den (nicht ausgeführten) Neubau des Doms geplant war. – In seinen monumentalen Werken suchte C. die Freskomalerei neu zu beleben, blieb jedoch in klassizistisch-akadem. Formen befangen.

H. v. EINEM, in: Wallraf-Richartz-Jb., 16 (1954); WERNER SCHMIDT: P. v. C., Ausst.-Kat., Berlin-West (1956); – Weitere Lit. →Düsseldorfer Schule.

Cornell [kɔ:n'el], Joseph, *Nyack (New York) 24. 12. 1903, †New York 29. 12. 1972. Nach Auseinandersetzung mit dem europ. Surrealismus ordnete C. nostalgische Objets trouvés in Kästen zu einem Mikrokosmos von poet. Faszination.

Corning [k'ɔːnɪŋ], Stadt im Staat New York, USA, 13 000 Ew. Nach Plänen des Architekten G. BIRKERTS wurde hier 1980 das Corning Mus. of Glass vollendet.

Corot [kɔr'o], Camille, frz. Maler, *Paris 16. 7. 1796, †ebd. 22. 2. 1875, kam erst mit 26 Jahren zur Malerei, seine Vorbilder waren CLAUDE LORRAIN und N. POUSSIN. 1825–28, 1834 und 1843 war er in Italien. Außer Figurenbildern malte er bes. röm. Landschaften, deren zart abgestufte Farben den Zauber des Lichts und die atmosphär. Stimmung festhalten. In den 50er Jahren des 19. Jh. wandelte sich seine Naturdarstellung zur reinen Stimmungslandschaft, indem er v. a. die frühen Morgenstunden in silbriggrauen Tönen und in verschwimmender Atmosphäre malte und so zu einem Vorläufer der Impressionisten wurde, die ihn, wie C. MONET, C. PISSARRO, schätzten. Oft nahm er Figuren in seine Bilder auf, bes. badende und tanzende Nymphen. Die besten seiner um jene Zeit gemalten weibl. Porträts und Akte sind von derselben poet. Grundstimmung er-

Camille Corot: Die Frau mit der Perle; um 1868–70 (Paris, Louvre)

füllt (›Die Frau mit der Perle‹, um 1868–70, Louvre). C. gehörte zu den fruchtbarsten Künstlern seiner Zeit. Er war auch als Graphiker tätig (Radierungen, Lithographien, Glasklischees) und hat zahlreiche Zeichnungen hinterlassen. Die meisten seiner HW befinden sich im Louvre.

Hommage à C., Ausst.-Kat., Paris, Orangerie des Tuileries (1975); J. LEYMARIE: C. (a. d. Frz., 1980).

Corpora, Antonio, ital. Maler, *Tunis 15. 8. 1909, fand nach einer Auseinandersetzung mit dem Kubismus in versch. geometr. Phasen seinen expressiven, zeichenhaft informellen Stil, oft mit verschlüsselten Ge-

genstandsbeziehungen und von starker, doch kultivierter Farbigkeit.

Corps de logis [kɔ:rdəlɔʒ'i, frz.] *der,* Hauptgebäude der barocken Schloßanlage, das zur Repräsentation und als Wohnung des Herrschers diente. Durch →Risalite und bekrönende Dachaufbauten architektonisch hervorgehoben, stellt der C. de l. die rückwärtige Begrenzung der →Cour d'honneur dar.

Corpus Christi [k'ɔ:pəs kr'ıstı], Stadt in Texas, USA, 232 000 Ew.; mit einem von P. JOHNSON entworfenen Kunstmus. (Art Mus. of South Texas), 1973 vollendet.

Corręa, Diego, span. Maler des 16. Jh., der bedeutendste einheim. Renaissancemaler Kastiliens, lebte wahrscheinlich als Mönch im Bernhardinerkloster Valdeiglesias; war für Klöster in und um Toledo tätig (Gemälde mit Szenen aus Leben und Passion versch. Heiliger, Prado, Madrid).

Correggio [korr'eddʒo], eigtl. Antonio **Allęgri,** gen. **il C.,** *Correggio (Emilia) um 1489, †ebd.(?) 5. 3. 1534, ital. Maler, wurde stilistisch beeinflußt von A. MANTEGNA, LEONARDO DA VINCI, RAFFAEL und MICHELANGELO (wohl durch Romaufenthalt vor 1518), schuf relig. und mytholog. Darstellungen von sinnlich-heiterer Schönheit und hingebendem Ausdruck, deren stark bewegte Kompositionen bereits barock anmuten. Seine Gemälde zeichnen sich durch reiches Helldunkel und emailartigen Schmelz der Farben aus, seine Fresken durch kühne perspektiv. Untersicht (Kuppelfresko in S. Giovanni Evangelista, Parma). C.s Einfluß auf die ital. Malerei und die gesamte Barockmalerei war groß.

Correggio: Danaë; um 1530 (Rom, Galleria Borghese)

WW: Kuppelfresken (1526–30, darunter v.a. sein HW Mariae Himmelfahrt; Parma, Dom). – Altarbilder: Madonna mit dem Hl. Franziskus u.a. Hl. (1514/15; Dresden, Gemälde-Gal.); Madonna mit dem Hl. Hieronymus, genannt ›Il Giorno‹ (um 1527; Parma, Gal. Nazionale); Anbetung der Hirten (um 1527; Dresden, Gemälde-Gal.); Die Hl. Nacht (um 1530; ebd.). – Mytholog. Gemälde (um 1530): Jupiter und Antiope (Louvre); Danaë (Rom, Gal. Borghese); Leda (Berlin-West, Staatl. Museen); Io (Wien, Kunsthistor. Mus.); Raub des Ganymed (ebd.).

Wörter, die man unter C vermißt, suche man unter K, Tsch oder Z

A. BEVILACQUA u. A. C. QUINTAVALLE: L'opera completa del C. (Mailand 1970); C. GOULD: The paintings of C. (London 1976).

Correr, Museo C., Venedig, Gemäldegal. (Werke venezian. Maler des 14./15. und frühen 16. Jh.) und stadtgeschichtl. Samml. im ehem. Palazzo Reale, 1830 durch die Samml. des venezian. Patriziers TEODORO C. (*1750, †1830) begründet.

Corrientes, Prov.-Hauptstadt in N-Argentinien, am O-Ufer des Río Paraná, 190000 Ew. In der Wallfahrtskirche La Cruz del Milagro (1939, neugotisch) wird ein Kreuz aus dem 16. Jh. verehrt; Kirche S. Lucía (1785) mit wertvollen Schnitzereien (Kanzel, Retabel); Kathedrale mit Portikus, flankiert von Ecktürmen. Im Mus. Juan Ramón Werke der schönen Künste, im Mus. Colonial Fray José de la Quintana Werke der Sakralkunst.

Corrodi, 1) Arnold, schweizer. Maler, Sohn von 4), *Rom 12. 1. 1846, †ebd. 7. 5. 1874, bildete sich in Paris und Rom, schuf empfindungsvolle Genre- und dramatisch bewegte Historienbilder.

2) August, schweizer. Dichter, Zeichner, *Zürich 27. 2. 1826, †ebd. 16. 8. 1885, studierte 1847–51 in München an der Kunstakad. und war 1862–81 Zeichenlehrer in Winterthur. C. schrieb Kindergeschichten, die er selbst illustrierte.

3) Hermann, schweizer. Maler, Sohn und Schüler von 4), *Frascati 23. 7. 1844, †Rom 30. 1. 1905, malte farbenprächtige Landschafts- und Genrebilder nach ital. und oriental. Motiven, die zu seiner Zeit sehr gesucht waren.

4) Salomon, schweizer. Maler, Radierer, Vater von 1) und 3), *Fehraltorf (Kt. Zürich) 19. 4. 1810, †Como 4. 7. 1892, malte in feiner, eleganter Technik Landschaften und bes. Aquarellveduten, die den Einfluß von J. A. KOCH, J. C. REINHART und F. CATEL zeigen. Zu seiner Zeit war C. v. a. als Italienmaler angesehen.

Corsini, florentin. Patrizierfamilie, der Papst KLEMENS XII. (1730–40) entstammt; der Palazzo C. in Rom (F. FUGA) ist heute Sitz der ›Accademia Nazionale dei Lincei‹ (Akad. der Wissenschaften) und der Gal. Nazionale d'Arte Antica.

Cort [kɔrt], Cornelis, niederländ. Kupferstecher, *Hoorn 1533, †Rom vor dem 17. 3. 1578, wurde durch zahlreiche große Stiche, die er in Italien nach eigener Erfindung und nach Gemälden des 16. Jh. (TIZIAN, F. BAROCCI, B. SPRANGER) schuf, ein wichtiger Vermittler zw. ital. und niederländ. Malerei.

Cortona, Stadt in der südl. Toskana, Italien, 22500 Ew.; in der Antike bed. Stadt N-Etruriens, mit z.T. noch erhaltenem, bis ins 5. Jh. v. Chr. zurückgehendem Mauerring. Fundstätte qualitätvoller etrusk. Bronzearbeiten, v. a. des sechzehnflammigen, reliefverzierten ›Leuchters von C.‹ (5. Jh. v. Chr., im Mus. von C.). In der Umgebung mehrere große etrusk. Tumulusgräber. – Dom (urspr. romanisch; Neubau des 16. Jh. durch G. DA SANGALLO), S. Domenico (14. Jh.), S. Francesco (1245 beg.), in der Umgebung S. Margherita (mit Grabmal der Hl. Margarete, 1362) und Madonna del Calcinaio (1484/85 beg., ein Zentralbau von FRANCESCO DI GIORGIO MARTINI). Rathaus (Palazzo Comunale, 13. Jh.; Turm 1509); im Palazzo Pretorio (13. Jh.) die Accademia Etrusca mit Mus. (etrusk., grch., röm. und ägypt. Altertümer; Gemäldegal.) und Bibliothek; Diözesanmus. mit Gemäldesamml. in der ehem. Kirche Il Gesù (u. a. Werke des einheim. Malers L. SIGNORELLI und von FRA ANGELICO).

Cortona, Pietro da, ital. Maler und Baumeister, →Pietro da Cortona.

Corvey, Stadtteil von Höxter, NRW, mit einer der bedeutendsten Benediktiner-Reichsabteien Europas (816 gegr., 1792 Bistum, 1803 weltl. Fstt.); hervorragendster Bauteil ist das karoling. Westwerk der Klosterkirche (873–85) mit Resten karoling. Ausmalung in allen Geschossen; die Kirche wurde gotisierend neugebaut (1667–83). Im Schloß, dem ehem. Abteigebäude (1699–1716) mit Kaisersaal und Bibl., befindet sich das Mus. Höxter-Corvey (Volkskunde, Wohnkultur 19. Jh., moderne Graphik). Zur Buchmalerei des 9. und 10. Jh. →Weser-Schule.

Corvey: Westwerk der Klosterkirche; 873–85

Cosenza, ital. Stadt und Erzbischofssitz in Kalabrien, 102 300 Ew.; in der auf einem Abhang gelegenen Altstadt der romanisch-got. Dom (1185 beg.; 1227 gew.; im 18. Jh. z. T. barock verändert) mit dem Grabmal der ISABELLA VON ARAGÓN (1275); S. Francesco d'Assisi (13. Jh.); S. Maria di Costantinopoli (im 17. Jh. erneuert) u. a. Kirchen. Burg arabisch-normann. Ursprungs; Mus. mit vorgeschichtl. Funden.

Cosimo, Piero di, ital. Maler, →Piero di Cosimo.

Cosmaten, Sammelname mehrerer in Rom und den Bischofsstädten Latiums von etwa 1150 bis 1320 tätiger Künstlerfamilien (MELLINI, VASSALETTI, ODERISI), in denen der Vorname Cosma häufig war. Bis gegen 1300 beschränkten sich die C. auf Architekturdekoration (z. B. Kreuzgang des Lateran, Rom, um 1232; Vorhalle und Portal des Doms in Civita Castellana, um 1210), kirchl. Ausstattungsgegenstände sowie dekorative Wand- und Fußbodenmosaiken (z. B. im Kreuzgang der Lateranbasilika). Erst Künstler der letzten Generation (PIETRO ODERISI, GIOVANNI DI COSMA) arbeiteten unter Einfluß des ARNOLFO DI CAMBIO auch figürl. Grabplastik (Grabmal Papst Klemens' IV., †1268, Viterbo, S. Francesco; Grabmal des Bischofs Durandus, †1296; Rom, S. Maria Sopra Minerva). – Die Quelle der dekorativen Kunst der C. ist die arabisch-sizilian. Wanddekoration. In ihrer Frühzeit verwendeten sie die seladongrünen und safrangelben Mosaiksteine der südital. Kunst, später die got. Farben Karminrot und Blau. Außerhalb Roms entstanden u. a. der Schrein EDUARDS DES BEKENNERS (1270) und das Grabmal HEINRICHS III. (1272), beide in der Westminster Abbey (London).

DOROTHY GLASS: Studies on cosmatique pavement (Ann Arbor, Mich., 1980).

Cossa, Francesco del, italienischer Maler, *Ferrara 1435/36, †Bologna 1477/78, beeinflußt von PIERO DELLA FRANCESCA. Neben C. TURA der bedeutendste Meister des 15. Jh. in Ferrara, arbeitete zus. mit ERCOLE DE'ROBERTI, seit 1470 in Bologna.

HW: Allegorie des Herbstes (Berlin-West, Staatl. Museen); Fresken (Bilder der Monate März, April, Mai) im Palazzo Schifanoia, Ferrara (1470); Verkündigung Mariä (Dresden, Gemäldegal.); Thronende Madonna mit Hl. (1474; Bologna, Pinakothek).

Costa, **1)** Lorenzo, ital. Maler, *Ferrara(?) um 1460, †Mantua 5. 3. 1535, Schüler von E. DE' ROBERTI und F. DEL COSSA, seit etwa 1500 Mitarbeiter des F. FRANCIA in Bologna (Fresken im Oratorium S. Cecilia), seit 1506 Hofmaler in Mantua, wo er für ISABELLA D'ESTE 2 allegor. Bilder für ihr ›Studiolo‹ im Palazzo Ducale schuf (›Reich der Musen‹ und ›Merkur bekämpft die Laster des Olymp‹; heute im Louvre).

2) Lúcio, brasilian. Architekt, *Toulon 27. 2. 1902, Pionier der modernen brasilian. Architektur, baute mit O. NIEMEYER und P. L. WIENER (*1895) den brasilian. Pavillon auf der New Yorker Weltausstellung (1939) und die Appartementhäuser am Parque Guinle in Rio de Janeiro (1948–54). 1956 entwarf C. den Generalplan für die neue Hauptstadt Brasilia.

3) Nino (Giovanni), ital. Maler, *Rom Okt. 1826, †Marina di Pisa 31. 1. 1903, schloß sich zeitweilig den Macchiaioli an, trat auch in Beziehung zu den Malern der Schule von Barbizon. Gegen 1890 gründete er die röm. Künstlergruppe ›In Arte Libertas‹. C. gehört zu den Vorkämpfern der wirklichkeitsgetreuen, doch stimmungsvollen Landschaftsmalerei in Italien.

Cosway [kˈɔzweɪ], Richard, engl. Maler, *Tiverton (Devonshire) 5. 11. 1742, †Edgware (Middlesex) 21. 7. 1821; ausgebildet u. a. in der Royal Academy in London, schuf er mytholog. und relig. Kompositionen, v. a. Miniaturporträts in Öl- und Aquarelltechnik.

Coswig/Anhalt, Stadt an der Elbe, östlich von Dessau, Dt. Dem. Rep., 12000 Ew.; Schloß der Spätrenaissance (1667–77); Nikolaikirche (1. H. 13. Jh., 1699 bis 1706 barock erneuert) mit 2 Gemälden von L. CRANACH D. J., einem Abendmahlsgemälde der Cranach-Schule, sonst größtenteils barocker Ausstattung.

Coter, Colijn (Colyn) de, fläm. Maler, 1505–10 in Brüssel tätig, schloß sich in seinen großfigurigen Altargemälden oft an Vorbilder aus dem früheren 15. Jh. an (MEISTER VON FLÉMALLE, ROGIER VAN DER WEYDEN).

Cotes [kəʊts], Francis, engl. Maler, *London 20. 5. 1726, †ebd. 19. 7. 1770, malte unter dem Einfluß von J. REYNOLDS v. a. Porträts der Aristokratie; bes. geschätzt waren seine Pastellbilder.

Cotman [k'ɔtmən], John Sell, engl. Maler, Radierer, *Norwich 16. 5. 1782, †London 24. 7. 1842, neben J. CROME der Hauptmeister der ›Schule von Norwich‹; aquarellierte stimmungsvolle Landschafts- und Genrebilder nach Motiven seiner ostengl. Heimat. Mit dem Altertumsforscher D. TURNER besuchte er 1817–20 wiederholt die Normandie; beide gaben 1822 ›Die architekton. Altertümer der Normandie‹ heraus.

Cottage [k'ɔtɪdʒ, engl.] *das,* seit der Mitte des 19. Jh. gebräuchl. Bez. für ländl. Villen, oft in Fachwerk oder im Schweizerhausstil.

Cottbus, Bezirkshauptstadt in der Dt. Dem. Rep., 96900 Ew., an der Spree. Ehem. Franziskanerkirche, frühgot. einschiffiger Backsteinbau (14. Jh.), südl. Seitenschiff mit Treppengiebeln (Anf. 16. Jh.); Oberkirche, dreischiffige spätgot. Backstein-Hallenkirche (voll. Anf. 16. Jh.); barocke Schloßkirche (1707–14) mit neugot. Westturm; barocke und klassizist. Bürgerhäuser. Bei C. das Barockschloß **Branitz** (1772), heute Bezirks-Mus. (u. a. dt. und ital. Landschaften; frühe Arbeiten des aus C. stammenden Malers K. BLECHEN).

Cotte [kɔt], Robert de, frz. Baumeister, *Paris 1656, †ebd. 15. 7. 1735, Schüler, dann Mitarbeiter von J. HARDOUIN-MANSART, wurde 1699 Leiter der Pariser Gobelinmanufaktur und 1719 Intendant der königl. Bauten. C. war maßgebend beteiligt an vielen Schloß-, Palast- und Kirchenbauten in Frankreich (Vollendung der von Hardouin-Mansart beg. Schloßkapelle in Versailles 1710, Arbeiten am Grand Trianon ebd.; Schloß Rohan in Straßburg, 1730–42), Dtl. (Pläne für die Schloßbauten in Brühl, das Poppelsdorfer Schloß und die Erweiterung der Kurfürstl. Residenz in Bonn, Schleißheim und für die Residenz in Würzburg) und Spanien und beeinflußte auch die Stadtbaukunst. Seine Kunst entwickelte sich im Übergang vom prunkvollen Stil Louis-quatorze zum elegant-behagl. Salon- und Boudoirstil des Rokoko (Louis-quinze). C. entwarf auch Innendekorationen, Möbel, Metallarbeiten, Gobelins (8 Bände mit Zeichnungen in der Nat.-Bibl. Paris).

R. M. NEUMANN. R. de C., architect of the late baroque, 2 Bde. (London 1978).

Cottet [kɔt'ɛ], Charles, frz. Maler, *Le Puy 12. 7. 1863, †Paris 20. 9. 1925, malte anfangs im impressionist. Stil, nach einer Reise in die Bretagne (1894) stimmungsvolle Bilder aus dem Fischerleben der Bretonen in dunklen, schweren Farben, Motive aus span. Städten und von der afrikan. Küste sowie relig. Bilder.

Coudray [kudr'ɛ], Clemens Wenzel, Baumeister, *Ehrenbreitstein 23. 11. 1775, †Weimar 4. 10. 1845, früh in Frankfurt a. M. und Dresden tätig, 1800–04 zu Studien in Paris, 1806 in Italien, dann in Fulda. 1816 wurde C. Oberbaudirektor in Weimar und schuf hier – vielfach im Zusammenwirken mit J. W. v. GOETHE – Bauten im klassizist. Stil (1825 das Theater u. a.).

Courbet [kurb'ɛ], Gustave, frz. Maler, *Ornans bei Besançon 10. oder 15. 6. 1819, †La-Tour-de-Peilz bei Vevey (Schweiz) 31. 12. 1877, kam 1840 nach Paris, wo er sich autodidaktisch bildete. Seit 1844 stellte er im Salon aus. Nach Ablehnung seiner Bilder für die Weltausst. 1855 veranstaltete er eine eigene Ausst. in einer Baracke, die er ›Pavillon du Réalisme‹ nannte; damit gab er einer ganzen Stilrichtung der 2. H. des 19. Jh. den Namen (→Realismus), die v. a. in Dtl. Anerkennung (H. THOMA, W. LEIBL u. a.) und Verbreitung fand (Dtl.-Reisen 1853, 1858, 1869). C. fühlte sich als Revolutionär und lehnte alle traditionellen Bildthemen wie

Gustave Courbet: Die Kornsieberinnen; 1853 (Nantes, Musée des Beaux-Arts)

auch die romant. Bestrebungen ab. Seine realist. Kunstauffassung sah er im Einklang mit den sozialrevolutionären Ideen P.-J. PROUDHONS, den er mit anderen Freunden (C. BAUDELAIRE, J. CHAMPFLEURY u. a.) in seinem großformatigen allegor. Bild ›Das Atelier‹ (1855; Musée d'Orsay) darstellte. Der außergewöhnl. Farbenreichtum verlieh bes. seinen Figurenkompositionen in freier Natur (›Hängematte‹, 1845, Winterthur, Samml. O. Reinhart; ›Mädchen an der Seine‹, 1856, Paris, Petit Palais) und seinen Stilleben (›Blumenstilleben‹, 1863; Bremen, Kunsthalle) einen poet. Ausdruck und konnte sich in den späten Stilleben und Landschaften, v. a. seinen Seestücken (›Die Woge‹, 1870; Musée d'Orsay), zu dramat. Spannung steigern.

WW: Begräbnis in Ornans (1849; Musée d'Orsay); Die Kornsieberinnen (1853; Nantes, Mus. des Beaux-Arts); Bonjour Monsieur Courbet (1854; Montpellier, Mus. Fabre); Hirsch tot! (1867; Besançon, Mus. des Beaux-Arts); Die Badende (1868; New York, Metropolitan Mus. of Art).

D. DURBE: G. C. und der frz. Realismus (1974); R. FERNIER: La vie et l'œuvre de G. C. Catalogue raisonné, 2 Bde. (Paris 1977–78); G. C. und Dtl., Ausst.-Kat., Hamburg, Kunsthalle (1978); MARIE LUISE KASCHNITZ: Die Wahrheit, nicht der Traum. Das Leben des Malers C. (1978).

Cour d'honneur [ku:rdɔn'œ:r, frz. ›Ehrenhof‹] *die,* Ehrenhof der barocken Schloßanlage. Die C. d'h. wird umschlossen vom →Corps de logis und den Flügelbauten der →Communs. Sie ist in der Front geschlossen durch Mauern mit Wachhäusern und/oder Gitter.

Court [ku:r] de, gen. **Vigier** [viʒj'e], frz. Goldschmiede- und Emailmaler-Familie in Limoges (15./16. Jh.). Bed. Mitgl.: Jean I (*1487, †1541), Jean II (tätig 1541 bis 1564) und seine Tochter Suzanne (*1560, †1627).

Courtauld Institute Galleries [k'ɔ:təuld 'ɪnstɪtju:t g'æləriz], London, Samml. impressionist. und nachimpressionist. Malerei, die S. COURTAULD zw. 1919 und 1930 anlegte und dem Kunstgeschichtl. Institut der Univ. of London stiftete. Die Samml. mit HW von E. MANET, A. RENOIR, P. GAUGUIN, V. VAN GOGH und P. CÉZANNE, seit 1950 entsprechend der Verfügung Courtaulds in neuen Galerieräumen, wurde im Lauf der Jahre durch Schenkungen privater Samml. und 1978 durch die →Princes Gate Collection ergänzt.

Courteys [kurt'ɛ], frz. Emailmaler-Familie, im 16. und 17. Jh. tätig in Limoges. Bedeutende Mitgl.: Jean I (†um 1586), Pierre I (*um 1520, †um 1586), Pierre II (*1550, †1611), Pierre III (*1556, †1617), Martial (†um 1579); sie schufen Prachtgefäße und Platten zur Dekoration von Möbeln, die bes. wegen ihrer techn. Vollendung geschätzt wurden.

Courtois [kurtw'a], Jacques, gen. **le Bourguignon** [ləburgiɲ'ɔ̃], in Italien Giacomo **Cortęse,** ital. Maler burgund. Abstammung, *Saint-Hippolyte (Doubs) 12. 2. 1621, †Rom 14. 11. 1676, seit 1636 in Italien, seit 1640 in Rom tätig, malte bes. Schlachtenbilder in frischer Darstellung und maler. Gestaltung.

Courtrai [kurtr'ɛ], frz. Name von →Kortrijk.

Cousin [kuz'ɛ̃], **1)** Jean d. Ä., gen. **Janet, Jehanet,** frz. Maler, Bildhauer, Holzschneider, *Soucy bei Sens gegen 1500, †Paris 1560 oder 1561, seine Gemälde (›Eva prima Pandora‹; Louvre), Glasfenster und Tapisserien vertreten den frz. Manierismus unter ital. Einfluß.

2) Jean d. J., frz. Maler, Stecher, Sohn von 1), *Sens (?) um 1522, †Paris (?) gegen 1595, setzte in Glasfenstern, Gemälden (›Jüngstes Gericht‹; Louvre) und Stichen den Stil seines Vaters fort; sein manierist. Talent zeigen v. a. die Illustrationen zum ›Livre de fortune‹ (1568; Paris, Institut de France).

Cousins [kʌznz], Samuel, engl. Kupferstecher, *Exeter 9. 5. 1801, †London 7. 5. 1887. Ausgebildet bei dem Mezzotintostecher S. W. REYNOLDS, schuf er v. a. Schabkunstblätter, bes. nach Gemälden von T. LAWRENCE, H. RAEBURN und C. LANDSEER für die Reproduktion von Porträts.

Coustou [kust'u], frz. Bildhauerfamilie in der Übergangszeit zum Rokoko:

1) Guillaume d. Ä., *Lyon 25. 4. 1677, †Paris 20. 2. 1746, Bruder von 3), Schüler seines Onkels A. COYSEVOX, verbrachte einige Jahre in Rom und war nach seiner Rückkehr mit seinem Bruder für die königl. Bauten (Schloß, Park von Versailles) tätig. Er schuf auch relig. Bildwerke und qualitätvolle Bildnisstatuen (Marmorstatue der Maria Leszczyńska, 1730; Louvre). Seine Rossebändiger beiderseits der Champs-Elysées an der Place de la Concorde in Paris (›Pferde von Marly‹, 1745 voll.) leiten zum Klassizismus (frz. Néoclassicisme) über.

2) Guillaume d. J., *Paris 19. 3. 1716, †ebd. 13. 7. 1777, Sohn und Schüler von 1), bildete sich 1735–40 in Rom, schuf bes. in königl. Auftrag profane und relig. Skulpturen, u. a. auch 2 Rokoko-Figuren für FRIEDRICH D. GR. (Mars und Venus, Sanssouci).

3) Nicolas, *Lyon 8. 1. 1658, †Paris 1. 5. 1733, Bruder von 1), Schüler seines Onkels A. COYSEVOX, war 1683–86 in Rom, schuf allegor. Figuren und Figurengruppen für die königl. Schlösser und Gärten (Versailles, Marly; heute in den Tuilerien-Gärten in Paris) sowie Büsten und kirchliche Standbilder (Notre-Dame, Paris).

Coutances [kut'ãs], frz. Stadt und Bischofssitz in der Normandie, auf der Halbinsel Cotentin, 12 000 Ew. Die Kathedrale (13. Jh.), mit prächtiger Fassade, 2 Glockentürmen und achteckigem Vierungsturm, ist ein HW der Gotik in der Normandie; die Kirche St. Pierre (Ende 15. Jh. beg.) hat einen Vierungsturm (16. Jh.), der dem der Kathedrale ähnlich ist.

Couture [kut'y:r], Thomas, frz. Maler, *Senlis 21. 12. 1815, †Villiers-le-Bel bei Paris 29. 3. 1879, Schüler von J.-A. GROS und P. DELAROCHE, errang im Pariser Salon 1847 mit dem venezianisch beeinflußten Monumentalgemälde ›Die Römer der Verfallszeit‹ (Musée d'Orsay) einen großen Erfolg, der mehr durch den Bildinhalt als durch künstler. Qualität hervorgerufen wurde. C. schuf auch Porträts und Bilder mit romant. Themen; war bes. als Lehrer bekannt; aus seiner Schule gingen É. MANET, A. FEUERBACH und P. PUVIS DE CHAVANNES hervor.

Covarrubias [koβarr'uβias], Alonso de, span. Baumeister, *Torrijos um 1488, †Toledo um 1564/70, Schüler von E. EGAS. Als bed. Vertreter des späten Platereskenstils leitete er dessen Übergang zum klass. Kanon der Renaissance ein.

HW: Capilla de los Reyes Nuevos (1531–34; Toledo, Kathedrale); Erzbischöfl. Palast (um 1535–45; Alcalá de Henares); Umgestaltung des Alcázar in Toledo (1545 beg.).

Coventry [k'ɔvəntrɪ], Stadt in der Metrop. Cty. West Midlands, südlich von Birmingham, Mittelengland, 334 400 Ew., im MA. wichtiger Marktort des Tuchhandels (St. Mary's Guildhall, 14. Jh., Sitz der Kaufmannsgilde). Der Westturm der spätgot. Pfarrkirche (seit 1914 Kathedrale) wurde 1373–94 errichtet, 1434 erhöht, gleichzeitig wurde die Kirche als flachgedeckte Basilika mit reicher Maßwerkgliederung der Hochschiffwände erneuert; weitgehende Zerstörung (auch der Altstadt) durch dt. Luftangriffe 1940. Ein seitlich anschließender

Neubau 1956–62 wurde durch B. SPENCE (*1907) als großräumige Hallenkirche mit Netzgewölben in moderner Formgebung errichtet.

Cox, David d. Ä., engl. Maler, *Deritend bei Birmingham 29. 4. 1783, †Harborne bei Birmingham 7. 6. 1859, Studienaufenthalte in den Niederlanden und in Frankreich. Die Aquarelle und Ölskizzen seiner Genre- und Landschaftsbilder zeigen Lichtwirkungen und atmosphär. Effekte. C. gilt als Vorläufer des Impressionismus. – Sein Sohn David (*1809, †1885) war ebenfalls Landschaftsmaler.

Coxcie, Coxië, [k'ɔksi(ə)], Michiel van, fläm. Maler, *Mecheln 1499, †ebd. 10. 3. 1592, Schüler von B. VAN ORLEY, dessen Romanismus er in großen histor. Kompositionen fortsetzte. Er schuf Altargemälde, Entwürfe für Teppiche (im Escorial und in der Akad. Florenz) und Glasgemälde (St. Michel, Brüssel). 1531 malte er Fresken in S. Maria dell'Anima, der Kirche der Deutschen in Rom. C. war Hofmaler PHILIPPS II. von Spanien, für den er 1559 eine Kopie des →Genter Altars der Brüder van Eyck vollendete.

Coyolxauhqui [kɔjɔls'aʊki, ›die mit dem Schellenschmuck‹], Göttin der Azteken, Schwester des Huitzilopochtli. Auf einer 1978 in der Stadt Mexiko gefundenen Skulptur wird sie mit abgeschlagenen Extremitäten und mit Kupferschellen im Gesicht dargestellt.

B. RIESE: C. (1982).

Coypel [kwap'ɛl], frz. Malerfamilie, **1)** Antoine, Sohn und Schüler von 3), *Paris 11. 4. 1661, †ebd. 7. 1. 1722, lernte 1672–76 in Rom (u. a. bei G. L. BERNINI), orientierte sich an N. POUSSIN, A. CARRACCI und P. P. RUBENS; wurde 1714 Direktor der Akad., 1716 Hofmaler. Seine Gemälde, Gobelin-Entwürfe, Wand- und Deckenmalereien (Schloßkapelle in Versailles) wirken oft eklektisch dekorativ; Vorläufer des Rokoko.

2) Charles-Antoine, *Paris 11. 7. 1694, †ebd. 14. 6. 1752, Sohn und Schüler von 1), dessen erfolgreich-modische Rokoko-Malweise er fortsetzte; schuf auch Bilder und graph. Blätter nach MOLIÈRE und RACINE; Gobelin-Entwürfe (28 Szenen aus ›Don Quijote‹).

3) Noël, *Paris 25. 12. 1628, †ebd. 24. 12. 1707, Schüler von S. VOUET, war ab 1672 drei Jahre Direktor der frz. Akad. in Rom, führte monumentale Malereien im Stil C. LEBRUNS, dessen Mitarbeiter er war, und E. LESUEURS aus (Versailles, Tuilerien, Invalidendom; HW heute im Louvre); Entwürfe für Gobelins.

Antoine Coysevox: Selbstporträt, 1678 (Paris, Louvre)

Coysevox [kwazv'ɔks], Antoine, frz. Bildhauer, getauft Lyon 29. 9. 1640, †Paris 10. 10. 1720, war bereits seit 1660 Hofbildhauer. C. stand – obwohl nie in Italien gewesen – dem ital. Barock (v. a. G. L. BERNINI) nahe. Seine Porträts, von kühner Naturtreue, sind in virtuoser Beherrschung des Marmors und gelöst-lebendigem Gesichtsausdruck Vorläufer des Rokoko und wegweisend für die Porträtplastik des 18. Jh. Von C. stammen Büsten von Zeitgenossen (Le Nôtre, Lebrun, Colbert, Hardouin-Mansart), Einzelfiguren (Ludwig XIV., 1689, Paris, Mus. Carnavalet, und 1715, Notre-Dame), Grabdenkmäler (Colbert, 1685–1712, Paris, St. Eustache; Lebrun, ebd., St. Nicolas-du-Chardonnet; Mazarin, 1689–93, ebd., Institut de France) sowie zahlreiche mytholog. und allegor. Figuren (La Renommée, 1702; Paris, Tuileriengarten) in den königl. Schlössern (Versailles, um 1682–83) und bewegte Tiergruppen im Park von Versailles. C., auch Lehrer seiner Neffen G. und N. COUSTOU, war neben F. GIRARDON der Hauptvertreter der frz. Plastik unter LUDWIG XIV.

Cozens [kʌznz], **1)** Alexander, engl. Maler, St. Petersburg um 1717(?), †London 23. 4. 1786, schuf modern anmutende, meist monochrome Landschaftsskizzen in Tusche, wobei er sich um die Wiedergabe des atmosphär. Elements in der Natur bemühte.

2) John Robert, engl. Maler, Sohn von 1), *London um 1752, †ebd. Ende 1797, war 1776–79 und 1782/83 in Italien. Zuerst von CLAUDE LORRAIN und G. DUGHET beeinflußt, schuf C. später großformatige Landschaftsveduten (bes. Alpen- und Campagnamotive), deren Stimmungsgehalt schon auf die Kunst W. TURNERS und J. CONSTABLES hindeutet.

Cozia [k'ozja], Kloster am Alt, Kr. Vîlcea, Rumänien, Ende des 14. Jh. gestiftet. Die Kirche, eine typisch rumän. Anlage mit serb. und georgisch-armen. Einflüssen, wurde 1386–1418 erbaut. Die Malereien im Narthex stammen von 1391, die übrigen Malereien aus dem 18. Jh. Ein bes. qualitätvoller Bau außerhalb des Klosters ist die Siechenkirche mit Malereien aus der Erbauungszeit (1542–43).

Cozumalhuapa: Opferszenen auf der Vorderseite einer Stele, Höhe 3 m (Berlin-West, Museum für Völkerkunde)

Cozumalhuapa [kɔzumalu'apa], **Santa Lucía C.** [-lus'ia], Ort an der Pazifikküste von Guatemala, danach Bez. für eine Kultur aus der spätklass. Epoche (600–900) mit den benachbarten Hauptfundorten Bilbao, El Baúl und El Castillo. Auf künstlich aufgeschütteten Terrassen stehen, um Innenhöfe gruppiert, relativ niedrige Pyramiden. Bemerkenswerte Funde sind skulptierte Stelen (mit Reliefs: Opfer-, Ballspielszenen, Göttergestalten, Hieroglyphen) und Rundplastiken, deren Stil eher an Zentralmexikan. Kulturen erinnert als an den Stil der C. umgebenden Maya-Kultur, aber nicht eindeutig zuzuordnen ist.

Craesbeeck [kr'a:sbe:k], Joos van, fläm. Maler, *Neerlinter (Brabant) um 1606, †Brüssel zw. 1654 und 1662, Schüler von A. BROUWER, schilderte u. a. Szenen in Gasthäusern und Tabakstuben. Das Helldunkel seiner relig. Bilder ist von REMBRANDT beeinflußt.

Cragside [kr'ægsaɪd], Höhenschloß in der Cty. Northumberland, in landschaftlich exponierter Lage zw. 1870 und 1885 von R. N. SHAW in maler. Umrißlinien unter freier Verwendung histor. Formen erbaute Anlage; Hof mit turmartigem Mittelbau, Bibliothek mit polygonalen Fenstererkern.

Cranach, Malerfamilie:

1) Hans, Maler, Sohn, Schüler und Mitarbeiter von 2), *Wittenberg um 1510, †Bologna (auf der Wanderschaft durch Italien) 9. 10. 1537. Von ihm sind nur wenige eigenhänd. Werke bekannt.

Werke: Herkules und Omphale (1537; Lugano, Sammlung Thyssen-Bornemisza); Männl. Porträt (1534; ebd.); ital. Skizzenbuch (1536; Hannover, Kestner-Mus.).

2) Lucas d. Ä., Maler, Zeichner für Holzschnitte und Kupferstecher, Vater von 1) und 3), *Kronach (Oberfranken) Okt. 1472, †Weimar 16. 10. 1553, nannte sich nach seinem Geburtsort und lernte wohl in der Werkstatt seines Vaters. Nach Wanderjahren ist C. erst 1500 bis 1504 in Wien nachweisbar. Hier wurde er durch Landschaftsgestaltung von starker Ausdrucksdramatik (Kreuzigung, 1503; München, Alte Pinakothek) und idyllischer Lieblichkeit (Ruhe auf der Flucht, 1504; Berlin-West, Staatl. Museen) neben A. ALTDORFER zum Begründer der →Donauschule. Nach Berufung an den kursächs. Hof nach Wittenberg durch FRIEDRICH DEN WEISEN (1505) und bes. nach einer Reise in die Niederlande (1508) wandelte sich sein Stil zu einer manieristisch-linienbetonten, vielfach zierlich gedrechselten Form. Sein Themenkreis erweiterte sich nun durch Aufnahme des weibl. Akts. Neben wenigen kraftvollen Werken von eigener Hand hinterließ C. viele mittelmäßige Bilder v.a. aus seiner Werkstatt, die in Massenerzeugung hergestellt wurden. Durch seine enge Freundschaft mit M. LUTHER und P. MELANCHTHON wurde er zum Schöpfer einer protestant. Kunst (Holzschnitte zur Bibel und den Reformationsschriften); er schuf auch Zeichnungen für das Gebetbuch Kaiser MAXIMILIANS I. (Besançon, Bibliothèque Municipale).

Lucas Cranach d. Ä.: Ruhe auf der Flucht; 1504 (Berlin-West, Staatl. Museen)

WW: Schottenkreuzigung (1502; Wien, Kunsthistor. Mus.); Hl. Hieronymus (1502; ebd.); Kreuzigung Christi (1503; München, Alte Pinakothek); Enthauptung der Hl. Katharina (um 1504; Budapest, Magyar Szepmüveszeti Muzeum); Katharinenaltar (1506; Dresden, Gemäldegal.); Torgauer Altar (1509; Frankfurt a. M., Städelsches

Kunstinstitut); Venus und Amor (1509; Leningrad, Eremitage); Quellnymphe (1518; Leipzig, Mus. der Bildenden Künste); Urteil des Paris (1529; New York, Metropolitan Museum of Art); Kard. Albrecht von Brandenburg vor dem Gekreuzigten kniend (um 1520; München, Alte Pinakothek); Der Jungbrunnen (1546; Berlin-West, Staatl. Museen). – Viele Marienbildnisse, Porträts von Reformatoren, sächs. Fürsten. – Holzschnitte und Kupferstiche.

L. C. d. Ä. Das ges. graph. Werk, hg. v. J. JAHN (1972); D. KOEPPLIN u. T. FALK: L. C., Ausst.-Kat., Basel, 1 (1974), 2 (1976); W. SCHADE: Die Malerfamilie C. (Dresden 1980).

3) Lucas d. J., Maler, Sohn und Schüler von 2), *Wittenberg 4. 10. 1515, †Weimar 25. 1. 1586, übernahm nach dem Tod des Vaters dessen Werkstatt; bedeutend v. a. in seinen Porträts.

Werke: Predigt Johannes des Täufers (1549; Braunschweig, Herzog-Anton-Ulrich-Mus.); Der schlafende Herkules und die Pygmäen (1551; Dresden, Gemäldegal.); Herkules vertreibt die Pygmäen (1554; ebd.); Kreuzigung mit Allegorie der Erlösung (1555; Weimar, Stadtkirche). – Zahlreiche Porträts (Reims).

Crane [kreın], Walter, engl. Maler und Designer des Jugendstils, *Liverpool 15. 8. 1845, †Horsham (Sussex) 14. 3. 1915, begann mit Malerei und Kinderbuchillustrationen, ging unter dem Einfluß von W. MORRIS zum Kunsthandwerk über; Mitbegründer der ›Arts and Crafts Society‹ (1888) u. a. Kunstgewerbeschulen.

Craquelée [krakl'e, frz. ›rissig‹], **1)** feine Glasurrisse bei Porzellan und Keramiken, deren gebrannte Masse und Glasur mit versch. Spannungen erkalteten. Die C. wurde (bes. bei altchines. Porzellan) oft künstlich erzeugt, da sie die Oberfläche belebt und die allmähl. Färbung der Risse eine Art Patina bewirkt; **2)** →Alterssprünge.

Craquelée-Glas [krakl'e-, frz.], →Eisglas.

Crayer, Craeyer [kr'a:jər], Gaspar (Caspar) de, fläm. Maler, getauft Antwerpen 18. 11. 1584, †Gent 27. 1. 1669, seit 1607 Meister in Brüssel. Er schloß sich P. P. RUBENS an, dessen Kunst er in gefühlsmäßig gesteigerte Art fortsetzte. Seine HW schuf er für fläm. Kirchen (Brüssel, Gent); auch Porträts.

Crayonmanier [krɛj'ɔ̃-, frz.], →Kreide-Manier.

Creamware [kr'i:mweə, engl.], bei niedrigen Temperaturen gebranntes Steingut aus weißem Ton, seit 1760 von J. WEDGWOOD hergestellt. Aus verbesserter C. wurde ein Service für die engl. Königin CHARLOTTE SOPHIA (*1744, †1818) hergestellt, und J. Wedgwood erhielt 1765 die Erlaubnis, Produkte dieser Art als ›Queensware‹ zu bezeichnen.

Credi, Lorenzo di, ital. Maler, *Florenz 1459/60, †ebd. 12. 1. 1537, mit LEONARDO DA VINCI Schüler des A. DEL VERROCCHIO; schuf in sorgfältiger Technik und lichten Farben Madonnenbilder, Altartafeln, Porträts; einziges erh. profanes Bild: ›Venus‹ (Florenz, Uffizien).

Lorenzo di Credi: Venus (Florenz, Uffizien)

Creglingen, Stadt in Nordwürtt., 5400 Ew.; im S des Ortes die Herrgottskirche (1384–99), eine vielbesuchte Wallfahrtskirche des MA. mit dem wertvollsten Holzbildwerk von T. RIEMENSCHNEIDER, dem 7 m hohen Marienaltar (um 1505); weitere spätgot. Flügelaltäre, bemerkenswertes Maßwerk, Bauskulptur.

Crema, Stadt und Bischofssitz in der ital. Prov. Cremona, Lombardei, 33600 Ew.; Dom (13./14. Jh.) mit Gemälden und Fresken im Inneren; mehrere Renaissancepaläste (u. a. Palazzo Comunale mit Turm, 1525; Palazzo Pretorio, 16. Jh.), Barockkirche SS. Trinità (18. Jh.). Im N von C. die Wallfahrtskirche S. Maria della Croce (Ende 15. Jh.; viergeschossige Backsteinrotunde mit 4 Kapellen).

Cremer, Fritz, Bildhauer, Graphiker, *Arnsberg 22. 10. 1906, lebt seit 1950 in der Dt. Dem. Rep., wo er ein wichtiger Anreger realist. Plastik wurde. In seinem verhalten pathet. Stil zeigen sich Einflüsse von A. RODIN, E. BARLACH, KÄTHE KOLLWITZ.

HW: Mahnmale in Auschwitz (1947), Buchenwald (1952–58), Ravensbrück (1959/60).

Cremona, ital. Stadt und Bischofssitz in der Lombardei, am linken Ufer des Po, 82600 Ew., mit vielen Kirchen und Palästen des MA. und der Renaissance. Im Zentrum die Piazza del Comune mit roman. Dom (1190 gew.; reich verzierte Fassade aus rotem und weißem Marmor mit Vorhalle des 14. Jh.; Portalfiguren aus der Werkstatt des WILIGELMUS VON MODENA; im Inneren Freskenzyklus mit Marienlegenden, Anf. 16. Jh.), 111 m hohem Glockenturm (›Torrazzo‹, 1267 oder 1284 voll.), achteckigem roman. Baptisterium (12. Jh.), Loggia dei Militi (1292) und Palazzo del Comune (Rathaus, 13. Jh.). Weitere Kirchen u. a. S. Michele (7. Jh., im 12. Jh. erneuert), S. Agostino (Mitte 14. Jh.), S. Abondio (16. Jh.), am Stadtrand die Basilika S. Sigismondo (unter F. SFORZA 1463 erbaut, im Inneren Fresken von B. CAMPI, um 1570). Mus. im Palazzo Affaitati (1561) mit Gemäldesamml. u. a.

Cremona, Tranquillo, ital. Maler, *Pavia 10. 4. 1837, †ebd. oder Mailand 10. 6. 1878, bildete, angeregt bes. von G. CARNEVALI, eine eigentümlich weiche, farbig sehr reizvolle Malweise aus.

Cremonini, Leonardo, ital. Maler, *Bologna 26. 11. 1925, malt in grellen Farben Figurenkompositionen, die den Menschen verstört in einer von der Technik bedrohten Umwelt zeigen.

L. C., Ausst.-Kat., Darmstadt (1970).

Crespi, 1) Daniele, ital. Maler, *Busto Arsizio (bei Mailand) um 1600, †Mailand 1630, Schüler von 2), ging vom Mailänder Manierismus aus, gelangte dann zu einem schlichten Stil (Fresken und Altarbilder).

2) Giovanni Battista, gen. **il Cerano** [-tʃerˈaːno], ital. Maler, Bildhauer, Baumeister, *Cerano um 1575, †Mailand 23. 10. 1632, bildete sich in Rom und Venedig und ließ sich in Mailand nieder, wo er von Kardinal FEDERIGO BORROMEO gefördert wurde (1621 Direktor der Accademia Ambrosiana). Er schuf Altarbilder (›Szenen aus dem Leben des Hl. Karl Borromäus‹, 1602–03; Mailand, Dom), in deren lebhaft bewegter Komposition sich ausdrucksvolle Helldunkelwirkungen mit plast. Kraft der Gestaltung verbinden, und die Kolossalstatue des Hl. Karl Borromäus in Arona.

3) Giuseppe Maria, gen. **lo Spagnuolo** [-ɲ-], ital. Maler, Radierer, *Bologna 14. 3. 1665, †ebd. 25. 3. 1746, malte relig. (Bildfolge ›Die 7 Sakramente‹, um 1712 bis 15; Dresden, Gemäldegal.) und mytholog. Bilder, genrehafte Szenen und Porträts mit maler. Gesamtwirkung und starken Helldunkelgegensätzen; auch Fresken in versch. Palästen Bolognas; Radierungen.

Cressent [krɛs'ã], Charles, frz. Kunsttischler, Bildhauer, *Amiens 16. 12. 1685, †Paris 10. 1. 1768, Schüler von A. C. BOULLE, Hofbildhauer König LUDWIGS XV.; seine Arbeiten im Régence-Stil (v. a. Schränkchen mit florentin. Steininkrustationen) zeichnen sich durch Reliefs und geschmackvolle Ornamente aus.

Cresteria, Dachaufsatz bei Maya-Bauten, →Dach.

Creti, Donato, ital. Maler, *Cremona 24. 2. 1671, †Bologna 29. 1. 1749, schuf zw. 1688 und 1710 Fresken in Palästen und Villen Bolognas, später Allegorien und zahlreiche Andachtsbilder, anfangs in einer weichen, venezian. Manier, später in härteren Formen, die bereits den Klassizismus ankündigen.

Creußener Steinzeug, im 16.–18. Jh. in Creußen bei Bayreuth hergestellte Steinzeuggefäße: Krüge mit Zinnmontierungen und Reliefauflagen (Apostelkrüge), die zum Teil mit Emailfarben bemalt waren.

Creuzburg, Stadt bei Eisenach, Dt. Dem. Rep.; Nikolaikirche mit roman. Apsis (1215), an der Werrabrükke (1223) die Liboriuskapelle (1499 beg.) mit Netzgewölbe und Fresken (um 1520); Schloß im Kern romanisch, 16.–18. Jh. mehrfach umgebaut.

Crimmitschau, Stadt bei Zwickau, an der Pleiße, Dt. Dem. Rep., 28 000 Ew.; Stadtkirche St. Laurentius, dreischiffige spätgot. Halle (1513, Chor z. T. 14. Jh.); vom ehem. Zisterzienserinnenkloster im Stadtteil Frankenhausen sind 2 Gebäude mit spätgot. Giebeln erh.

Crippa, Roberto, ital. Maler, Bildhauer, *Monza 17. 5. 1921, †Mailand 19. 3. 1972, schloß sich 1948 der Gruppe ›Movimento Spazio‹ an. Seine abstrakt-expressionist. Bilder stellen kalligraphisch im Raum kreisende Bewegungslinien dar; seit 1956 auch Eisenplastiken.

Crivelli, 1) Carlo, ital. Maler, *Venedig um 1430 bis 1435, †Ascoli Piceno nach dem 7. 8. 1494 und vor dem 3. 9. 1495, bis 1457 in Venedig, später in den Marken tätig. Entscheidend von F. SQUARCIONE und DONATELLO beeinflußt, malte er Andachtsbilder, umfangreiche Altarwerke (Polyptychon im Dom von Ascoli Piceno, 1473) in prunkvoll archaisierendem Stil. Seine Figuren sind herb im Ausdruck und von strenger Plastizität. **2)** Taddeo, auch T. **da Ferrara,** ital. Maler, nachweisbar 1452–76, war v. a. als Buchmaler tätig; illuminierte die Bibel des Herzogs BORSO D'ESTE, deren über 1 000 Miniaturen ein HW der ferrares. Miniaturmalerei darstellen (1455–61; Modena, Biblioteca Estense).

Crola, Georg Heinrich, eigtl. **Croll,** Maler, *Dresden 5. 6. 1804, †Ilsenburg (Kr. Wernigerode) 6. 5. 1879, Schüler von J. C. KLENGEL, malte v. a. Waldlandschaften (Einfluß von C. D. FRIEDRICH und J. C. DAHL).

Crome [krəʊm], John, gen. **Old C.** [əʊld-], engl. Maler, Radierer, *Norwich (Norfolk) 22. 12. 1768, †ebd. 22. 4. 1821, bildete sich an A. CUYP und M. HOBBEMA, gründete 1803 in seiner Heimatstadt eine Schule der Landschaftsmalerei (›Norwich School‹). In seinen Ölgemälden und Aquarellen gestaltete er schlichte Landschaftsmotive mit starkem Stimmungsgehalt und atmosphär. Reiz.

Cronaca, Il C., eigtl. Simone del **Pollaiuolo**, ital. Baumeister, *Florenz 30. 10. 1457, †ebd. 27. 9. 1508, setzte die Bauweise L. B. ALBERTIS fort. An antiker Architektur in Rom geschult, war er an einer Reihe florentin. Bauten beteiligt; 1495 wurde er Dombaumeister.

HW (in Florenz): Kranzgesims und Hof des Palazzo Strozzi (1494 f.); S. Salvatore al Monte (1487–1504).

Cross, Henri Edmond, eigtl. H. E. **Delacroix** [dəlakrw'a], frz. Maler, *Douai 20. 5. 1856, †Saint-Clair (Var) 16. 5. 1910, malte zunächst in toniger Farbe, schloß sich später den Pointillisten an; schuf, auch in Aquarelltechnik, Landschaftsbilder, Akte, Porträts.

Cross River, Kreuzfluß, Kunst- und Kulturprovinz um den gleichnamigen Fluß in O-Nigeria und W-Kamerun. Zu den Stämmen dieses Gebietes zählen die →Mbembe mit den Oshopong, die →Ekoi mit den Ejagham und den Anyang, die →Keaka mit den Obang und Banyang sowie die →Boki; im Einflußbereich dieses Gebietes stehen auch die Bangwa (→Bamileke) vom Kameruner Grasland. Gemeinsam ist fast allen Stämmen dieses Gebietes das Tragen von Tanzaufsätzen (Aufsatzmaske; →Maske) in Gestalt eines menschl. Kopfes (was von der Kopfjägertradition herrührt) sowie oft januskopfige Helmmasken, meist mit Leder überzogen, die von den Geheimbünden getragen werden. Im Grenzgebiet zw. Ekoi und Boki, nordwestlich von Ikom, ist eine große Anzahl (etwa 300) meist phallusförmiger Steine gefunden worden, deren oberer Teil oft als Kopf mit Bart ausgebildet ist. Die Bedeutung dieser ›Akwanshi‹ (= Toter in der Erde) ist heute nicht mehr bekannt; sie stellen vermutlich Priesterhäuptlinge dar.

Crowland [kr'əulənd], Ort in der Cty. Lincolnshire nordöstlich von Peterborough, O-England. Die Kirche der 716 gegr. Croyland Abbey wurde ab 1114 als roman. Querhausbasilika errichtet und später mehrfach umgebaut; heute Ruine. Erh. blieben Teile der statuengeschmückten Westfassade (um 1260) mit dem hochgot. Portal. Als Pfarrkirche dient das erh. nördl., mit Flechtrippengewölbe und Perpendicular-Maßwerk geschmückte Seitenschiff mit Westturm (1460–69). Im Ort Steinbrücke (Trinity Bridge) des späten 14. Jh.

Croy-Teppich, Bildteppich, stellt M. Luther, P. Melanchthon und J. Bugenhagen mit Mitgl. des pommerschen und sächs. Fürstenhauses dar. Er wurde 1551–54 in Stettin von dem Niederländer P. HEYMANN gewirkt; die Entwürfe sollen auf L. CRANACH d. J. zurückgehen. 1684 wurde der C.-T. von Herzog ERNST BOGISLAW VON CROY (*1620, †1684) der Univ. Greifswald gestiftet.

Cruikshank [kr'ukʃæŋk], George, engl. Karikaturist, *London 27. 9. 1792, †ebd. 1. 2. 1878; in seinen Karikaturen geißelte er polit. Persönlichkeiten und soziale Mißstände; schuf Radierungen und v. a. Holzschnitte, illustrierte Bücher von C. DICKENS.

Cruz-Díez [krus d'iɛs], Carlos, venezolan. Maler, *Caracas 17. 8. 1923, übersiedelte 1960 nach Paris, schuf Metallreliefs aus farbigen Lamellen auf farbigem Grund, die sich durch Perspektivwechsel zu immer neuen Farbornamenten mischen (›Physichromics‹). In den 70er Jahren erweiterte C.-D. dieses Prinzip zum totalen Farbenvironment und errichtete – v. a. in Venezuela – chromat. Architekturfassaden. Durch seine ausschließl. Konzentration auf Farbphänomene nimmt er eine Sonderstellung im Rahmen der kinet. Op Art ein.

Csontváry [tʃ'ontva:ri], eigtl. Mihály Tivadar **Kosztka** [k'ostkɔ], ungar. Maler, *Kisszeben 5. 7. 1853, †Budapest 20. 6. 1919, war anfangs Apotheker, malte nach Studien v. a. in München und Paris aus visionärer Sicht gestaltete Landschaften und Figurenbilder. Sein naiv-expressionist. Stil steigerte sich im Spätwerk zu suggestivem Ausdruck (›Klagemauer in Jerusalem‹, 1904).

Cubịculum [lat.] *das,* urspr. Schlafzimmer, dann kleines Zimmer des antiken röm. Wohnhauses.

Cucchi [k'ukki], Enzo, ital. Maler, *Morro d'Alba 14. 11. 1950, zählt zur Arte Cifra, zu der er dynamisch bewegte, malerisch kraftvolle Bilder, oft mit mytholog. Themen, beiträgt.

Cucci [k'uttʃi], Domenico, ital. Kunsttischler, Goldschmied, *Todi (Prov. Perugia) um 1635, †Paris 1704 oder 1705; zunächst in der Pariser Gobelin-Manufaktur beschäftigt, schuf er später neben aufwendigen Kabinetten mit Intarsien aus Schildpatt, Lapislazuli und feuervergoldeten Bronzemontierungen Büsten König Ludwigs XIV. und der Kaiserin Maria Theresia.

Cucuteni [kukut'enj], Dorf im Bez. Jassy (Rumänien) mit Funden mehrerer vorgeschichtl. Perioden. Eine befestigte Siedlung der späten Jungsteinzeit wurde namengebend für die **C.-Kultur** der Moldau und Ukraine. Diese zeigt bemalte Keramik mit weißer, roter und schwarzer Spiralen- oder Wellenlinienverzierung und reiche Idolplastik (Menschen- und Tierstatuetten).

Cuéllar [ku'eʎar], span. Stadt nördl. von Segovia, rd. 7000 Ew., umgeben von der ma. Stadtmauer mit Toren und geprägt von den Backstein-Kirchenbauten des Mudéjar-Stils aus dem 13. Jh.: S. Esteban mit polygonalem Chor und vierstöckig mit Blendarkaden gestaffelter Apsis; S. Martín mit Dreiapsidenchor; S. Andrés, Fassade mit sechsfach gestufter Arkade. Kastell (15./16. Jh.).

Cuenca [ku'eŋka], **1)** span. Stadt und Bischofssitz in Neukastilien, 37 400 Ew.; ma. Stadtbild mit Casas Colgadas (›hängende Häuser‹) über dem steilen Abgrund zum Ufer des Huécar; im Zentrum am Hauptplatz das barocke Rathaus (1762) und die prachtvolle dreischiffige Kathedrale in normann. Gotik (um 1270 voll.); im Innern Kapellen mit üppigen schmiedeeisernen Gittern (16. Jh.) und kostbaren Artesonado-Decken, reich skulptierter Altaraufgang mit Portikus (1546). Im Kir-

Cucuteni: spindelförmige weibliche Figur, Terrakotta (Piatra Neamţ, Rumänien, Archäologisches Museum)

Cucuteni: Gefäßständer mit spiralförmigem Dekor (Piatra Neamţ, Rumänien, Archäologisches Museum)

chenschatz u.a. byzantin. Reliquiar (13. oder 14. Jh.), roman. Kalvarienberg (13. Jh.); Mus. der Kathedrale mit Gemäldesamml. (u.a. Werke von EL GRECO). Kirche S. Antón (1767, barocker Grundriß mit Ellipsen, die sich überschneiden und ineinandergreifen); Archäolog. Mus. (kelt., röm., westgot. Funde); Mus. für span. abstrakte Kunst. – Etwa 30 km nördl. von C. liegen die eindrucksvollen Felsverwitterungsformen der Ciudad Encantada (›verzauberte Stadt‹).

2) Stadt in S-Ecuador, 2541 m ü.M., 130 000 Ew. Die 1557 von den Spaniern gegr. Stadt hat ihr kolonialzeitl. Bild bewahrt. Kloster und Kirche La Concepción (gegr. 1599) und Las Carmelitas Descalzas (1682) sind beachtl. Beispiele kolonialzeitl. Architektur. Im Stadt-Mus. eine Samml. indian. Kunst.

Cuernavaca [kuɛrnaβ'aka], Hauptstadt des Staates Morelos, Mexiko, 240 000 Ew. Aus dem 1529 gegr., im 19. Jh. umgebauten Wehrkloster der Franziskaner mit Offener Kapelle und Wandmalereien im Kreuzgang ging die heutige Kathedrale (beg. 1533) hervor, deren dekorativstes Portal (1557–1587) im Platereskenstil gestaltet ist. Bei der Renovierung 1957 wurde das Innere modern gestaltet (u.a. Glasfenster von M. GOERITZ). Zur Klosteranlage gehört die Kapelle des 3. Ordens mit volkstüml. barocken Stuckornamenten und holzgeschnitztem Altar (1735). Im ehem. Palast von H. CORTEZ (beg. um 1530, später umgebaut) u.a. Histor. Mus.; im Obergeschoß Fresken von DIEGO RIVERA (1929/30).

Cuicuilco, archäolog. Fundort im SW des Hochtals von Mexiko, aus vorklass. Zeit (um 200 v. Chr.), mit terrassierter Pyramide in Rundform (135 m Ø, 20 m Höhe). Form und Ausmaß der Pyramide finden nur wenige Parallelen in Mesoamerika.

Cuicul, röm. Stadt in N-Afrika, →Djemila.

Culemborg [k'y:ləmbɔrx], Stadt in der niederländ. Prov. Gelderland; got. Grote Kerk (15./Anf. 16. Jh.), eine kreuzförmige Basilika mit hölzernem Tonnengewölbe, mit Schnitzarbeiten (Kanzel, Taufgitter, Bänke; um 1660); spätgot. Rathaus (1534–39) aus Natur- und Backstein mit reich gegliederter Fassade und doppelläufiger Freitreppe.

Culm, Kulm, poln. **Chełmno** [x'ɛłmnɔ], Stadt in der Wwschaft Toruń (Thorn), Polen, 19 800 Ew. Got. Pfarrkirche (ehem. Kathedrale, 1290–1333 erbaut); Dominikanerkloster mit Kirche (13.–14. Jh., im 17. Jh. basilikal verändert); Zisterzienserinnen-Abtei (gegr. 1266) mit got. Kirche des 13.–14. Jh. (reiche Innenausstattung). Das Rathaus (1567–99, mit ma. Kern) ist ein charakterist. Beispiel der poln. Renaissance.

Culzean Castle [kəl'eɪn kɑ:sl], Schloßanlage in der Strathclyde Region an der SW-Küste Schottlands, 1777–90 von R. ADAM unter Benutzung eines ma. Keep erbaut. Der symmetrisch zur Mitte gestaffelte Bau ist i.S. der frühen engl. Burgenromantik mit runden Ecktürmen und Zinnenkranz besetzt.

Cumae, antike Stadt im Küstengebiet Kampaniens, nordwestlich von Pozzuoli, als älteste grch. Siedlung

(Kyme) in Italien um 750 v. Chr. gegr. Von hier ging ein starker Einfluß grch. Kultur auf Etrusker und Römer aus. 334 v. Chr. wurde es römisch und verlor bald an Bedeutung. Durch Grabungen wurden v. a. auf der Akropolis der Zeus(Jupiter)-Tempel (5. Jh. v. Chr., im 5. Jh. n. Chr. in eine christl. Basilika umgebaut) und unterhalb der Burg ein Apollon-Tempel (urspr. 5. Jh. v. Chr., unter AUGUSTUS völlig erneuert) freigelegt. C. war im Mythos Sitz der Sibylle; ihre Orakelgrotte wird in einem Raum angenommen, zu dem ein 131 m langer, in den Burgberg gehauener Gang mit vielen Seitenarmen führt (ältester Teil dieser Anlage aus dem 6./5. Jh. v. Chr.).

Cunault [kyn'o], frz. Ort am linken Ufer der Loire, südöstlich von Angers, mit bed. roman. Kirche (11. und 13. Jh.; im Inneren reich skulptierte Kapitelle).

Cupido, in der lat. Poesie Name des →Eros.

Cupisnique [-n'ike], Fundort der Chavín-Kultur an der N-Küste Perus, namengebend für deren dortige Ausprägung (C.-Stil oder nördl. Küsten-Chavín; 1200 bis 300 v. Chr., vom Santa- bis zum Piura-Tal nachzuweisen): größere Zeremonialzentren, Keramik meist vollplast. Formen mit Steigbügelhenkel; beide Elemente wurden an der N-Küste Perus später weiterentwickelt (z. B. Moche).

Curia [lat.], Versammlungsraum für den röm. Senat; erste C.-Bauten auf dem Forum in Rom gehen in die Königszeit zurück. Der von CAESAR begonnene, von AUGUSTUS eingeweihte Bau wurde 283 n. Chr. durch Brand zerstört und unter DIOKLETIAN erneuert (303 n. Chr. eingeweiht), ein schlichter rechteckiger Raum mit Kassettendecke, Bogenfenster und Statuennischen an den Längsseiten. Die C. wurde nach Abriß der Kirche S. Adriano in den 30er Jahren dieses Jh. im alten Zustand rekonstruiert.

Curtain Wall [k'əːtnwɔːl, engl. ›Vorhangwand‹] *der,* nichttragende Wand oder Verkleidung, die dem Skelettbau eines →Hochhauses vorgehängt wird. Der C. W. übernimmt die schützende und dämmende Funktion der konventionellen Außenwand und besteht v. a. aus vorgefertigten Elementen aus Metall, Stein, Glas oder Kunststoff. W. GROPIUS verwendete 1911 den wohl ersten Stahl-Glas-C.-W. beim Bau der Fagus-Werke in Alfeld a. d. Leine. L. MIES VAN DER ROHE perfektionierte das System des C. W. in konstruktiver und ästhet. Hinsicht (u. a. beim Seagram Building, New York 1954–57, mit P. JOHNSON). Der Vorwurf, C. W. habe den Eindruck von Monotonie in den Großstädten verstärkt, veranlaßte seit den 70er Jahren viele Architekten, sich erneut mit der Fassadengestaltung auseinanderzusetzen. Das Nebeneinander von konventionellen Fassadenteilen und C.-W.-Flächen, ein größeres Spektrum an C.-W.-Sonderelementen (Erker, Nischen) und größere Sorgfalt bei der Farb-, Form- und Materialauswahl sollen u. a. die konstruktiven Vorteile des C. W. mit neuen ästhet. Qualitäten bereichern.

Curtea de Argeş [-'ardʒeʃ], Stadt im Kr. Argeş, Rumänien, 24400 Ew.; ehem. Fürstenhof und Sitz des

Curtea de Argeş: Bischofskirche, 1512–17

Fstt. Walachei (seit 1359). Die Fürstenkirche, ein Kreuzkuppelbau (2. H. 14. Jh.), ist das früheste Beispiel des byzantin. Bautyps in Rumänien (im frühen 19. Jh. durch 2 Kuppeltürme verändert). Sie enthält Reste von Wandmalereien des 14. Jh. und Gräber walach. Fürsten. – Die Bischofskirche (1512–17 erbaut), ein Hauptwerk rumän. Architektur, zeigt eine Mischung von armenisch-byzantin. und islam. Einflüssen; die 4 Kuppeltürme und der Außenbau tragen reichen ornamentalen Schmuck; Außenmalerei von 1761. Die Wandgemälde im Innern (1526) sind seit der Restaurierung 1876 verloren; Reste im Kunstmus. Bukarest.

Curvilinear Style [kəːvɪlˈɪnjə staɪl, engl.], nach den v. a. in N- und O-England (Ely) vorkommenden, stark geschwungenen Maßwerkformen benannte Spätphase des →Decorated Style in der 1. H. des 14. Jh., zeitlich dem kontinentalen Maßwerkstil der nachklass. Hochgotik entsprechend.

Custọdia [lat. ›Schutz‹], **Kustọdi|e**, in der Kath. Kirche ein Gefäß, das die zur Aussetzung in der Monstranz bestimmte Hostie birgt und im Tabernakel aufbewahrt wird. In span. Kathedralen ein meist kunstvoll gefertigtes tabernakelartiges Behältnis aus Silber (auch vergoldet), oft in Form eines filigranhaft durchbrochenen Häuschens oder Türmchens, das die Monstranz umgibt (daher wird der Begriff C. oft mit Monstranz gleichgesetzt) und v. a. in der Oktave des Fronleichnamsfestes auf Prozessionen mitgeführt wird, daher auch Prozessionstabernakel gen. Die prächtigsten span. C. sind größtenteils Werke der Goldschmiedefamilie →Arfe.

Cuvilliés [kyvij'e], **1)** François de (d. Ä.), Baumeister, Dekorateur, *Soignies (Hennegau) 23. 10. 1695, †München 14. 4. 1768, trat mit 13 Jahren als Hofzwerg in den Dienst des Kurfürsten MAX EMMANUEL von Bayern, der bald seine Fähigkeiten erkannte und ihn in München durch J. EFFNER und in Paris (1720–24) u. a. bei F. BLONDEL d. J. zum Architekten ausbilden ließ. Bereits 1725 wurde C. in München Hofbaumeister. Er verband den vornehm-zurückhaltenden Stil des frz. Louisquinze und Rokoko mit dem phantasievoll-volkstüml. bayer. Barock und wurde so – v. a. in seinen glänzenden und geistreichen Innendekorationen – zum eigtl. Schöpfer des bayer. Rokoko. C. arbeitete auch für den (wittelsbach.) Kurfürsten KLEMENS AUGUST von Köln in den Schlössern Augustusburg (1728–30) und Falkenlust (1729) bei Brühl. – HW: ›Reiche Zimmer‹ der Münchner Residenz (1730–37), Amalienburg im Schloßpark Nymphenburg (1734–39), Altes Residenztheater München (1750–53). Seit 1738 veröffentlichte C. zahlreiche Ornament- und Dekorationsstiche (Neudrucke seit 1770).

W. BRAUNFELS: F. de C. (1938); F. F. WOLF: F. de C. (1967); J. SCHNELL: F. de C.'s Schule Bayer. Architektur (1971).

2) François de (d. J.), Baumeister, Ornamentstecher, *München 24. 10. 1731, †ebd. begraben 10. 1. 1777, Sohn von 1), setzte die Ornamentstich-Veröffentlichungen nach Werken seines Vaters fort. In seinem nicht abgeschlossenen Lehrbuch ›Vitruve Bavarois‹ verband er Vorbilder versch. Künstler und Stile.

Cuyp [kœjp], Aelbert, holländ. Maler, *Dordrecht Oktober 1620, begraben ebd. 15. 11. 1691, ging von der

François de Cuvilliés 1): Zuschauerraum des Alten Residenztheaters in München; 1750–53

tonig und flächig vereinfachenden Kunst J. VAN GOYENS aus und gelangte unter dem Einfluß von J. BOTH zu einem eigenen Landschaftsstil, der ruhige, groß gesehene Menschen und Tiere vor friedl. Fernsicht in sonnendurchglühter Atmosphäre vereinigt. Diese Meisterwerke holländ. Lichtmalerei entstanden zw. 1650 und 1660. C., auch ein guter Porträtist, schuf außerdem noch See- und Mondscheinlandschaften, Stadtansichten, Kircheninterieurs und Stilleben. Ein Großteil seiner besten Werke befindet sich in England, wo er v. a. Maler des 18. Jh., u. a. W. TURNER, beeinflußte.

S. REISS: A. C. (London 1975); A. C. en zijn familie, Ausst.-Kat., Dordrecht (1978).

Cuypers [k'œjpərs], Peter, niederländ. Architekt, *Roermond 16. 5. 1827, †ebd. 3. 3. 1921, baute viele Kirchen im Stil der Backsteingotik, das Rijksmuseum (1876–85) und den Hauptbahnhof (1881–89) in Amsterdam im Stil der niederländ. Renaissance.

Cuzco [k'usko], Hauptstadt des Dep. C., Peru, 3416 m ü. M., 140000 Ew.

Von der ehem. Inka-Hauptstadt (1440–1532) sind nur Mauerreste von Palästen, Umfassungsmauern von Tempelbezirken und einfache Hofmauern erhalten. C. wurde 1440 von einem Erdbeben zerstört und unter dem Inka-Herrscher Pachacutec aus riesigen polygon behauenen oder rechteckigen Steinblöcken aus Andesit und Porphyr wiederaufgebaut. Berichte der span. Eroberer beschreiben die prachtvolle Ausstattung der Paläste und berichten von Tempelgärten mit Maisstauden und Blumen aus Gold und Silber, Goldscheiben und lebensgroßen Goldfiguren.

Auf den Trümmern der ehem. Hauptstadt des Inkareichs errichteten die Spanier das koloniale C., das wiederum von schweren Erdbeben (1650, 1950) heimgesucht wurde. Erh. blieb u. a. die Kathedrale (1560) am schon in der Inkazeit zentralen Platz, der weiträumigen Plaza de Armas, mit festungsartigen Türmen und Fassade (1654), in der das Portal wie ein Retabel gegliedert ist; innen got. Gewölbe, indian. Steinmetzarbeiten und kostbares Chorgestühl. Unter den vielen anderen kolonialzeitl. Klöstern und Kirchen ragen hervor: Jesuitenkirche (1650–1668, BILD lateinamerikanische Kunst), Portal mit plateresker Ornamentik, 6 Kapellen mit kostbaren Barockaltären; Kirche des Klosters S. Catalina mit churrigueresken Retabel; Kirche und Kloster La Merced (beg. 1534, rekonstruiert 2. H. 17. Jh.) mit zweistöckigem barockem Kreuzgang mit starkem Renaissanceeinfluß; im Klostermuseum bed. juwelenbesetzte Monstranz. Die Kirche S. Teresa hat silbernen Hochaltar; schöne Azulejos. In der Franziskanerkirche zeigen die Schnitzereien (um 1680) starken indian. Einfluß. Von den Profanbauten ist die Casa del Almirante (16./17. Jh.) ein HW plateresker Baukunst.

Czarnowanz [tʃ-], poln. **Czarnowąsy** [tʃarnɔv'ɔ̃si], Ort in der Wwschaft Opole (Oppeln) an der Oder, Polen, mit einer 1228 gegr. Prämonstratenserinnen-Abtei, deren barocker Kirchenbau (2. H. 17. Jh.) frühgot. Teile enthält. Klostergebäude 1682, Prälatur um 1730, Umfassungsmauer mit Ecktürmen um 1600.

Czẹrnowitz [tʃ-], →Tschernowzy.

Czerwińsk nad Wisłą [tʃ'ɛrviĩsk - v'isłɔ̃], Ort in der Wwschaft Płock (Plozk) an der Weichsel, Polen. Abtei regulierter Kanoniker, 1148 von Bischof Alexander von Malonne gegr., mit einer roman. zweitürmigen Steinbasilika aus dem 3. Viertel des 12. Jh., später wenig verändert; Konventgebäude spätgotisch, 1529 und vor 1633 umgebaut, spätgot. Torbau mit Glockenturm (1497).

Częstochowa [tʃɛ̃stɔx'ɔva], →Tschenstochau.

D

Dacca, Dakka, Hauptstadt von Bangladesh, im Ganges-Brahmaputra-Delta, über 2 Mio. Ew.; bed. Mus. bengal. Kunst (Steinskulpturen der Pala- und Sena-Zeit). Indo-islam. Bauten bes. aus dem 17. Jh.: Schloß, Fort, die Moscheen Husani Dalan und Sat Gumbat (7 Kuppeln) mit Mausoleen.

Dach, die obere Abdeckung eines Gebäudes als Schutz gegen die Witterung. D.-Konstruktion, D.-Form und D.-Deckung sind abhängig vom Klima, von der Bauaufgabe und den jeweils herrschenden ästhet. Vorstellungen. – Die D.-Form wird bestimmt durch die Anordnung der D.-Flächen zueinander. Das **Sattel-D.** besteht aus 2 D.-Flächen, die gegeneinander geneigt sind, an den Frontseiten entstehen dreieckige Giebelflächen (Abart: **Säge-** oder **Shed-D.**). Das **Walm-D.** besteht aus 4 D.-Flächen, die derart angeordnet sind, daß statt der Giebel 3eckige Walme entstehen. Wird nur ein Teil des Giebels abgewalmt, entsteht ein **Krüppelwalm-D.** Das **Pult-D.** besteht aus einer einzigen, schräg ansteigenden D.-Fläche. Beim **Zelt-D.** schneiden sich alle gegeneinander geneigten D.-Flächen in einem Punkt. Das **Kuppel-D.** entspricht der Form der Kuppel. Das **Flach-D.** hat entweder eine sehr geringe Neigung oder ist völlig waagrecht. Das **Mansard-D.,** benannt nach seinem Erfinder J. Hardouin →Mansart, besitzt eine geknickte D.-Fläche, deren unterer Teil steiler ist; es kann als Mansardgiebel-D. oder als Mansardwalm-D. auftreten.

Die D.-Konstruktion ist das Traggerüst oder der Stuhl des D. Sie ist aus Holz, bei größeren modernen Bauten auch aus Stahl oder Stahlbeton. Die einfachste hölzerne D.-Konstruktion ist das **Sparren-D.;** es wird gebildet aus 2 gegeneinander geneigten Sparren, die im Firstpunkt untereinander verbunden sind. Eine Weiterbildung des Sparren-D. für größere Spannweiten ist das **Kehlbalken-D.,** bei dem zur besseren Aussteifung ein waagrechter Balken zw. jedem Sparrenpaar angebracht wird. Bei wachsender Spannweite wird der Kehlbalken durch Rähme und Stuhlsäulen unterstützt. Die einfachere und sparsamere Konstruktion, das **Pfetten-D.,** ist nicht bestimmt durch einzelne in sich statisch autarke Glieder wie das Kehlbalken-D., sondern durch Pfetten (durchgehende Balken), auf denen die Sparren aufliegen. Industriebauten und Hallen mit großer Spannweite werden mit Bindern oder Gitterträgern überspannt.

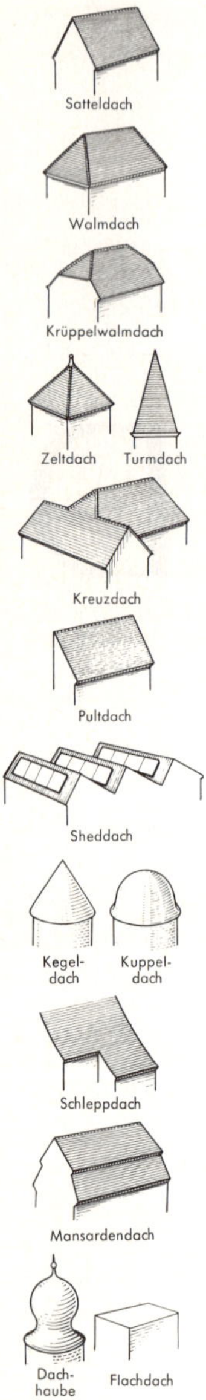

Dach: Dachformen

Geschichte. In Ägypten und Vorderasien trugen Wohnhäuser Schilf-, Stroh- oder Laubdächer, Tempel und Häuser daneben auch überwiegend flache, aus Steinbalken oder Holzstämmen bestehende D. Auch das alte Megaronhaus und die ältesten Tempel und Paläste in Griechenland waren flach gedeckt, während seit hocharchaischer Zeit für den Tempel- und Hausbau schwachgeneigte Sattel- und Walm-D. vorherrschend wurden. Die röm. Architektur kannte bereits freitragende Konstruktionen. Die D.-Haut bestand seit dem 7. Jh. v. Chr. aus gebrannten D.-Ziegeln. Im Tempelbau verwendete man seit dem 6. Jh. v. Chr. Marmorziegel, in hellenist. und röm. Zeit auch Metalldeckung (Bronze, Blei). Für die äußere Erscheinungsform des D. entscheidend war beim grch. und etrusk. Tempel der D.-Schmuck aus Akroterien, Sima, First- und Traufziegeln.

Im MA. wurde neben dem aus der griechisch-röm. Tradition stammenden Pfetten-D. das in N-Europa entstandene Sparren- und Kehlbalken-D. von entscheidender Bedeutung; es kam dem Bestreben der got. Architektur nach überhohen und steilen D.-Formen entgegen. Auch die schlanken Turmbedachungen (Holzkonstruktion, Stein oder durchbrochenes Maßwerk) entsprangen demselben Stilgefühl.

Konstruktiv waren die folgenden Jh. vom MA. beeinflußt; gesteigerte statische Kenntnisse haben die Dachstühle vereinfacht und deren Formen dem jeweiligen Zeitstil angeglichen. Das frz. Mansard-D. des 17. Jh. und die geschwungenen Profile der D. und Türme (›Welsche Hauben‹) gehören zu den typ. barocken D.-Silhouetten. Die von der klass. Strömung des späten 17. Jh. geforderten flachen D. konnten sich nördlich der Alpen aus klimat. Gründen nicht durchsetzen. Das flache D. spielt erst seit dem 19. Jh. wieder eine Rolle. Über gußeiserne D.-Konstruktionen mit oft großen Spannweiten →Glasarchitektur, →Eisenarchitektur. Der moderne Betonbau bevorzugt entsprechend der ästhet. Forderung nach kubischen Baukörpern wieder das Flach-D.

In Mesoamerika wurden im Maya-Gebiet als Schmuck senkrechte ›Dachkämme‹ (Crestería) auf Firste gesetzt (z. B. in Tikal und Palenque), z. T. durchbrochenes, mit Stuckornamenten geschmücktes Mauerwerk, manchmal beträchtl. Größe und Höhe. In Indonesien zeichnen sich die Holz-D. der Häuser der Batak (Sumatra) und der →Toraja (Celebes) durch schiffsrumpf-förmige Giebel mit polychromen Schnitzereien aus. – Für Ostasien (v. a. China, Japan) ist für den Palast- und Tempelbau das geschwungene Walm-D. auch als Halbwalm-D. oder Fußwalm-D. typisch. (BILDER chinesische Kunst, Hikone, Schrein)

Dachauer Schule, Künstlergruppe, die sich in der 2. H. des 19. Jh. um die Landschaftsmaler A. Schleich und E. →Schleich d. Ä. sammelte und in der flachen Gegend um München (bes. Dachau) Motive für ihre kleinformatigen, lichterfüllten Landschaften fand. Der D. S. folgte 1897 die Künstlergruppe →Neu-Dachau.

Lit.: →Künstlerkolonie.

Dachfenster, Öffnung zur Belichtung und Belüftung des Dachraumes. Liegende D. sind plan mit der geneigten Dachfläche. Eine geschwungene Öffnung heißt **Fledermausgaupe** oder **Froschmaul.** Eine einfache Anhebung eines Dachteils mit senkrechten Seitenwänden ist eine **Schleppgaupe.** Größere senkrecht stehende D. werden **Gaupe (Gaube)** oder **Dachhäuschen** genannt, sie sind meist mit einem Sattel- oder Walmdach versehen. Eine größere Gaupe als selbständiger Dachausbau in der Flucht der Fassade heißt →Lukarne, Dacherker oder →Zwerchhaus.

Dachla, Dachel, Dakhla [arab. ›die Innere Oase‹], ägypt. Großoase in der Libyschen Wüste. Durch Ausgrabungen wurden Gräber des Alten Reiches (um 2300 v. Chr. und später) entdeckt. D. erlebte in römischer Zeit eine neue Blüte (Gräber mit Tierkreisdarstellungen).

Dachreiter, Glockentürmchen, die auf dem Dachfirst aufsitzen. Die frühesten D. stammen aus dem 13. Jh. von den sonst turmlosen Zisterzienserkirchen; auch auf Bettelordenskirchen und zuweilen auf Kathedralen sind sie zu finden.

Dadaismus, literarisch-künstler. revolutionäre Bewegung, die als Protest gegen den 1. Weltkrieg und die moderne Zivilisation die gesamte ›bürgerliche‹ Kultur abbauen, der Lächerlichkeit überantworten wollte, um nach ›Wegräumen des Schuttes‹ von Grund auf neu bauen zu können. Das Wort Dada (frz. ›Holzpferdchen‹, Stammellaut des Kindes?) sollte zynisch das Abtun aller großsprecher. Werte und Worte kennzeichnen. 1916 eröffnete der Schriftsteller H. BALL in Zürich das ›Cabaret Voltaire‹ als Sammelpunkt der Dadaisten, eine bescheidene Kleinkunstbühne, die zugleich Ausstellungslokal war.

Zur 1. Gruppe gehörten u. a. der rumän. Schriftsteller TRISTAN TZARA und der rumän. Architekt und Maler M. JANCO, der dt. Schriftsteller R. HUELSENBECK, der Lyriker und Bildhauer H. ARP. Im Kabarett wurde unter

Dadaismus: L.H.O.O.Q. von Marcel Duchamp (Paris, Centre Pompidou)

Begleitung der ›bruitistischen‹ (Lärm-) Musik die ›simultane‹ Dichtung, Brocken von Lauten, Worten und Sätzen ohne logischen Sinnzusammenhang, deklamiert, um das chaot. Nebeneinander der Bewußtseinsinhalte darzustellen. Die Wirkung wurde durch Ausstellung von →Collagen, von Bildern der Kubisten und ital. Futuristen verstärkt.

D.-Gruppen bildeten sich in New York um M. DUCHAMP, F. PICABIA und MAN RAY (bereits seit 1915) und nach 1918 in Berlin (R. Huelsenbeck, G. GROSZ, J. HEARTFIELD, R. HAUSMANN, HANNAH HÖCH, HANS RICHTER u.a.), in Köln (M. ERNST), in Hannover (K. SCHWITTERS). Der D. dauerte bis etwa 1923 und bildete für viele dt. Künstler eine Durchgangsphase zur Neuen Sachlichkeit; auf die Dada-Szene in Paris folgten die Ausstellungen der Surrealisten. – Die Objektkunst der 1960er Jahre knüpft z.T. an die Techniken, nicht aber an die Haltung des D. an (›Neodadaismus‹).

H. RICHTER: Dada, Kunst u. Antikunst (1964); Tendenzen der 20er Jahre, Ausst.-Kat., Berlin-West (1977); W. S. RUBIN: Dada (1979).

dädalisch, archäolog. Kunstname für eine Periode der grch. früharchaischen Plastik (2. H. 7. Jh. v. Chr.), nach →Daidalos benannt, dem mythischen Erfinder einer neuen, von starrer Haltung befreiten Bildhauerkunst. Die monumentalen Skulpturen (v.a. Stein und Terrakotta) sind hauptsächlich aus Kreta und der Peloponnes bekannt.

Daddi, Bernardo, ital. Maler, Nachfolger GIOTTOS, war in der 1. Hälfte des 14. Jh. in Florenz (nachweisbar 1312–55) tätig. Neben Fresken (S. Croce) und Altarwerken schuf er viele kleine Andachtsbilder.

Dädesjö [-ʃø:], Ort bei Växjö, Schweden; in der kleinen ehem. Kirche, von der das roman. Langhaus erhalten ist, bemalte Holzdecke (um 1300) mit Szenen aus der Bibel und der Stephanuslegende, eines der wichtigsten Denkmäler der ma. Malerei Schwedens.

Dadès-Tal, maler. Flußoase in S-Marokko. Auf 150 km Tallänge zahlreiche rotbraune Stampflehm-Kasbas der →Berber (5–7 Etagen, 4 konische Ecktürme, bewohnte Oberteile mit geometr. Ziegelornamentik und getreppten Blendarkaden, Stufenzinnen) teils einzeln als Führer- oder Familienwohnburg, teils in dorfartiger Gruppierung als Feudal- oder Großsippensitz; ferner wehrdorfartige Ksour mit innerörtl. Kasbas als Speicherburgen (›Tighremt‹). Die meisten herrschaftl. Kasbas stammen aus dem 19. Jh.; ältere aus dem 16. Jh. haben im Innern merinid. Dekorelemente des 13. bis 14. Jh.

Daffinger, Moritz Michael, Miniaturmaler, *Wien 25. 1. 1790, †ebd. 22. 8. 1849, porträtierte dort unter dem Einfluß der engl. Porträtmalerei (T. LAWRENCE) seine Zeitgenossen.

Dagoba, auch **Dagaba,** buddhist. Reliquienschrein; Bez. des Stupa auf Sri Lanka.

Dagobert-Thron, ein →Faltstuhl wohl aus der Zeit des Frankenkönigs DAGOBERT I. (623–39). (BILD merowingische Kunst)

Dahl, **1)** Hans, norwegisch-dt. Landschafts- und

Genremaler, *Granvin (Hordaland) 19. 2. 1849, †Balestrand (Sogn) 27. 7. 1937, tätig in Düsseldorf (1873–88) und Berlin (bis 1919); malte v. a. Figuren in Gebirgs- oder Seelandschaften.

2) Johan Christian Clausen, norwegisch-dt. Landschaftsmaler, *Bergen (Norwegen) 24. 2. 1788, †Dresden 14. 10. 1857, besuchte (ebenso wie früher schon P. O. RUNGE und C. D. FRIEDRICH) die Akad. in Kopenhagen (1811–18), ging 1818 nach Dresden und wurde 1824 nach einer Italienreise (1820/21) ebd. Lehrer an der Akad. Anfangs dem Stil des ihm bekannten C. D. Friedrich zugeneigt, entfernte sich D. allmählich vom romant. Landschaftsideal und wandte sich in selbständiger Weise einer realist. Naturauffassung zu. Seine Reiseskizzen zeigen einen an J. CONSTABLE gemahnenden Frühimpressionismus. Zu seinen Schülern gehörten K. BLECHEN und T. FEARNLEY.

3) Johan Siegwald, Sohn und Schüler von 2), *Dresden 16. 8. 1827, †ebd. 15. 6. 1902, malte unter dem Einfluß des engl. Malers C. LANDSEERS v. a. Jagd- und Tierbilder.

Dahmen, Karl Fred, Maler, Graphiker, *Stolberg 4. 11. 1917, †Preinersdorf (Chiemsee) 12. 1. 1981. Seine Bilder der 50er Jahre sind dem Tachismus verpflichtet, den er mit ungewöhnl. Materialien verwirklichte (›Erdformationen‹). Die geritzten ›Farbrinden‹ seiner Bilder und Collagen verstand D. als Landschaften. Seit 1965 fertigte er Objektkästen und Montagebilder mit Abfallprodukten der Konsumwelt, auch Polsterbilder.

Dahomẹ, Dahomey [daɔm'ɛ], afrikan. Volk, →Fon.

Dahschụr, ägypt. Dorf 25 km südlich von Kairo (KARTE ägyptische Kunst), in der Umgebung Pyramiden des Alten und Mittleren Reiches. Am Wüstenrand liegen 3 Ziegelpyramiden der 12. Dynastie, in denen 1894–95 zwei bed. Schatzfunde gemacht wurden (Beigaben, v. a. Schmuck von Prinzessinnen, jetzt im Ägypt. Mus., Kairo). Tiefer in der Wüste erbaute König SNOFRU (4. Dynastie) 2 Steinpyramiden (rd. 100 m hoch), von denen die südliche (›Knickpyramide‹) 2 Eingänge und 2 versch. Böschungswinkel aufweist; zu ihr gehört der erste mit Reliefs geschmückte Pyramidentempel.

Daibutsu [jap.], Bez. für große Buddha-Statuen in Japan. Bed. sind die Bronzestatuen im Todaiji zu Nara (16 m hoch, 752 voll.) und die jetzt im Freien stehende des Amida bei Kamakura (11 m hoch, 1252, BILD Kamakura).

Daidalos, lat. **Dạdalus** [der ›Kunstreiche‹], grch. Mythos: Ahnherr der athen. Handwerker und v. a. der ältesten grch. Bildhauer (→dädalisch). In Kreta schuf er bei König Minos für dessen Tochter Ariadne einen Tanzplatz und für die Königin Pasiphaë zur Befriedigung ihrer sexuellen Neigungen eine hölzerne Kuh, was die Geburt des Stiermenschen Minotaurus zur Folge hatte. Für dieses Ungeheuer erbaute D. das Labyrinth, in dem er selbst zur Strafe, auch weil er Ariadne das Wollknäuel zur Rettung des Theseus aus dem Labyrinth gegeben hatte und seiner Kunst wegen, zus. mit seinem Sohn Ikarus gefangen gehalten wurde. Vorherrschend ist die Version, daß er, um zu entfliehen, aus Wachs, Federn und Fäden Flügel anfertigte. Ikarus kam damit der Sonne zu nahe und stürzte ins Meer, D. gelangte nach Sizilien zu König Kokalos, dessen Baumeister er wurde.

Im Altertum wurde D. in Statuen und Statuetten, meist jedoch zus. mit Ikarus, auf grch. Vasen und Reliefs, oft auch auf röm. Wandgemälden, dargestellt. Die neuzeitl. Kunst übernahm den Sagenkreis, bevorzugt den Sturz des Ikarus (TINTORETTO, P. BRUEGEL D. Ä., A. CARRACCI).

Daikoku, Daikokuten [jap.], einer der 7 japan. Glücksgötter (→Shichi-fukujin), Gott des Reichtums, dargestellt mit einer flachen Mütze und einem Hammer, Sack oder Reisballen als Attribute; oft in Begleitung von Ratten.

Dainichi [-tʃi], japan. Bez. des Lichtbuddha, der die Inkarnation des buddhist. Gesetzes darstellt. In der japan. Kunst werden von allen Buddhas nur Yakushi und D. mit Attributen dargestellt: auf dem Lotossitz mit Nimbus, reicher Krone und Schmuck, z.T. mit dem Rad der Lehre. Manifestation seiner Allweisheit in Fudo-Myo-o.

Dajak, Völker auf Borneo, →Dayak.

Dakar, Hauptstadt von Senegal und wichtigster Hafen Westafrikas, an der S-Spitze des Kap Verde, 800 000 Ew.; Institut Fondamental d'Afrique Noire (traditionelle und zeitgenöss. Kunst des Senegal).

Dakini, ind. Göttin aus dem Kreise volkstüml. Hexen, zugleich Göttin hinduist. und buddhist. Geheimlehren. In der Tantra-Kunst wird sie als blutschlürfende nackte Tänzerin mit Knochenschmuck, Hackmesser und Donnerkeil (Vajra) dargestellt.

Dakka, 1) Hauptstadt von Bangladesh, →Dacca. **2)** kleine Volksgruppe in O-Nigeria, die hauptsächlich Büffelmasken in abstrakter Gestalt, ähnlich denjenigen der →Camba, fertigt.

Dalby [d'ɑ:lby:], Ort im schwed. Län Malmöhus mit einer der ältesten Steinkirchen des Nordens (um 1060); vom Ursprungsbau erh. sind Teile des Mittel- und südl. Seitenschiffs sowie das Untergeschoß (Krypta) der Vorkirche (Mitte 12. Jh.) mit Kreuzgewölbe auf Säulen.

Dale, Ort in der Gem. Luster an einem Seitenarm des Sognefjords, Norwegen; Feldsteinkirche mit schönem got. Portal (um 1250); Kalkmalereien im Chor (um 1600, 1950 aufgedeckt), darunter Malereien des 13. Jh.

Dalfsen [d'alfsə], Gem. in der niederländ. Prov. Overijssel. Bei D. liegt Schloß Rechteren mit starkem ma. Turm (14. Jh.), Hauptgebäuden des 16. Jh. und barocken Erweiterungsbauten (1726).

Dalí, Salvador, span. Maler, Graphiker, *Figueras bei Barcelona 11. 5. 1904, lebt in Port-Lligat (Costa Brava). Nach kurzem Studium in Madrid schloß er sich 1928 in Paris dem →Surrealismus an. Seine veristische Traummalerei ist durch die Psychoanalyse angeregt, seinen theoret. Beitrag nannte er die ›Kritische Methode der Paranoia‹. 1941 brach er in den USA mit dem Surrealismus

Salvador Dali: Die brennende Giraffe; 1935 (Basel, Museum für Gegenwartskunst)

und bekannte sich in seinen Gemälden zur Tradition in Form und Thema (oft unter Einbeziehung von Bildthemen älterer Meister), ohne auf techn. Experimente zu verzichten. Objekte und Entwürfe für Schmuck sowie Filme und Aktionen zeigen den breiten Fächer seiner Aktivitäten. – D.-Mus. in Figueras (1974).

HW: Beschwörung der Erscheinung Lenins (1931; Paris, Centre Pompidou); Zerrinnende Zeit (1931; New York, Mus. of Modern Art); Atavist. Ruinen nach dem Regen (1934; Rom, Privatsamml.); Die Brennende Giraffe (1935; Basel, Mus. für Gegenwartskunst); Vorahnung des Bürgerkriegs (1936; Philadelphia, Mus. of Art); Die Versuchung des Hl. Antonius (1946; Brüssel, Musées Royaux des Beaux-Arts). – **Ges. Schriften:** Unabhängigkeitserklärung der Phantasie und Erklärung der Rechte des Menschen auf seine Verrücktheit, hg. v. A. MATTHES u. T. D. STEGMANN (a. d. Frz., 1975).

D. Gemälde, Zeichnungen, Objekte, Schmuck, Ausst.-Kat., Baden-Baden (1970); R. DESCHARNES: S. D. (1977); S. D. Retrospektive 1920–1980, Ausst.-Kat., München (1980); FLEUR COWLES: S.-D.-Biographie (a. d. Engl., 1981); S. D., Ausst.-Kat., Heidelberg (1981).

Dallas [d'æləs], Stadt in Texas, USA, 816 000 Ew.; Kulturzentrum mit Theater (einziger Theaterbau F. L. WRIGHTS), ›Owen Arts Center‹ mit dem Meadows Museum (span. Gemälde) und dem Meadows Sculpture Garden (mod. Plastik); ›D. Market Center‹ mit Sculpture Garden (Skulpturen des 20. Jh.). Im ›State Fair Park‹ u. a. das D. Museum of Fine Arts (europ. und amerikan., z. T. antike Malerei und Skulptur).

Dalmau, Luis, span. Maler, tätig etwa zw. 1420 und 1460; um 1430 in Valencia im Dienst ALFONS' V. von Aragón, in dessen Auftrag 1431–36 zur Ausbildung in Flandern, danach in Valencia und Barcelona. Erhalten ist nur die Haupttafel des ›Ratsherrenaltars‹ (Madonna mit Kind und Ratsherren, 1445, Barcelona, Mus. de Arte de Cataluña) mit deutl. Anklängen an Werke der Brüder VAN EYCK. D. hat in Katalonien als Vermittler zw. fläm. und span. Kunst gewirkt.

Dalou [dal'u], Jules, frz. Bildhauer, *Paris 31. 12. 1838, †ebd. 15. 4. 1902, Schüler von J.-B. CARPEAUX, schuf Denkmäler, Porträtbüsten und v.a. die Bronzegruppe ›Triumph der Republik‹ (1879–99; Paris, Place de la Nation).

Dalton Holme [d'ɔːltən həʊm], Dorf nordwestlich von Beverly in der engl. Cty. Humberside; die Pfarrkirche St. Mary wurde 1858–61 von J. L. PEARSON (*1817, †1897) in hochgot. Formen des 13. Jh. in abwechslungsreicher Baukörpergruppierung errichtet (frühes Beispiel der viktorian. Neugotik); schlanker W-Turm mit reichem Glockengeschoß und Steilhelm.

Dalversịn-Tepe, Ruinenstätte in der Usbek. SSR, rd. 40 km südlich von Chaltschajan; größte kushanzeitl. Stadt (1.–4. Jh.) im mittleren Surchandarja Tal, von mächtigen Festungsmauern und Türmen umgeben; Zitadelle. Im Stadtzentrum befanden sich reich ausgestattete Wohnhäuser mit zahlreichen geräumigen Zimmern, die geschmückt waren mit Skulpturen und Malereien. (→Kushana-Kunst)

Damạskus, arab. **Dimạschk esch-Scham,** Hauptstadt Syriens, 835 000 Ew. – Aus der Blütezeit der Stadt als Sitz des Kalifats unter den Omajjaden stammt die von Kalif WALID I. (705–15) seit 706 erbaute Große Moschee (Omajjaden-Moschee; BILDER islamische Kunst, Moschee). An ihrer Stelle stand eine Ende des 4. Jh. über einem röm. Jupiter-Tempel errichtete christl. Basilika (Johanneskirche). In dem auf 3 Seiten von Arkaden umgebenen Hof der Moschee finden sich Goldgrundmosaiken aus omajjad. Zeit mit Landschafts- und Architektur-Darstellungen. Aus der Zeit von Nureddin und den Ajjabiden (1154–1250) stammen Stadtmauer und Zitadelle, ebenso eine Gruppe von Moscheen und Medresen, aus der Zeit der Mamelucken nach dem Mongoleneinfall von 1260 v. a. der Ausbau der nördl. Vorstadt Salihiye mit ihrem Erscheinungsbild des farbigen Schichtwechsels der Wandinkrustation. Beispielhaft für die syr. Architektur in der osman. Zeit sind Palast und Han von Azad el Azem (Mitte 18. Jh.). – Das Nat.-Mus. in D. enthält eine bed. Sammlung altoriental., antiker, byzantin. und islam. Kunst.

Damạst [n. der Stadt Damaskus] *der,* Jacquardgewebe, dessen Musterfiguren entgegengesetzt zum Grundgewebe binden, so daß durch den Wechsel von Kett- und Schußbindungen die Musterung optisch hervortritt. Diese Technik ist chines. Ursprungs. Seit dem 15. Jh. wurden in Europa die ital. Seidendamaste geschätzt, deren Muster manchmal noch mit Goldeffekten bereichert waren.

Damaszieren [n. der Stadt Damaskus], →Tauschieren.

Dambeck, Gem. bei Salzwedel, Dt. Dem. Rep.; gut erh. Dorfkirche aus Feldstein (Ende 12. Jh.); nahe D. ehem. Benediktinerinnenkloster (gegr. 1242), in der Kirche (Mitte 13. Jh., 1750 barockes Inneres) prächtiger Schnitzaltar (1474), im Mittelschrein das ungewöhnl. Thema einer Einhornjagd.

Damgạn, Damghạn, Stadt in Iran, am NW-Rand der Salzwüste Dascht-e Kawir, rd. 15 000 Ew. 3 km östlich, an der prähistor. Siedlungsstätte →Tepe Hissar, Reste eines sassanid. Palastes sowie von Feuertempeln. Nach der Eroberung D.s durch die Araber wurde zw. 750 und 786 auf arab. Grundriß in sassanid. Technik die Tarik Chana errichtet (älteste Moschee in Iran; Minarett 11. Jh.). Die Bögen über kurzen massigen Säulen zeigen erstmals in Iran den Übergang zum islam. Spitzbogen. Aus der Seldschukenzeit sind zahlreiche Grabtürme (11. Jh.) erhalten.

Damianus, Heiliger, →Kosmas und Damianus.

Dammar [malaiisch], Harz von Yang-Teak-Bäumen SO-Asiens. In Terpentinöl gelöst dient es heute als Gemäldefirnis; als Zugabe zum Malöl erhöht es Glanz und Transparenz; seit 1827 im Handel.

Damme, Städtchen in der belg. Prov. Westflandern. Aus der Blütezeit als Vorhafen von Brügge sind zahlreiche ma. Bauwerke erh.: Liebfrauenkirche (beg. um 1230) im Stil der Scheldegotik mit geschnitzten Apostelstatuen (14. Jh.); Rathaus (1464–68) mit 4 Ecktürmen; Patrizierhäuser, v. a. ›De Grote Sterre‹ und ›St. Jan‹, beide 15. Jh.

Damophon von Messene, grch. Bildhauer aus der Zeit um 100 v. Chr. PAUSANIAS erwähnt mehrere seiner Werke sowie die Tatsache, daß er das Goldelfenbeinbild des Zeus in Olympia ausgebessert habe. Erhaltene Fragmente der von D. geschaffenen Marmorgruppe aus dem ländl. Heiligtum der Despoina in Lykosura (heute in Athen, Nat. Mus.) dokumentieren ein kunsthistor. wichtiges Werk mit frühen klassizist. Tendenzen.

Damp, Ostseebad im Kr. Rendsburg-Eckernförde, Schlesw.-Holst., 1100 Ew. Das Innere des Herrenhauses (Kernbau 1595–97) wurde um 1700 großartig barockisiert; den Mittelbau nimmt eine zweigeschossige Treppenhalle (gleichzeitig Wohndiele und Festsaal) mit Orgel (1698/99) und Stuck (um 1720) ein.

Dampati, in der ind. Kunst das Motiv eines göttl. oder menschl. Liebespaares, die Harmonie der zweigeschlechtl. Welt symbolisierend; häufig an Tempeleingängen und Pfeilern angebracht.

Dampierre [dãpj'ɛ:r], frz. Ort südwestlich von Versailles mit von J. HARDOUIN-MANSART erbautem Schloß (1675–83, urspr. Bau aus dem 16. Jh.; reiche Innenausstattung) und Gartenanlagen von A. LE NÔTRE.

Damüls, Gem. im Bregenzer Wald, Vorarlberg, Österreich, 370 Ew.; spätgot. Pfarrkirche (1484) mit z. T. bemalter Holzkassettendecke (1693) und Fresken (um 1490, freigelegt 1949–51).

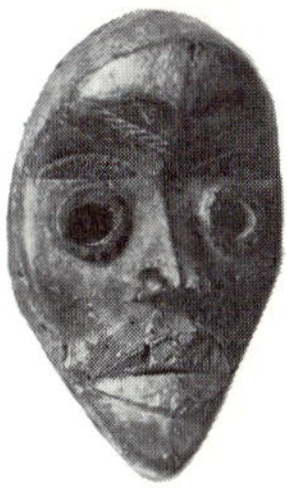

Dan: Holzmaske (Basel, Privatbesitz)

Dan, Volk in Westafrika, in O-Liberia und W-Elfenbeinküste, etwa 200000; mit den Kran (und Ngere), Mano, Gio, Kru und Grebo zum ›Dan-Kran-Komplex‹ zusammengefaßt. Wesentl. künstler. Erzeugnisse dieser Gruppe sind Masken für den Poro-Geheimbund u. a. kult. Zwecke; im N werden sie i. a. naturalistisch subtil gestaltet, nach S zu gewinnen sie an Abstraktion (Kru, Grebo). Daneben fertigen besonders die D. Porträtfiguren und ›Po‹ genannte, große künstlerisch gestaltete

Reislöffel, die von der Häuptlingsfrau zeremoniell benutzt werden. Im Bronzeguß beschränken sich die D. hauptsächlich auf Schmuckstücke (Arm- und Fußreifen), daneben einige wenige Figuren und Miniaturmasken. Die südwestlich entlang der Küste lebenden →Bassa und De stehen deutlich im Einflußbereich der D. Auch die Diomande (Unterstamm der Konyanke), die unter den D. leben, verraten in ihren Gesichtsmasken, die sich durch parallele Schmucknarben entlang der Wangen auszeichnen, deutlich den künstler. Einfluß ihrer Umgebung.

E. FISCHER und H. HIMMELHEBER: Die Kunst der D. (1976).

Danae, grch. Mythos: Tochter des Akrisios von Argos und der Agarrippe (Eurydike); sie wurde durch Zeus, der in Gestalt eines Goldregens zu ihr kam, Mutter des Perseus. D. erscheint mit dem Goldregen oder mit Perseus vom 5. Jh. v. Chr. bis in die Kaiserzeit (Vasen, Wandbilder), mit besonderer Vorliebe dargestellt erst in der Neuzeit (TIZIAN, A. VAN DYCK, REMBRANDT).

Danby [d'ænbɪ], Francis, irischer Maler, *Common bei Wexford (Irland) 16. 11. 1793, †Exmouth (Devonshire) 1. 2. 1861, unternahm ausgedehnte Reisen in die Schweiz, nach Frankreich und Norwegen. D. gab in seinen nach dem Studium der Werke W. TURNERS entstandenen Landschaften romant. Lichtstimmungen und phantast. Visionen (z. B. aus der Apokalypse) wieder.

Dance [dɑ:ns], **1)** George d. J., engl. Architekt, Bruder von 2), *London 1741, †ebd. 14. 1. 1825, war zunächst Schüler seines Vaters George d. Ä. (*1700, †1768), studierte dann in Frankreich und Italien; seit 1768 als Nachfolger seines Vaters Stadtbauinspektor in London und Gründungsmitgl. der Royal Academy. D. verwendete als erster klassizist. Architekt Elemente der engl. Gotik (Fassade der Guildhall, 1789).

2) Nathaniel (seit 1800 Sir **D.-Holland**), engl. Maler, Bruder von 1), *London 18. 5. 1735, †Carnborough House bei Winchester 15. 10. 1811, studierte in Italien und war nach 1767 in London v. a. als Historienmaler und Porträtist tätig.

Danhauser, Joseph, österr. Maler, *Wien 19. 8. 1805, †ebd. 4. 5. 1845, studierte ebd. an der Akad. (J. P. KRAFFT). Nach einer Italienreise und Auseinandersetzung mit der venezian. Malerei wandelte sich seine zunächst trockene Malweise zu einem ausdrucksvollen Stil, der ihn seit 1835 zu einem gesuchten Porträtisten und Schilderer bürgerl. Genreszenen werden ließ.

Daniel, einer der 4 großen Propheten des A. T. (Buch Daniel, 2. Jh. v. Chr.). **D. in der Löwengrube,** als Bild für die Hoffnung auf die Auferstehung vom Tod schon in der Katakombenmalerei und der frühchristl. Kleinkunst, später in der roman. Bauplastik (BILD Romanik); hinzu tritt oft die Szene mit Habakuk, der D., von einem Engel getragen, Nahrung bringt (so noch G. L. BERNINI). Als Einzelfigur findet sich D. in der Glasmalerei (um 1100; Augsburg, Dom; BILD Glasmalerei), in der Buchmalerei, am ›Mosesbrunnen‹ von C. SLUTER (um 1400; Chartreuse de Champmol bei Dijon).

Daniele da Volterra, eigtl. Daniele **Ricciarelli** [rittʃa-], ital. Maler, Bildhauer, *Volterra um 1509, †Rom 4. 4. 1566, stand in Rom MICHELANGELO nahe, unter dessen Einfluß sich seine Malerei zu einem zeichnerisch-plast. Manierismus entwickelte.

HW: Kreuzabnahme (1541; Rom, S. Trinità dei Monti); David und Goliath (um 1555; Louvre); Bronzebüste Michelangelos (1564/66; Florenz, Casa Buonarroti, u. Paris, Louvre).

Johann Heinrich von Dannecker: Selbstporträt; Detail, 1797 (Stuttgart, Staatsgalerie)

Danielschnallen, gegossene Bronzeschnallen des 7. Jh., graviert mit stilisierter Darstellung des Propheten Daniel, flankiert von 2 Löwen. Fundorte im Bereich der merowing. Franken: W-Schweiz, Burgund, Savoyen.

Dannecker, Johann Heinrich von (seit 1808), Bildhauer, *Waldenbuch bei Stuttgart 15. 10. 1758, †Stuttgart 8. 12. 1841, als Schüler der Karlsschule mit F. v. SCHILLER befreundet, wurde 1780 zum Hofbildhauer ernannt, studierte 1783 in Paris bei A. PAJOU, dann bis 1785 in Rom und schloß hier enge Freundschaft mit A. CANOVA. 1790–94 war D. Prof. an der Karlsakademie in Stuttgart. Seine frühen Werke stehen an der Wende vom Rokoko zum Klassizismus, dem er sich dann unter dem Einfluß Canovas anschloß.

HW: Schillerbüste (1794; Weimar, Staatl. Kunstsamml.); Ariadne auf dem Panther (1804–14, zerstört, heute wiederhergestellt; Frankfurt a. M., Liebieghaus).

Dansker, Danziger, Danzker, Abort in den Deutschordensburgen (Marienwerder, Thorn), als turmartiger Ausbau über dem Burggraben angelegt; zumeist aus dem 13. und 14. Jh.; durch einen auf Stützen ruhenden Gang mit der übrigen Anlage verbunden.

Dantan [dãt'ã], Jean-Pierre, frz. Bildhauer, *Paris 28. 12. 1800, †Baden-Baden 6. 9. 1869, schuf geistreiche Terrakottakarikaturen von Zeitgenossen (Musée Carnavalet, Paris).

Danti, Vincenzo, ital. Bildhauer, Goldschmied, *Perugia 1530, †ebd. 26. 5. 1576. In Rom unter dem Einfluß MICHELANGELOS zum Bildhauer ausgebildet, arbeitete er in Perugia und Florenz in manierist. Stil.

HW: Bronze-Sitzfigur des Papstes Julius III. vor dem Dom in Perugia (1555); Marmorgruppe der Ehrlichkeit, die den Betrug niederzwingt (um 1561; Florenz, Bargello); Bronzegruppe der Enthauptung des Täufers (1571; ebd., über dem S-Portal des Baptisteriums).

Danzantes: Relief auf einer Steinplatte; etwa 1,20 m hoch, Monte Albán, Mexiko

Danzantes [-z-], im Flachrelief in große Steinplatten eingemeißelte Figuren (aus der Zeit um 200 v. Chr. bis 200 n. Chr.) des zapotek. Zeremonialzentrums Monte Albán, Mexiko. Die Figuren zeigen unbekleidete Männer in den verschiedensten Körperhaltungen, daher die Bez. D. (›Tänzer‹). Die ehemals wohl mit einer Stuckschicht überzogenen Reliefs hatten weniger schmückende als eine magisch-kultische Funktion und stellen wahrscheinlich geopferte oder verstümmelte Gefangene dar. Der Stil der D. erscheint später in Monte Albán nicht mehr.

Danzig, poln. **Gdańsk** [gdaĩsk], Hafenstadt an der W-Küste der Danziger Bucht am Zusammenfluß von Mottlau (Motława) und Toter Weichsel (Mrtwa Wisła), Hauptstadt der Wwschaft Gdańsk, Polen, 448 000 Ew.; war 1945 zu fast 90 % zerstört, danach weitgehend hi-

Danzig: Pfarrkirche St. Marien; spätes 15. Jh.

storisch getreu rekonstruiert. D. besteht aus der Rechtstadt (seit 1378 Ratsverfassung), der Neustadt (seit 1350 angelegt), der Altstadt (1377 durch Vereinigung zweier Siedlungen gebildet), der Speicherinsel (15. Jh.) und der Niederstadt (15.–17. Jh.); später kam Langfuhr (Wrzeszcz) hinzu, 1926 wurde Oliva (Oliwa) eingemeindet. Die Baukunst der Stadt ist nachhaltig geprägt von niederländisch-hans. Einflüssen.

In der Rechtstadt: Pfarrkirche St. Marien, im wesentlichen aus dem späten 15. Jh. (unvoll.), eine der größten christl. Kirchen und monumentales Werk der Backsteingotik mit reicher Ausstattung; Pfarrkirche St. Johannes (1371–1415), noch nicht vollständig wiederhergestellt; Dominikanerkirche (14.–15. Jh.) mit reicher Ausstattung (bes. aus Barock und Rokoko); Königl. Kapelle, gestiftet von JAN III. SOBIESKI, 1678–81 nach Plänen von T. VAN GAMEREN erbaut, mit skulpturalem Schmuck vielleicht von A. SCHLÜTER; Großes Zeughaus, 1602–05 von A. VAN OPBERGEN in niederländ. Formen errichtet; Rechtstädtisches Rathaus, beg. vor 1400, verändert und erweitert im 15., 16. und 18. Jh., mit der kostbaren Ausstattung (Ratssaal) wiederhergestellt, beherbergt das Histor. Stadtmus. Vollständig und bes. sorgfältig rekonstruiert der Lange Markt (Długi Targ) mit dem Artushof (1476–81, Fassade von 1616–17), den prächtigen Bürgerhäusern und dem Neptunbrunnen. Stadtmauern und Türme teilweise erhalten oder rekonstruiert, desgleichen sämtl. kostbaren Tore: Hohes Tor (1586–88) mit Kerkerturm (15. Jh.) und Vortor, Krantor (15. Jh.), Marientor (spätes 15. Jh.), Bäckertor (1454), Grünes Tor (1564–68) und Goldenes Tor, 1612–14 von A. VAN DEN BLOCKE.

In der Altstadt: Pfarrkirche St. Katharina, die älteste Kirche Danzigs (1. H. 14. Jh.), ehem. Pfarrhaus (1599 bis 1602); Pfarrkirche St. Bartholomäus, spätgotisch kurz vor 1500; Birgittinenkirche (1396–1402), z. T. noch zerstört; Karmeliterkloster mit unvollendeter Kirche (1482–96, barock erweitert); Spitalkirche St. Elisabeth (um 1400), Spitalbauten 1752–53; Altstädter Rathaus, ein bed. Bau der niederländ. Renaissance, 1586 bis 1595 von A. VAN OPBERGEN; Haus der Äbte von Pelplin (1612); Große Mühle (2. H. 14. Jh.).

In der alten Vorstadt liegt das ehem. Franziskanerkloster mit Kirche der Hl. Dreifaltigkeit und St. Annenkapelle (1484); die im 16., 17. und bes. 19. Jh. umgebauten Klostergebäude beherbergen das Nationalmus. (Muzeum Narodowe), mit reichen Samml. an Skulpturen, Gemälden (darunter H. MEMLINGS ›Jüngstes Gericht‹ aus der Marienkirche), Zeichnungen, Druckgraphik, Münzen und Kunsthandwerk. Kleines Zeughaus, 1643–45 von J. STRAKOWSKI; Schulgebäude, 1837 von K. F. SCHINKEL.

Die untere Stadt und die Speicherinsel sind erst zum geringeren Teil rekonstruiert; einige Teile der alten Befestigung (Bastionen und Tore) sind erh., die charakterist. Speicher aus dem 15.–17. Jh. wiederhergestellt.

In Oliva: Ehem. Zisterzienserkloster mit Kirche (jetzt Kathedrale), 1188 durch Herzog SAMBOR I. gegr. Die romanisch-frühgot. Basilika wurde im 13.–14. Jh. erweitert und spätgotisch gewölbt; im Innern reicher maler. Schmuck, Grabmäler und Epitaphien (v. a. aus Renaissance und Barock), Orgel von M. WULFF (2. H. 18. Jh.). Klostergebäude (13.–15. Jh.) mit frühgot. Kapitelsaal, Alter Abtsbau (15. Jh.), 1945 ausgebrannt, Neuer Abtspalast (1754–56) mit Gartenanlage des 18. Jh.; Speicherhäuser und Befestigungen; im Neuen Abtspalast Zweigstelle des Nationalmus.

Daphne [grch. ›Lorbeer‹], grch. Mythos: schöne Nymphe, die, von Apoll geliebt und verfolgt, auf ihr Flehen hin in einen Lorbeerbaum verwandelt wurde. Darstellungen der D. lassen sich mit Sicherheit erst in der hellenist. und röm. Kunst (Pompeji), dann im späten MA. v. a. als Allegorie der Keuschheit und in großer Zahl seit der Renaissance bis ins 20. Jh. nachweisen (Plastiken: G. L. BERNINI, RENÉE SINTENIS; Gemälde: GIORGIONE, N. POUSSIN, G. B. TIEPOLO).

Daphni, grch. Kloster an der ›Hl. Straße‹ von Athen nach Eleusis. Das Katholikon (Kreuzkuppelkirche mit Esonarthex und Exonarthex; →Narthex) enthält bed. (z. T. restaurierte) Mosaiken auf Goldgrund aus der Bauzeit (etwa 1080–1100), gerahmt mit pflanzl. oder

Daphni: Kuppelmosaik der Klosterkirche; etwa 1080–1100 erbaut

geometr. Schmuck. Durch sehr körperhafte Figuren, gedämpfte Farbigkeit und reiche Modellierung gehören sie zu den Hauptdenkmälern der mittelbyzantin. Mosaikkunst.

Da Ponte, ital. Malerfamilie (→Bassano).

Darasuram, Stadt in S-Indien, mit hinduist. Tempel des 12. Jh. im Dravida-Stil der Chola-Zeit, dessen reicher Reliefschmuck Szenen und Gestalten der Shiva-Mythologie darstellt (u. a. einen dreiköpfigen Ardhanarishvara). Die Tempelhalle ruht auf einem Sockel mit reliefierten Rädern, die den Bau als Prozessionswagen umdeuten.

Darband-i Gaur, Felsrelief in NO-Irak, südwestlich von Suleimanije (KARTE Alter Orient). Es zeigt einen König mit Breitrandkappe, bewaffnet mit Bogen und Schwert, der in Siegerpose über seine Feinde hinwegschreitet. Stil und Details der Darstellung lassen das Relief in die Zeit um 2150 v. Chr. (3. Dynastie von Ur) datieren.

Darbarszene, v. a. in der Mogul-Malerei Darstellung öffentl. oder privater Audienzen und höfischer Versammlungen bei Kaisern oder Vasallen.

Darbourne & Darke [d'ɑ:bɔ:n ænd dɑ:k], 1961 gegr. Architekturbüro der Architekten J. DARBOURNE (*1935) und G. DARKE (*1929) in London. Mit ihren kleinteilig gestalteten Wohnungsbauten setzen sie die Tradition des engl. Reihenhauses fort, bei der trotz hoher Wohndichte, Problemen der Erschließung und des Parkens für Bewohner größtmögliche Intimität gewährleistet ist.

HW: ›Lillington Gardens‹ von J. Darbourne nach einem Wettbewerb von 1961 (ausgeführt 1972); Marquess Road, Wohnbebauung in London (1971–78); Wohnbebauung Bohnenviertel, Stuttgart (1976–83).

Darboven, Hanne, der Concept Art nahestehende Künstlerin, *München 29. 4. 1941; Bilder und Zeichnungen von Zahlensystemen, die sich, ähnlich wie ein musikal. Thema, an einem autonomen System entwickeln; seit 1971 Ausweitung ihrer Methode auf literar. Texte.

HW: Ein Jahrhundert (402 Leitzordner; 1971–75; Aachen, Samml. Ludwig).

H. D., Ausst.-Kat., Basel (1974).

Daressalam, Dar es-Salaam, größte Stadt und wichtigster Hafen Tansanias, an geschützter Bucht am Ind. Ozean, etwa 950 000 Ew. Im Uferbereich bemerkenswerte Kolonialarchitektur aus dt. Zeit (1891–1916 Hauptstadt von Dt.-Ostafrika), u. a. Rathaus, Gerichte, ehem. Gouverneurs- (heute Präsidenten-)Palast. Im Nat.-Mus. traditionelle Kunst aus Tansania (bes. Häuptlingshocker und -stäbe). Entlang der Landstraße nach Bagamojo viele Makonde-Schnitzer. Makonde-Skulpturen sind im Kultur-Ministerium und in der Gal. des Nat. Kunsthandwerksverbandes ausgestellt. Gal. ›Nyumba ya Sanaa‹ für zeitgenöss. Künstler.

Daret [frz. dar'ɛ], Jacques, niederländ. Maler, *Tournai um 1400/03, nachweisbar bis 1468, wurde 1427, kurz nach ROGIER VAN DER WEYDEN, offiziell als

Lehrling von R. CAMPIN (→Meister von Flémalle) eingetragen. 1434/35 schuf er in Arras sein HW, die 4 Außenflügel eines Schnitzaltars für die Abtei St. Vaast (heute 2 Flügel in Berlin-West, Staatl. Museen; je ein Flügel in Paris, Petit Palais, und Lugano, Samml. Thyssen-Bornemisza). D. blieb ein enger Nachfolger seines Lehrers, nahm aber auch Anregungen van der Weydens auf.

Darfeld, Teil der Gem. Rosendahl, NRW, im Münsterland, mit französisch-niederländisch beeinflußtem Wasserschloß (1612–18 von G. GRÖNINGER), einem manierist. Baudenkmal von überragender Bedeutung, und der Antoinettenburg (1757 von J. C. SCHLAUN).

Dargun, Stadt in Mecklenburg, Dt. Dem. Rep.; von der Klosterkirche (beg. um 1225) sind Mittel- und nördl. Seitenschiff, vom Schloß (Ende 16./Ende 17. Jh.) geringe Reste erhalten; Stadtkirche (13. Jh.) mit spätgot. Schnitzaltar.

Darién, Gebiet in S-Panama und NW-Kolumbien, nach dem ein Kunststil in der Goldverarbeitung der vorkolumb. Zeit benannt ist, der dort 500–1500 n. Chr. verbreitet war. Charakteristisch sind anthropomorphe Figuren mit vorspringender Mundpartie und weitausgezogenen Mundwinkeln.

Darłowo, poln. Name für →Rügenwalde.

Darmstadt, Stadt in Südhessen mit 139600 Ew.; 1567–1918 Residenz der Linie Hessen-D. Die vielfältige Baugruppe des Schlosses (14.–17. Jh.) wird von den Barocktrakten des L. R. DELAFOSSE (1716–26) beherrscht (Mus.); die starken Kriegszerstörungen sind weitgehend behoben. Stadtkirche (15./17. Jh.) mit Fürstengruft und vielen Epitaphen; Rathaus (1588–90); Kollegienhaus (1777–80). Den klassizist. Ausbau der Stadt besorgte G. MOLLER (u. a. Hoftheater 1818–20, Ludwigskirche 1822–27, Säulenmonument Großherzog Ludwigs I. 1838–44). Seit 1899 entwickelte sich D. zu einem Zentrum des Jugendstils (Bauten auf der Mathildenhöhe 1898–1908, →Darmstädter Künstlerkolonie). Wertvolle Kunstschätze in versch. Museen: Hess. Landesmus. (Glasmalerei, mittelrhein. Plastik, Gemälde); Großherzogl. Porzellansamml. im Prinz-Georg-Palais; Jagdmus. in Schloß Kranichstein (1571–78).

Darmstädter Künstlerkolonie, 1899 von Großherzog ERNST LUDWIG auf der Mathildenhöhe in Darmstadt gegr. Sie erstrebte eine Erneuerung der Kunst in allen ihren Zweigen i. S. des Jugendstils. Der Großherzog berief P. BEHRENS, P. BÜRCK (*1878, †1947), R. BOSSELT (*1871, †1938), H. CHRISTIANSEN, L. HABICH, PATRIZ HUBER und J. M. OLBRICH. 1901 fand die Ausstellung ›Dokument dt. Kunst‹ statt. Im Mittelpunkt der Ausst. standen die von Olbrich erbauten Wohnhäuser der Künstler, das Ateliergebäude, das Ernst-Ludwig-Haus (BILD Jugendstil) sowie das von P. Behrens erbaute eigene Haus. 1904 fand eine 2. Ausstellung statt, für die Olbrich eine Dreierhausgruppe schuf. Die Idee der Künstlerkolonie wurde 1906 aufgegeben, es wurden nun Lehrateliers für angewandte Kunst eingerichtet (→ Künstlerkolonie).

Die Ausstellung der Künstlerkolonie, Hauptkatalog, Darmstadt, (1901); Ein Dokument Dt. Kunst 1901–76, Ausst.-Kat., ebd., 5 Bde. (1977).

Darmstädter Passion, →Meister der Darmstädter Passion.

Daroca, Städtchen in der span. Prov. Saragossa, mit gut erh. ma. Stadtmauer (4 km lang, 114 Türme, 2 Tore); mehrere urspr. roman. Kirchen (barock umgestaltet), in S. Juan Bautista Freskenreste des 13. Jh., Stiftskirche S. María (roman. Apsis, im 15./16. Jh. zur Capilla de los Corporales umgebaut) mit reichem Kirchenschatz (Reliquiar, 1384; Altargemälde).

Darstellung Christi im Tempel, Darbringung Christi im Tempel, die mit der Beschneidung verbundene Einführung des Knaben Jesus in den Tempel, dem hier der greise Simeon begegnet; Kanzelrelief von N. PISANO (1260; Pisa, Baptisterium) mit Darstellung des Hohenpriesters. Im 15./16. Jh. wurde Simeon selbst als Priester des Tempels dargestellt (A. DÜRER, Holzschnitte des Marienlebens, um 1505). Bei REMBRANDT (1669) hält der blinde Simeon das Kind im Arm. – Als Begleitfiguren erschienen schon im 13. Jh. Joseph und Hanna (Gewändefiguren an der W-Fassade der Kathedrale zu Reims); seit dem 14. Jh. traten andere hinzu. – Die Beziehung der D. C. i. T. zur Reinigung Mariä (Lichtmeß) wurde gelegentlich (schon seit dem 9. Jh.) durch Kerzen auf dem Altar angedeutet (bes. anschaulich bei S. LOCHNER).

Datia, befestigte Stadt in Madhya Pradesh, Indien, mit dem felsenbekrönenden siebenstöckigen, um 1610 unter Bir Singh Deo erbauten Palast, der zeitgenöss. Wandmalereien enthält. Eine Malschule entwickelte sich in D. bes. seit 1750.

Datierung. Die D. von Kunstwerken ist eine Hauptaufgabe der Kunstwissenschaft: **absolute D.** auf Grund histor. Belege, **relative D.** auf Grund stilist. Vergleiche. Für die D. wird die stilist. Entwicklung des betreffenden Künstlers (Jugendwerk, reifes Werk, Alterswerk) und die allg. Stilentwicklung untersucht. Bei anonymen Werken werden bes. aus dem Entstehungsort und dessen vorhandener oder fehlender Beziehung zum Zentrum einer Stilentwicklung Schlüsse gezogen (z. B. Île-de-France für die →Gotik). Histor. Belege sind Inschriften, Signaturen, Archivalien (Weiheurkunden, Ablaßbriefe, Rechnungen), Guiden-(Führer-)Literatur, Pilgerberichte, alte Künstlerviten (G. VASARI, J. v. SANDRART), Hinweise auf die Wanderschaft eines Künstlers; sie ermöglichen die D. ›vor‹ oder ›nach‹ (→Terminus ante). D. weichen häufig erheblich voneinander ab und werden ständig korrigiert.

⇒ Dendrochronologie · Fälschung · Radiokarbonmethode · Restaurierung · Thermolumineszenz-Methode · Typologie.

Datong, Stadt in China, →Tat'ung.

Daubigny [dobiɲ'i], Charles-François, frz. Maler, Radierer, *Paris 15. 2. 1817, †Paris 19. 2. 1878, malte, beeinflußt von den Malern von →Barbizon und später von C. COROT, Landschaften, die zu den

Charles-François Daubigny: Herbstlandschaft (Wuppertal, Von-der-Heydt-Museum)

ersten Werken der Freilichtmalerei gehören. Neben einigen Buchillustrationen und Stichreproduktionen nach Werken J. VAN RUISDAELS veröffentlichte er mehrere Folgen eigener Radierungen (›Cahiers d'eaux-fortes‹, 1851; ›Voyage en bâteau‹, 1862), die von derselben zarten Empfindung erfüllt sind wie seine Gemälde (HW im Musée d'Orsay).

J. BAILLY-HERZBERG: D. (Paris 1975).

Daucher, 1) Adolf, Bildhauer, Vater von 2), *Ulm um 1460/65, †Augsburg um 1524, schuf die heute verstreute urspr. Ausstattung (Chorgestühl und Fugger-Epitaphe) der Fuggerkapelle (1509) bei St. Anna in Augsburg und in Formen der Frührenaissance den Hochaltar (1519–21) der St. Annenkirche in Annaberg (Erzgebirge).

2) Hans, Bildhauer, Sohn von 1), *Ulm um 1485, †Stuttgart 1538, schuf in Augsburg und Stuttgart (seit 1536 ebd. in herzogl. Dienst) Epitaphe, Reliefs und Medaillons (nach Vorlagen von H. BURGKMAIR, A. DÜRER u. a.), meist aus Solnhofener Schiefer.

HW: Epitaph Dr. Peisser (Ingolstadt, Minoritenkirche); Reiterrelief Maximilian I. (Wien).

Adolf Daucher: Büste der Judith vom Chorgestühl der Fuggerkapelle in Augsburg; 1509

Daulatabad, hohe Bergfestung bei Aurangabad, Indien, hieß bis 1293 (Eroberung durch ALA-UD-DIN aus Delhi) **Deogiri.** 1338 mißlang der Versuch TUGHLUQ SHAHS, die Bev. Delhis nach D. umzusiedeln. Ein 1435 datiertes, 28,7 m hohes pers. Minarett und ein in eine Moschee umgewandelter Jainatempel sind sehenswert.

Daum [do:m], Glasmanufaktur, 1875 von Jean D. in Nancy gegr.; 1891 fügten seine Söhne Auguste (*1854, †1909) und Antoine (*1864, †1930) ein Atelier hinzu; Gefäße und Kleinplastiken des Jugendstils, Entwürfe, u. a. von L. MAJORELLE (*1859, †1926), im Stil der Art Déco. (BILD S. 318)

Daumenglas, Daumenhumpen, Becher, in dessen Wandung zur besseren Handhabung Vertiefungen für die Finger eingelassen sind.

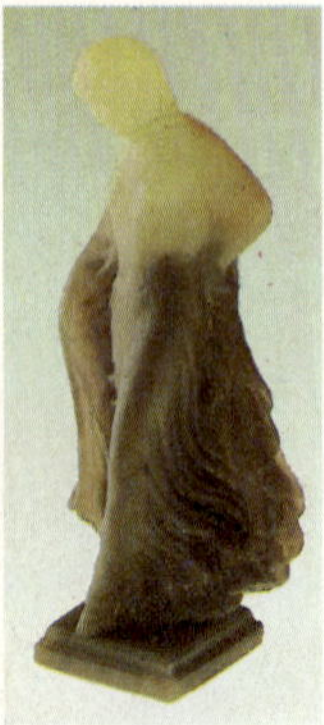

Daum: Weibliche Statuette; Glas, um 1900 (Darmstadt, Hess. Landesmuseum)

Daumier [domj'e], Honoré, frz. Maler, Zeichner, Plastiker, *Marseille 26. 2. 1808, †Valmondois (Val-d'Oise) 11. 2. 1879. Als unermüdl. Beobachter, mit erstaunlichem visuellem Gedächtnis begabt, hat D. nie unmittelbar nach der Natur gearbeitet; statt dessen wandte er sich sehr früh (1828) der Lithographie zu (rd. 400 Blätter erh.). 1832 gewann ihn der Publizist C. PHILIPON als Mitarbeiter für sein Blatt ›Caricature‹. Damals schuf er jene seinen Ruhm begründenden Karikaturen von Parlamentariern des Regimes (Paris, Musée d'Orsay). Ihre Köpfe zeichnete er nach 36, nur bis zu 15 cm hohen Tonmodellen, die er aus dem Gedächtnis modellierte und die, skizzenhaft geknetet und von explosiver Spannkraft, den Neubarock und A. RODIN vorwegnehmen. Wegen Verspottung des Königs war er 1832 sechs Monate in Haft.

Nach dem Verbot der ›Caricature‹ (1835) wandte sich D. der Sittendarstellung zu und schilderte im ›Charivari‹, oft mit beißender Ironie, das bürgerl. Leben seiner Zeit, bes. die Justiz (BILD Karikatur). In den ›Caricaturana‹ (1836–38) geißelte er die polit. Korruption unter LOUIS-PHILIPPE. Nach der Revolution von 1848 brandmarkte er in den ›Représentants représentés‹ wie in den über 1000 Blättern der ›Actualités‹ (beide im ›Charivari‹) unter dem unsterbl. Typus des von ihm geschaffenen ›Ratapoil‹ (von dem er auch eine Statuette modellierte) die Politik NAPOLEONS III. Seit etwa 1840 arbeitete er auch für den Holzschnitt (rd. 1000 Blätter sind bekannt) und illustrierte Bücher (›Némésis médicale‹, 1842; ›Ulysse‹, 1852, u. a.). Sein Stil wandelte sich von einer durch Schwarzweiß-Gegensätze wirkenden und mit plast. Mitteln das Wesentliche herausarbei-

Honoré Daumier: Die Wäscherin; um 1863 (Paris, Musée d'Orsay)

tenden Form zu einer malerisch lockeren, oft skizzenhaft andeutenden Auffassung durch Dramatisierung des Individuellen. Menschlichkeit ohne jede Sentimentalität ist ein wesentl. Merkmal seiner Kunst. In seiner Spätzeit wuchs er in einen zeichner. Monumentalstil hinein, der mit sparsamsten Mitteln Größe und Klarheit erreicht.

K. E. MAISON: H. D. Catalogue raisonné of the paintings, watercolours and drawings, 2 Bde. (London 1967–68); H. D. 1808–1879. Bildwitz und Zeitkritik. Ausst.-Kat., Münster (1978); R. PASSERON: D. und seine Zeit (a. d. Frz., 1979).

Dauthe, Johann Carl Friedrich, Baumeister, *Großzschocher bei Leipzig 26. 9. 1746, †Bad Flinsberg (Riesengebirge) 13. 7. 1816, seit 1770 in Leipzig, seit 1780 ebd. Stadtbaudirektor. Angeregt von dem bed. Vermittler des Frühklassizismus A. F. OESER, schuf D. in Leipzig in einem phantasievollen, originellen Stil an der Wende vom Rokoko zum Klassizismus den Konzertsaal im alten Gewandhaus (1780, 1895 abgebrochen) und baute die Nikolaikirche um (1784–97). Seine Umwandlung des Stadtgrabens ebd. in Parkanlagen zeigt den Einfluß der engl. Gartenbaukunst.

David, israelit. König (etwa 1004/03–965/64 v. Chr.), als Knabe Waffenträger und Spielmann Sauls, Sieger über den Philister Goliath, nach Verfolgung durch Saul schließlich dessen Nachfolger. – D. wurde schon von der jüd. Kunst (244/45 n. Chr.; Dura Europos) dargestellt, in frühchristl. Zeit anscheinend zuerst als Kämpfer gegen Goliath. Seine Salbung und sein Königtum waren für das byzantin. Kaisertum und damit als Motiv der byzantin. Kunst bedeutsam. Das Bild des Sängers und Harfenspielers D. wurde von der karoling. Kunst und in ihrer Nachfolge von den späteren Psalterien aufgenommen. Als Vorfahr Christi erscheint D., oft gekrönt, im Zusammenhang mit der Wurzel Jesse, auch in der Kathedralplastik oder in Prophetenreihen (Glasfenster des Augsburger Domes, um 1100). Ausgesprochen polit. Bedeutung erhielt der Sieger über Goliath im Florenz der Renaissance als Sinnbild der Freiheit (DONATELLO, VEROCCHIO, v. a. MICHELANGELO). REMBRANDT zeigt D., der vor Saul die Harfe spielt (nach 1658). Seit dem 17. Jh. wird D. zum Symbol der Musik.

David, 1) Gerard, niederländ. Maler, *Oudewater bei Gouda um 1460, †Brügge 13. 8. 1523, wahrscheinlich Schüler GEERTGEN TOT SINT JANS' in Haarlem; seit 1484 in Brügge, wo er sich an H. MEMLING anschloß und sich von den Werken älterer Meister wie J. VAN EYCK, ROGIER VAN DER WEYDEN, H. VAN DER GOES beeinflussen ließ. Seine vornehme und feierl. Kunst sammelte die Überlieferungen im absterbenden Brügge zu einem letzten Glanz. D. befruchtete auch die Buchmalerei.

HW: Kreuznagelungs-Triptychon (teilweise in Antwerpen, Koninklijk Mus. voor Schone Kunsten, und London, Nat. Gal.); Verklärung auf dem Berge Tabor (Brügge, Notre-Dame); Taufe-Christi-Triptychon (Brügge, Groeningemus.); Hochzeit zu Kana (Louvre); Maria mit weibl. Heiligen (1509; Rouen, Mus. des Beaux-Arts).

2) [dav'id], Jacques Louis, frz. Maler, *Paris 30. 8. 1748, †Brüssel 29. 12. 1825, Schüler von J.-M. VIEN und

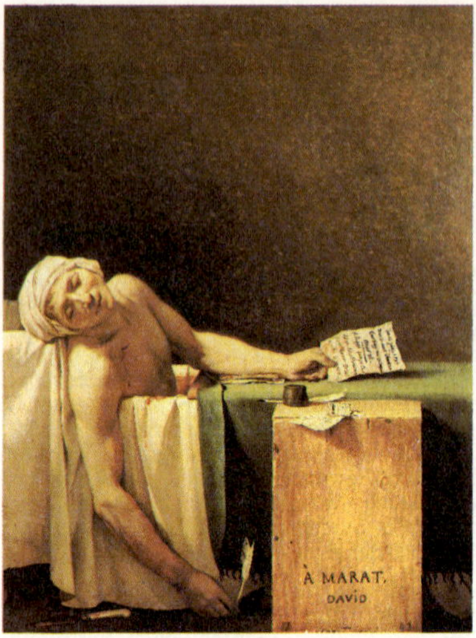

Jacques Louis David: Der ermordete Marat; 1793 (Brüssel, Musées Royaux des Beaux-Arts)

zunächst der Malweise von F. BOUCHER und J.-B. GREUZE verpflichtet, bildete er sich 1775–80 in Rom weiter, wo seine Kunst sich vom akadem. Rokoko zum entschiedenen Klassizismus entwickelte. In königl. Auftrag malte er 1784/85 in Rom den ›Schwur der Horatier‹ (Louvre) in antikisch stilisiertem Pathos. Seine Kunst, die durch Inhalt und Form den Betrachter moralisch zu beeindrucken suchte, kam den Revolutionären von 1789 entgegen, zu deren Idealen er sich bekannte. D. wurde Jakobiner; als Mitgl. des Nationalkonvents organisierte er die staatl. Kunstpflege. In polit. Märtyrerbildern (›Der ermordete Marat‹, 1793; Brüssel, Mus. Royaux des Beaux-Arts) feierte er die Helden der Revolution. Nach dem Sturz ROBESPIERRES wurde er angeklagt. Von NAPOLEON I. 1804 zum Hofmaler ernannt, verherrlichte er das Kaiserreich (›Napoleon, die Alpen überschreitend‹, 1799, Malmaison, Nat.-Mus.; ›Kaiserkrönung‹, 1806–07, Louvre). Daneben arbeitete er an großformatigen Bildern aus der antiken Geschichte (›Die Sabinerinnen‹, 1799, Louvre, BILD Historienmalerei; ›Leonidas in den Thermopylen‹, 1814 voll., ebd.). Nach Rückkehr der Bourbonen mußte D. das Land verlassen (1816); er lebte danach in Brüssel. Heute werden bes. seine lebensnahen, eindringlich charakterisierenden Bildnisse (›Madame Récamier‹, 1800, Louvre) geschätzt. (BILD S. 261)

R. VERBRAEKEN: J. L. D. jugé par ses contemporains et par la postérité (Paris 1973); A. SCHNAPPER: J. L. D. und seine Zeit (a. d. Frz., 1981).

David d'Angers [davidɑ̃ʒ'e], Pierre-Jean, frz. Bildhauer, *Angers 12. 3. 1788, †Paris 5. 1. 1856, war 1811 bis 1816 in Rom, wo er von A. CANOVA beeinflußt wurde. Dem Denkmal für Condé (1817–27; Versailles, Ehrenhof) folgten viele Bildnisstatuen, Büsten und Bildnisreliefs. Für das Pantheon in Paris arbeitete er das Giebelrelief (1830–37). 1824 und 1834 schuf er in Dtl. Büsten und Medaillons von J. W. v. GOETHE (Paris, Musée d'Orsay), F. SCHILLER, L. TIECK, C. D. RAUCH, K. F. SCHINKEL, C. D. FRIEDRICH u.a. Die meisten seiner Werke sind im Original oder in Gipsabdrücken im Mus. des Beaux-Arts in Angers vereinigt.

Davie [d'eɪvɪ], Alan, schott. Maler, *Grangemouth (Stirlingshire) 28. 9. 1920. Seine vitale Malerei und Graphik verbindet die spontane Geste des abstrakten Expressionismus mit den Symbolzeichen primitiver oder archaischer Kulturen wie Rad, Kreuz, Scheibe, Band.

A. D., Ausst.-Kat., Braunschweig (1972).

Davies [d'eɪvɪs], Arthur Bowen, amerikan. Maler, *Utica (New York) 26. 9. 1862, †Florenz 24. 10. 1928, studierte in Chicago und New York, gehörte 1913 zu den Organisatoren der →Armory Show; schuf idyll. Szenen in Traumlandschaften (›Einhörner‹, 1906; New York, Metropolitan Mus.); Spätwerk unter Einfluß des Kubismus.

Davioud [davj'u], Gabriel, frz. Baumeister, Gartenarchitekt, *Paris 30. 10. 1823, †ebd. 6. 4. 1881, seit 1871 Generalbauinspektor in Paris, gestaltete Pariser Parkanlagen (Umwandlung des Bois de Boulogne zum engl. Park). Zu seinem HW gehört das zur Pariser Weltausstellung 1878 errichtete Palais du Trocadéro (1937 umgebaut zum Palais de Chaillot).

Davis [d'eɪvɪs], Stuart, amerikan. Maler, *Philadelphia 7. 12. 1894, †New York 24. 6. 1964, reiste 1928/29 nach Paris. Beeindruckt von F. LÉGER und H. MATISSE, komponierte er in geometrisierenden Formen farbkräftige Bilder und Wandgestaltungen (1956; UNO, New York).

Dax, Heilbad in SW-Frankreich, Dép. Landes, 20000 Ew.; Reste von Mauern und Türmen aus galloröm. Zeit; im Inneren der Kathedrale (17./18. Jh.) ein got. Portal der früheren Kirche des 13. Jh.

Dayak, Sammelbezeichnung für die den Altvölkern Indonesiens zugehörigen Völker auf Borneo, in der Kulturstufe den Batak und den Toradja vergleichbar, wie letztere früher Kopfjäger auf ritueller Grundlage; die Schädel wurden häufig durch ornamentale Ritzungen, Einlagen und Bemalungen verziert. Die religiös (Ahnenverehrung, Totenkulte) und kriegerisch motivierte Kunst der D. zeichnet sich neben Schmuck, Holzskulpturen, Web- und Flechtarbeiten bes. durch Schilde aus, die in Einlegearbeiten (Muscheln) oder Bemalungen ornamental aufgelöste Dämonenköpfe (Schutz- und Abwehrgeister) darstellen und leichten chines. Einfluß erkennen lassen. Bei der Gestaltung ihrer Waffen, bes. der Kopfjägerschwerter (›mandau‹), beweisen die D. große Kunstfertigkeit; sowohl Klingen als auch Griffe und Scheiden, aus unterschiedl., vielfach organ. Materialien, sind kunstvoll verziert.

Dazaifu, Stadt in Japan, etwa 40 km südlich von Fukuoka, war im 7.–14. Jh. Verwaltungszentrum von Kyushu. Aus dieser Zeit ist nur noch die Anlage des buddhist. Tempels Kanzeon-ji erhalten; die Gebäude selbst wurden 1690 z. T. wieder aufgebaut. Tempelglocke aus der Nara-Zeit (645–710) erh. Mus. mit bed. Skulpturen aus der Heian- und Fujiwara-Zeit.

Die 905 gegr. Schreinanlage Temmangu gehört zu den bedeutendsten shintoist. Anlagen Japans; sie ist Tenjin, der Gottheit für Studien und Kalligraphie, geweiht (der vergöttlichten Form des Dichters und Staatsmannes MICHIZANO SUGAWARA, 845–903; auf Grund seines Abschiedsgedichtes wurde die Anlage von Hunderten von Pflaumenbäumen umgeben). Im Schatz des Heiligtums befinden sich Samml. kalligraph. Arbeiten und Malereien.

Dazu, Stadt in China, →Tatzu.

Deal Castle [di:l kɑ:sl], Festungsanlage bei der Stadt Deal in der Cty. Kent an der engl. SO-Küste; eine von drei 1539–40 von König HEINRICH VIII. (1509–47) hier erbauten Befestigungen. Der runde Kern ist von einem inneren und dazu versetzten äußeren Bastionenkranz in Sechspaßform umschlossen.

Dealu, ehem. Kloster im Kr. Dîmboviţa, nordwestlich von Tîrgovişte, Rumänien, 1431 errichtet, ab 1499 erneuert. Nach häufigen Schäden, Restaurierungen und anderweitiger Nutzung wurde der ganze Komplex 1953–56 in urspr. Gestalt wiederhergestellt. Das wertvollste Denkmal, die Kirche des Hl. Nikolaus, enthält Reste von Malereien vom Ende des 16. Jh.

Deambulatorium [lat.], Baukunst: →Chorumgang.

Dębno [d'ɛmbnɔ], Gem. östlich von Brzesko in der Wwschaft Tarnów, Polen, im Karpatenvorland, 12200 Ew.; Schloß der Familie DĘBIŃSKI, eine regelmäßige Anlage der Spätgotik (1470–80) mit Sgraffitoschmuck von J. DE SIMON (1586), im 17. und 19. Jh. geringfügig verändert.

Debre Damos, Kloster rd. 150 km südlich von Asmara in Äthiopien, auf einem etwa 2000 m hohen, schwer zugängl. Tafelberg, mit mehreren Kirchen, darunter (als ältester, 8. Jh.?) einer dreischiffigen Basilika in Holz-Stein-Bauweise (in der inneren Vorhalle Kassettendecke mit Tier- und Pflanzendarstellungen).

Debucourt [dəbyk'u:r], Philibert-Louis, frz. Maler, Kupferstecher, *Paris 13. 2. 1755, †Belleville 22. 9. 1832, schuf zunächst Genrebilder, seit 1785 Farbstiche mit meisterhaften, geistreichen Sittendarstellungen des Pariser Lebens im Rokoko; auch Reproduktionsstecher (bes. nach C. und H. VERNET).

Decamps [dək'ã], Alexandre Gabriel, frz. Maler, *Paris 3. 3. 1803, †Fontainebleau 22. 8. 1860, entdeckte auf einer Reise durch Kleinasien (1827) als einer der ersten den Orient für die romant. Malerei (Werke in Paris, Musée d'Orsay; Chantilly, Mus. Condé); schuf auch satir. Bilder und polit. Karikaturen.

Dečani [-tʃ-], Kloster zw. Peć und Prizren, Prov. Kosovo, Jugoslawien, von König Stephan III. Uroš 1327 als Grablege gegr. Die Kirche Christus Pantokrator, eine der größten serb. Klosterkirchen (fünfschiffig, mit dreischiffigem Narthex und Kuppel), zeigt in der Dekoration westl. Einflüsse; die Fresken (1335–50) bilden einen Gipfel der serb. Malerei; sie knüpfen direkt an Vorbilder in Byzanz an; Schatzkammer mit Ikonen (seit dem 14. Jh.) und Werken kirchl. Kunsthandwerks.

Dečani: Fresken an der Westwand des Exonarthex in der Kirche Christus Pantokrator, 14. Jh.

Deccan-Malerei, Dekkan-Malerei, ein unter islam. Herrschern des Deccan in Indien entwickelter Malstil (Ende 16. Jh.), der wie die frühe Mogul-Malerei sich zunächst an pers. Vorbilder anlehnte. Illustriert wurden anfangs wissenschaftl. Werke, Porträts und Ragamalas, später auch Themen der Rajput-Malerei. Wie in der Rajput-Malerei entwickelten sich auch in der D.-M. versch. Stile in den jeweiligen Herrscherresidenzen oder Provinzhauptstädten wie z. B. Ahmednagar, Bijapur, Golconda, Hyderabad, Kurnool und Sholapur.

De Chirico [dek'i:riko], Giorgio, ital. Maler, Graphiker, *Volos (Griechenland) 10. 7. 1888, †Rom 19. 11. 1978, studierte in Athen und München, wo er von den Bildern A. Böcklins die stärksten Eindrücke empfing. 1911–15 malte er in Paris seine rätselhaften Bilder aus Wirklichkeit und Traumwelt, in denen sich bereits der Surrealismus ankündigte. 1917 entwickelte er mit C. Carrà in Ferrara die →Pittura Metafisica, in der er aus Fragmenten der Wirklichkeit eine absurde, bedrängende Bildwelt errichtete. Nach dem 1. Weltkrieg schloß er sich der Gruppe der →Valori Plastici an. 1925–39 wieder in Paris, wandte er sich einem aus einer dämon. Sicht der Antike gespeisten Klassizismus zu. Seit 1939 lebte De C. wieder in Italien (Mailand, Rom und Venedig). Er bekämpfte leidenschaftlich die moderne Kunst, zu deren vitalsten Anregern er gehört hatte. Zahlreiche Fälschungen (1977 entdeckt) haben die Identifizierung seiner Bilder erschwert. (Bild S. 324)

Memorie della mia vita (1945); Wir Metaphysiker, Ges. Schriften, hg. v. W. Schmied (1973).

G. Bruni Sakraschik: G. de C., Catalogo generale, 5 Bde. (Mailand 1972–75); W. Schmied u. a.: G. de C. Leben und Werk (a. d. Ital., 1980); G. de C., Ausst.-Kat., München (1982).

Giorgio De Chirico: Die beunruhigenden Musen; 1916 (Mailand, Samml. Mattioli)

Decke, oberer Raumabschluß in waagrechter oder gewölbter Form. Die D. besteht aus 3 Teilen: dem Tragewerk, der eigtl. D.-Konstruktion, dem Fußboden des oberen und der D., dem Plafond des unteren Raumes. Die D. kann als Massiv-D. oder Holz-D. ausgebildet sein. Massiv-D. werden i. a. in Stahlbeton ausgeführt. Holzdecken sind i. d. R. **Balkendecken;** liegen die Balken kreuzweise, entstehen rechteckige Felder, die in der Ansicht als Kassetten ausgebildet sein können; man spricht dann von **Kassetten-D.** D.-Untersichten können stukkiert oder bemalt sein, die mittlere umrahmte Fläche heißt D.-Spiegel. Wird der Übergang von Wand zu Decke von einer Kehle (frz. Voute) gebildet, spricht man von einer **Voutendecke.**

Deckenmalerei gehört allg. zur →Wandmalerei. Sie schmückt die Decke eines Raumes mit dekorativer und figürl. Malerei und ist nur bei geschlossener Raumdecke möglich. Daher spielte sie im grch. Tempel, solange dieser einen offenen Dachstuhl hatte, keine Rolle. Von ägypt. Tempeln weiß man, daß die Decke oft den bestirnten Himmel darstellte. Aber die dichte Säulenstellung setzte der D. enge Grenzen. Hingegen erscheint in stützenlosen Grabräumen eine ungleich reichere, dekorative und figürl. D. Die grch. Erfindung der Kassettendecke, die auch von den Römern übernommen wurde, beschränkte die D. im wesentl. auf dekorative Motive. Der durch Perspektiven, Prospekte und Landschaftsausblicke über die abschließende Funktion der Wand hinwegtäuschende Illusionismus der pompejan. Wandmalerei machte die Decke in plast. Weise zur Zone des Himmels.

Deckenmalerei: Deckenfresko von J. B. Zimmermann in der Wallfahrtskirche Steinhausen; 1731

Die christl. Kunst übernahm schon in den Katakomben von der hellenist. Malerei die Ausschmückung der Decke mit dekorativen, aber auch mit inhaltlich bedeutsamen Motiven. Der offene Dachstuhl der frühchristl. Basiliken verhinderte eine D. Doch in den gewölbten Räumen der byzantin. Kunst erschien auch die D., und zwar als Mosaik (BILD Daphni), bestimmt von myst. Himmelssymbolik. Von der abendländ. Malerei übernommen, ging die D. schon in roman. Zeit eigene Wege (St. Maria zur Höhe, Soest). Hauptbeispiele sind die Gewölbemalereien der Unterkirche von Schwarzrheindorf (um 1151) mit den Visionen Ezechiels, die Flach-

Deckenmalerei: Teil des Gewölbefreskos von Michelangelo in der Sixtinischen Kapelle; 1508–12

decke von St. Michael in Hildesheim (um 1200) mit der Wurzel Jesse. Ihrem Gegenstand nach sind diese Themen nicht für die Decke bestimmt.

Eine neue Epoche setzte mit der Einführung der Zentralperspektive und dem mit ihr verbundenen Raumerleben ein. In der Renaissance wurde die antike Kassettendecke wieder aufgegriffen, es wurden Tafelbilder eingelegt. Die durch Stuckrahmen unterteilten Felder übermalte erstmals A. MANTEGNA mit einem illusionist. Fresko (1474; Camera degli sposi, Herzogspalast in Mantua). Von A. CORREGGIO, A. POZZO (BILD Barock), PIETRO DA CORTONA bis zu G. B. TIEPOLO (BILD) und den dt. und österr. Barockmalern C. D. ASAM, J. B. ZIMMERMANN, M. GÜNTHER, P. TROGER, F. A. MAULBERTSCH kam es zu einer phantasiereichen Kunst, die den begrenzten Raum der Treppenhäuser, Empfangssäle und Bibliotheken in Schlössern und Klöstern in den unbegrenzten übergehen ließ.

Seit RAFFAEL, MICHELANGELO, den CARRACCI und DOMENICHINO sowie den frz. Akademikern verteidigten immer wieder Künstler die Decke als Abschluß; sie gliederten sie architektonisch und ließen das Bild nur im Rahmen dieser Gliederungen zu. Die vollendete Synthese von illusionist. Einzelbild und Scheinarchitektur schuf Michelangelo in der Sixtin. Kapelle des Vatikan. Annibale Carraccis Malerei in der Galleria Farnese in Rom wirkt wie eine an die Decke versetzte Bildergalerie. Der Klassizismus nahm dieses Prinzip wieder auf (A. R. MENGS, ›Parnaß‹, Villa Albani, Rom).

T. PÖNSGEN: Die D. in ital. Kirchen (1969); H. BAUER u. B. RUPPRECHT: Corpus der barocken D. in Dtl., Bd. 1 (1976), Bd. 2 (1981), wird fortgeführt.

Decker, Paul, Baumeister, Bautheoretiker, Kupferstecher, *Nürnberg 27. 12. 1677, †Bayreuth 18. 11. 1713, Schüler A. SCHLÜTERS (seit 1699), war Hofarchitekt des Markgrafen CHRISTIAN ERNST von Brandenburg-Bayreuth in Erlangen und Bayreuth. Seine phantasievollen Musterbücher und Ornamentstiche (für Baumeister und Kunsthandwerker) wurden im 18. Jh. für zahlreiche Schloßbauten benutzt (J. B. FISCHER VON ERLACH u. a.).

Schriften: Fürstl. Baumeister oder Architectura civilis, 3 Tle. (1711–16); Architectura Theoretica-Practica (1720, 1723).

Deckfarben, Wasserfarben von deckender Wirkung wie →Gouachefarben, i. Ggs. zu den lasierenden Aquarellfarben, bei welchen der Untergrund durchscheint.

Deckvermögen, Maltechnik: die Fähigkeit eines Pigments, Helligkeitsunterschiede des Grundes zu überdecken. Man unterscheidet 4 Grade des D.: sehr gut, gut, befriedigend, lasierend (durchscheinend).

Deckweiß weiße Farbe mit deckender Wirkung, heute Zinkweiß in Gummibindung, früher Bleiweiß, für Höhungen bei Federzeichnungen und Aquarellen.

Décollage [dekɔl'aːʒə, frz.], moderne Bildform, eine Weiterentwicklung der →Collage.

Decorated Style [d'ekəreɪtɪd staɪl, engl.], nachklass. Phase der Baukunst der engl. Hochgotik im letzten Viertel des 13. und der 1. H. des 14. Jh., benannt nach den frühen Fischblasenformen des Fenstermaßwerks und den plastisch ausgestalteten Blendarkaturen. Durch flächige Ausbreitung der Wanddekoration und des durch zusätzl. Rippen netzartig bereicherten Gewölbes entstanden deutlich ausgegrenzte Raumformen, die, etwa im Vierungsoktogon der Kathedrale von

Ely, zu eigenwilligen Raumlösungen genutzt wurden. Die 1. Phase (vor 1300) war wesentlich von der Londoner Hofkunst bestimmt, während im 14. Jh. v. a. in der ostengl. Architektur (Ely) der Übergang zu freieren Formenbildungen erfolgte. Das räuml. Gestaltungsprinzip führte kurz vor der Mitte des Jh. in Gloucester zu einer gitterartigen Verfestigung der aufgelegten und zu Senkrechten reduzierten Maßwerkschicht, die stilistisch die Voraussetzung des spätgot. Perpendicular Style bildete.

Decorative Art [d'ekərətıv ɑːt, engl.], →Pattern Painting.

Décor bois [dekɔːrbw'a, frz.], gemalte Holzmaserung als keram. Dekor i. S. der Trompe-l'œil-Malerei.

Deerhurst [d'ıəhəːst], Städtchen in der Cty. Gloucestershire, Mittelengland. Das Kloster, erstmals 804 erwähnt, aber sicher älter, wurde 1059 der Abtei St. Denis bei Paris übertragen. Die wohl um 800 entstandene Kirche, ein steiler Saalbau mit abgetrenntem Chor und zweigeschossigem Portikus auf der Nord- und Südseite im wesentlichen, die später angefügte polygonale Apsis nur teilweise erh. Die westl. Vorhalle wurde im 9. Jh. zum heutigen Westturm erhöht. Um 1200 Ausbau zur dreischiffigen Basilika; 1861 Restaurierung. Zum Bau des 9. Jh. gehören die Bauplastik sowie ein Taufbecken.

De|esis [grch.], die Darstellung des thronenden Christus zw. Maria und Johannes dem Täufer, die zu seinen Seiten fürbittend stehen oder knien. Die Komposition, auf das Weltgericht hindeutend und wohl in Byzanz entstanden (so die Staurothek in Limburg), wurde seit dem 11. Jh. durch Elfenbeinarbeiten dem Abendland vermittelt und geht hier auch in die eigtl. Weltgerichts-Darstellungen ein. Ein bed. Beispiel der Plastik ist das Tympanon des Leichhof-Portals am Mainzer Dom (um 1239); in der Malerei findet sich das Motiv auf dem Genter Altar der Brüder VAN EYCK. – Oft wird die Darstellung der D. mit dem Motiv der →Maiestas Domini verbunden.

De Fiori, Ernesto, dt.-ital. Plastiker, *Rom 12. 12. 1884, †São Paulo 25. 4. 1944, urspr. Maler, seit 1911 Plastiker (Studium bei H. HALLER), schuf formal vereinfachte Akte und Porträtköpfe.

Defregger, Franz von (seit 1883), Maler, *Ederhof (Tirol) 30. 4. 1835, †München 2. 1. 1921, kam 1864 nach München zu K. v. PILOTY und war hier 1878–1910 Akademie-Prof. Als populärer Maler idealisierender Darstellungen aus dem Tiroler Bauernleben wurde D. mit Ehrungen überhäuft. Seine maler. Begabung äußerte sich jedoch eher in den Landschaften, Interieurs und Porträtstudien der 1870er Jahre.

H. P. DEFREGGER: F. v. D. (1983).

Edgar Degas: Tänzerin; Bronze, um 1883 (Köln, Wallraf-Richartz-Museum)

Degas [dəg'a], Edgar, eigtl. **de Gas,** frz. Maler, Graphiker, Plastiker, *Paris 19. 7. 1834, †ebd. 26. 9. 1917, kam 1855 zur Malerei. Die stärksten Anregungen verdankte er den Bildern J. A. D. INGRES' und den alten Meistern, die er im Louvre und auf einer Italienreise (1856/57) studierte. Seine frühen Bilder, histor. Kompositionen und Bildnisse, lassen in der Genauigkeit der

Beobachtung bereits seine eigenwillige Begabung erkennen. Um 1865 lernte er É. MANET kennen und durch ihn die Impressionisten, mit denen er 1874 ausstellte; trotzdem bewahrte er seine künstler. Selbständigkeit. Bildanregungen fand er im zeitgenöss. Leben; seine Lieblingsmotive entnahm er der Welt der Pferderennbahn, des Konzertcafés, des Theaters (bes. Balletttänzerinnen) und des Boudoirs (unbekleidete Frauen bei der Toilette). Er analysierte ihre Bewegungen und das Spiel des Lichtes, ohne ihre sinnl. Reize zu betonen. Dazu bediente er sich oft der Technik des Pastells. Neuartig war die scheinbare Willkür seines Bildaufbaus, bei dem der Rahmen die Personen überschneidet und der Horizont oft bis zur oberen Bildgrenze hinaufgeschoben wird, eine Kompositionsweise, mit der er die Intensität der Bewegung zu steigern wußte. D. führte auch zahlreiche Porträts aus und modellierte rd. 70 Statuetten von Tänzerinnen und Reitern. Im Alter erblindete er. – Seine Radierungen und Lithographien sind erst nach seinem Tod bekannt geworden. Seine HW befinden sich im Museum des Neunzehnten Jahrhunderts, dem Musée d'Orsay in Paris. (WEITERE BILDER Impressionismus, Pastell)

E. D., Gravures et monotypes, hg. v. J. ADHÉMAR u. F. CACHIN (Paris 1973); J. LASSAIGNE: Tout l'œuvre peint de D. (ebd. 1974).

Edgar Degas: Auf dem Rennplatz; um 1877/80 (Paris, Musée d'Orsay)

Degler, Hans, Bildhauer, *München(?) 1564, †Weilheim i. OB 1632/33, arbeitete in München (mit H. KRUMPPER am Münchner Hof) und Weilheim (Bürgerrecht ebd. seit 1591), v. a. als Altararchitekt; im Detail kraftvoll und bewegt. D. gehört zu den bedeutenden Bildhauern des Frühbarock in Süd-Dtl.

HW: Augsburg, St. Ulrich und Afra: Choraltar (1604), Seitenaltäre (1607) und Kanzel (1608).

Dehne, Christoph, Bildhauer, *um 1580/85, †Magdeburg nach 1640, schuf im Dom zu Magdeburg zahlreiche Grabmäler in Alabaster und Bronze, vermutlich auch die Kanzel in der Stephanskirche zu Tangermünde (1619). In seinem Werk sind Einflüsse des ital. und niederländ. Stils spürbar. Ornamente im Ohrmuschelstil zeigen den Übergang von der Spätgotik zum frühen Barock.

Deinokrates, Dinokrates, grch. Architekt am Hofe ALEXANDERS D. GR., entwarf den Plan der Stadt Alexandria und den ›Scheiterhaufen‹ (sechsstöckiger, vergoldeter Bau für Alexanders Freund Hephaistion); von D. stammte ein oft genannter phantast. Plan, den Berg Athos als Büste Alexanders zu modellieren.

Deir al-Abyad, Dair al-Abyad [arab. ›weißes Kloster‹], die bedeutendste frühchristl. Kirche, die sich in Oberägypten (nahe der Stadt Sohag) erhalten hat, um die Mitte des 5. Jh. aus hellen (›weißen‹) Sandsteinblökken errichtet und früher Mittelpunkt einer ausgedehnten Klosteranlage; im Außenbau blockhaft geschlossen, im Inneren in einen langgestreckten Naos (mit Emporen), ein Sanktuarium in Form eines Trikonchos, einen westl. Narthex und einen langen S-Narthex gegliedert. Bauherr war der kopt. Mönch SCHENUTE VON ATRIPE (*333/34, †451), der aus mehreren Tempeln Steinmaterial für den Kirchenbau gewinnen ließ (Mauern, Säulenstellung des Naos, Teile der Portale). Die reiche Bauornamentik des Sanktuariums sowie der Wandnischen im Naos, in W- und S-Narthex ist dagegen original gefertigt. – Die frühchristl. Baugestalt wurde durch Brände, Reparaturen, mittelalterl. Umbauten und moderne Hauseinbauten beeinträchtigt. – Nördlich von D. al-A. liegt **Deir al-Ahmar** (arab. ›rotes Kloster‹); erhalten ist ebenfalls nur die Kirche einer größeren Klosteranlage, mit Außenmauern aus gebrannten (›roten‹) Ziegeln, vermutlich eine Filiale von D. al-A.; die Kirche ist eine verkleinerte, nur wenig später erbaute Kopie. Die originale Bauornamentik ist v. a. im Sanktuarium einzigartig erhalten.

Deir Anba Sim'an, →Simeonskloster.

Deir el-Bahari [arab. ›nördl. Kloster‹], Tempelanlagen in einem Talkessel in Theben-West (KARTE ägyptische Kunst) aus dem Mittleren und Neuen Reich. Als erster errichtete MENTUHOTEP I. hier um 2020 v. Chr. sein Grab und einen monumentalen Totentempel. Um 1480–70 v. Chr. folgte HATSCHEPSUT seinem Vorbild mit ihrem weiter nördlich gelegenen Terrassentempel, der sich in 3 Stufen harmonisch in das Gelände einfügt und, neben dem Totenkult der Königin, den Göttern Amun, Hathor und Anubis geweiht ist; seine Reliefs verewigen die Handelsexpedition nach Punt (Land an der Somaliküste, in das die Ägypter seit dem 3. Jahrtsd. v. Chr. Handelsfahrten unternahmen) und den Mythos von der göttl. Abkunft des ägypt. Königs. Aus Bruchstükken und Standspuren ist zu schließen, daß der Tempel auch reich mit Statuen geschmückt war und als Zugang eine Sphinxallee hatte. Etwas später setzte THUTMOSIS III. zw. die beiden älteren Heiligtümer einen weiteren Tempel, der 1964 entdeckt wurde. In der Nähe öffnete man 1881 ein Versteck, die sog. ›Cachette‹, in der Königsmumien des Neuen Reiches verborgen gehalten worden waren (heute im Ägypt. Mus., Kairo).

Deir el-Medina [arab. ›Stadtkloster‹], altägypt. Siedlung der Handwerker und Künstler (nördlich von Medinet Habu), die an den Gräbern im Tal der Könige und anderen Bauten des theban. Westufers arbeiteten. Vielleicht schon von AMENOPHIS I. vor 1500 v. Chr. gegr., stammt die gut erhaltene Stadtanlage aus der 19. und 20. Dynastie (um 1300–1100); reiche Funde von Akten (Papyri und Ostraka) geben Aufschluß über das damalige Leben in der Siedlung. Im Berghang hinter D. el-M. legten sich die Bewohner ihre eigenen Felsgräber an, mit relig. Malereien (Motive aus dem Totenbuch u. a.) geschmückt. Nach dem Ende des Neuen Reiches wurde die Siedlung im 11. Jh. aufgegeben; nahebei entstand im 3. und 2. Jh. v. Chr. ein ptolemäischer Tempel für die Göttinnen Maat und Hathor.

Dekkan-Malerei, indische Malschule, →Deccan-Malerei.

De Kooning, Willem, niederländisch-amerikan. Maler, →Kooning.

del., Abk. für lat. **delineavit,** er hat (es) gezeichnet; auf Zeichnungen, v. a. aber in der Druckgraphik Hinweis auf den Erfinder der Darstellung.

Delacroix [dəlakrw'a], Eugène, frz. Maler, Graphiker, *Saint-Maurice-Charenton bei Paris 26. 4. 1798, †Paris 13. 8. 1863, möglicherweise ein Sohn von Talleyrand, Schüler von P. GUÉRIN; mehr als sein klassizist. Lehrer beeinflußten ihn die Bilder von P. P. RUBENS und PAOLO VERONESE im Louvre sowie T. GÉRICAULT und J. CONSTABLE. D. wurde der bedeutendste Vertreter der romant. Malerei in Frankreich. Statt statuarischer Ruhe gestaltete D. maler. Bewegung, sich oft mit der Andeu-

Eugène Delacroix: Die Freiheit führt das Volk an; 1830 (Paris, Louvre)

tung begnügend, wenn es der Ausdruckssteigerung dienlich war. Mit Vorliebe wählte er dramatisch erregte Szenen, die auf eigenen Erlebnissen (bes. bei seiner Reise nach Nordafrika, 1832) wie auch den Dichtungen von SHAKESPEARE, DANTE, G. BYRON, J. W. v. GOETHE, W. SCOTT beruhten.

Schon vor der Zeit des Impressionismus erkannte er, daß Farbe v.a. Licht ist und Schatten aus farbigen Reflexen bestehen. Sein Werk umfaßt Stilleben, Interieurs, histor. und relig. Kompositionen, Akte, Bildnisse, Darstellungen aus dem Volksleben, jedoch kaum reine Landschaften. Seit 1834 schuf er in Paris monumentale Wand- und Deckenmalereien im Palais Bourbon, im Palais du Luxembourg, im Louvre (Apollon-Galerie) und in St. Sulpice. Thematisch griff er in ihnen bes. auf die Antike zurück. Als Graphiker bevorzugte er die Lithographie; er veröffentlichte Tierdarstellungen (v.a. Kampfszenen) und illustrative Folgen zu ›Hamlet‹, ›Faust‹ (von Goethe bewundert) und ›Götz von Berlichingen‹. Sein umfangreiches Tagebuch (3 Bde., zuerst 1893–95) vermittelt einen Einblick in sein Schaffen und seine kunsttheoret. Überlegungen; es gehört zu den wichtigsten künstler. Selbstzeugnissen überhaupt.

HW (alle Louvre): Dante und Vergil in der Hölle (1822); Massaker von Chios (1824); Der Tod des Sardanapal (1827); Stilleben mit Hummer (1827); Die Freiheit führt das Volk an (1830); Die Frauen von Algier (1834); Selbstbildnis (um 1837); Frédéric Chopin (1838); Einzug der Kreuzritter in Konstantinopel (1840).

K. BADT: E. D. Werke u. Ideale (1965); B. SIEBER-MEIER: Untersuchungen zum ›Œuvre littéraire‹ von E. D. (1963); R. HUYGHE: D. (a.d. Frz., 1967); S. LICHTENSTEIN: D. u. Raphael (New York 1979).

Delaroche [dəlar'ɔʃ], Paul (eigtl. Hippolyte), frz. Maler, *Paris 17. 7. 1797, †ebd. 4. 11. 1856, Schüler von A.-J. GROS, malte effektvoll dramatisierte Darstellungen aus der Geschichte mit bühnenmäßig arrangierten Figuren. Die gefühlvolle und zugleich realist. Art seiner Darstellung machte ihn zum bekanntesten Historien- und Porträtmaler seiner Zeit.

Delaunay [dəlon'ɛ], Robert, frz. Maler, *Paris 12. 4. 1885, †Montpellier 25. 10. 1941, fand, vom Kubismus ausgehend, zu einem Stil, den der Dichter G. APOLLINAIRE →Orphismus nannte. Aus dieser Richtung des ›Farb-Kubismus‹ ging 1912/13 eine Serie ›Fenster‹ hervor, die das opt. Phänomen der Simultaneffekte,

Robert Delaunay: Kreisformen; 1912 (New York, Guggenheim-Museum)

d. h. der gegenseitigen Beeinflussung nebeneinandergesetzter Farben, zur Grundlage hat. D. stand den Künstlern des Blauen Reiters nahe und war von starkem Einfluß auf dt. Maler (F. MARC, L. FEININGER, P. KLEE u. a.). D. heiratete 1910 die Malerin SONIA DELAUNAY-TERK (*1885, †1979), die seine Ideen zu Lichteffekten und Farbmodulationen in ihren Bildern weiterentwikkelte; auch Stoffentwürfe, Tapisserien und Theaterdekorationen.

R. D., Ausst.-Kat., Baden-Baden (1976); H. DÜCHTING: R. D.s ›Fenêtres‹: peinture pure et simultanée (München 1982).

Delaune, Delaulne [dəl'o:n], Étienne, frz. Kupferstecher und Medailleur, →Laune, Laulne.

Delden [d'ɛldə], Städtchen in der niederländ. Prov. Overijssel; urspr. roman. Basilika (um 1200), im 15. und 16. Jh. zur dreischiffigen Halle umgebaut, mit Gewölbemalerei (15. Jh.) und Renaissanceausstattung; in einem Landschaftsgarten am N-Rand von D. liegt das Wasserschloß Twickel (1347), das 1551 die Frührenaissance-Fassade mit zweigeschossigen Erkern und reichem Portal erhielt.

Delen [d'e:lə], Dirk van, holländ. Maler, *Heusden 1605, †Arnemuyden 16. 5. 1671, schuf Bilder mit Phantasiearchitekturen von Palasthallen und Hofansichten. Seine Gemälde wurden häufig von anderen (z. B. A. PALAMEDESZ, DIRK HALS, P. CODDE) staffiert.

Delft, Stadt in der niederländ. Prov. Südholland, 86100 Ew., eine der ältesten Städte des Landes mit schmalen Grachten und gut erh. histor. Stadtbild. Am Markt liegt das Rathaus, unter Einbeziehung des ma. Rathausturms (um 1300) von H. DE KEYSER 1618–20 aus Naturstein gebaut; von den Fassaden ist die marktseitige bes. reich gestaltet. Dem Rathaus gegenüber steht die Nieuwe Kerk, eine spätgot. Basilika (15. Jh.) mit beherrschendem 108 m hohem Turm; im Chor das prächtige Grabmal Prinz WILHELMS I. VON ORANIEN (†1584), von H. de Keyser 1614 beg., von seinem Sohn Pieter 1622 voll., aus schwarzem und weißem Marmor mit der Bronzestatue des Prinzen. Älteste Pfarrkirche der Stadt ist die Oude Kerk (2. H. 14. Jh.), als Hallenkirche beg., im 15. Jh. zur Basilika umgebaut, mit stark geneigtem Turm (Anf. 14. Jh.); das nördl. Querhaus, der Liebfrauenchor und die St.-Joris-Kapelle wurden 1512–25 im Flamboyant-Stil umgebaut; im Inneren reich geschnitzte Kanzel (1548) und Marmorgrabmäler (17. Jh.). Gegenüber der Oude Kerk liegt der Prinzenhof, ehem. Residenz Wilhelms I., als St.-Agatha-Kloster erbaut (gew. vor 1414), mit dem einzigen Kreuzgang der Niederlande mit einer oberen Galerie; in dem Gebäude heute Städt. Mus. ›Het Prinsenhof‹ (u. a. Malerei des 16. und 17. Jh.) und völkerkundl. Mus. ›Nusantara‹ (u. a. indones. Kunst). Nahebei das Rijksmuseum Lambert van Meerten (Kunstgewerbe, umfangreiche Samml. von Fliesen). Unter den zahlreichen Wohnhäusern des 16. und 17. Jh. mit spätgot. und Renaissancegiebeln ragt bes. das ›Gemeenlandshuis‹ (Deichamt von Delftland) mit spätgot. Fassade und Treppengiebel heraus (1536). Von der ma. Befestigung ist das Stadttor Oostpoort (um 1400) mit 2 schlanken Türmen erh.

Delfter Fayencen: Vase in Form eines Tulpenbaumes mit blauem Dekor in fernöstlichem Stil; 2. Hälfte des 17. Jh. (Sèvres, Musée de la Manufacture)

Delfter Fayencen [-faj'ãsən], **Delfter Zeug,** Tonwaren mit Zinnglasur, aus Delft; allg. auch Bez. für nordniederländ. Fayencen. Die gegen Ende des 16. Jh. in Delft eingeführte Fayencekunst erreichte hier um 1680–1740 in der Nachahmung des ostasiat. Porzellans und in Konkurrenz mit diesem eine besondere künstler. Höhe in Formgebung, Dekor und Reichtum der Produktion. Zur Dekorierung dienten heim. Motive und die Muster ostasiat. Porzellane. Bei der Bemalung war polychrome Scharffeuer- und Muffelfarbenmalerei bes. beliebt. Mit einer zusätzl. Bleiglasierung (Kwaart) verstand man die Glasur porzellanähnlich zu machen. Nach 1750 erlagen die D. F. mehr und mehr der Konkurrenz des billigeren engl. Steinguts.

F. W. Hudig: D. F. ([2]1960); H.-P. Fourest: D. F. (a. d. Frz., 1981).

Delhi [d'eli], Stadt in N-Indien; der südl. Stadtteil Neu Delhi ist Hauptstadt des Landes; 5,2 Mio. Ew. Die äußerst günstige strateg. Lage an der engsten Stelle zw. der großen ind. Wüste (im SW) und dem Himalaya, zugleich an der Verbindungslinie zw. den fruchtbaren und volkreichen Ebenen an Indus (W) und Ganges (O), haben im Gebiet von D. im Verlauf von mehr als 3 Jahrtausenden die Hauptstädte der wichtigsten ind. Reiche entstehen lassen; über 1300 Monumente (v. a. Gräber) und 7 alte Stadtanlagen zeugen davon (›Rom Asiens‹).

Aus hinduist. Zeit ist außer einem Felsedikt Ashokas, der Teichanlage ›Suraj Kund‹ und Funden der Painted grey ware nichts Nennenswertes erh. 1193 wurde die rajput. Stadt (›Lalkot‹) von muslim. Heeren erobert. Die ersten Moscheen und Gräber wurden aus Spolien hinduist. Tempel des 8.–12. Jh. erbaut. Gut erh. ist die 1198 voll. Moschee Quwwat-ul-Islam (Macht des Islam); im äußeren Hof steht der Siegesturm Qutb Minar, mit 72,5 m Höhe das größte Minarett Indiens. In der Sklavendynastie (1206 von Sultan Qutb-ud-din Aibak begr.) entstanden zahlreiche Grabbauten (Grab des Sultan Ghori, 1231, Grab des Iltutmish, 1236).

Ala-ud-din, Begr. der Khalji-Dynastie (1290–1321),

Delhi: Grab des Humayun, 1566

vergrößerte die Quwwat-ul-Islam-Moschee, in der eine eiserne, nichtrostende Säule der Gupta-Kunst steht, und ließ nach ihm benannte überkuppelte Eingangstore anbringen. 1303 wurde die islam. Befestigung Siri gegründet. TUGHLUQ SHAH der Tughluq-Dynastie (1321 bis 1414) errichtete die großflächige Festungsanlage Tughluqabad, unweit der sein pyramidenstumpfförmiges Grabmal steht. FIROS TUGHLUQ gründete eine weitere Stadt, Kotla Firos Shah, in der er eine Ashokasäule vor der Freitagsmoschee aufstellen ließ. Die Khirki- und Begampuri-Moschee und die Anlage Haus Khas gehören mit ihren großen Ausmaßen zu den sehenswertesten Monumenten dieser Dynastie. Aus der Sayyid-Dynastie (1414–44) verdient nur das festungsartige Grabmal Muhammad Shahs im heutigen Lodi-Park Erwähnung. Der Lodi-Park bezeugt ansonsten mit den monumentalen, würfelförmigen Grabbauten und der Bara-Gumbad-Moschee den Baustil der Lodi-Dynastie (1451–1526). Die Moth Masjid gehört zu den schönsten Moscheen dieser Epoche. Die 1526 beginnende Moguldynastie wurde 1540–55 von der Sur-Dynastie unterbrochen, in der eine weitere befestigte Stadt, Purana Qila (mit der Sher-Shah-Moschee) gebaut wurde. Nach 1555 war D. wieder in der Hand der Moguln. Zunächst entstand unter AKBAR das Grab des Humayun, das erste große Bauwerk der Moguln in D. Shah JAHAN machte D. 1638 zur Hauptstadt des Mogulreiches und gründete Shahjahanabad (etwa das heutige Alt-D.). Das Rote Fort (Lal Qila), so wegen der roten Sandsteinmauern genannt, war 1648 mit zahlreichen Palästen und Gartenanlagen voll.; reiche Verwendung von weißem Marmor als Baumaterial in den kaiserl. Audienzsälen, Baderäumen und Haremsgemächern. 1650 war die größte Moschee Indiens, die Jami-Moschee, unweit der Palastfestung fertiggestellt (BILD indische Kunst). AURANGZEB ließ im Roten Fort die Moti Masjid (Perlmoschee) aus weißem Marmor erbauen. Das Grab des Safdar Jang (etwa 1754) ist das letzte große Monument der Moguln in D. (WEITERES BILD indische Kunst)

Delitzsch, Stadt nördlich von Leipzig, Dt. Dem. Rep., 24200 Ew.; spätgot. Stadtkirche St. Peter und Paul (1404–Ende 15. Jh.); spätgot. Pfarrkirche St. Marien (1518) mit bemerkenswertem Flügelaltar (Anf. 16. Jh.), Kanzel (1616); spätgot. Spitalkirche (beg. 1516), Flügelaltar (1520); Renaissance-Schloß (16. Jh., barock erneuert um 1690).

Delorme [dəl'ɔrm], **de l'Orme, Lorme,** Philibert, frz. Baumeister, Architekturtheoretiker, *Lyon um 1510, †Paris 8. 1. 1570, einer der bedeutendsten Vertreter des Manierismus in der frz. Architektur; ging 1533 nach Rom, wo er sich an den Werken der Antike und BRAMANTES bildete; 1540 kam er nach Paris und trat in königl. Dienste (u. a. Bauleiter des Schlosses Fontainebleau, wo er die hölzerne Kassettendecke des Ballsaals schuf). Seine Bauten sind fast alle zerstört, so die Schlösser St. Maur-les-Fossés, St. Germain-en-Laye und die Tuilerien in Paris, doch geben die Stiche von JACQUES DUCERCEAUS eine gute Vorstellung von ihnen. Erh. sind u. a. Teile der Schloßanlage von →Anet und das Grabmal Franz' I. in der Kathedrale von St. Denis

Delos: Löwenskulpturen

(beg. 1547). Bei seinen Zeitgenossen fand sein Buch ›L'Architecture‹, das zw. 1567 und 1648 vier Auflagen erreichte, weitreichende Beachtung. D. gehört mit P. LESCOT zu den Wegbereitern des frz. Classicisme.

Dẹlos, zwei grch. Kykladeninseln, im Altertum ionisches Zentrum der Apollonverehrung, da nach dem Mythos Leto Apollon und Artemis auf D. gebar. Die kleinere Insel entwickelte sich zu einer bed. Kultstätte (Hauptfest: Apollonien-Delien), die ihre 1. Blüte in archaischer Zeit erlebte; im 6. Jh. v. Chr. kam D. unter den Einfluß Athens und war seit 477 Zentrum des 1. Att. Seebundes. Nach dem Fall Athens (404) behielt D. seine kult. Bedeutung und wurde seit der Mitte des 3. Jh. ein von oriental. und italischen Kaufleuten stark besuchter Handelsplatz; 166 v. Chr. von Rom zum Freihafen erklärt, erlebte D. mit dem größten Sklavenmarkt des Altertums eine wirtschaftl. Blüte. Nach Verwüstung im Mithridat. Krieg 88 v. Chr. verödete die Insel (letztes Opfer für Apollon durch Kaiser JULIAN 362 n. Chr.).

Frz. Ausgrabungen seit 1873 erbrachten ein reiches Bild der bed. antiken Anlage. Zentrum war das Apollonheiligtum mit 3 kleineren Tempeln (6. und 5. Jh.), Schatzhäusern, Hallenbauten (Stoa der Naxier) u. a.; nördlich davon weitere Tempel, darunter der Tempel der Leto; von ihm führte eine mit monumentalen Löwenskulpturen gesäumte Feststraße zum hl. See; hier lagen weitere Bauten, u. a. aus hellenist. Zeit (Agora der Italiker). Im S, getrennt von dem eigtl. hl. Bezirk, breitete sich die hellenist. Wohnstadt aus mit mosaik- und freskengeschmückten Peristylhäusern (Haus der Masken, Haus der Delphine), Palästen, Stadion und einem großen Theater (3. Jh. v. Chr.); östlich davon, am Hang des Kynthosberges, lagen Heiligtümer syr. und ägypt. Götter.

A. PAPAGEÒRGIU-VENETAS: D., Recherches urbaines sur une ville antique (München 1981).

Dẹlphi, grch. **Delphọi** [ngrch. ðɛlfi], altgrch. Heiligtum in der Landschaft Phokis am Fuß der zum Parnaß gehörenden Felswände der Phädriaden, ein für ganz Griechenland bedeutsamer Kultort des Apoll, der an die

Stelle des hier früher verehrten Poseidon und der Erdmutter Gaia getreten war. Im Adyton seines Tempels verkündete die prophet. Priesterin Pythia, auf dem Dreifuß sitzend, die Orakel Apolls in vieldeutigen Sprüchen.

D.s polit. Bedeutung fällt in die archaische Zeit, in der das Orakel auf die Verfassung der Städte, die Kolonisation und viele polit. Unternehmen einwirkte; etwa seit 450 v. Chr. ging der polit. Einfluß zurück, und lange bevor THEODOSIUS I. um 390 n. Chr. das Orakel aufhob, war seine Bedeutung erloschen.

Der größte Teil der antiken Kultstätte wurde durch frz. Ausgrabungen freigelegt. Mittelpunkt des Heiligtums war ein im 7. Jh. v. Chr. erbauter Tempel Apolls, der 548 abbrannte. Es bezeugt D.s Weltgeltung, daß zum Wiederaufbau auch nichtgrch. Staaten beitrugen. Voll. wurde er um 510 durch das athen. Adelsgeschlecht der Alkmaioniden, die den Bau zu einem Gegenbild der Athener Akropolistempel werden ließen. 373 durch ein Erdbeben vernichtet, wurde er wiederum (369–323) mit außergrch. Hilfe aufgebaut (geringe Reste). Er galt durch den →Omphalos, den er barg, als die Mitte der Welt. Der Tempel stand beherrschend auf einer großen Terrasse, zu der die Heilige Straße hinaufführte. Beiderseits von ihr standen Weihgeschenke grch. Staaten (Statuen als Denkmäler innergrch. Aus-

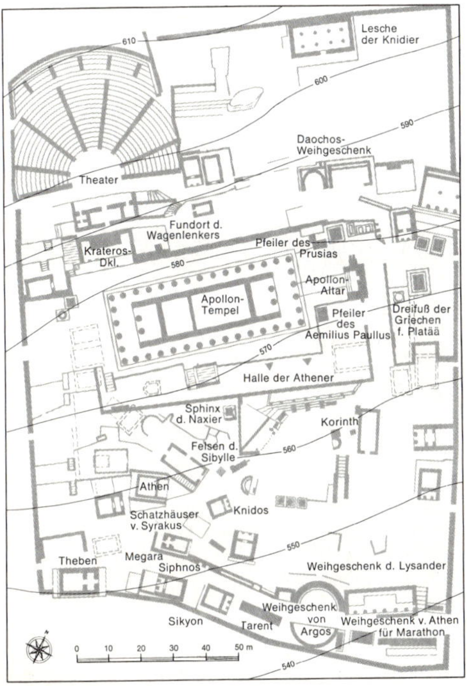

Delphi: Lageplan

einandersetzungen und als Siegeszeichen über die Perser), weiter die Schatzhäuser mit wertvollen Weihgaben der grch. Städte aus dem 6.–4. Jh. (u. a. der Sikyonier, der Siphnier, der Thebaner, der Knidier; wieder aufgebaut ist das Schatzhaus der Athener. Nahe dem Tempel standen wiederum Weihgeschenke, u. a. die Denkmäler auf hohen Pfeilern des Perserkönigs PRUSIAS, der Messenier und das →Aemilius-Paullus-Denkmal; am oberen Rand des Heiligtums befand sich das gut erh., in den Felsen gehauene Theater (2. Jh. v. Chr.), nordöstlich davon die Lesche der Knidier, von POLYGNOT ausgemalt; außerhalb des hl. Bezirks lagen das röm. Stadion, östlich vom Heiligtum Apolls das Brunnenhaus der Kastalia aus hellenist. Zeit, unterhalb das Gymnasion (4. Jh.) und das Heiligtum der Athena Pronaia, ebenfalls mit Schatzhäusern und Tempeln des 6. und 4. Jh. und mit der teilweise wieder aufgerichteten Tholos (5./4. Jh.). Im Mus. von D. zahlreiche Funde, u. a. die Bronzestatue des Wagenlenkers (um 470), Giebel- und Friesskulpturen vom Schatzhaus der Siphnier.

B. C. PETRAKOS: D. (Athen 1971); G. ROUX: D. (a. d. Frz., 1971).

Delsberg, frz. **Delémont** [dəlem'ɔ̃], Hauptstadt des schweizer. Kt. Jura, 12100 Ew., gehörte 1271–1793 zum Hochstift Basel; Bischöfl. Schloß (1716–21); Kirche St. Marcel (1762–66), dreischiffig auf kreuzförmigem Grundriß, in der Sakristei kostbarer Abtstab (7. Jh.); Marienbrunnen (1582) u. a. Brunnen des 16. Jh.

Delvaux [dɛlv'o], Paul, belg. Maler, Graphiker, *Antheit bei Huy 23. 9. 1897, lebt in Brüssel, stand anfänglich dem Expressionismus (C. PERMEKE) nahe, wandte sich um 1934, beeinflußt von G. DE CHIRICO und R. MAGRITTE, dem Surrealismus zu; isolierte Figuren (meist Akte) in kulissenhafter Architektur. – D.-Mus. in Koksijde (Prov. Westflandern).

M. BUTOR, J. CLAIR u. S. HOUBART WILKIN: P. D. (Brüssel 1975).

Paul Delvaux: Die Treppe; 1946 (Gent, Museum voor Schone Kunsten)

Demarco, Hugo Rodolfo, argentin. Künstler, *Buenos Aires 13. 7. 1932, übersiedelte 1961 nach Paris, stand dort in engem Kontakt mit der Groupe de Recherche d'Art Visuel; lichtkinet. Plastiken und Raumgestaltungen mit ultraviolettem Licht. (BILD Kinetische Kunst)

De Maria [dəmər'iə], Walter, amerikan. Künstler, →Maria.

Demarteau [dəmart'o], Gilles, frz. Kupferstecher, *Lüttich 19. 1. 1722, †Paris 31. 7. 1776, verbesserte die von J. C. FRANÇOIS erfundene Kreide-Manier, in der er Kreidezeichnungen (von J. H. FRAGONARD, F. BOUCHER u. a.) täuschend wiederzugeben vermochte.

Demavend, kleine Stadt in N-Iran, mit Freitagsmoschee aus dem 11. Jh., mit quadrat. Grundriß und einem rechteckigen Mittelhof mit 4 Riwaqs (Portiken); Gebetssaal mit 5 einst überwölbten Schiffen, von denen sich 3 durch Bögen auf den Hof öffnen. Ebenfalls aus dem 11. Jh. stammt das Mausoleum von Scheich Schibli, mit geometr. Mustern aus Ziegel. Im 13. Jh. wurden die Mausoleen Imam Zadeh Schams ad-Din und Imam Zadeh Abdullah erbaut.

Demeter, auch **Deo,** grch. Mythos: Göttin des Akkerbaus und Getreides mit mütterl. Zügen, v. a. von Bauern und Frauen verehrt, in Rom der **Ceres** gleichgesetzt. Zahlreiche Beinamen deuten auf eine komplexe Natur, die auch die Funktion einer Fruchtbarkeitsgöttin einschließt. In den Mysterien von Eleusis wurde ihr Wesen mit vorgrch. Unterwelts- und Vegetationsgöttinnen verknüpft und vertieft zu einer den Kreislauf von Leben und Tod behütenden Macht. D. ist Tochter des Kronos und der Rhea, mit der eigenen Tochter Persephone und dem jungen Kornbringer Triptolemos eng verbunden. Attribute: Ähren, Mohn, Fackeln, Zepter. – D. erscheint auf grch. Vasen bereits im 6. Jh. v. Chr.; zu plast. Darstellungen gehören v. a. ein eleusisches Weihrelief (5. Jh. v. Chr.; Athen, Nat.-Mus.) und die D. von Knidos (4. Jh. v. Chr.; Kopie in London, Brit. Mus.), die sie als würdevolle, reife Frau zeigen. In der Neuzeit wurde sie, oft zus. mit Venus und Bacchus, zur Allegorie von Fruchtbarkeit und Sommer (P. P. RUBENS, A. BÖCKLIN).

Demetrias, antike Stadt am Golf von Volos, Griechenland, von dem Makedonenkönig DEMETRIOS POLIORKETES 293 v. Chr. gegr. Der antike Mauerring von etwa 8 km Umfang ist noch z. T. erh., das Theater und ein Palastkomplex wurden (nahe dem Rest eines ma. Aquädukts) freigelegt. Die einst in einen Mauerturm verbauten Grabstelen mit gut erh. Bemalung (jetzt im Mus. Volos) sind bedeutsam als Zeugnisse hellenist. Malerei.

Demmin, Stadt im Bez. Neubrandenburg, 17 600 Ew.; Stadtkirche St. Bartholomäi, got. dreischiffige Backsteinhallenkirche (14. Jh.), Turmoberteil neugotisch; Luisentor (13./15. Jh.) mit Treppengiebel.

De Morgan [dəm'ɔːgən], William Frend, engl. Kunsttöpfer und Schriftst., *London 16. 11. 1839, †ebd. 15. 1. 1917. Von W. MORRIS beeinflußt, übte er sich in vielen Techniken der Glasur und Farbgebung.

Demuth [dəm'uθ], Charles, amerikan. Maler, *Lancaster (Pennsylvania) 8. 11. 1883, †ebd. 25. 10. 1935, studierte u. a. in Paris und Berlin; sein Werk umfaßt Kabarett- und Zirkusszenen, Stilleben und Blumenstücke, die in einem abstrakten Realismus gehalten sind (›Mein Ägypten‹, 1927; New York, Whitney Mus.).

Demut-Malinowskij, Wassilij Iwanowitsch, russ. Bildhauer, *St. Petersburg 13. 3. 1779, †ebd. 28. 7. 1846, lernte bei M. I. KOSLOWSKIJ und bei A. CANOVA. D.-M. schuf den Skulpturenschmuck der klassizist. Bauwerke St. Petersburgs, u. a. Triumphwagen, Waffen und Krieger für den Triumphbogen des Generalstabsgebäudes von C. ROSSI.

Dendera, grch. **Tentyra,** Dorf und Ruinenstätte in Oberägypten (KARTE ägyptische Kunst), Hauptkultstätte der Göttin Hathor, deren Tempel zu einem der besterhaltenen Ägyptens zählt. Der heutige Bau wurde unter den späten Ptolemäern im 1. Jh. v. Chr. an Stelle eines älteren Heiligtums errichtet. Die 24 hohen Säulen der Vorhalle haben die Gestalt des Sistrums (Kultinstrument der Hathor) mit dem Kopf der Göttin; die Reliefdekorationen (Kultszenen) stammen aus röm. Zeit;

Dendera: Hathortempel; 1. Jh. v. Chr.

weitere Reliefs in den anschließenden Räumen beschreiben die Grundsteinlegung und das tägl. Tempelritual. Auf dem Dach befinden sich kleinere Heiligtümer für Hathor und Osiris, dessen Wiederaufleben hier gefeiert wurde. Die Decke eines dieser Räume war mit dem ›Tierkreis von D.‹, einer runden Himmelsdarstellung mit den grch. Tierkreiszeichen, geschmückt (jetzt im Louvre). Im Vorhof dienten Geburtshäuser (Mammisi) aus versch. Zeiten dem Geburtsritual des Götterkindes.

Dendermonde, Stadt in der belg. Prov. Ostflandern an Schelde und Dender. Die Liebfrauenkirche ist eine got. Basilika mit achteckigem Vierungsturm (14. Jh.); im Innern roman. Taufbecken, im Querschiff got. Wandmalereien; 2 Gemälde von A. VAN DYCK. Rathaus (14. Jh., ehem. Tuchhalle); Fleischhalle (1460).

Dendra, Dorf in der grch. Landschaft Argolis, bei dem frühhellad. Siedlungsreste freigelegt wurden, v. a. zahlreiche Kammergräber (späthelladisch II–III) mit kostbaren Funden: Goldschale mit Oktopoden, myken. Bronzepanzer. Die zugehörige myken. Burg Midea wurde schon vor der Burg von Mykene zerstört.

Dendro|chronologie [grch.], Verfahren zur Datierung vorgeschichtl. Kulturreste, histor. Bauten, Tafelmalerei und Plastik aus den Jahresringen der dabei verwendeten Hölzer.

Dengese, Volksstamm in Zaire, →Ndengese.

Denis [dən'i], Maurice, frz. Maler, Graphiker, Kunsttheoretiker, *Granville (Manche) 25. 11. 1870, †Paris 13. 11. 1943, gehörte anfänglich zur Künstlergruppe von Pont-Aven, später war er der wichtigste Theoretiker der →Nabis. Unter dem Eindruck mehrerer Italienreisen wandelte sich seine Kunst zu einfachen Formen; behandelte u. a. relig. Themen, auch in großen dekorativen Wandmalereien und Glasfenstern. 1919 gründete er mit G. DEVALLIÈRES Werkstätten für kirchl. Kunst. - HW in Paris, Musée d'Orsay.

Denkendorf, Gem. in Nordwürttemberg, 9700 Ew.; ehem. Augustinerchorherren-Stiftskirche (um 1120/29 gegr.), eine dreischiffige, flachgedeckte Pfeilerbasilika mit Vorhalle (um 1200) und burgundisch beeinflußter Krypta (um 1225); Friedhofskirche (1510/20).

Denkmal, Monument, i. w. S. jeder kunst- und kulturgeschichtlich oder historisch bedeutsame Gegenstand, i. e. S. ein zur Erinnerung an Personen oder Ereignisse errichtetes Werk der Bau- oder Bildhauerkunst; zu unterscheiden von dem nicht künstlich geformten D. (z. B. ein großer Stein). Sondergruppen bilden das →Grabmal (Grabdenkmal) und jene D., die vorrangig Hoheits- und Rechtszeichen sind oder chronolog. Zwecken dienten.

Die wichtigsten Formen im Altertum waren die →Pyramide, der →Obelisk, die →Stele und die →Weihgeschenke. Sie entstanden wie die ersten Individual-D. (→Porträt) in Zusammenhang mit dem Kultus. Die ersten rein polit. D. ohne relig. Bezug waren Statuen der Tyrannenmörder HARMODIOS und ARISTOGEITON, 510 v. Chr. Zu Ehren von Lebenden errichteten die Athener erstmals zu Beginn des 4. Jh. Statuen (Kimon, 394 v. Chr.).

Auch das D. mit einer Symbolgestalt geht auf die Griechen zurück (Löwen-D. in der altgrch. Stadt Chaironeia, das im Altertum als Grabmal für die gefallenen Thebaner galt). Vornehmlich architektonisch waren die großen, bis in die röm. Zeit errichteten Sieges-D. (Tropaion). Bei den Römern war das polit. D. sehr verbreitet (Forum, Kapitol, auch im Circus). Eigentümlich römisch waren der →Triumphbogen und die →Ehrensäule. Die Trajans- und die Mark-Aurel-Säule schildern in spiralenförmig um die Säule herumlaufenden Reliefdarstellungen die Taten der Herrscher.

Das Christentum lehnte das D. ab; dadurch erhielt es auch keinen festen Platz in der Kunst des MA. Ausnahmen bilden der von HEINRICH DEM LÖWEN aufgestellte Löwe in Braunschweig (BILD), der Bamberger Reiter (BILD Bamberg), das Reiterdenkmal auf dem Magdeburger Marktplatz und das Brückentor von Capua von FRIEDRICH II. (→staufische Kunst). Als rechtl. Symbole müssen die Rolande oder Rolandsäulen genannt werden.

In der Renaissance wurden D. in Anlehnung an antike Vorbilder (Mark-Aurel-D., Rom) in Italien geschaffen: D. des Gattamelata in Padua von DONATELLO, des Colleoni in Venedig von VERROCCHIO. In der Folgezeit wurde das →Reiterstandbild die am weitesten verbreitete Form der Herrscherdarstellung.

Im 19. Jh. entstanden zahlreiche D. großer Persönlichkeiten (z. B. Luther in Wittenberg, 1821 von G. SCHADOW; Dürer in Nürnberg, 1837–40 von C. D. RAUCH). Unter der großen Fülle gab es künstlerisch bed. Leistungen (A. RODIN, Entwurf zum Balzac-D.), jedoch beeindruckten die meisten D. des 19. Jh. mehr durch die sie verkörpernde polit. Idee und Monumentalität (Freiheitsstatue in New York, 1886 von F. A. BARTHOLDI). Für die Gefallenen der Weltkriege suchte man D. architektonisch zu gestalten. Ihre Fortsetzung finden sie in Gedenksteinen, Gedenktafeln, Ehrenhainen, Mahnmalen und Gedenkstätten (Buchenwald, Auschwitz, Fosse Ardeatine bei Rom u. a.). Das D. der Gegenwart bedient sich abstrakter und architekton. Formen (Rotterdam-D. von O. ZADKINE; Luftbrücken-D. in Berlin-West).

Denkmäler im 19. Jh., Deutung und Kritik, hg. v. H. E. MITTIG u. V. PLAGEMANN (1972). – WEITERE LIT.: →Bildhauerkunst, →Porträt.

Denkmalpflege, Denkmalschutz, die Erhaltung historisch, städtebaulich, künstlerisch oder technisch bedeutsamer Einzelbauwerke oder Gesamtanlagen wie histor. Stadtkerne, Uferbebauung oder Platzumbauung unter Zugrundelegung lebensnaher Nutzung und Bezogenheit zum Orts- und Landschaftsbild sowie die Restaurierung und Aufbewahrung von Kunstwerken (Bildhauerei, Malerei, Kunsthandwerk).

Organisation. Die D. ist in den meisten europ. Ländern eine staatl. Organisation. In der Bundesrep. Dtl. obliegt sie den Bundesländern: Die ›Landesämter für D.‹ sind in die beiden Berufszweige des Landesdenkmalpflegers und des Landesarchäologen gegliedert. Die Bundesländer haben eigene Denkmalschutzgesetze erlassen. Sie legen bes. den Eigentümern von Baudenkmälern Erhaltungspflichten auf, unterwerfen die Veränderung von Kulturdenkmälern einem Erlaubnisvorbehalt, regeln Enteignung, Entschädigung u. a. Die Denkmalämter erfassen die zu schützenden Denkmäler im **Denkmalbuch** auf Grund von Listen und Inventaren.

Der →ICOMOS organisiert die Finanzierung der nur in internat. Zusammenarbeit lösbaren Aufgaben (z. B. die Versetzung ägypt. Tempel, BILD Abu Simbel).

Denkmalpfleger. Aufgaben stellen sich oft im Zusammenhang mit Ausgrabungen (Erschließung von →Vorgängerbauten, z. B. von kirchl. Anlagen und Burgen). Im 19. Jh. bediente sich die D. noch historisierender Stilnachahmung. Heute hingegen werden Fehlstellen am originalen Denkmalbestand nach streng wissenschaftl. Erkenntnissen hinsichtlich ihrer urspr. Gestalt ergänzt. Nach den Zerstörungen des 2. Weltkrieges nahm die D., bes. in den Ländern mit starkem histor. Bewußtsein, den Wiederaufbau ganzer Viertel durch →Rekonstruktion nach Photographien oder Stichen vor (Warschau, Danzig, Breslau). Seit den 60er Jahren wird in besonderem Maße die urspr. Farbfassung an

Denkmalpflege: Warschau, Altstadt, Marktplatz an der Deckert-Seite; LINKS Zustand 1945, UNTEN Zustand 1975

Bauwerken wieder freigelegt. Die Hauptaufgaben der D. liegen in der Bewahrung der histor. Bausubstanz durch Verhinderung von Gebäudeabbrüchen, Schutz vor Umwelteinflüssen u.a. (Venedig; Akropolis, Athen). →Sanierung

Schutz und Pflege von Baudenkmälern in der Bundesrep. Dtl., ein Hb., hg. v. A. GEBESSLER u. W. EBERL (1980) – Ztschr.: Dt. Kunst und D. (seit 1934).

Denner, Balthasar, Maler, *Hamburg 15. 11. 1685, †Rostock 14. 4. 1749, lebte 1721–28 in London, 1736 bis 1739 in Amsterdam und schließlich am Hof des Herzogs von Mecklenburg in Schwerin. D. war ein an dt. Höfen beliebter Porträtmaler. In seinen Studienköpfen gab er Falten, Härchen und Poren im genauen Detail wieder (›Poren-Denner‹).

Dente da Ravenna, Marco, ital. Kupferstecher, *Ravenna um 1492, †Rom 1527, stach in der Art seines Lehrers M. RAIMONDI nach Zeichnungen RAFFAELS und Werken der Antike; arbeitete zeitweise auch zusammen mit AGOSTINO VENEZIANO.

Denver [d'envə], Stadt in Colorado, USA, 516000

Ew. Im Stadtzentrum das ›Civic Center‹, eine Grünanlage mit Brunnen und Denkmälern; westlich davon das City & County Building im klassizist. Stil (1931–32), südlich das D. Art Mus. (v.a. indian. und fernöstl. Kunst, 2 Bildnisse von L. CRANACH D. Ä.). Östlich vom Civic Center das Capitol (1887–95) und das Cheesman Memorial; im NW der Larimer Square, der älteste Platz Denvers mit restaurierten Häusern aus der Zeit des Bürgerkriegs.

Denzinger, Franz Joseph Ritter von, Baumeister, *Lüttich 26. 2. 1821, †Nürnberg 14. 2. 1894, vollendete den Regensburger Dom 1859–72 (Türme, Querschiff, Dachreiter), baute selbst in got. Stil (u. a. in Frankfurt a. M. die Dreikönigskirche in Sachsenhausen) und restaurierte u. a. den Frankfurter Dom (1867–81).

Deogarh, hinduist. Tempelstätte in Zentral-Indien mit einem der frühesten Steintempel Indiens (›Dashavatara-Tempel‹, 6. Jh.). Erh. ist die ehem., von einem pyramidenartigen Turm überragte und allseitig von säulengestützten Vorbauten umgebene Cella auf einem breiten Erdsockel; in den Außennischen der Cellawände Reliefs mit Vishnu-Darstellungen im späten Gupta-Stil von höchster Qualität (BILD Gajendramoksha). Unweit auf einem Hügel mittelalterl. Jaina-Tempel.

Deopatan, alte Residenzstadt im Katmandu-Tal, mit dem Tempel →Pashupatinath als Hauptheiligtum der Shiva-Verehrung in Nepal.

De Pisis, Filippo, ital. Maler und Lyriker, *Ferrara 11. 5. 1896, †Mailand 2. 4. 1956, malte in einer vom Impressionismus beeinflußten, lockeren Technik lyrisch empfundene Landschaften und Stilleben.

Derain [dər'ɛ̃], André, frz. Maler, *Chatou bei Paris 10. 6. 1880, †bei Garches 8. 9. 1954, schloß sich den Fauves an, zu deren Vorkämpfern er gehörte (›Der Pool von London‹, 1906; London, Tate Gallery). Mit einem starken Sinn für geordneten Bildbau begabt, gelangte er unter dem Einfluß von P. CÉZANNE und auch des frühen Kubismus zu einer geometrisierenden Verfestigung der

André Derain: Collioure, 1904/05 (Essen, Museum Folkwang)

Formen (›Stilleben auf einem Tisch‹, 1910), die sich später wieder mehr dem Naturvorbild näherten. In der eindrucksvollen Geschlossenheit seiner großformig vereinfachten Landschaften (›Collioure‹, 1904/05; Essen, Mus. Folkwang), Stilleben und Figurenbilder bekundet sich das Fortleben der klass. Tradition der frz. Malerei (›Die beiden Schwestern‹, 1914; Kopenhagen, Statens Mus. for Kunst). D. schuf auch Skulpturen, Buchillustrationen, Theaterdekorationen und Kostümentwürfe (u. a. für S. DIAGHILEWS Ballets Russes).

Dermbach, Gem. im Kr. Bad Salzungen, Dt. Dem. Rep.; barocke kath. Pfarrkirche (1732–35) mit reicher Fassade und Ausstattung; evang. Pfarrkirche (1714, barock unter Verwendung älterer Teile); schlichtes Barockschloß der Fürstäbte von Fulda (1707).

Deruet [dəry'ɛ], Claude, frz. Maler, *Nancy (?) 1588, †ebd. 20. 10. 1660, studierte in Nancy bei J. BELLANGE und ab 1613 in Rom bei A. TEMPESTA, nach 1619 wieder in Nancy als Hofmaler KARLS IV. von Lothringen, dann in Paris im Dienst von LUDWIG XIII. und RICHELIEU. D. vertritt neben J. BELLANGE und J. CALLOT den Manierismus der ›Schule von Nancy‹.

Deruta|ware, in der ital. Stadt Deruta (Umbrien) hergestellte Majoliken von gelbl. Masse mit meist blauer, auch grüner Bemalung, strengem Ornament und metall. Lüsterfarben mit schillernden Reflexen (seit etwa 1500). Die Herstellung der D. ist seit 1387 bekannt und erlebte ihre Blütezeit im 16. Jh.

Deschler, Joachim, österreich. Bildhauer, †Wien 1571, arbeitete 1533–47 in Venedig und Rom, später als Hofbildhauer MAXIMILIANS II. in Wien. Seine bed. Porträtmedaillen sind im Stil der Renaissance ausgeführt.

Deschwanden, Melchior Paul von, schweizer. Kirchenmaler, *Stans (Halbkanton Nidwalden) 10. 1. 1811, †ebd. 25. 2. 1881, malte in der Art der →Nazarener Madonnen und Andachtsbilder in zarten Farben.

Des Coudres [dek'udr], Ludwig, Maler, *Kassel 10. 5. 1820, †Karlsruhe 23. 12. 1878, wurde nach Ausbildung in Kassel, München und Düsseldorf und Reisen nach Rom, Brüssel und Antwerpen 1855 Prof. an der Akad. in Karlsruhe, 1863 deren Leiter. Beeinflußt von L. F. SCHNORR VON CAROLSFELD und P. CORNELIUS, schuf D. C. relig. Historienbilder sowie Porträts im Stil der →Düsseldorfer Schule.

Desiderio, Monsù (Monsieur) **D.,** Pseudonym mehrerer, in der 1. H. des 17. Jh. v. a. in Neapel tätiger Maler, von denen FRANÇOIS DESIDERIUS NOMÉ (*Metz um 1593) und DESIDERIUS BARRA (*Metz um 1590) identifiziert werden konnten. Sie malten phantast. Architekturlandschaften und kleinteilige Veduten.

Desiderio da Settignano [-ɲ'a:no], ital. Bildhauer, *Settignano bei Florenz um 1430, †16. 1. 1464. D. da S., der bedeutendste aller unter DONATELLOS Einfluß aufgewachsenen Florentiner Bildhauer, erweist sich in seinen Reliefs und Porträtbüsten als Meister von höchster Sensibilität in der Zeichnung der Umrisse und Behandlung der Marmoroberfläche. Bei ihm gewinnen dekorative Elemente an Bedeutung. (BILD Büste)

HW: Grabmal des Carlo Marsuppini (um 1453; Florenz, S. Croce); Sakramentstabernakel (1461; Florenz, S. Lorenzo); Flachreliefs der Madonna mit Kind (Florenz, Mus. Nazionale del Bargello; Philadelphia, Mus. of Art; London, Victoria and Albert Mus.); Porträtbüsten der Marietta Strozzi (Berlin-West, Staatl. Museen).

Design [dɪz'aɪn, engl.], Entwurfszeichnung, Muster (bes. von formgerechten Gebrauchsgegenständen). **Designer,** Schöpfer von Industrie- und Gebrauchsgegenständen. (→Graphik-Design, →Industrie-Design)

Desmarées [demar'e], Maler, →Marées, George de.

Des Moines [dɪm'ɔɪn], Stadt in Iowa, USA, 199 000 Ew. Capitol (1873–84) mit vergoldeter, 83 m hoher, Kuppel. Das ›D. M. Art Center‹ wurde 1948 von ELIEL SAARINEN errichtet (Werke u. a. von P. KLEE, O. KOKOSCHKA, E. L. KIRCHNER, H. ARP, H. LAURENS, A. CALDER, H. MOORE, J. MIRÓ).

Desnoyers [denwaj'e], Auguste, Baron **Boucher D.** [buʃ'e-], frz. Kupferstecher, *Paris 19. 12. 1779, †ebd. 16. 2. 1857, schuf klassizistisch strenge und klare Stiche, bes. nach RAFFAEL und F. GÉRARD.

Desornamentado-Stil, span. **Estilo Desornamentado** [›schmuckloser Stil‹], Bez. für die strenge, schmucklose Richtung der span. Spätrenaissance-Architektur, wie sie in der 2. H. des 16. Jh. bes. in den Bauten von J. DE HERRERA und seiner Schule zum Ausdruck kommt.

Despiau [dɛspj'o], Charles, frz. Bildhauer, *Mont-de-Marsan (Landes) 24. 11. 1874, †Paris 28. 10. 1946, Schüler von E. BARRIAS, kam 1907 zu A. RODIN, entwikkelte sich aber unabhängig von ihm. D. hat von klass. Ruhe erfüllte Bildnisse und auch Figurenbildwerke geschaffen, indem er seine in vielen Zeichnungen geklärten Beobachtungen in disziplinierte plast. Form verwandelte, ohne die Natürlichkeit des Ausdrucks zu verlieren.

Desportes [dep'ɔrt], François, frz. Maler, *Champigneulles (Haute-Marne) 24. 2. 1661, †Paris 20. 4. 1743, war 1695–96 als Porträtmaler am Hof des poln. Königs in Warschau, danach für den frz. König LUDWIG XIV. tätig; schuf v. a. Tier- und Jagdbilder (›Der Maler als Jäger‹, um 1699; Louvre), Wanddekorationen mit Jagdmotiven für die königl. Schlösser (u. a. Marly), zahlreiche Stilleben (mit Wildbret, Früchten und Blumen; Louvre) und Porträts in flämisch realist. Tradition; auch Entwürfe für Gobelins (›Les Nouvelles Indes‹, um 1735–41; Rom, Quirinalspalast). Seine vor der Natur gemalten Landschaften erinnern in ihrer Frische und Fülle an Werke der Schule von Barbizon (Werke in Compiègne, Nat.-Mus.).

Desprez [dɛpr'e], Louis Jean, frz.-schwed. Architekt und Maler, getauft Auxerre 28. 5. 1743, †Stockholm 19. 3. 1804, wurde 1784 von König GUSTAV III. als Theaterdekorateur nach Stockholm berufen, schuf phantasievolle Gemälde mit romant. Einschlag; als Architekt ein Wegbereiter des Klassizismus in Schweden.

Dessau, Stadt an der Mulde oberhalb der Mündung in die Elbe, Dt. Dem. Rep., 100700 Ew.; ehem. Sitz der Linie Anhalt-D. Der Stadtkern wurde 1945 fast völlig zerstört. Wiederhergestellt sind u.a. Georgenkirche (1712–17, 1821 erweitert) und Johanniskirche (1690 bis 1702), provisorisch auch der W-Flügel des ehem. Residenzschlosses (beg. um 1530). Das klassizist. Schloß Georgium (beg. 1780) im NW der Stadt ist Staatl. Gal. (bes. altdt., niederländ. und frz. Malerei). Bei D. 2 weitere Schlösser: Schloß Mosigkau (1752–57, wohl nach Plänen von G. W. v. KNOBELSDORFF), heute Mus. mit Bildergal. in Hängung des 18. Jh. (›Oran. Samml.‹: P. P. RUBENS, A. VAN DYCK, A. PESNE u.a.); das klassizist. Schloß Luisium (1774–78 von F. W. v. ERDMANNSDORFF) ist Teil der Staatl. Gal. In der Dorfkirche von D.-Mildensee Abendmahl von L. CRANACH D. J. (1565), auf dem die Reformatoren und die Fürsten von Anhalt porträtiert sind. 1925–32 hatte das →Bauhaus in D. seinen Sitz.

De Stijl [də stɛjl], →Stijl.

Detmold, Kreisstadt am Teutoburger Wald (NRW), 65700 Ew.; seit 1501 Regierungssitz der Grafen, später Fürsten zur Lippe; die Stadt hat den Charakter einer ehem. Residenz bewahrt. Fürstl. Residenzschloß (1549 beg.) im Stil der Weserrenaissance mit Mus. (Roter Saal, Empire-Zimmer, Brüsseler Gobelinsamml.); Neues Palais mit Lustgarten (1706–18, heute Musikakad.); klassizist. Rathaus (1828–30). Spätgot. Marktkirche (14.–16. Jh.). Lippisches Landesmus. in 2 Fachwerkbauten des 16. Jh. (u.a. Volks- und Landeskunde, Kulturgeschichte); Westfäl. Freilichtmus. bäuerl. Kulturdenkmale. Bei D. das →Hermannsdenkmal.

Detroit [dɪtr'ɔɪt], Stadt in Michigan, USA, 1,19 Mio. Ew.; 1805 durch Brand zerstört, Wiederaufbau nach Plänen von P.-C. L'ENFANT; der urspr. radiale Grundriß wurde später von einem gitterförmigen Straßennetz überlagert. Im Zuge der Stadtsanierung entstand am D. River das ›Renaissance Center‹ von J. C. PORTMANN (1977). Westlich davon der moderne Komplex des Civic Center mit der ›Horace E. Dodge Fountain‹ (von I. NOGUCHI, 1978); im Fountain Court die Skulptur ›The Spirit of Transportation‹ (von C. MILLES). Das im NW gelegene Culture Center enthält das ›D. Institute of Arts‹ mit Kunstwerken von der Frühzeit bis zur Gegenwart; die Wayne State Univ. hat architekton. bed. Bauten, z.T. nach Plänen von M. YAMASAKI (u.a. Prendis Building). Im Vorort Bloomfield Hills die Cranbrook Academy of Art mit großer Samml. von Gemälden und Skulpturen; im nahegelegenen **Warren** das von ELIEL und EERO SAARINEN errichtete General Motors Technical Center mit der Skulptur ›Bird in Flight‹ von A. PEVSNER (1956).

Dettelbach, altertüml. Stadt in Unterfranken, 5100 Ew., mit Wallfahrtskirche (1610–13 im →Echter-Stil, Portalbau von M. KERN), Gnadenaltar (1778/79) von A. BOSSI. Brückenrathaus (1512); gut erhaltene Stadtbefestigung mit 36 runden Mauertürmen (15./16. Jh.).

Dettmann, Ludwig, Maler, *Adelbye (heute: Adelby, Kr. Flensburg) 25. 7. 1865, †Berlin 19. 11. 1944, leitete 1901–17 die Akad. in Königsberg. D. malte ostpreuß. und fries. Landschaften sowie Bilder aus dem 1. Weltkrieg.

De|ul [aus Skt. devakula ›Gotteshaus‹], indischer Tempel, v. a. seine in Orissa entwickelte Form im →Nagara-Stil.

Deutsch, Nikolaus Manuel, Maler, →Manuel.

Deutsch-Altenburg, Bad D.-A., Marktgem. an der Donau, NÖ, 1300 Ew.; Pfarrkirche, eine roman. Pfeilerbasilika (um 1213) mit got. Chor und Turm (14. Jh.); spätroman. Karner (Mitte 13. Jh.) mit bemerkenswertem Portal; frühbarockes Wasserschloß (17. Jh.); Mus. Carnuntinum mit Funden aus der Römerstadt →Carnuntum.

Deutsch-Brod, tschech. **Havlíčkův Brod** [h'avli:tʃku:v brɔt], Stadt im Ostböhm. Kreis, ČSSR, 24900 Ew.; entstanden als Bergbausiedlung im 13. Jh., erhielt 1312 das Recht einer königl. Stadt. Kirche Mariae Himmelfahrt (frühgot., letztes Viertel des 13. Jh., verändert um 1380 und im 17. Jh.); Augustinerkloster und -kirche (1675/76); Adalbertskapelle aus dem 13. Jh., 1595 erneuert; Dreifaltigkeitskirche (1734), ein feiner Zentralbau des Spätbarock; Rathaus (16.–17. Jh.).

Deutsche Akademie der Künste, Abk. **DAK,** gegr. 1950 in Berlin (Ost), 1974 umbenannt in **Akad. der Künste der DDR;** Sektionen sind Bildende und Darstellende Kunst, Literatur und Sprachpflege sowie Musik.

Deutsche Blumen, Keramikdekor aus naturgetreuen Blumen der europ. Flora, dargestellt in einzelnen Blüten oder Sträußen. – Ggs. →Indianische Blumen.

Deutschendorf, Stadt in der ČSSR, →Poprad.

Deutscher Künstlerbund e. V., Interessenverband von Künstlern in der Bundesrep. Dtl., der durch jährl. Ausstellungen einen repräsentativen Querschnitt der dt. Kunstszene zeigen will. Der D. K. e. V. wurde 1903 gegr., Sitz: Berlin (West).

Deutscher Verein für Kunstwissenschaft, gegr. 1908 in Berlin mit dem Ziel, die dt. Kunstdenkmäler auf angemessene und zuverlässige Weise zu sammeln, zu erforschen und zu veröffentlichen.

Deutscher Werkbund, →Werkbund.

Deutsches Archäologisches Institut, wissenschaftl. Anstalt mit der Aufgabe, die Erforschung des Altertums zu fördern; als privates Institut 1829 in Rom gegr., 1874 Übernahme durch das Reich, seitdem Sitz der Zentralverwaltung in Berlin; neben Abteilungen in Frankfurt a. M., München und Bonn unterhält das D. A. I. Auslandsabteilungen in Rom, Athen, Istanbul, Kairo, Madrid, Bagdad, Teheran.

Veröffentlichungen: Jb. des D. A. I. (seit 1886) mit Archäol. Anzeiger, jährl. Bibliographie und Ergänzungsheften. Berichte der Römisch-German. Kommission (seit 1904); Germania (seit 1917).

Deutsches Band, Sägeschicht, Zickzackfries, Form des Frieses, die v. a. im norddt. Backsteinbau vor-

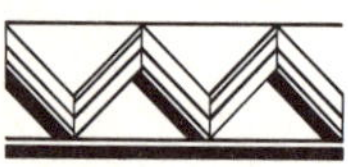

Deutsches Band

kommt und aus einer sägezahnartig angeordneten Schicht übereck gelegter Backsteine besteht. Die Vorderkante des D. B. fluchtet mit der Wandfläche.

Deutschrömer, dt. Maler in der 1. H. des 19. Jh. in Rom (bes. um J. A. KOCH), z. T. identisch mit den →Nazarenern.

Abkürzungen

Endungen oder Wortteile werden zur Raumersparnis weggelassen, wo sie ohne Schwierigkeit ergänzt werden können, z. B. abgek. für abgekürzt; Abt. für Abteilung; geistl. für geistliche(r); künstler. für künstlerische(r). An stärkeren, formelhaften Abkürzungen werden verwendet:

Abk. ... Abkürzung
ags. ... angelsächsisch
ahd. ... althochdeutsch
Akad. ... Akademie
allg. ... allgemein
Am. ... Amos (A. T.)
Anf. ... Anfang
Apg. ... Apostelgeschichte (N. T.)
Art. ... Artikel
ASSR ... Autonome Sozialistische Sowjetrepublik
a. St. ... alten Stils
A. T. ... Altes Testament
Aufl. ... Auflage
Ausst.-Kat. ... Ausstellungskatalog
Ausw. ... Auswahl
Auton. Geb. ... Autonomes Gebiet
Bad.-Württ. ... Baden-Württemberg
Bar. ... Baruch (A. T.)
Bd., Bde. ... Band, Bände
bed. ... bedeutend
beg. ... begonnen
begr. ... begründet
Beitr. ... Beitrag, Beiträge
bes. ... besonders
best. ... bestimmt
Bev. ... Bevölkerung
Bez. ... Bezirk, Bezeichnung
Bibl. ... Bibliothek, Bibliothèque, Biblioteca
Bundesrep. Dtl. ... Bundesrepublik Deutschland
Chr. ... Christus; Chronik (A. T.)
Cod. ... Codex
Coll. ... Collection
ČSSR ... Tschechoslowakei
Cty. ... County oder -ties
d. Ä. ... der (die) Ältere
Dan. ... Daniel (A. T.)
Dep. ... Departamento
Dép. ... Département
dgl. ... dergleichen, desgleichen
d. Gr. ... der Große
d. h. ... das heißt
Distr. ... Distrikt
d. J. ... der (die) Jüngere
dt. ... deutsch
Dt. Dem. Rep. ... Deutsche Demokratische Republik
Dtl. ... Deutschland
Dtn. ... Deuteronomium (A. T.)
ebd. ... ebenda
ed., Ed. ... editio, Edition
ehem. ... ehemalig, ehemals
eigtl. ... eigentlich
Einl. ... Einleitung
Enz. ... Enzyklopädie
Eph. ... Epheserbrief (N. T.)
Erg. ... Ergänzung
erh. ... erhalten
Esr. ... Esra (A. T.)
Est. ... Esther (A. T.)
e. V. ... eingetragener Verein
evang. ... evangelisch
Ew. ... Einwohner
Ex. ... Exodus (A. T.)
Ez. ... Einzahl; Ezechiel (A. T.)
f., ff. ... folgend, folgende (z. B. Seiten, Jahre)
Faks.-Ausg. ... Faksimileausgabe
Fam. ... Familie
Frhr. ... Freiherr
frz. ... französisch
Fstt. ... Fürstentum
Gal. ... Galerie, Galérie, Galleria; Galaterbrief (N. T.)
gegr. ... gegründet
Gem. ... Gemeinde
gen. ... genannt
Gen. ... General; Genesis (A. T.)
Gen.-Gouv. ... Generalgouvernement, Generalgouverneur
Ges. ... Gesetz; Gesellschaft
Gesch. ... Geschichte
Ges. W. ... Gesammelte Werke
gew. ... geweiht
Gfsch. ... Grafschaft
ggf. ... gegebenenfalls
Ghzgt. ... Großherzogtum
Gouv. ... Gouverneur, Gouvernement
grch. ... griechisch
H. ... Hälfte
Hab. ... Habakuk (A. T.)

Hag.	Haggai (A. T.)
Hb., Hbb.	Handbuch, -bücher
hd.	hochdeutsch
hebr.	hebräisch
Hebr.	Hebräerbrief (N. T.)
Hg.	Herausgeber(in)
hg. v.	herausgegeben von
Hi.	Hiob (A. T.)
Hl., hl.	Heilige(r), heilig
Hld.	Hohelied (A. T.)
Hos.	Hosea (A. T.)
Hs., Hss.	Handschrift(en)
HW	Hauptwerk(e)
Hwb.	Handwörterbuch
Hzgt.	Herzogtum
i. a.	im allgemeinen
i. d. R.	in der Regel
i. e. S.	im engeren Sinn
i. Ggs.	im Gegensatz
i. J.	im Jahre
internat.	international
i. S.	im Sinn
ital.	italienisch
i. w. S.	im weiteren Sinn
Jahrtsd.	Jahrtausend
Jak.	Jakobusbrief (N. T.)
Jb.	Jahrbuch
Jdt.	Judith (A. T.)
Jer.	Jeremia (A. T.)
Jes.	Jesaja (A. T.)
Jh.	Jahrhundert
Jo.	Joel (A. T.)
Joh.	Johannesevangelium (N. T.), Johannesbrief (N. T.)
Jon.	Jona (A. T.)
Jos.	Josua (A. T.)
jr.	junior, der jüngere
Jud.	Judasbrief (N. T.)
Kap.	Kapitel
Kat.	Katalog
kath.	katholisch
Kgr.	Königreich
Klgl.	Klagelieder des Jeremia (A. T.)
Kol.	Kolosserbrief (N. T.)
Kön.	Könige (A. T.)
Kor.	Korintherbrief (N. T.)
Kr.	Kreis
Kt.	Kanton
lat.	lateinisch
Lb.	Lehrbuch
Lev.	Levitikus (A. T.)
Lex.	Lexikon
Lfg.	Lieferung(en)
Lit.	Literatur
Lk.	Lukasevangelium (N. T.)
Lw.	Lehnwort
MA., ma.	Mittelalter, mittelalterlich
magy.	magyarisch
Makk.	Makkabäer (A. T.)
Mal.	Maleachi (A. T.)
max.	maximal
md.	mitteldeutsch
Metrop. Area	Metropolitan Area
Metrop. Cty.	Metropolitan County
mhd.	mittelhochdeutsch
Mi.	Micha (A. T.)
Mio.	Million(en)
Mitgl.	Mitglied
Mk.	Markusevangelium (N. T.)
mlat.	mittellateinisch
mnd.	mittelniederdeutsch
Mos.	Mose (A. T.)
Mrd.	Milliarde(n)
Mt.	Matthäusevangelium (N. T.)
Mus.	Museum, Musée, Museo
Mz.	Mehrzahl
N	Nord(en)
n.	nach
Nachdr.	Nachdruck
Nah.	Nahum (A. T.)
Nat.	National
n. Ausg.	neue Ausgabe
n. Chr.	nach Christi Geburt
Ndsachs.	Niedersachsen
Neh.	Nehemia (A. T.)
Neuaufl.	Neuauflage
ngrch.	neugriechisch
nhd.	neuhochdeutsch
nhg.	neu herausgegeben
nlat.	neulateinisch
NO	Nordost(en)
NÖ	Niederösterreich
NRW	Nordrhein-Westfalen
n. St.	neuen Stils
N. T.	Neues Testament
Num.	Numeri (A. T.)
NW	Nordwest(en)
O	Ost(en)
Ob.	Obadja (A. T.)
Offb.	Offenbarung des Johannes (N. T.)
o. J.	ohne Jahr
OÖ	Oberösterreich
orth.	orthodox
österr.	österreichisch
Petr.	Petrusbrief (N. T.)
PH	Pädagogische Hochschule
Phil.	Philipperbrief (N. T.)
Phlm.	Philemonbrief (N. T.)
Präs.	Präsident
prot.	protestantisch
Prov.	Provinz

Abkürzungen

Ps.	Psalmen (A. T.)
rd.	rund
ref.	reformiert
Reg.-Bez.	Regierungsbezirk
relig.	religiös
Rep.	Republik
Rheinl.-Pf.	Rheinland-Pfalz
Ri.	Richter (A. T.)
Röm.	Römerbrief (N. T.)
Russ. SFSR	Russische Sozialistische Föderative Sowjetrepublik
S	Süd(en)
S.	San, Santo, Santa, São
Sach.	Sacharja (A. T.)
Sam.	Samuel (A. T.)
Samml.	Sammlung
Schlesw.-Holst.	Schleswig-Holstein
Schriftst.	Schriftsteller
Sir.	Jesus Sirach (A. T.)
Skt.	Sanskrit
SO	Südost(en)
Spr.	Sprüche (A. T.)
SS.	Santi, Santissima, Santissimi
SSR	Sozialistische Sowjetrepublik
St.	Sankt, Saint
Ste.	Sainte
svw.	soviel wie
SW	Südwest(en)
Tb.	Taschenbuch
TH	Technische Hochschule
Thess.	Thessalonicherbrief (N. T.)
Tim.	Timotheusbrief (N. T.)
Tit.	Titusbrief (N. T.)
Tl., Tle.	Teil(e)
Tob.	Tobias (A. T.)
TU	Technische Universität
u. a.	unter anderem(n), und andere(s)
u. ä.	und ähnliche(s)
UdSSR	Sowjetunion
u. d. T.	unter dem Titel
ü. M.	über dem Meeresspiegel
u. M.	unter dem Meeresspiegel
Univ.	Universität, University, Université
urspr.	ursprünglich
USA	Vereinigte Staaten
usf.	und so fort
usw.	und so weiter
u. U.	unter Umständen
u. v. a.	und viele(s) andere
v. a.	vor allem
v. Chr.	vor Christi Geburt
Verf.	Verfasser
versch.	verschieden(e)
Verz.	Verzeichnis
vgl.	vergleiche
voll.	vollendet
Vors.	Vorsitzender
VR	Volksrepublik
W	Westen
Wb.	Wörterbuch
Weish.	Buch der Weisheit (A. T.)
Wiss.	Wissenschaft
WW	Weitere(s) Werk(e)
Wwschaft	Woiwodschaft
z. B.	zum Beispiel
Zeph.	Zephanja (A. T.)
z. T.	zum Teil
Ztschr.	Zeitschrift
zus.	zusammen
zw.	zwischen
z. Z.	zur Zeit
^{3}1977	3. Aufl. 1977
3(1977)	Band 3 (1977)

Weitere Zeichen: * geboren, † gestorben, ⚭ verheiratet, ∅ Durchmesser.